VERDADE E MÉTODO I

Dados Internacionais de Catalogação na Publicação (CIP)
(Câmara Brasileira do Livro, SP, Brasil)

Gadamer, Hans-Georg, 1900-2002
  Verdade e método / Hans-Georg Gadamer ; tradução de Flávio Paulo Meurer; revisão da tradução de Enio Paulo Giachini. 15. ed. – Petrópolis, RJ : Vozes, 2015. – (Coleção Pensamento Humano)

Bibliografia.

Título original: Wahrheit und Methode – Vol. I

7ª reimpressão, 2024.

ISBN 978-85-326-1787-3

1. Filosofia I. Título.

97-0842   CDD-193

Índices para catálogo sistemático:
1. Filosofia alemã   193

Hans-Georg Gadamer

VERDADE E MÉTODO I

Traços fundamentais de uma
hermenêutica filosófica

Tradução de Flávio Paulo Meurer
Nova revisão da tradução por Enio Paulo Giachini

Petrópolis

© 1960, J.C.B. Mohr (Paul Siebeck), Tübingen

Tradução do original em alemão intitulado: *Wahrheit und methode*

Direitos de publicação em língua portuguesa:
1997, Editora Vozes Ltda.
Rua Frei Luis, 100
25689-900 Petrópolis, RJ
www.vozes.com.br
Brasil

Todos os direitos reservados. Nenhuma parte desta obra poderá ser reproduzida ou transmitida por qualquer forma e/ou quaisquer meios (eletrônico ou mecânico, incluindo fotocópia e gravação) ou arquivada em qualquer sistema ou banco de dados sem permissão escrita da editora.

CONSELHO EDITORIAL

Diretor
Volney J. Berkenbrock

Editores
Aline dos Santos Carneiro
Edrian Josué Pasini
Marilac Loraine Oleniki
Welder Lancieri Marchini

Conselheiros
Elói Dionísio Piva
Francisco Morás
Gilberto Gonçalves Garcia
Ludovico Garmus
Teobaldo Heidemann

Secretário executivo
Leonardo A.R.T. dos Santos

PRODUÇÃO EDITORIAL

Aline L.R. de Barros
Marcelo Telles
Mirela de Oliveira
Otaviano M. Cunha
Rafael de Oliveira
Samuel Rezende
Vanessa Luz
Verônica M. Guedes

Conselho de projetos editoriais
Isabelle Theodora R.S. Martins
Luísa Ramos M. Lorenzi
Natália França
Priscilla A.F. Alves

Diagramação: Sheilandre Desenv. Gráfico
Capa: WM design

ISBN 978-85-326-1787-3 (Brasil)
ISBN 3-16-245089-6 (Alemanha)

Este livro foi composto e impresso pela Editora Vozes Ltda.

SUMÁRIO

Nota, 11

Prefácio a 2ª edição, 13

Prefácio a 3ª edição, 27

Prefácio a 5ª edição, 28

Introdução, 29

PRIMEIRA PARTE
A LIBERAÇÃO DA QUESTÃO DA VERDADE A PARTIR DA EXPERIÊNCIA DA ARTE

1. A superação da dimensão estética, 37
   1.1. A significação da tradição humanista para as ciências do espírito, 37
      1.1.1. O problema do método, 37
      1.1.2. Os conceitos básicos do humanismo, 44
         a) Formação (*Bildung*), 44
         b) *Sensus communis*, 56
         c) Juízo, 69
         d) Gosto, 74
   1.2. A subjetivação da estética pela crítica kantiana, 83
      1.2.1. A teoria kantiana do gosto e do gênio, 83
         a) A caracterização transcendental do gosto, 83
         b) A teoria da beleza livre e dependente, 86
         c) A teoria do ideal da beleza, 88
         d) O interesse pelo belo na natureza e na arte, 91
         e) A relação entre gosto e gênio, 96

1.2.2. A estética do gênio e o conceito de vivência, 99
　　a) O avanço do conceito de gênio, 99
　　b) Sobre a história da palavra "vivência", 104
　　c) O conceito de vivência, 110
1.2.3. Os limites da arte vivencial – Reabilitação da alegoria, 117
1.3. O resgate da questão pela verdade da arte, 131
1.3.1. Os aspectos problemáticos da formação estética, 131
1.3.2. Crítica da abstração da consciência estética, 139
2. A ontologia da obra de arte e seu significado hermenêutico, 154
2.1. O jogo como fio condutor da explicação ontológica, 154
2.1.1. O conceito de jogo, 154
2.1.2. A transformação do jogo em configuração (*Gebilde*) e a mediação total, 165
2.1.3. A temporalidade da estética, 178
2.1.4. O exemplo do trágico, 186
2.2. Consequências estéticas e hermenêuticas, 193
2.2.1. A valência ontológica da imagem (*Bild*), 193
2.2.2. O fundamento ontológico do ocasional e do decorativo, 205
2.2.3. A posição-limite da literatura, 225
2.2.4. A reconstrução e a integração como tarefas hermenêuticas, 231

SEGUNDA PARTE
A EXTENSÃO DA QUESTÃO DA VERDADE À COMPREENSÃO NAS CIÊNCIAS DO ESPÍRITO

1. Preliminares históricas, 241
1.1. A problematicidade da hermenêutica romântica e sua aplicação à historiografia, 241

1.1.1. A transformação essencial da hermenêutica entre a *Aufklärung* e o Romantismo, 241

    a) A pré-história da hermenêutica romântica, 241

    b) O projeto de Schleiermacher de uma hermenêutica universal, 254

1.1.2. A conexão da escola histórica com a hermenêutica romântica, 270

    a) A perplexidade frente ao ideal da história universal, 270

    b) A concepção de Ranke sobre a história do mundo, 278

    c) A relação entre historiografia e hermenêutica em J.G. Droysen, 288

1.2. O enredamento de Dilthey nas aporias do historicismo, 295

    1.2.1. Do problema epistemológico da história à fundamentação hermenêutica das ciências do espírito, 295

    1.2.2. A discrepância entre a ciência e a filosofia da vida na análise da consciência histórica de Dilthey, 311

1.3. A superação do questionamento epistemológico pela investigação fenomenológica, 326

    1.3.1. O conceito de vida em Husserl e no Conde Yorck, 326

    1.3.2. O projeto de Heidegger de uma fenomenologia hermenêutica, 341

2. Os traços fundamentais de uma teoria da experiência hermenêutica, 354

    2.1. A elevação da historicidade da compreensão a um princípio hermenêutico, 354

        2.1.1. O círculo hermenêutico e o problema dos preconceitos, 354

            a) A descoberta de Heidegger da estrutura prévia da compreensão, 354

            b) O descrédito sofrido pelo preconceito através da *Aufklärung*, 361

2.1.2. Os preconceitos como condição da compreensão, 368
  a) A reabilitação de autoridade e tradição, 368
  b) O exemplo do clássico, 378
2.1.3. O significado hermenêutico da distância temporal, 385
2.1.4. O princípio da história efeitual, 397
2.2. A reconquista do problema fundamental da hermenêutica, 406
2.2.1. O problema hermenêutico da aplicação, 406
2.2.2. A atualidade hermenêutica de Aristóteles, 411
2.2.3. O significado paradigmático da hermenêutica jurídica, 426
2.3. A análise da consciência da história efeitual, 447
2.3.1. O limite da filosofia da reflexão, 447
2.3.2. O conceito de experiência e a essência da experiência hermenêutica, 453
2.3.3. A primazia hermenêutica da pergunta, 473
  a) O modelo da dialética platônica, 473
  b) A lógica de pergunta e resposta, 482

TERCEIRA PARTE
A VIRADA ONTOLÓGICA DA HERMENÊUTICA NO FIO CONDUTOR DA LINGUAGEM

1. A linguagem como *medium* da experiência hermenêutica, 497
   1.1. O caráter de linguagem (*Sprachlichkeit*) como determinação do objeto hermenêutico, 504
   1.2. O caráter de linguagem (*Sprachlichkeit*) como determinação da realização hermenêutica, 512
2. A cunhagem do conceito de "linguagem" ao longo da história do pensamento do mundo ocidental, 524
   2.1. Linguagem e *logos*, 524
   2.2. Linguagem e *verbum*, 540
   2.3. Linguagem e formação de conceitos, 552

3. A linguagem como horizonte de uma ontologia hermenêutica, 566
   3.1. A linguagem como experiência de mundo, 566
   3.2. O meio (*Mitte*) da linguagem e sua estrutura especulativa, 589
   3.3. O aspecto universal da hermenêutica, 612

Apanhar o que tu mesmo jogaste ao ar
Nada mais é que habilidade e tolerável ganho;
Somente quando, de súbito, deves apanhar a bola
Que uma eterna comparsa de jogo
Arremessa a ti, ao teu cerne, num exato
E destro impulso, num daqueles arcos
Do grande edifício da ponte de Deus:
Somente então é que saber apanhar é uma grande riqueza
Não tua, de um mundo.

R.M. Rilke

Nota

A presente tradução segue a 5ª edição alemã, mantendo os prefácios da 2ª, 3ª e 5ª edições. Os excursos, o artigo "Hermenêutica e historicismo", o epílogo e um índice remissivo mais completo serão publicados no volume II de *Verdade e Método*.

O índice analítico e onomástico mantêm a numeração das páginas da 5ª edição do original, que na tradução aparece aqui entre colchetes, ao lado do início da respectiva página. As indicações de páginas e remissões encontradas nas notas de rodapé também mantêm as indicações da paginação do original.

Prefácio a 2ª edição

No essencial, a segunda edição do presente livro continua inalterada. Encontrou leitores e críticos, e a atenção que recebeu deveria, certamente, obrigar o autor a aproveitar todas as cordatas contribuições da crítica para o melhoramento do todo da obra. Entrementes, a ação do pensamento amadurecido por longos anos tem sua própria solidez. Por mais que se procure ver com os olhos do crítico, a perspectiva própria, desenvolvida de modo plural, quer sempre de novo se impor.

Os três anos que se passaram, desde o aparecimento da primeira edição, não foram suficientes para rever o todo da obra e fazer fecundar o que nesse meio tempo foi aprendido, através da crítica[1] e através do trabalho[2] que eu próprio continuei a desenvolver.

---

1. Isso se refere sobretudo às opiniões expressas nas seguintes obras, às quais podemos acrescentar ainda muitas outras contribuições epistolares ou orais:
1. APEL, K.O. *Hegelstudien. Vol. 2, Bonn:* [s.e.]. 1963, p. 314-322.
2. BECKER, O. "Die Fragwürdigkeit der Transzendierung der ästhetischen Dimension der Kunst" (referente à parte I de *Verdade e Método*). *Phil. Rundschau,* 10, 1962, p. 225-238.
3. BETTI, E. *Die Hermeneutik als allgemeine Methodik der Geisteswissenschaften.* Tübingen: [s.e.]. 1962.
4. HELLEBRAND, W. "Der Zeitbogen", in: *Arch. f. Rechts- u. Sozialphil.,* 49, 1963, p. 57-76.
5. KUHN, H. "Wahrheit und geschichtl. Verstehen". In: *Histor. Ztschr.,* cad. 193/2, 1961, p. 376-389.
6. MÖLLER, J. *Tübinger Theol. Quartalschr.,* 5/1961, p. 467-471.
7. PANNENBERG, W. "Hermeneutik und Universalgeschichte". *Zeitschr. f. Theol. u. Kirche,* 60, 1963, p. 90-121, espec. 94s.
8. PÖGGELER, O. *Philos. Literaturanzeiger,* 16, p. 6-16.
9. A. de Waelhens, "Sur une herméneutique de l'herméneutique". In: *Rev. philos. de Louvain,* 60, 1962, p. 573-591.
10. WIEACKER, FR. "Notizen zur rechtshistorischen Hermeneutik". In: *"Nachrichten der Ak d. W. Göttingen,* phil.- hist. Kl., 1963, p. 1-22.

2. Cf.:
1. Epílogo à obra de Martin Heidegger, *A origem da obra de arte,* Stuttgart, 1960;
2. *Hegel und die antike Dialektik, Hegel-Studien,* I, 1961, p. 173-199.
3. "Zur Problematik des Selbstverständnisses", in: FS KRÜGER, *Einsichten,* Frankfurt, 1962, p. 71-85.
4. *Dichten und Deuten,* Jb. d. Dtsch. Ak. f. Sprache u. Dichtung, 1960, p. 13-21.
5. "Hermeneutik und Historismus", vol. II.
6. "Die phänomenologische Bewegung". In: *Phil. Rundschau,* 11, 1963, p. 1s.

Sendo assim, resumamos brevemente a intenção e as pretensões da obra, no seu conjunto: O fato de eu ter-me servido da expressão "hermenêutica"[3], que vem carregada de uma longa tradição, conduziu certamente a mal-entendidos. Não foi minha intenção desenvolver uma "doutrina da arte" do compreender, como pretendia ser a hermenêutica mais antiga. Não pretendia desenvolver um sistema de regras artificiais capaz de descrever o procedimento metodológico das ciências do espírito, ou que pudesse até guiá-lo. Minha intenção tampouco foi investigar as bases teóricas do trabalho das ciências do espírito, a fim de transformar em práticas os conhecimentos adquiridos. Se das investigações apresentadas aqui surgir alguma consequência prática, isso certamente não ocorre para um "engajamento" não científico mas em vista da probidade "científica" de reconhecer o engajamento que atua em todo compreender. Minha verdadeira intenção, porém, foi e continua sendo uma intenção filosófica: O que está em questão não é o que fazemos, o que deveríamos fazer, mas o que nos acontece além do nosso querer e fazer.

Assim, não estamos falando, aqui, dos métodos das ciências do espírito. Eu parto, antes, do fato de que as ciências históricas do espírito, nos moldes como procederam do romantismo alemão e se impregnaram do espírito da ciência moderna, administram uma herança humanista que as distingue de todas as outras investigações modernas e as aproxima de uma experiência completamente diferente e fora do âmbito da ciência, sobretudo a experiência da arte. Isso tem também seu lado na sociologia do conhecimento. Na Alemanha, que sempre foi um país pré-revolucionário, foi a tradição do humanismo estético que continuou a atuar vivamente no âmbito do desenvolvimento do pensamento da ciência moderna. Em outros países pode impetrar-se mais consciência política naquilo que

---

7. "Die Natur der Sache und die Sprache der Dinge". In: *Problem der Ordnung*, Dt. Kongr. f. Phil. 6, Munique, 1960, Meisenheim, 1962.
8. *Über die Möglichkeit einer philosophischen Ethik, Sein und Ethos*, Walberberger Stud. I, 1963, p. 11-24.
9. *Mensch und Sprache*, FS D. Tschizewski, Munique, 1964.
10. *Martin Heidegger und die Marburger Theologie*, FS R. Bultmann, Tübingen, 1964.
11. *Äesthetik und Hermeneutik*, Vortrag auf dem Ästhetik-Kongress Amsterdam, 1964.
3. Cf. BETTI, E. Op. cit. WIEACKER, F. Op. cit.

sustenta as *humanities*, as *lettres*, em uma palavra, tudo aquilo que desde antigamente se chamava as *humaniora*.

Isso não impede que os métodos das ciências modernas da natureza também possam ser aplicados ao universo social. A nossa época, talvez, tenha sido determinada muito mais pela racionalização crescente da sociedade e pela técnica científica que serve para guiá-la do que pelo vertiginoso progresso da ciência moderna da natureza. O espírito metodológico da ciência impõe-se por toda parte. Assim, longe de mim negar o caráter imprescindível do trabalho metodológico dentro das assim chamadas ciências do espírito. Minha intenção também não foi reacender a antiga disputa metodológica entre ciências da natureza e ciências do espírito. É bem pouco provável que se trate aqui de uma contraposição de métodos. Nesse sentido, creio que a questão sobre "os limites da formação de conceitos das ciências da natureza", formulada em seu tempo por Windelband e Rickert, é estrábica. O que temos não é uma diferença dos métodos, mas uma diferença dos objetivos do conhecimento. A questão colocada aqui quer descobrir e tornar consciente algo que foi encoberto e ignorado por aquela disputa sobre os métodos, algo que, antes de limitar e restringir a ciência moderna, precede-a e em parte torna-a possível. Com isso, a sua lei imanente de progredir não perde nada de sua própria determinação. Buscar despertar a consciência moral humana sobre seu querer-saber e poder-fazer, a fim de que aprenda a lidar com mais cuidado com as ordenações naturais e sociais de nosso mundo, seria totalmente ineficaz. A função do pregador moral, nas vestes de investigador, tem algo de absurdo. Absurda é igualmente a pretensão do filósofo que deduz, a partir de princípios, como deveria transformar-se a "ciência" para poder ser legitimada filosoficamente.

Dessa forma, parece-me um puro mal-entendido querer inserir aqui a famosa distinção kantiana entre *questio juris* e *questio facti*. Não era intenção de Kant, na verdade, prescrever à ciência moderna da natureza como ela devia se comportar para ser aprovada diante do tribunal da razão. Ele colocou uma questão filosófica, quer dizer, ele perguntou pelas condições de nosso conhecimento que possibilitam o surgir da ciência moderna, e qual o alcance da ciência. Nesse sentido, também a presente investigação coloca uma questão filosófica. Mas, de modo algum, a propõe unicamente às assim chamadas ciências do espírito (no seio das quais, daria preferência, então, a determinadas disciplinas clássicas); tampouco coloca a questão somente à ciência e suas formas de experiência. Essa investigação coloca a questão ao todo da experiência humana do mundo e da práxis da vida. Falando kantianamente, ela pergunta como é possível a compreensão? Essa é uma questão que precede a todo comportamento compreensivo da subjetividade e também ao comportamento metodológico das ciências da compreensão, a suas normas e regras. A analítica temporal da existência (*Dasein*) humana, desenvolvida por Heidegger, penso eu, mostrou de maneira convincente que a compreensão não é um dentre outros modos de comportamento do sujeito, mas o modo de ser da própria pré-sença (*Dasein*). O conceito de "hermenêutica" foi empregado, aqui, nesse sentido. Ele designa a mobilidade fundamental da pré-sença, a qual perfaz sua finitude e historicidade, abrangendo assim o todo de sua experiência de mundo. O fato de o movimento da compreensão ser abrangente e universal não é arbitrariedade nem extrapolação construtiva de um aspecto unilateral; reside na natureza da própria coisa.

Não posso considerar certo pensar que o aspecto hermenêutico encontra seus limites no modo de ser extra-histórico, por exemplo, no modo de ser matemático ou no estético[4]. Sem dúvida, é correto que a qualidade estética de uma obra de arte repousa sobre as leis de construção e dispõe de um nível de formulação que ultrapassa todas as barreiras de procedência histórica e de pertença cultural. Deixo em suspenso em que proporções o "sentido de qualidade"[5] representa, face à obra de arte, uma possibilidade independente de conhecimento ou se ele, assim como todo gosto, não é desenvolvido apenas formalmente, mas formulado e cunhado como este. Mas o gosto se forma necessariamente a partir de algo que prelineia, por si, para que foi formado. Nessa medida, talvez inclua sempre determinadas direções de preferência (e barreiras) em relação ao conteúdo. Mas, em todo caso, vale dizer que todo aquele que faz a experiência da

---

4. Cf. BECKER, O. Op. cit.
5. Kurt Riezler tentou fazer, então, uma dedução transcendental do "sentido de qualidade", *Traktat vom Schönen*, Frankfurt, 1935.

obra de arte acolhe em si a plenitude dessa experiência, e isto significa, acolhe-a no todo de sua autocompreensão, onde a obra significa algo para ele. Penso até que a realização efetiva da compreensão que abarca, desse modo, também a experiência da obra de arte ultrapassa todo historicismo no âmbito da experiência estética. Talvez pareça plausível distinguir entre o contexto originário de mundo que funda uma obra de arte e a sua sobrevivência nas situações de vida modificadas no mundo posterior àquele. Mas onde se separam propriamente mundo e mundo posterior? Como é que o caráter originário da significação vital passa para a experiência reflexiva da significação da formação? Parece-me que o conceito da não diferenciação estética, que cunhei nesse contexto, assinala com decisão que aqui não há limites muito precisos, e que o movimento do compreender não pode ser restrito ao desfrute reflexivo, estabelecido pela diferenciação estética. Deveríamos admitir, por exemplo, que uma antiga figura divina, exposta no templo não como obra de arte para um desfrute estético da reflexão – hoje podemos encontrá-la exposta no museu moderno –, leva consigo o universo da experiência religiosa da qual procede, tal como ela se nos apresenta hoje. Isso significa que esse seu mundo pertence também ao nosso mundo. É o universo hermenêutico que abarca a ambos[6].

Mesmo em outros contextos, a universalidade do aspecto hermenêutico não se deixa restringir ou podar pela arbitrariedade. Não foi um mero artifício de composição eu partir da experiência da arte para garantir a verdadeira amplidão do fenômeno do compreender. Aqui a estética do gênio prestou um trabalho prévio importante, na medida em que ela mostra que a experiência da obra de arte sempre ultrapassa, de modo fundamental, todo horizonte subjetivo de interpretação, tanto o horizonte do artista quanto o de quem recebe a obra. A *mens auctoris* não é nenhum padrão de medida plausível para o significado da obra de arte. E mesmo o discurso de uma obra, em si, desvinculada de sua realidade de ser sempre de novo experimentada, contém algo de abstrato. Creio ter mostrado por que esse discurso descreve apenas uma intenção,

---

6. A reabilitação da honra da alegoria, que se situa nesse contexto (p. 75s.), já começou há décadas, com o importante livro de Walter Benjamin *Der Ursprung des deutschen Trauerspiels*, 1927.

não permitindo nenhuma solução dogmática. Em todo caso, o sentido de minhas investigações não é oferecer uma teoria geral da interpretação e uma doutrina que diferencia seus métodos, como fez magistralmente E. Betti. Procuro demonstrar aquilo que é comum a todas as maneiras de compreender e mostrar que a compreensão jamais é um comportamento subjetivo frente a um "objeto" dado, mas pertence à história efeitual, e isto significa, pertence ao ser daquilo que é compreendido.

Assim, não posso dar-me por convencido quando me objetam que a re-produção de uma obra de arte musical é interpretação em um sentido diferente do que, por exemplo, a compreensão que se dá na leitura de uma poesia ou na observação de um quadro. Toda re-produção já é interpretação desde o início e quer ser correta enquanto tal. Nesse sentido, também ela é "compreensão"[7].

Penso que a universalidade do ponto de vista hermenêutico não tolera restrições, tampouco onde se trata da multiplicidade dos interesses históricos que se reúnem na ciência da história. De certo que existem muitos modos de escrever e pesquisar a história. De maneira nenhuma podemos afirmar que todo interesse histórico tenha seu fundamento na realização consciente de uma reflexão histórico-efeitual. A história das tribos dos esquimós norte-americanos não depende em nada de que possam ou não ter tido influências na "história universal da Europa", e de quando isso possa ter ocorrido. E, no entanto, não se pode negar, em sã consciência, que essa reflexão histórico-efeitual não possa mostrar seu poder também face a essa tarefa histórica. Quem daqui a 50 ou 100 anos ler a história dessas tribos, escrita hoje, não somente achará que essa história é antiquada, porque entrementes sabe mais ou interpreta as fontes mais corretamente. Ele também pode admitir que no ano de 1960 liam-se as fontes de modo diferente, porque se estava motivado por outras questões, por outros pressupostos e interesses. Querer simplesmente subtrair a historiografia e a investigação histórica à competência da reflexão histórico-efeitual significa reduzi-la à indiferença extrema. É justamente a universalidade do pro-

---

7. Tomando uma orientação diversa, aqui posso fazer referência às explanações de Hans Sedlmayr reunidas agora sob o título *Kunst und Wahrheit* (rde 71). Cf. sobretudo p. 87s.

blema hermenêutico que questiona o que está por trás de todas as espécies de interesse pela história, porque se refere àquilo que está como fundamento para a "questão histórica". E o que é a investigação histórica sem a "pergunta histórica"? Na linguagem que eu mesmo uso e que se justifica pelas investigações da história da palavra, isso significa que a aplicação é um momento do próprio compreender. E se, nesse contexto, coloco no mesmo nível tanto o historiador jurídico quanto o jurista prático, isso não significa negar que o primeiro tem uma tarefa exclusivamente "contemplativa" e o segundo, exclusivamente prática. A aplicação, porém, está presente em ambos os afazeres. E como poderia a compreensão do sentido *jurídico* de uma lei ser diferente para um e para outro? O juiz, por exemplo, tem a tarefa prática de decretar a sentença, e nisso podem entrar em jogo muitas considerações político-jurídicas, que não faria o historiador jurídico diante da mesma lei. Mas será que isso faz com que seu *entendimento* da lei seja diferente? A decisão do juiz, que "intervém praticamente na vida", pretende ser uma aplicação justa e não arbitrária das leis; deve pautar-se, portanto, em uma interpretação "correta" e isso implica necessariamente que a compreensão faça a mediação entre a história e a atualidade.

Certamente que o historiador jurídico terá que avaliar também "historicamente" uma lei, compreendida corretamente nesse sentido. O que significa que ele precisa avaliar sua significação histórica; e, uma vez que o faz guiado por suas próprias pré-concepções históricas e seus preconceitos vivos, terá de avaliá-la "falsamente". Isso significa que estamos novamente diante de uma mediação de passado e presente, portanto, diante de aplicação. É o que costuma ensinar o decorrer da história, da qual faz parte a história da investigação. Mas isso não significa que o historiador fez algo que não "era permitido" ou que não deveria ter feito, algo que se deveria ou poderia ter impedido através de um cânon hermenêutico. Não estou me referindo aos erros histórico-jurídicos, mas aos conhecimentos verdadeiros. A práxis do historiador do direito, assim como a do juiz, tem seus "métodos" de evitar o erro; nesse ponto eu concordo plenamente com as considerações do historiador do direito[8].

---

8. BETTI; WIEACKER; HELLEBRAND. Op. cit.

O interesse hermenêutico do filósofo surge justamente onde se conseguiu evitar o erro, pois, justamente então, os historiadores e os dogmáticos testemunham uma verdade que está para além do que eles conhecem, na medida em que seu próprio presente efêmero pode ser reconhecido no seu fazer e nos seus feitos.

Sob a perspectiva de uma hermenêutica filosófica, a contraposição entre método histórico e método dogmático não tem nenhuma validade absoluta. Assim, é preciso perguntar até que ponto a própria perspectiva hermenêutica tem validade histórica ou dogmática[9]. Se o princípio da história efetual alcança validade como um momento estrutural comum da compreensão, essa tese não inclui nenhum condicionamento histórico, mas busca validade absoluta; e no entanto só há consciência hermenêutica sob determinadas condições históricas. Para que possa formar-se uma consciência expressa da tarefa hermenêutica de apropriar-se da tradição é preciso que esta tradição, cuja essência consiste em continuar transmitindo naturalmente aquilo que é transmitido, possa ter-se tornado questionável. É assim que podemos ver em Santo Agostinho uma tal consciência, face ao Antigo Testamento. E na Reforma a hermenêutica protestante se desenvolve a partir da reivindicação de compreender a Sagrada Escritura a partir dela própria (*sola scriptura*), frente ao princípio da tradição da Igreja Romana. Mas com o surgimento da consciência histórica, que implica um distanciamento fundamental da atualidade face a toda tradição histórica, a compreensão converteu-se numa tarefa e precisa de um direcionamento metodológico. A tese de meu livro é, pois, que o momento histórico-efetual é e permanece efetivo e atuante em toda compreensão da tradição, mesmo onde a metodologia das modernas ciências históricas ganhou espaço, e transforma em "objeto" aquilo que veio a ser historicamente, o que foi transmitido historicamente, que se deve "esbatelecer" como um dado experimental – como se a tradição fosse estranha e, humanamente falando, incompreensível enquanto objeto da física.

A partir daí, da maneira que eu o uso, justifica-se uma certa ambiguidade no conceito de consciência histórico-efetual. Sua am-

---

9. Cf. APEL, O. Op. cit.

biguidade consiste em que por ele se designa, por um lado, a consciência, ativada no curso da história e determinada pela história, e por outro, uma consciência do próprio ser ativado e ser determinado. O sentido de minhas demonstrações é o fato de que a determinidade da histórica efeitual domina também a moderna consciência histórica e científica, independentemente de se saber ou não a respeito desse domínio. A consciência da história efeitual é finita num sentido tão radical que o nosso ser, efetivado no conjunto de nossos envios de destino, sobrepuja de maneira essencial o seu saber sobre si mesmo. Mas essa verdade é tão fundamental que não pode ser restrita a uma determinada situação histórica. Mas, face à moderna investigação histórica e ao ideal metodológico da objetividade da ciência, essa evidência se depara com uma resistência característica na autoconcepção da ciência.

É claro que nessas alturas podemos perguntar, partindo de uma reflexão histórica, por que justamente neste momento histórico tornou-se possível a evidência fundamental a respeito do momento histórico-efeitual de todo compreender. A presente investigação oferece uma resposta indireta para essa pergunta. Pois foi só com o fracasso do historicismo ingênuo do século historiográfico que se tornou evidente que a contraposição que há entre dogmatismo a-histórico e histórico, entre tradição e ciência histórica, entre antigo e moderno, não é absoluta. A famosa *querelle des anciens et des modernes* deixou de ser uma real alternativa.

Assim o que apresento como a universalidade do aspecto hermenêutico, e sobretudo o que expus a respeito do caráter próprio da linguagem como a forma de realização do compreender, abarca tanto a consciência "pré-hermenêutica" quanto todas as formas de uma consciência hermenêutica. Mesmo uma apropriação ingênua da tradição acaba sendo um "passar adiante o dito", embora não possa ser descrita como "fusão de horizontes" (cf. "Hermenêutica e historicismo", vol. II).

E agora vamos para a questão fundamental: Qual o alcance do aspecto da compreensão e de seu caráter de linguagem próprio? Está em condições de suportar a consequência filosófica comum contida na frase "o ser que se pode compreender é linguagem"? Face à universalidade da linguagem, essa frase não acaba desenbocando numa consequência metafísica insustentável, segundo a qual "tudo" seria somente linguagem e acontecimento de linguagem? É verdade que a alusão ao indizível, tão próxima, não precisa causar rupturas na universalidade do fenômeno de linguagem. A infinitude da conversação, onde se dá a compreensão, relativiza a validade que alcança em cada caso o indizível. Mas será que a compreensão é o único meio de acesso adequado à realidade da história? Evidentemente que o perigo ameaça a partir desse aspecto, perigo de enfraquecer a verdadeira realidade do acontecer, especialmente seu caráter absurdo e sua contingência, falsificando-a em uma forma de experiência sensorial.

Assim, por exemplo, a tendência de minhas próprias investigações foi demonstrar à teoria histórica de Droysen e Dilthey que, apesar de toda resistência que opôs ao espiritualismo de Hegel, a escola histórica acabou induzindo a atividade hermenêutica a ler a história como se lê um livro, isto é, como algo que tem sentido até a sua última letra. Mesmo com todo protesto contra uma filosofia da história, na qual a necessidade do conceito perfaz o núcleo de todo acontecer, a hermenêutica histórica de Dilthey não pôde evitar de transformar a história numa história do espírito. Essa foi a crítica que eu fiz. Mas esse perigo não está se repetindo também face à presente tentativa? Todavia, a formação tradicional de conceitos, especialmente o círculo hermenêutico do todo e da parte, donde parte minha tentativa de fundamentação da hermenêutica, não precisa desembocar nessa consequência. O próprio conceito do todo só pode ser compreendido relativamente. A totalidade de sentido que se deve compreender na história ou na tradição jamais se refere ao sentido do todo da história. O perigo do docetismo parece-me extinto onde a tradição histórica não é pensada como objeto da compreensão histórica ou como uma concepção filosófica, mas como um momento efeitual do próprio ser. A finitude do próprio compreender é o modo no qual a realidade, a resistência, o absurdo e o incompreensível alcançam validez. Quem leva a sério essa finitude deve levar a sério também a realidade da história.

Trata-se do mesmo problema que torna tão decisiva a experiência do tu para qualquer autocompreensão. Em minhas investigações, o capítulo sobre a experiência assume um ponto sistemático central. Ali, partindo da experiência do tu, ilumina-se também o conceito da experiência da história efeitual. Pois também a experiência do tu mostra o paradoxo de que algo que está diante de mim faz valer seu direito próprio e obriga a um reconhecimento absoluto; e justamente por isso é "compreendido". Mas penso ter demonstrado corretamente que esse compreender não compreende o tu, mas aquilo que este nos diz de verdadeiro. Com isso, tenho em mente aquela verdade que se revela a alguém somente através do tu, e somente pelo fato de permitir que esse outro lhe diga algo. É exatamente o que ocorre com a tradição histórica. Ela não mereceria o interesse que lhe demonstramos se não tivesse algo a nos ensinar, algo que nós, por conta própria, não conseguimos reconhecer. A frase "o ser que se pode compreender é linguagem" deve ser lida nesse sentido. Ela não significa o domínio absoluto daquele que compreende sobre o ser; ao contrário, diz que o ser não é experimentado onde algo pode ser construído e assim concebido por nós mesmos, mas lá onde aquilo que acontece pode ser simplesmente compreendido.

Isso provoca uma questão para a metodologia filosófica, questão que se materializou numa série de manifestações críticas ao meu livro. Gostaria de caracterizá-la como o problema da imanência fenomenológica. É verdade que metodologicamente meu livro assenta-se sobre um solo fenomenológico. Por outro lado, pode parecer um paradoxo que justamente a crítica de Heidegger ao questionamento transcendental e seu pensamento sobre a "virada" (*Kehre*) sirva de base para o desenvolvimento do problema hermenêutico universal que eu defendo. Mas penso que o princípio da demonstração fenomenológica pode ser aplicado também a essa formulação de Heidegger, que libera o problema hermenêutico para si próprio. Foi por isso que mantive o conceito de "hermenêutica", empregado pelo jovem Heidegger, mas não com o sentido de uma doutrina de método, mas como uma teoria da experiência real, que é o pensamento. Assim, devo destacar que minhas análises do jogo ou da linguagem são pensadas de forma puramente fenomenológica[10]. O jogo não surge na consciência do jogador, e enquanto tal é

---

10. Foi por isso que, quando tive contato com ele, o conceito de "jogo de linguagem" de Ludwig Wittgenstein pareceu-me extremamente natural. Cf. *Die phänomenologische Bewegung*, p. 37s.

mais do que um comportamento subjetivo. A linguagem não surge na consciência daquele que fala, e enquanto tal é mais do que um comportamento subjetivo. É justamente isso que pode ser descrito como uma experiência do sujeito e não tem nada a ver com "mitologia" ou "mistificação"[11].

Essa postura metodológica fundamental permanece aquém de toda e qualquer dedução verdadeiramente metafísica. Nos trabalhos que surgiram nesse meio tempo, sobretudo nos relatos de minhas investigações "Hermenêutica e historicismo" e "Die phänomenologische Bewegung"[12], continuo afirmando que a *Crítica da razão pura*, de Kant, continua sendo obrigatória para nós e que considero-as como meras determinações liminares todas as proposições que para mais nada servem a não ser para acrescentar, pelo pensamento e de modo dialético, o infinito ao finito, o ente em si ao que é experimentado humanamente, o eterno ao temporal. A partir delas, pela força da filosofia, não se poderá desenvolver nenhum conhecimento próprio. Mesmo assim, a tradição da metafísica e especialmente sua última grande formulação, a dialética especulativa de Hegel, mantém uma proximidade constante. A tarefa, a "referência infinita", continua de pé. Mas seu modo de demonstração procura fugir de ser encaixada na força sintética da dialética hegeliana e até da "lógica", nascida da dialética de Platão. Busca fincar pé no movimento da conversação, pois é só nela que a palavra e o conceito vêm a ser o que são[13].

Com isso, permanece insatisfeita a exigência de uma autofundamentação reflexiva como é proposta pela filosofia transcendental-especulativa de Fichte, Hegel e Husserl. Mas será que o diálogo com o todo da tradição filosófica na qual estamos e que somos nós mesmos, enquanto seres filosofantes, carece de fundamento? Será necessário uma fundamentação para aquilo que nos sustenta desde sempre?

---

11. Cf. meu epílogo à edição-propaganda do artigo de Heidegger sobre a obra de arte (p. 108s.) e recentemente o artigo no *Frankfurter Allgemeine Zeitung* (*F.A.Z.*), de 26.09.1964, em: *Die Sammlung*, 1965, cad. 1 [Kleine Schriften III, p. 202s.].
12. Cf. vol. II e *Philosophische Rundschau*, respectivamente.
13. PÖGGELER, O. Apud ROSENKRANZ. Op. cit., p. 12s., fez uma indicação interessante sobre o que Hegel diria sobre isso.

Com isso, toca-se numa última questão, que diz respeito mais a uma formulação de conteúdo do que a uma formulação metodológica do universalismo hermenêutico por mim desenvolvido. Mas, na medida em que lhe falta um princípio crítico face à tradição e ao mesmo tempo em que homenageia um otimismo universal, a universalidade da compreensão não implica uma unilateralidade de conteúdo? Embora seja próprio da essência da tradição ser somente através de apropriação, faz parte também da essência do humano o poder romper, criticar e desfazer a tradição; e na nossa relação para com o ser aquilo que se realiza nos moldes do trabalho, da reelaboração do real, com vistas aos nossos fins, não será algo muito mais originário? A universalidade ontológica da compreensão não leva, nessa medida, a uma unilateralidade? De certo que compreensão significa mais que a apropriação da opinião da tradição ou o reconhecimento do que foi consagrado pela tradição. Ao caracterizar o conceito de compreensão primeiramente como uma determinação universal da pré-sença, Heidegger tinha em mente, exatamente, o caráter de projeto da compreensão, o que significa, o caráter de futuro da pré-sença. Tampouco quero negar que, dentro do contexto universal dos momentos da compreensão, de minha parte, eu destaquei a direção para a apropriação do passado e do que vem pela tradição. Nesse ponto, o próprio Heidegger, assim como diversos dos meus críticos, poderiam sentir falta da radicalidade extrema no tirar consequências. O que significa o fim da metafísica, enquanto ciência? O que significa seu finalizar em ciência? Se a ciência se elevar até uma tecnocracia total, cobrindo o céu com a "noite do mundo" do "esquecimento do ser", o nihilismo predito por Nietzsche, será que devemos ficar olhando atrás do último brilho do sol que se pôs no céu noturno, em vez de voltar-nos e procurar olhar para as primeiras cintilações de seu retorno?

Nisso tudo, parece-me que a unilateralidade do universalismo hermenêutico tem em seu favor a verdade do corretivo. Ela lança luz sobre o ponto de vista moderno do fazer, do produzir, da construção, plantados sobre pressupostos necessários, sob os quais ele próprio se encontra. Isso delimita especialmente a posição do filósofo no mundo moderno. Mesmo que seja convocado a tirar sempre as últimas consequências de tudo, ainda assim, o papel de profeta, de admoestador, de pregador ou também somente daquele que sabe melhor que todos, não lhe cai bem.

Não basta ao homem colocar de modo infalível as últimas questões; ele necessita também do sentido para o factível, o possível, o correto aqui e agora. Primeiramente, penso que aquele que filosofa deve ter consciência da tensão entre as suas próprias pretensões e a realidade na qual se encontra.

A consciência hermenêutica que se deve despertar e manter vigilante percebe então que na era da ciência a pretensão de domínio do pensamento filosófico teria algo de fantasmagórico e irreal. Mas, a partir da verdade da recordação, ela poderia contrapor algo ao querer do humano – que mais do que nunca eleva a crítica do anterior a uma consciência utópica ou escatológica –: o que continua e continuará sendo sempre real.

O artigo "Hermenêutica e historicismo", surgido depois da conclusão do presente livro e destinado a livrar a obra do confronto com a bibliografia, vem publicado no vol. II de *Verdade e método*.

Prefácio a 3ª edição

O texto foi revisto e algumas citações bibliográficas foram reformuladas. Um epílogo mais detalhado busca fazer frente à discussão que o livro suscitou. Eu volto a acentuar a abrangente pretensão filosófica da hermenêutica, especialmente face à teoria da ciência e à crítica da ideologia, e para complementação, remeto a uma série de novas publicações próprias, especialmente *Hegels Dialektik* (1971) e *Kleine Schriften III* e "Idee und Sprache" (1971).

Prefácio a 5ª edição

O texto da presente edição voltou a ser revisto, a fim de ser incluído na edição das Obras Completas. À exceção de insignificantes polimentos, o texto permaneceu inalterado, a não ser nos casos onde há outra indicação. Os excursos (1ª edição), o apêndice, publicado sob o título "Hermenêutica e historicismo" (2ª edição) e o epílogo da 3ª edição (menos os prefácios à 2ª e 3ª edição, que na tradução portuguesa preferimos deixar no volume I) foram reunidos no volume II.

As notas foram consideravelmente multiplicadas e ampliadas. Buscam chamar a atenção, sobretudo, para o desenvolvimento da pesquisa hermenêutica – minha ou de outros –, quando me pareceu serem necessárias. Todas as complementações, bem como ampliações e acréscimos de notas, aparecem entre colchetes. A leitura do volume II de *Verdade e método*, a que aludo muitas vezes, deveria ser encarada como continuação, ampliação e mesmo restrição desse volume I. É por isso que se acrescentou, no volume II, um índice remissivo e onomástico ampliado e comum para ambos os volumes desta obra, com agradecimentos a Reiner Wiehl, de cujo índice tiramos proveito.

Devo agradecer o novo índice ao Senhor Knut Eming, meu colaborador na presente edição. Nosso intento foi de esclarecer as passagens principais, com o maior número possível de conceitos, deixando bem patente sobretudo a unidade intrínseca entre os volumes I e II. Ao que o computador jamais conseguirá aprender, cabe a nós pelo menos proporcionar uma aproximação.

Introdução [1]

A presente investigação situa-se no âmbito do problema hermenêutico. O fenômeno da compreensão e a maneira correta de se interpretar o compreendido não são apenas um problema específico da teoria dos métodos aplicados nas ciências do espírito. Desde os tempos mais antigos, sempre houve uma hermenêutica teológica e outra jurídica, cujo caráter não era tanto teórico-científico, mas correspondia e servia muito mais ao procedimento prático do juiz ou do sacerdote instruídos pela ciência. Por isso, desde sua origem histórica, o problema da hermenêutica ultrapassa os limites que lhe são impostos pelo conceito metodológico da ciência moderna. Compreender e interpretar textos não é um expediente reservado apenas à ciência, mas pertence claramente ao todo da experiência do homem no mundo. Na sua origem, o fenômeno hermenêutico não é, de forma alguma, um problema de método. Não se interessa por um método de compreensão que permita submeter os textos, como qualquer outro objeto da experiência, ao conhecimento científico. Tampouco se interessa primeiramente em construir um conhecimento seguro, que satisfaça aos ideais metodológicos da ciência, embora também aqui se trate de conhecimento e de verdade. Ao se compreender a tradição não se compreendem apenas textos, mas também se adquirem discernimentos e se reconhecem verdades. Mas que conhecimento é esse? Que verdade é essa?

Em face do predomínio que possui a ciência moderna no âmbito do esclarecimento filosófico e da justificação filosófica do conceito de conhecimento e de verdade, essa pergunta parece não ser legítima. E, no entanto, mesmo no campo científico não é possível fugir dessa questão. O fenômeno da compreensão impregna não somente todas as referências humanas ao mundo, mas apresenta uma validade própria também no terreno da ciência, resistindo à tentativa de ser transformado em método da ciência. A presente investigação toma pé nessa resistência que vem se afirmando no âmbito da ciência moderna, contra a pretensão de universalidade da

[2] metodologia científica. Seu propósito é rastrear por toda parte a experiência da verdade, que ultrapassa o campo de controle da metodologia científica, e indagar por sua própria legitimação onde quer que se encontre. É assim que as ciências do espírito acabam confluindo com as formas de experiência que se situam fora da ciência: com a experiência da filosofia, com a experiência da arte e com a experiência da própria história. São modos de experiência nos quais se manifesta uma verdade que não pode ser verificada com os meios metodológicos da ciência.

A filosofia de nossos dias tem uma consciência muito clara disso. Mas é uma questão bem diferente perguntar até que ponto a pretensão de verdade de tais formas de conhecimento situadas fora do âmbito da ciência pode ser filosoficamente legitimada? A atualidade do fenômeno hermenêutico repousa, a meu ver, no fato de que é só pelo aprofundamento no fenômeno da compreensão que se poderá alcançar uma tal legitimação. Entre outras coisas, essa convicção se fortaleceu em mim, devido à importância que a história da filosofia possui no trabalho filosófico da atualidade. Frente à tradição histórica da filosofia, a compreensão se nos apresenta como uma experiência superior, que nos permite distinguir facilmente o que há de aparente no método histórico próprio da investigação da história da filosofia. Faz parte da experiência elementar do filosofar que, ao procurarmos compreender os clássicos do pensamento filosófico, esses pensadores imponham uma pretensão de verdade que a consciência contemporânea não pode rejeitar nem sobrepujar. A ingênua autoestima da atualidade pode até se rebelar contra o fato de a consciência filosófica abrigar a possibilidade de que sua própria perspectiva filosófica seja muito inferior à de um Platão ou Aristóteles, de um Leibniz, Kant ou Hegel. Pode-se considerar uma fraqueza da filosofia atual dedicar-se à interpretação e à elaboração de sua tradição clássica, admitindo sua própria fraqueza. No entanto, o pensamento filosófico seria bem mais fraco se cada um não se submetesse a uma tal prova e preferisse fazer o papel de tolo por conta própria. Precisamos admitir que na compreensão dos textos desses grandes pensadores se reconhece a verdade que não seria acessível por outros meios, ainda que isso contradiga o padrão de pesquisa e de progresso com que a ciência mensura a si mesma.

O mesmo vale para a experiência da arte. Aqui a investigação científica que se dedica à chamada ciência da arte tem consciência desde o princípio de que não pode substituir nem suplantar a experiência da arte. O fato de experimentarmos a verdade numa obra de arte, o que não se alcança por nenhum outro meio, é o que dá importância filosófica à arte, que se afirma contra todo e qualquer raciocínio. Assim, ao lado da experiência da filosofia, a experiência da arte é a mais clara advertência para que a consciência científica reconheça seus limites.

A presente investigação inicia, portanto, com uma crítica da consciência estética, a fim de defender a experiência da verdade que nos é comunicada pela obra de arte contra a teoria estética, que se deixa limitar pelo conceito de verdade da ciência. Mas não se limita à justificação da verdade da arte. Partindo dessa base, busca, antes, um conceito de conhecimento e de verdade que corresponda ao todo de nossa experiência hermenêutica. Tal como na experiência da arte, estamos às voltas com verdades que suplantam fundamentalmente o âmbito do conhecimento metodológico, algo semelhante se dá também no conjunto das ciências do espírito, onde nossa tradição histórica, mesmo sendo transformada em todas as suas formas em *objeto* de pesquisa, acaba, ela mesma, *manifestando-se em sua verdade*. A experiência da tradição histórica vai fundamentalmente além do que nela se pode investigar. Ela não pode simplesmente ser classificada como verdadeira ou falsa, no sentido determinado pela crítica histórica; transmite sempre a verdade, da qual devemos *tirar proveito*. [3]

Assim, esses estudos sobre hermenêutica que partem da experiência da arte e da tradição histórica procuram demonstrar o fenômeno da hermenêutica em toda a sua envergadura. Importa reconhecer nele uma experiência de verdade, que não só deverá ser justificada filosoficamente, mas que é, ela mesma, uma forma de filosofar. A hermenêutica que se vai desenvolver aqui não é uma doutrina de métodos das ciências do espírito, mas a tentativa de entender o que são na verdade as ciências do espírito, para além de sua autoconsciência metodológica, e o que as liga ao conjunto de nossa experiência de mundo. Ao tomarmos a compreensão como objeto de nossa reflexão, não objetivamos uma teoria da arte de compreender, como o queria a hermenêutica tradicional da filologia e da teologia. Uma tal teoria ignora que, em face da verdade do que nos diz a tradição, o formalismo do saber artificial se arroga uma superioridade que é falsa. Se no que se segue demonstrarmos quanto *acontecer* atua em toda *compreensão* e quão pouco a consciência histórica moderna consegue debilitar as tradições em que nos encontramos, isso não significa baixar diretrizes para as ciências ou para a prática da vida, mas, sim, o esforço em corrigir uma falsa concepção sobre o que são essas ciências.

[4] A presente investigação acredita estar a serviço de uma evidência que, em nosso tempo inundado de rápidas transformações, ameaça ser obscurecida. Aquilo que se transforma chama muito mais a atenção do que aquilo que continua como sempre foi. Essa é uma lei geral da nossa vida espiritual. Assim, as perspectivas que resultam da experiência da mudança histórica estão sempre correndo o risco de ser distorcidas, por esquecerem a ocultação do permanente. Parece-me que vivemos numa constante superexcitação de nossa consciência histórica. Trata-se de uma consequência dessa superexcitação e, como espero demonstrar, de um grave curto-circuito, quando, diante de uma tal superestimação da mudança histórica, apelamos para as eternas ordenações da natureza e evocamos a naturalidade do homem para legitimar o pensamento do direito natural. Não é só porque a tradição histórica e a ordenação natural da vida constituam a unidade do mundo em que os homens vivem; o modo como experimentamos uns aos outros, como experimentamos as tradições históricas, as ocorrências naturais de nossa existência e de nosso mundo, é isso que forma um universo verdadeiramente hermenêutico. Nele não estamos encerrados como entre barreiras intransponíveis; ao contrário, estamos sempre abertos para o mundo.

Uma reflexão sobre o que é a verdade nas ciências do espírito não pode querer, pela reflexão, subtrair-se à tradição, cuja vinculabilidade descobriu. Por isso, deverá exigir que sua própria forma de trabalho adquira tanta autotransparência histórica quanto lhe for possível. Esforçando-se para entender o universo da compreensão melhor do que parece possível sob o conceito de conhecimento da ciência moderna, a reflexão deverá encontrar um novo relacionamento também com os conceitos que ela mesma utiliza. Deverá conscientizar-se de que sua própria compreensão e interpretação não são uma construção a partir de princípios, mas o aperfeiçoamento de um acontecimento que já vem de longe. Assim, os conceitos que utiliza não poderão ser apropriados acriticamente, mas deverá adotar o que lhe foi legado do conteúdo significativo original de seus conceitos.

O esforço filosófico de nosso tempo se diferencia da tradição clássica da filosofia pelo fato de não representar uma continuação direta e ininterrupta dessa última. Apesar de tudo que a une com sua origem histórica, a filosofia está hoje consciente de seu distanciamento com relação aos seus modelos clássicos. Isso caracteriza-se sobretudo na mudança de sua relação para com o conceito. Por mais graves que tenham sido as consequências e por mais profundas que tenham sido as transformações do pensamento filosófico ocidental, surgidas nas línguas modernas com a latinização dos conceitos gregos e a uniformização da linguagem conceitual latina, o surgimento da consciência histórica nos últimos séculos significa uma ruptura ainda mais profunda. Desde então, a continuidade da tradição do pensamento ocidental operou apenas ainda de forma fragmentada. Perdeu-se a inocência ingênua pela qual se colocavam os conceitos da tradição a serviço dos próprios pensamentos. Desde então, a relação da ciência com esses conceitos perdeu estranhamente seu compromisso, quer seja seu trato com esses conceitos do tipo de uma recepção erudita, para não dizer arcaizante, quer seja do tipo de um manuseio técnico, que se serve de conceitos como de ferramentas. Na verdade, ambos não conseguem satisfazer à experiência hermenêutica. Ao contrário, a conceptualidade em que se desenvolve o filosofar já sempre nos possui, da mesma forma em que nos vemos determinados pela linguagem em que vivemos. Assim, conscientizar-se desse pressuposto pertence à honestidade do pensamento. É uma nova consciência crítica que a partir daí deve acompanhar todo o filosofar responsável, colocando os costumes de linguagem e de pensamento que se formam para o indivíduo na comunicação com o seu mundo circundante diante do fórum da tradição histórica, da qual todos nós fazemos parte.

[5]

A presente investigação tenta cumprir essa exigência, ligando o mais estreitamente possível o questionamento histórico-conceitual com a exposição objetiva de seu tema. A conscienciosidade da descrição fenomenológica, que Husserl converteu em dever, a amplitude do horizonte histórico, onde Dilthey situou todo filosofar, e, não por último, a conjugação de ambos os impulsos pela orientação que há décadas recebemos de Heidegger, dão a medida que se impôs o autor, cuja vinculabilidade não deveria ser escurecida, apesar das imperfeições de sua execução.

PRIMEIRA PARTE

A LIBERAÇÃO DA QUESTÃO DA VERDADE A PARTIR DA EXPERIÊNCIA DA ARTE

1. A superação da dimensão estética [9]

1.1. A significação da tradição humanista para as ciências do espírito

1.1.1. O problema do método

A autorreflexão lógica das ciências do espírito, que acompanha o seu efetivo desenvolvimento no século XIX, está completamente dominada pelo modelo das ciências da natureza. Mostra-o um simples olhar sobre a expressão "ciência do espírito", na medida em que essa expressão só recebe o significado que nos é familiar em sua forma plural. As ciências do espírito compreendem a si mesmas por analogia à ciência da natureza, e isso tão decisivamente que o eco idealístico que acompanha o conceito de espírito e de ciência do espírito retrocede a um segundo plano. A expressão "ciências do espírito" se popularizou principalmente por obra do tradutor da *Lógica*, de John St. Mill. Num apêndice à sua obra, Mill procura esboçar as possibilidades de aplicar a lógica indutiva às *moral scienses*. Para isso, o tradutor propõe o termo "ciências do espírito" (*Geisteswissenschaften*)[1]. Já a partir do contexto da *Lógica* de Mill percebe-se que não se trata de reconhecer uma lógica própria das ciências do espírito, mas de demonstrar, ao contrário, que também nesse âmbito o método indutivo, que está à base de toda a ciência experimental, tem validade única. Mill toma pé numa tradição inglesa, cuja formulação mais efetiva foi dada por Hume na introdução de sua obra *Treatise*[2]. Mesmo na ciência moral estaria em questão reconhecer uniformidade, regularidade e legalidade, que tornariam previsíveis os fenômenos e processos individuais. Também no

---

1. MILL, J. St. *System der deduktiven und induktiven Logik*, 2. ed. 1863 [Livro VI "Von der Logik der Geisteswissenschaften oder moralischen Wissenschaften" – Traduzido por Schill].
2. David Hume, *Treatise on Human Nature*, Introdução.

[10] âmbito dos fenômenos da natureza não é possível alcançar esse objetivo da mesma maneira, por toda parte. Mas o motivo disso se encontra exclusivamente no fato de os dados em que se poderia reconhecer as uniformidades nem sempre serem suficientes. Embora a meteorologia trabalhe tão metodologicamente quanto a física, seus dados são mais incompletos, tornando mais inseguras suas previsões. O mesmo vale também para o âmbito dos fenômenos morais e sociais. Também ali a utilização do método indutivo estaria isenta de todas as hipóteses metafísicas, mantendo-se inteiramente independente de como se pensa a gênese dos fenômenos que se está observando. Não se aduzem, por exemplo, causas para determinados efeitos, mas simplesmente constatam-se regularidades. Assim, torna-se completamente indiferente, por exemplo, se acreditamos ou não no livre-arbítrio; em qualquer situação, no terreno da vida social podem-se fazer previsões. Tirar conclusões para fenômenos esperados a partir da regularidade não inclui nenhuma pressuposição da espécie de conexão cuja regularidade possibilita a previsão. Quando ocorrem decisões livres, se as houver, estas não interrompem o curso regular, mas pertencem, elas mesmas, à generalidade e à regularidade obtida pela indução. É o ideal de uma ciência natural da sociedade, aqui desenvolvida programaticamente, e que em alguns campos gerou pesquisas exitosas. Basta pensar na psicologia de massas.

Mas o que representa o verdadeiro problema que as ciências filosóficas colocam ao pensamento é que não se consegue compreender corretamente a natureza das ciências do espírito, usando o padrão de conhecimento progressivo da legalidade *(Gesetzmässigkeit)*. A experiência do mundo sócio-histórico não se eleva no nível de ciência pelo processo indutivo das ciências da natureza. O que quer que signifique ciência aqui, e mesmo que em todo conhecimento histórico esteja incluído o emprego da experiência genérica no respectivo objeto de pesquisa, o conhecimento histórico não aspira tomar o fenômeno concreto como caso de uma regra geral. O caso individual não se limita a confirmar uma legalidade, a partir da qual, em sentido prático, se poderia fazer previsões. Seu ideal é, antes, compreender o próprio fenômeno na sua concreção singular e histórica. Por mais que a experiência geral possa operar aqui, o objetivo não é confirmar nem ampliar essas experiências gerais, para se chegar ao conhecimento de uma lei – por exemplo, como se desenvolvem os homens, os povos, os estados –, mas compreender como este homem, este povo, este estado é o que veio a ser; dito genericamente, como pode acontecer que agora é assim.

Mas que conhecimento é este que compreende que algo seja assim, por compreender que veio a ser assim? O que significa aqui ciência? Ainda que se reconheça que o ideal desse conhecimento é fundamentalmente diferente do gênero e da intenção das ciências da natureza, somos tentados a caracterizá-las, apenas privativamente, como "ciências inexatas". Mesmo a ponderação, tão significativa quanto justa, que Hermann Helmholtz fez, no seu famoso discurso de 1862, sobre as ciências da natureza e as ciências do espírito, por mais que ressalte a suprema e humana significação das ciências do espírito, sua característica lógica continuou sendo negativa, tirada do ideal de método das ciências da natureza[3]. Helmholtz diferenciou duas espécies de indução: a indução lógica e a instintivo-artística. No fundo, isso significa que estava diferenciando esses dois gêneros de proceder não lógica mas psicologicamente. Ambos se servem da conclusão indutiva, mas o procedimento conclusivo das ciências do espírito é um concluir inconsciente. A prática da indução das ciências do espírito está vinculada, por essa razão, a condições psicológicas especiais. Ela exige uma espécie de tato, necessitando para isso de aptidões espirituais de outra espécie, por exemplo, riqueza de memória e reconhecimento de autoridades, enquanto que a conclusão autoconsciente do cientista da natureza repousa unicamente na utilização da própria compreensão. Mesmo quando se reconhece que o grande pesquisador da natureza resistiu à tentação de transformar sua própria forma de trabalhar cientificamente numa norma de validade geral, ainda assim ele não dispõe de nenhuma outra possibilidade lógica de caracterizar o procedimento das ciências do espírito senão através do conceito da indução, que lhe era familiar graças à *Lógica* de Mill. A real exemplaridade que teve para as ciências do século XVIII a nova mecânica e

[11]

---

3. HELMHOLTZ, H. *Vorträge und Reden*. 4. ed., vol. I ["Uber das Verhältnis der Naturwissenschaften zur Gesamtheit der Wissenschaften", p. 167s.].

seu triunfo, marcado pela mecânica celeste de Newton, continuava sendo tão evidente para o próprio Helmholtz que não lhe ocorreu indagar sobre as pré-condições filosóficas que possibilitaram o surgimento dessa nova ciência no século XVII. Hoje sabemos qual o significado que teve, para isso, a Escola Occamista de Paris[4]. Para Helmholtz o ideal de método das ciências da natureza não carecia de nenhuma derivação histórica nem de uma restrição epistemológica. E é por isso que logicamente não podia compreender de outra forma o modo de trabalhar das ciências do espírito.

Nisso, a tarefa de elevar a uma autoconsciência lógica uma pesquisa como a da "escola histórica" que estava, na verdade, em plena florescência, mostrava-se bastante urgente. Já no ano de 1843, J.G. Droysen, o autor e descobridor da história do helenismo, escreveu que "não há nenhum campo científico tão distante de uma justificação, delimitação e articulação teóricas como a história". Droysen exigia um Kant que, num imperativo categórico da história, "mostra-se as fontes vivas de onde flui a vida histórica da humanidade". Ele manifestava a esperança "de que o conceito da história, compreendido mais profundamente, será o ponto de gravitação em redor do qual a oscilação caótica das ciências do espírito deve ganhar firmeza e a possibilidade de um novo progresso"[5].

O modelo das ciências da natureza, invocado por Droysen aqui, nada tem a ver com conteúdo, no sentido de uma nivelação com a teoria da ciência; é pensado, ao contrário, no sentido de que as ciências do espírito deveriam poder ser fundamentadas também como um grupo independente de ciências. O "historicismo" de Droysen é a tentativa de solucionar essa tarefa.

Também Dilthey, em quem a influência do método das ciências da natureza e do empirismo da lógica de Mill se faz sentir bem mais fortemente, mantém firme a herança romântico-idealista no conceito de espírito. Sempre se sentiu superior ao empirismo inglês, por-

---

4. Sobretudo a partir dos estudos de DUHEM, P. *Etudes sur Léonard de Vinci*. 3 volumes (1908s.), entrementes completados na obra póstuma que já conta com 10 volumes, *Le système du Monde. Histoire des doctrines cosmologiques de Platon a Copernic*, 1913s. [Cf. também MAIER, Anneliese, KOYRE, A. et al.]

5. DROYSEN, J.G. *Historik*. p. 97. [nova impressão de 1925, de E. Rothacker].

que vivia na contemplação viva do que distinguia a escola histórica de todo e qualquer pensamento das ciências da natureza e do direito natural. "Só da Alemanha pode vir o verdadeiro procedimento empírico para substituir o empirismo preconceituoso e dogmático. Mill é dogmático por falta de formação histórica" – esta é uma anotação de Dilthey em seu exemplar da *Lógica* de Mill[6]. Na realidade, todo o trabalho cansativo de várias décadas que Dilthey dedicou à fundamentação das ciências do espírito é um permanente confronto com a exigência lógica que o famoso capítulo final de Mill impôs às ciências do espírito.

Mesmo assim, Dilthey se deixou influenciar profundamente pelo modelo das ciências da natureza, embora quisesse justificar justamente a independência metodológica das ciências do espírito. Duas testemunhas podem elucidar isso, servindo também para abrir caminho às considerações que se seguem. Em sua resposta a W. Scherer, Dilthey destaca que foi o espírito das ciências da natureza que guiou o procedimento daquele, e pretende fundamentar por que Scherer se colocou tão diretamente sob a influência do empirismo inglês: "Era um homem moderno, e o mundo de nossos predecessores não era mais a pátria de seu espírito e de seu coração, mas seu objeto histórico"[7]. Nessa formulação observa-se que para Dilthey o conhecimento científico implica a dissolução dos vínculos vitais, a conquista de uma distância em relação à própria história, pois somente isso possibilita considerá-la como objeto. [13] Pode-se até reconhecer que o manuseio dos métodos indutivo e comparativo, tanto da parte de Scherer como de Dilthey, vinha guiado por um genuíno tato individual, e que esse tato pressupunha uma cultura da alma que comprova nesses homens a continuação do universo da formação clássica e da fé romântica na individualidade. Não obstante, o que orienta a autoconcepção científica de ambos continua sendo o modelo das ciências da natureza.

Isso fica bastante claro num segundo testemunho, onde Dilthey apela para a independência dos métodos das ciências do espí-

---

6. DILTHEY, W. *Gesammelte Schriften*. Vol V, p. LXXIV.
7. Ibid., vol. XI, p. 244.

rito, fundamentando-os por referência ao seu objeto[8]. De início, esse apelo apresenta um caráter bastante aristotélico e poderia testemunhar um real distanciamento do modelo das ciências da natureza. No entanto, no que diz respeito a essa independência dos métodos das ciências do espírito, a referência de Dilthey continua sendo o antigo "Natura parendo vincitur"[9], de Bacon, um postulado que contradiz frontalmente a herança clássico-romântica, de que Dilthey queria lançar mão. Pode-se dizer que, mesmo Dilthey, cuja formação histórica é a razão de sua superioridade frente ao neokantianismo de sua época, apesar de seus esforços lógicos, no fundo, não conseguiu ir além das simples constatações de Helmholtz. Por mais que Dilthey tenha batalhado a favor da independência epistemológica das ciências do espírito, o que se denomina método na ciência moderna é uma e a mesma coisa por toda parte e só se caracteriza como exemplar nas ciências da natureza. Não existe nenhum método próprio para as ciências do espírito. Mas certamente pode-se indagar, com Helmholtz, que peso possui o método aqui, e se as outras condições sob as quais se encontram as ciências do espírito, em sua forma de trabalhar, não serão muito mais importantes do que a lógica indutiva. Helmholtz o havia indicado corretamente, quando, para fazer justiça às ciências do espírito, salientou a memória e a autoridade e falou do tato psicológico, que aqui entraria em lugar da conclusão *(Schliessen)* consciente. Em que consiste esse tato? Como podemos adquiri-lo? Será que, no fim, o que há de científico nas ciências do espírito depende mais do tato do que de sua metodologia?

Por darem motivo a essa indagação e, com isso, resistirem à sua inclusão no conceito de ciência da modernidade, as ciências do espírito foram e continuam sendo um problema da própria filosofia. A resposta que Helmholtz e seu século deram a essa questão não é suficiente. Seguem Kant, na medida em que orientam o conceito de ciência e de conhecimento segundo o modelo das ciências da natureza, buscando a singularidade específica das ciências do espírito no momento artístico (sentimento artístico, indução artís-

[14]

---

8. Ibid., vol. I, p. 4.
9. Ibid., vol. I, p. 20.

tica). Nisso, a imagem que Helmholtz faz do trabalho das ciências da natureza é bastante unilateral, visto que para elas não reserva nenhuma das "repentinas iluminações do espírito" (o que denominamos "ter uma ideia" [*Einfall*]), conservando apenas "o férreo trabalho do concluir autoconsciente". Refere-se ao testemunho de John St. Mill, segundo o qual "as ciências indutivas dos tempos modernos teriam feito mais pelo progresso dos métodos lógicos" do que "todos os filósofos de ofício"[10]. Segundo ele, representam o modelo de método científico por excelência.

Mas Helmholtz sabe que, para o conhecimento histórico, é determinante uma experiência totalmente diferente daquela que se usa na pesquisa das leis da natureza. Por isso, procura fundamentar por que no conhecimento histórico o método indutivo encontra-se sob condições tão diversas das que vigoram na pesquisa da natureza. Para isso, refere-se à diferença entre natureza e liberdade que está na base da filosofia kantiana. O conhecimento histórico seria tão diverso porque, em seu âmbito, não existe nenhuma lei da natureza, mas submissão voluntária a leis práticas, ou seja, a imperativos. De fato, o universo da liberdade humana não conhece leis naturais livres de exceções.

Esse raciocínio é, todavia, pouco convincente. Nem corresponde às intenções de Kant – caso se procure fundamentar uma pesquisa indutiva do universo da liberdade humana sobre sua diferenciação entre a natureza e a liberdade –, nem corresponde ao pensamento específico da própria lógica da indução. Nesse particular, Mill foi mais consequente, ao excluir, metodologicamente, o problema da liberdade. Além disso, a inconsequência com que Helmholtz se reporta a Kant para fazer justiça às ciências do espírito não produz nenhum verdadeiro fruto. Porque, mesmo depois de Helmholtz, seria preciso julgar o empirismo das ciências do espírito como aquele da meteorologia, ou seja, como renúncia e resignação.

Na verdade, as ciências do espírito estão muito longe de se sentirem simplesmente inferiores às ciências da natureza. Na herança espiritual do classicismo alemão elas desenvolveram, antes, a cons-

---

10. HELMHOLTZ, ibid., p. 178.

ciência de orgulho de serem o verdadeiro suporte do humanismo. A época do classicismo alemão não trouxe consigo apenas a renovação da literatura e da crítica estética, que superou o ideal de gosto barroco e racionalista do *Aufklärung*, mas deu também um conteúdo fundamentalmente novo ao conceito de humanidade, esse ideal da razão esclarecida. Foi sobretudo Herder quem superou o perfeccionismo do *Aufklärung* através do novo ideal de uma "formação para o humano", preparando assim o terreno sobre o qual puderam se desenvolver, no século XIX, as ciências do espírito históricas[11]. O *conceito de formação*, que naqueles tempos alcançou um valor predominante, foi, sem dúvida, o mais alto pensamento do século XVIII, e é esse conceito que caracteriza o elemento em que vivem as ciências do espírito do século XIX, mesmo que não saibam justificar isso epistemologicamente.

[15]

1.1.2. Os conceitos básicos do humanismo

a) Formação (*Bildung*)

No conceito de *formação* percebe-se claramente quão profunda é a mudança espiritual que nos permite parecer contemporâneos do século de Goethe, e, em contrapartida, considerar a época barroca como um passado pré-histórico. Conceitos e palavras decisivas, com as quais costumamos trabalhar, foram cunhadas naquele tempo, e quem não quer se deixar levar pela linguagem, esforçando-se por alcançar uma autocompreensão histórica fundamentada, vê-se obrigado a encontrar um caminho entre questões da história da palavra e do conceito. No que segue, só poderemos esboçar alguns princípios da grande tarefa que se coloca aqui à pesquisa, princípios que servem ao questionamento filosófico que nos move. Conceitos tão familiares como "arte", "história", "criatividade", "cosmovisão", "vivência", "gênio", "mundo exterior", "interioridade", "expressão", "estilo", "símbolo", guardam em si um grande potencial de desvelamento histórico[12].

---

11. [Cf. tb. minha dissertação *Herder und die geschichtliche Welt* (Kl. Schr., III, p. 101-117, vol. IV das Obras Completas.]

12. [Para a linguagem político-social, cf. o léxico *Geschichtliche Grundbegriffe*, entrementes publicado por Otto Brunner, Werner Conze e Reinhart Kosellek; para a filosofia, *Historisches Wörterbuch der Philosophie*, de J. Ritter.]

Se voltarmos nossa atenção ao conceito de formação, cuja importância para as ciências do espírito já ressaltamos, nos encontraremos em boa situação. A partir de uma pesquisa existente[13], podemos ter uma boa perspectiva da história dessa palavra. Ela se origina na mística da Idade Média, sobrevive na mística do Barroco e sofre uma espiritualização com bases religiosas no "Messias" de Klopstock, que abrange toda sua época, e, finalmente, na determinação fundamental de Herder, como "formação que eleva à humanidade". A religião formativa do século XIX guardou a profunda dimensão dessa palavra, e nosso conceito de formação foi determinado a partir daí. [16]

Para o tão familiar conteúdo da palavra "formação", a primeira importante constatação é que o antigo conceito de uma "formação natural", que se refere à aparência externa (a formação dos membros, uma figura bem formada) e sobretudo à configuração produzida pela natureza (p. ex., "formação orográfica"), acabou sendo quase que inteiramente afastado do novo conceito. Hoje, a formação está estreitamente ligada ao conceito de cultura e designa, antes de tudo, a maneira especificamente humana de aperfeiçoar suas aptidões e faculdades. Entre Kant e Hegel completa-se o cunho que Herder deu ao nosso conceito. Kant ainda não utiliza a palavra "formação" nesse contexto. Fala da "cultura" da faculdade (ou da "aptidão natural"), que, como tal, é um ato de liberdade do sujeito atuante. Assim, entre os deveres para consigo mesmo, cita o de não deixar deteriorar seus próprios talentos, e não emprega aqui a palavra "formação"[14]. Hegel, ao contrário, já fala de "formar-se" e de "formação" ao acolher o pensamento kantiano do dever para consigo mesmo[15], e Wilhelm von Humboldt, com o fino senso que lhe é próprio, já percebe perfeitamente uma diferença de significado entre cultura e formação: "mas quando em nosso idioma dizemos "formação", estamos nos referindo a algo mais elevado e mais íntimo, ou seja, o modo de perceber que vem do conheci-

---

13. Cf. SHAARSCHMIDT, I. *Der Bedeutungswandel der Worte Bilden und Bildung* [Dissertação, Königsberg, 1931].
14. KANT, I. *Metaphysik der Sitten*. Metaphysische Anfangsgründe der Tugendlehre, § 19.
15. G.F.W. Hegel, *Obras*, 1832s, vol. XVIII, *Philosophische Propädeutik*, Erster Cursus, § 41s.

mento e do sentimento do conjunto do empenho espiritual e moral, e que se expande harmoniosamente na sensibilidade e no caráter"[16]. Aqui, formação significa mais que cultura, ou seja, aperfeiçoamento de faculdades e de talentos. A ascensão da palavra "formação" desperta, antes, a antiga tradição mística, segundo a qual o homem traz em sua alma a imagem de Deus, segundo a qual foi criado, e que deve reconstruir em si mesmo. O equivalente latino para formação é *formatio* e noutros idiomas, p. ex., no inglês (em Shaftesbury) corresponde a *form* e *formation*. Também no alemão as correspondentes derivações do conceito de forma, p. ex., *Formierung* e *Formation*, competem com a palavra *Bildung* (formação). Desde o aristotelismo da Renascença, *forma* vem sendo inteiramente desvinculada de seu significado técnico e interpretada de maneira puramente dinâmica e natural. Também o triunfo da palavra *formação* sobre *forma* não parece só acaso, pois no conceito "formação" (*Bildung*) encontra-se a palavra "imagem" (*Bild*). O

[17] conceito de forma retrocede para aquém da misteriosa duplicidade da palavra "imagem" (*Bild*), que abrange tanto o significado de "cópia" (*Nachbild*) quanto o de "modelo" (*Vorbild*).

O fato de a *formação* (assim como a atual palavra *"Formation"*) designar mais o resultado desse processo de devir do que o próprio processo corresponde a uma frequente transferência do devir para o ser. Aqui a transferência é bastante evidente, pois o resultado da formação não se produz na forma de uma finalidade técnica, mas nasce do processo interior de formulação e formação, permanecendo assim em constante evolução e aperfeiçoamento. Não é por acaso que, nesse particular, a palavra formação se pareça com a palavra grega *physis*. Assim como a natureza, a formação não conhece nada exterior às suas metas estabelecidas. (Vamos manter a desconfiança em relação à palavra e ao tema do "objetivo de formação", por ser uma formação secundária. No fundo, formação não pode ser um objetivo, não pode ser desejada, a não ser na temática reflexiva do educador.) É justamente nisso que o conceito de formação supera o mero cultivo de aptidões pré-existentes, do qual deriva. O cultivo de uma aptidão é o desenvolvimento de algo dado,

---

16. HUMBOLDT, Wilhelm von. *Gesammelte Schriften*. Akademie-Ausgabe, vol. VII, 1, p. 30.

de modo que seu exercício e cultivo são um mero meio para o fim. Assim, o material de ensino de um manual de linguagem é um meio e não um fim. Sua apropriação serve apenas para o domínio da linguagem. Na formação, ao contrário, é possível apropriar-se totalmente daquilo em que e através do que alguém é instruído. Nesse sentido, tudo que ele assimila integra-se nele. Mas na formação aquilo que foi assimilado não é como um meio que perdeu sua função. Na formação adquirida nada desaparece, tudo é preservado. A formação é um conceito genuinamente histórico, e é justamente o caráter histórico da "conservação" o que importa para a compreensão das ciências do espírito.

Assim, uma análise preliminar da história da palavra "formação" já nos introduz no âmbito dos conceitos históricos, como fez Hegel ao familiarizá-los primeiramente no terreno da "primeira filosofia" ("erste Philosophie"). De fato, foi Hegel quem elaborou da maneira mais nítida o que é formação, e nós seguimos sua definição[17]. Ele também viu que a filosofia tem sua condição de "existência" na formação e nós acrescentamos: com ela, também as ciências do espírito, pois o ser do espírito está essencialmente vinculado com a ideia da formação.

O homem se caracteriza pela ruptura com o imediato e o natural, vocação que lhe é atribuída pelo aspecto espiritual e racional de sua natureza. "Segundo esse aspecto, ele não é por natureza o que deve ser", razão pela qual tem necessidade da formação. O que Hegel chama de natureza formal da formação repousa na sua universalidade. No conceito de uma elevação à universalidade Hegel consegue reunir o que sua época compreendia por formação. Elevação à universalidade não se reduz à formação teórica nem significa apenas um comportamento teórico em oposição a um prático, mas cobre o conjunto da determinação essencial da racionalidade humana. A essência universal da formação humana é tornar-se um ser espiritual, no sentido universal. Quem se entrega à particularidade é inculto (*ungebildet*), é o caso de quem cede a uma ira cega

[18]

---

17. HEGEL. *Philosophische Propädeutik*, § 41-45. [Cf. a coleção de textos de PLEINES, J.-E. *Bildungstheorien* – Probleme und Positionen. Freiburg [s.e.], 1978. Encontram-se, também aí, indicações aos trabalhos de Buck, Pleines e Schaaf, que desenvolvem mais o tema.]

sem medida nem postura. Hegel demonstra que, no fundo, essa pessoa carece de poder de abstração: não consegue abstrair de si e ter em vista um sentido universal, pelo qual paute sua particularidade com medida e postura.

A formação como elevação à universalidade é pois uma tarefa humana. Exige um sacrifício do que é particular em favor do universal. O sacrifício do particular, porém, significa, negativamente, inibição da cobiça e, com isso, liberdade do objeto da cobiça e liberdade para sua objetividade. Aqui, as deduções da dialética fenomenológica complementam o que foi escrito na *"Propedêutica"*. Na "Fenomenologia do Espírito" Hegel desenvolve a gênese de uma autoconsciência livre "em si e para si" e mostra que a essência do trabalho é formar a coisa, e não deformá-la[18]. Na consistência autônoma que o trabalho propicia à coisa, a consciência que trabalha se reencontra a si mesma como uma consciência autônoma. O trabalho é a cobiça inibida. Ao formar o objeto, portanto, enquanto age ignorando a si e dando lugar a um sentido universal, a consciência que trabalha eleva-se acima do imediatismo de sua existência rumo à universalidade – ou, como diz Hegel: ao formar a coisa, forma-se a si mesmo. O que ele quer dizer é o seguinte: enquanto está adquirindo um "poder" *(Können)*, uma habilidade, o homem ganha com isso um sentido próprio. O que parecia ter-lhe sido negado no abandonar-se ao serviço, na medida em que se submeteu totalmente a um sentido que lhe era estranho, volta em seu proveito, enquanto ele é uma consciência laboriosa. Como tal, encontra em si mesmo um sentido próprio, sendo perfeitamente correto dizer que o trabalho forma. O sentimento próprio *(Selbstgefühl)* da consciência laboriosa contém todos os momentos daquilo que constitui uma formação prática: distanciamento da imediatez da cobiça, das necessidades pessoais e do interesse privado e a exigência de um sentido universal.

Na *Propedêutica*, Hegel demonstra através de uma série de exemplos essa natureza da formação prática que consiste em exigir

---

18. HEGEL. *Phenomenologie des Geistes* (Phil. Bibl., 114), org. Hoffmeister, p. 148s. [Cf., entre outros, meu estudo *Hegels Dialektik des Selbstbewusstsein*, Hegels D², p. 49-64; vol. 3. das Obras Completas, e o livro de L. Siep, *Anerkennung als Prinzip der praktischen Philosophie: Untersuchungen zu Hegels Jenaer Philosophie des Geistes*, Freiburg, 1979.]

a si mesmo um sentido universal. O mesmo se dá na moderação, [19] que limita a desmedida na satisfação das necessidades e no uso da força com base num sentido universal, ou seja, levando em consideração a saúde. É o que ocorre também na reflexão que, face à circunstância ou negócio individual, permanece aberta à consideração do que ainda pode ser necessário. Mas também toda e qualquer escolha de profissão tem algo disso. Pois toda profissão sempre tem algo a ver com o destino, com a necessidade exterior e exige que nos entreguemos a tarefas que não assumiríamos para nossos fins privados. A formação prática é posta à prova no fato de preenchermos as exigências de nossa profissão e em todas as suas facetas. Isso implica superar o que se torna estranho para a particularidade que se é e apropriar-se totalmente dele. Entregar-se ao sentido universal da profissão é pois, ao mesmo tempo, "saber limitar-se, ou seja, fazer de sua profissão uma questão inteiramente sua. Nesse caso, ela não será nenhuma limitação para ele".

Já nessa descrição de Hegel sobre a formação prática reconhece-se a determinação fundamental do espírito histórico: reconciliar-se consigo mesmo e reconhecer-se a si mesmo no ser-outro. Essa determinação se torna ainda mais clara na ideia da formação teórica, pois comportar-se teoricamente já é, como tal, um alheamento, ou seja, uma exigência "de se ocupar com um não imediato, com algo de natureza estranha, com algo da reminiscência, que pertence à memória e ao pensamento". A formação teórica conduz, assim, além do que o homem sabe e vivencia de imediato. Consiste em aprender que também o diferente tem sua validade e encontrar pontos de vista universais, a fim de apreender a coisa, isto é, "o que há de objetivo na sua liberdade", isento de interesses egoísticos[19]. É justamente por isso que toda aquisição de formação conduz ao desenvolvimento de interesses teóricos, e Hegel fundamenta a apropriação específica do mundo e da linguagem dos antigos com o fato de que esse mundo é-nos suficientemente remoto e estranho para produzir a separação necessária que nos aparte de nós mesmos. "Mas esse mundo contém ao mesmo tempo todos os pontos de partida e todos os fios de retorno a si mesmo, da familiarização

---

19. HEGEL. XVIII, p. 62.

com ele e do reencontro de si mesmo, mas 'de si mesmo', segundo a essência verdadeiramente universal do espírito"[20].

Nessas palavras de Hegel, enquanto diretor do instituto, reconhece-se o preconceito classista de que é nos antigos que se pode encontrar com mais facilidade a essência universal do espírito. Mas o pensamento fundamental continua correto. Reconhecer no estranho o que é próprio, familiarizar-se com ele, eis o movimento fundamental do espírito, cujo ser é apenas o retorno a si mesmo a partir do ser-outro. Nesse sentido, toda formação teórica, mesmo o cultivo de idiomas e aquisição de concepções de mundos estrangeiros, é a mera continuação de um processo de formação que teve início bem mais cedo. Cada indivíduo particular que se eleva de seu ser natural a um ser espiritual encontra no idioma, no costume, nas instituições de seu povo uma substância prévia de que deve se apropriar, como o aprender a falar. Assim, cada indivíduo já está sempre a caminho da formação e da superação de sua naturalidade, na medida em que o mundo em que está crescendo é formado humanamente em linguagem e costumes. Hegel acentua que nesse seu mundo um povo deu-se existência. Ele trabalhou a partir de si mesmo e extraiu de si o que é em si mesmo.

Com isso fica claro que o que perfaz a essência da formação não é o alheamento como tal, mas o retorno a si, que pressupõe naturalmente o alheamento. Nesse caso, a formação não deve ser entendida apenas como o processo que realiza a elevação histórica do espírito ao sentido universal, mas é também o elemento onde se move aquele que se formou. Que elemento será este? Aqui começam as perguntas que tivemos que fazer a Helmholtz. A resposta de Hegel não poderá nos satisfazer, pois, para Hegel, a formação como o movimento de alheamento e apropriação se realiza num total apoderamento da substância, na dissolução de toda essência objetiva, o que só se alcança no saber absoluto da filosofia.

Mas reconhecer que a formação seja algo como um elemento do espírito, isso não obriga a vincular-se à filosofia hegeliana do espírito absoluto, do mesmo modo que o seu juízo acerca da historici-

---

20. HEGEL. *Nürnberger Schriften*. [Discursos de 1809 – HOFFMEISTER, J. (org.)].

dade da consciência não vincula à sua filosofia da história mundial. O que importa é ter claro que, também para as ciências históricas do espírito, que se distanciam de Hegel, a ideia da formação plena continua sendo um ideal necessário, uma vez que a formação é o elemento no qual se movimentam. Mesmo o que o antigo uso de linguagem denomina "uma formação completa", no âmbito do fenômeno corporal, não chega a ser a última fase de um desenvolvimento, mas o estado de amadurecimento que todo desenvolvimento deixou atrás de si, possibilitando o movimento harmonioso de todos os membros. Justamente nesse sentido as ciências do espírito pressupõem que a consciência científica já é algo formado, possuindo assim esse tato verdadeiramente inapreensível e inimitável, que sustenta a formação do juízo e o modo de conhecimento das ciências do espírito, como um elemento.

O que Helmholtz descreve sobre a forma de trabalhar das ciências do espírito, sobretudo o que chama de senso artístico e *tato*, pressupõe, na verdade, esse elemento da formação, no interior do qual se permite ao espírito uma mobilidade especialmente livre. É por isso que Helmholtz fala, p. ex., da "predisposição pela qual as mais diversas experiências devem fluir para a memória do historiador ou do filólogo"[21]. É possível que, a partir daquele ideal "do férreo trabalho do concluir autoconsciente", sob o qual pensa estar o pesquisador da natureza, essa descrição pareça ser superficial. O conceito de *memória*, da maneira como ele o aplica, não é suficiente para esclarecer o que está em questão aqui. Na verdade, esse tato ou esse senso não será compreendido corretamente se for pensado como uma capacidade anímica adicional, que se serve de uma boa memória, chegando assim a conhecimentos que não são rigorosamente evidentes. O que possibilita essa função do tato, o que conduz à sua aquisição e posse, não é só uma mera dotação psíquica favorável ao conhecimento das ciências do espírito.

Aliás, não conseguiremos apreender corretamente a essência da própria memória caso vejamos nela apenas uma disposição ou uma capacidade genérica. Reter, esquecer e voltar a lembrar pertencem à constituição histórica do homem e fazem parte de sua

---

21. HELMHOLTZ. Op. cit., p. 178.

história e formação. Quem exercita sua memória como uma mera capacidade – e toda técnica da memória é tal exercício – continua sem possuir o que é mais próprio da memória. A memória precisa ser formada, pois a memória não é memória em geral e para tudo. Para algumas coisas temos memória, para outras não; e algumas coisas queremos guardar na memória, outras banir. Estaria na hora de libertar o fenômeno da memória de seu nivelamento capacitativo que a psicologia lhe impôs e de reconhecê-lo como um traço essencial do ser histórico e limitado do homem. Desde há muito tempo que não levamos suficientemente em consideração que o esquecimento pertence à relação entre reter e lembrar. Não se trata simplesmente de omissão ou carência, mas, como acentua sobretudo Nietzsche, trata-se de uma condição de vida do espírito[22]. É só pelo esquecimento que o espírito pode renovar-se totalmente e ser capaz de ver tudo com olhos novos, de modo que o que é velho e familiar se funde com o recém-visto em uma unidade de várias estratificações. "Reter" é, pois, ambíguo. Enquanto memória (*mneme*), ela contém a relação com a lembrança (*anamnesis*)[23]. O mesmo vale também para o conceito do "tato", usado por Helmholtz. Por "tato", entendemos uma determinada sensibilidade e capacidade de percepção de situações, assim como o comportamento que temos nessas situações quando não possuímos nenhum saber baseado em princípios universais. Por isso, o tato é essencialmente inexpresso e inesprimível. Pode-se dizer alguma coisa com tato. Mas isso sempre irá significar que, com tato, contornamos algo e não o dizemos, e que não temos tato quando buscamos exprimir o que só pode ser contornado. Contornar, porém, não significa desviar a vista de algo, mas atentar para não esbarrar nele e poder passar ao lado. É por

[22]

---

22. NIETZSCHE, F. *Considerações intempestivas*, parte II – Da utilidade e vantagem da história para a vida, 1.

23. A história da memória não é a mesma coisa que a história de seu exercício. É verdade que a mnemotécnica determina uma parte dessa história, mas a perspectiva pragmática, na qual o fenômeno da *memória* aparece, significa uma redução do mesmo. No centro da história desse fenômeno deveria encontrar-se Santo Agostinho, que assume e transforma por completo a tradição pitagórico-platônica. Voltaremos mais tarde à função da *mneme*, na problemática da indução. (Cf. *Umanesimo e Simbolismo* (org. Castelli), os trabalhos de ROSSI, P. *La construzione delli imagini nei trattati di memoria artificiale del Rinascimento*, e VASOLI, C. *Umanesimo e simbologia nei primi scritti lulliani e mnemotecnici del Bruno*).

isso que o tato ajuda a manter distância. Evita o impacto, a proximidade demasiada e a invasão da esfera íntima da pessoa.

Ora, o tato de que fala Helmholtz não é simplesmente idêntico com esse fenômeno ético e do trato com os outros. Há, no entanto, algo que é essencialmente comum, pois também o tato que atua nas ciências do espírito não se esgota num sentimento inconsciente. É também uma forma de conhecimento e uma forma de ser. Pode-se observar isso com mais clareza nas análises que fizemos acima a respeito do conceito de formação. O que Helmholtz denomina de tato inclui a formação, e é função da formação tanto estética como histórica. Se quisermos poder confiar em nosso próprio tato para o trabalho com as ciências do espírito, devemos possuir ou ter formado um sentimento tanto estético quanto histórico. Como esse sentido não é simplesmente uma dotação natural, falamos com razão de consciência estética ou histórica e não propriamente de sentido. É claro que essa consciência tem relação com a imediaticidade do sentido, isto é, sabe discernir e avaliar com segurança em cada caso específico, mesmo sem poder dar razões. Assim, quem possui sentido estético sabe discernir o belo e o feio, a boa e a má qualidade, e quem possui sentido histórico sabe o que é possível e o que não é possível para uma época, e tem sentido para distinguir o passado do presente.

Se tudo isso implica formação, significa que não se trata de uma questão de procedimento ou de comportamento, mas do ser que deveio. Considerar com maior exatidão, estudar uma tradição com maior profundidade não bastam se não disporem de uma receptividade para o que há de diferente numa obra de arte ou no passado. Foi o que, seguindo Hegel, salientamos como uma característica universal da formação: o manter-se aberto para o diferente, para outros pontos de vista mais universais. Contém um sentido universal para a medida e para a distância com relação a si mesmo, levando a ultrapassar a si mesmo e alcançar a universalidade. Ver a si mesmo e seus fins privados com certo distanciamento significa vê-los como os outros os veem. De certo, essa universalidade não é uma universalidade do conceito ou da compreensão. Não se determina algo particular a partir de algo universal, não se pode comprovar nada por conclusão. Os pontos de vista universais para os

[23]

quais a pessoa formada se mantém aberta não são um padrão fixo de validade, mas se apresentam apenas como pontos de vista de possíveis outros. Assim, a consciência formada tem o caráter de um sentido, pois todo sentido, p. ex., o sentido da visão, já é universal enquanto abrange sua esfera, abre-se para um campo e, no âmbito daquilo que lhe está aberto, percebe as diferenças. A consciência formada suplanta cada um dos sentidos naturais somente na medida em que cada um está restrito a uma determinada esfera. Ela mesma opera em todas as direções. É um *sentido universal*.

Um sentido universal e comunitário... esta é, de fato, uma formulação para a essência da formação, em que ressoa um amplo contexto histórico. A reflexão sobre o conceito da formação, tal como fundamenta as reflexões de Helmholtz, nos faz recuar na história desse conceito. Precisamos acompanhar um pouco esse contexto se quisermos que o problema apresentado à filosofia pelas ciências do espírito rompa a estreiteza artificial que comprime a metodologia do século XIX. O conceito moderno da ciência e o conceito de método a ela subordinado não são suficientes. O que faz das ciências do espírito ciências pode ser compreendido bem melhor a partir da tradição do conceito de formação do que da ideia de método da ciência moderna. Vemo-nos remetidos à *tradição humanista*, que ganha um novo significado a partir da resistência que oferece às pretensões da ciência moderna.

Valeria a pena dedicar alguma atenção ao modo como desde os dias do humanismo a crítica à ciência da "escola" começou a ganhar destaque e como essa crítica foi se transformando de acordo com as mudanças de seus adversários. Originariamente, reavivavam-se os motivos antigos. O entusiasmo com que os humanistas proclamavam a língua grega e o caminho da *eruditio* significava mais do que uma paixão de antiquariato. A ressurreição das línguas clássicas despertou também uma nova valoração da retórica. Seu "front" voltava-se contra a "escola", ou seja, contra a ciência escolástica, e estava a serviço de um ideal de sabedoria humana que fora alcançado na "escola" – uma oposição que, na verdade, já se encontra no início da filosofia. A crítica de Platão à sofística, mais ainda, sua atitude singularmente ambivalente com relação a

Isócrates, apontam o problema filosófico que existe aqui. Em face da nova consciência de método das ciências da natureza do século XVII, esse velho problema deveria ganhar uma agudeza crítica ainda maior. Em vista da reivindicação de exclusividade dessa nova ciência, colocava-se a pergunta com maior urgência, a saber, se no conceito humanista de formação não havia uma fonte própria de verdade. De fato, veremos que as ciências filosóficas do século XIX extraem sua vida peculiar da sobrevivência do pensamento humanista da formação, embora não o admitam. [24]

No fundo, fica evidente que o determinante, aqui, não foi a matemática mas os estudos humanistas. Pois o que poderia significar a nova metodologia do século XVII para as ciências do espírito? Basta ler os correspondentes capítulos da *Logique de Port-Royal* sobre as regras da razão aplicáveis a verdades históricas para reconhecer a precariedade do que se pode produzir nas ciências do espírito a partir dessa ideia de método[24]. É realmente uma trivialidade o que surge, quando se afirma, p. ex., que para julgar um acontecimento quanto à sua verdade deve-se levar em consideração as circunstâncias (*circonstances*) que o acompanham. Com essas regras demonstrativas, os jansenistas queriam oferecer uma introdução metodológica para saber até onde os milagres são dignos de fé. Frente a uma fé incontrolável nos milagres, buscavam oferecer o espírito do novo método e assim pensavam poder legitimar os verdadeiros milagres da tradição bíblica e eclesiástica. A nova ciência a serviço da antiga igreja. É evidente que uma tal relação não poderia durar e pode-se muito bem imaginar o que teria de acontecer caso as próprias premissas cristãs fossem questionadas. Caso viesse a ser aplicado à credibilidade dos testemunhos históricos da tradição bíblica, o ideal metodológico da ciência da natureza deveria levar a resultados bem diversos e catastróficos para o cristianismo. O caminho que vai da crítica aos milagres, no estilo jansenista, à crítica histórica da Bíblia, não fica muito atrás. Spinoza é um bom exemplo para isso. Mais à frente mostraremos que a aplicação consequente dessa metodologia, como única norma da verdade das ciências do espírito, seria semelhante a uma anulação de si mesma.

---

24. *Logique de Port-Royal*, parte VI, cap. 13s.

b) *Sensus communis*

Sendo assim, torna-se necessário voltar-nos para a tradição humanista e perguntar: que forma de conhecimento das ciências do espírito se poderá aprender dela? É aqui que o escrito de Vico, *De nostri temporis studiorum ratione*, apresenta um valioso ponto de referência[25]. A defesa do humanismo empreendida por Vico, como já mostra o título, é mediada pela pedagogia jesuítica e se dirige tanto contra Descartes como contra o jansenismo. Assim como seu esboço de uma "nova ciência", esse manifesto pedagógico de Vico tem sua base plantada em velhas verdades. Por isso, se refere ao *sensus communis*, o senso comum, e ao ideal humanista da *eloquentia*, momentos que já existiam no antigo conceito do sábio. Desde antigamente, o "bem-falar" (*eu legein*) é uma fórmula ambígua e não apenas um ideal retórico. Significa também dizer o que é correto, ou seja, o que é verdadeiro, e não somente a arte de falar, a arte de dizer bem alguma coisa.

Assim, sabe-se que na Antiguidade esse ideal foi proclamado tanto pelos professores de filosofia como pelos de retórica. A retórica encontrava-se há muito tempo em luta com a filosofia e, diante das ociosas especulações dos "sofistas", pretendia transmitir a verdadeira sabedoria da vida. Vico, que era ele mesmo professor de retórica, encontra-se, portanto, em meio a uma tradição humanista que vem da Antiguidade. De certo que essa tradição também é importante para a autocompreensão das ciências do espírito, como o é sobretudo a positiva ambiguidade do ideal retórico, relegada tanto pelo veredicto de Platão quanto pelo veredicto do metodologismo antirretórico da modernidade. Nesse sentido, muita coisa do que irá nos ocupar nesse livro já ressoa em Vico. Além do momento retórico, seu apelo ao *sensus communis* recolhe da tradição antiga também o momento do antagonismo entre o acadêmico e o sábio, sobre o qual ele se apoia; um antagonismo que encontrou sua primeira figura na imagem cínica de Sócrates e possui seu fundamento objetivo no antagonismo conceitual entre *sophia* e *phronesis*, elaborado pela primeira vez por Aristóteles e desenvolvido nos Pe-

---

25. VICO, J.B. *De nostri temporis studiorum ratione*. 1947 [Tradução de W.F. Otto].

ripatéticos como uma crítica do ideal teórico de vida[26]. Na época helenística, esse ideal determinou a imagem do sábio, principalmente depois que o ideal de formação grega se tinha fundido com o extrato político dominante de Roma. Como se sabe, também a ciência jurídica romana, no seu período tardio, foi erigica com base na arte e na prática jurídicas, mais próximas do ideal prático da *phronesis* do que do ideal teórico da *sophia*[27].

É sobretudo a partir do renascimento da filosofia e retórica antigas que a imagem de Sócrates se torna o mote de oposição contra a ciência, como mostra sobretudo a figura do *idiota*, do leigo, que assume um papel totalmente novo entre o erudito e o sábio[28]. Também a tradição retórica do humanismo se reporta a Sócrates e à crítica cética aos dogmáticos. Observa-se que Vico critica os estoicos porque acreditam na razão como *regula veri*, e, inversamente, louva os antigos acadêmicos, que somente afirmam o saber do não saber, e tanto mais os novos acadêmicos, por sua grandeza na arte da argumentação (que pertence à oratória). [26]

O apelo de Vico ao *sensus communis*, no âmbito dessa tradição humanista, apresenta um colorido todo especial. Também no terreno das ciências, há a *querelle des anciens et des modernes*. Vico não se refere mais ao antagonismo com relação à "escola", mas ao especial antagonismo com relação à ciência moderna. Não contesta as vantagens da ciência crítica dos tempos modernos, mas lhe indica seus limites. Ninguém poderá dispensar a sabedoria dos antigos, o cultivo da *prudentia* e da *eloquentia*, nem mesmo agora, diante dessa nova ciência e sua metodologia matemática. O tema da educação também seria outro: a formação do *sensus communis* que não se alimenta do verdadeiro mas do verossímil. Bem, o que nos interessa aqui é o seguinte: *sensus communis* não significa somente aquela capacidade universal que existe em todos os homens, mas é também o sentido que institui comunidade. Vico

---

26. JAEGER, W. *Über Ursprung und Kreislauf des philosophischen Lebensideals*. Berlim: Sitzungsberichte der Preuss. Akademie der Wiss., 1928.
27. WIEACKER, F. *Vom römischen Recht*, 1945.
28. Cf. Nicolau de Cusa, que em quatro diálogos (*De sapientia I, II, de mente, de staticis experimentis*) introduz um idiota como interlocutor (Heidelberger Akademi-Ausgabe V, 1937).

acredita que o que dá diretriz à vontade humana não é a universalidade abstrata da razão, mas a universalidade concreta representada pela comunidade de um grupo, de um povo, de uma nação, do conjunto da espécie humana. O desenvolvimento desse senso comum é, por isso, de decisiva importância para a vida.

Vico fundamenta o significado e o direito autônomo da eloquência sobre esse senso comum do verdadeiro e do correto, que não é um saber baseado em razões, mas que permite encontrar o que é plausível *(verisimile)*. A educação não poderia palmilhar o caminho da pesquisa crítica. A juventude exigiria imagens para a fantasia e para o desenvolvimento da memória. Mas o estudo das ciências segundo o espírito da nova crítica não produz isso. Assim, Vico complementa a *Crítica* do cartesianismo adicionando-lhe a antiga *Topica*. Esta é a arte de encontrar argumentos e serve para o desenvolvimento de um sentido para o que é convincente, sentido que trabalha instintivamente e *ex tempore* e que, por isso, não pode ser substituído pela ciência.

[27]

Essas determinações de Vico têm um caráter eminentemente apologético. Reconhecem indiretamente o novo conceito de verdade da ciência, ao defenderem o direito do verossímil. Como vimos, nesse caso Vico está seguindo a antiga tradição retórica que remonta a Platão. Mas o que ele tem em mente vai além da defesa da *peitho* retórica. Como já dissemos, objetivamente falando, o que opera aqui é o antigo antagonismo aristotélico entre saber prático e saber teórico, um antagonismo que não se deixa reduzir à oposição entre verdadeiro e verossímil. O saber prático, a *phronesis*, é uma forma de saber distinta[29]. Em princípio significa que está orientado para a situação concreta. Terá de abranger então as circunstâncias em sua infinita variedade. É o que salienta expressamente também Vico. É claro que com isso ele só tem em mente subtrair o saber ao conceito racional do saber. Mas, na verdade, não se trata de um mero ideal de resignação. O antagonismo aristotélico é mais que o antagonismo entre saber baseado em princípios universais e um ver o concreto. Também não significa a capacidade de subsun-

---

29. ARISTÓTELES. *Ética a Nicômaco*, Z, 9, 1141b 33: *Eidos men oun ti na eié tnóseós to autó eidenaisto.*

ção do particular pelo universal, que denominamos "capacidade de juízo". O que atua aí é, antes, um motivo ético, positivo, que também existe na doutrina estoica romana do *sensus communis*. Acolher e dominar eticamente uma situação concreta exige essa subsunção do dado sob o universal, ou seja, sob o fim que se persegue: que daí resulte o correto. Pressupõe, portanto, um direcionamento da vontade, isto é, um ser ético (*hexis*). Nesse sentido, em Aristóteles a *phronesis* é uma "virtude espiritual". Ele não a considera uma mera faculdade (*dynamis*), mas uma determinação do ser ético, que não pode existir sem o conjunto das "virtudes éticas", assim como estas não podem existir sem aquela. Embora em seu exercício permita distinguir o factível do infactível, essa virtude não é simplesmente uma inteligência prática e uma engenhosidade universal. Sua distinção entre o factível e o infactível abrange também a distinção entre o conveniente e o inconveniente e, assim, pressupõe uma atitude ética, que, por sua vez, aperfeiçoa essa mesma virtude.

O apelo de Vico ao *sensus communis* remete objetivamente a esse motivo que Aristóteles desenvolveu contra a "ideia do bem" de Platão. Na escolástica, p. ex., no *De anima*[30] de St. Tomás, o *sensus communis* é a raiz comum dos sentidos exteriores, ou a capacidade de combiná-los, a que julga o dado. É uma capacidade que foi concedida a todos os homens[31]. Para Vico, ao contrário, o *sensus communis* é um sentido para a justiça e o bem comum, que vive em todos os homens, e mais, um sentido que é adquirido através da vida em comum e determinado pelas ordenações e fins desta. Esse conceito tem um tom de justiça natural como as *koinai ennoiai* da Stoa. Mas o *sensus communis* não é um conceito grego nesse sentido e não tem, de forma alguma, o significado de *koine dynamis*, de que fala Aristóteles no *De anima*, quando procura equiparar a teoria dos sentidos específicos *(aisthesis idia)* com o achado fenomenológico que considera toda percepção como uma distinção e uma opinião sobre um universal. Vico recorre, antes, ao antigo conceito romano do *sensus communis*, tal como aparece sobretudo nos clássicos romanos, que, frente à formação grega, ancoram-se

[28]

---

30. ARISTÓTELES. *De anima*, 425 a 14s.
31. TOMÁS DE AQUINO. *Suma teológica*, I q. 1, 3 ad 2 et q. 78, 4 ad 1.

no valor e no sentido de suas próprias tradições da vida civil e social. É pois um tom crítico, um tom contra a especulação teórica dos filósofos que já se pode ouvir no conceito romano de *sensus communis* e que Vico faz ressoar, a partir de seu novo "front" de batalha, contra a ciência moderna (a *crítica*).

Há algo que chama imediatamente a atenção nesse alicerçar os estudos filológico-históricos e a forma de atuação das ciências do espírito nesse conceito do *sensus communis*. Pois seu objeto, a existência moral e histórica do homem tal como se configura nos seus feitos e nas suas obras, está decisivamente determinado pelo *sensus communis*. Assim, a conclusão a partir do universal e a demonstração a partir de fundamentos não são suficientes, porque o decisivo aqui são as circunstâncias. Essa formulação é negativa. Um conhecimento propriamente positivo é o que transmite o senso comum. A forma de conhecer do conhecimento histórico não se esgota em ter de admitir "a crença em testemunhos alheios" (Tetens)[32] em vez da "conclusão autoconsciente" (Helmholtz). Também não se pode dizer que a tal saber convenha apenas um valor de verdade reduzido. D'Alembert[33] escreve com razão:

> A probabilidade dá-se principalmente nos fatos históricos, e em geral em todos os acontecimentos passados, presentes e futuros, que nós atribuímos a uma espécie de acaso, porque nós não lhes inferimos as causas. A parte desse conhecimento que tem por objeto o presente e o passado, apesar de estar fundamentada apenas sobre o simples testemunho, produz em nós, muitas vezes, uma persuasão tão forte como a que nasce dos axiomas.

[29] A *história* é, realmente, uma fonte de verdade muito distinta da razão teórica. Cícero já tinha em mente isso quando a chama de *vita memoriae*[34]. Seu direito próprio repousa no fato de as paixões humanas não poderem ser regidas pelas prescrições genéricas da razão. Para tanto são necessários exemplos convincentes, que somente a história pode fornecer. É por isso que Bacon denomina a

---

32. TETENS. *Philosophische Versuche*, 1777 [Reimpressão da Kant-Gesellschaft, p. 515].
33. *Discours préliminaire de l'Encyclopédie*, 1955, p. 80 [KÖHLER & MEINER (orgs.)].
34. CÍCERO. *De oratore*, II, 9. 36.

história que apresenta tais exemplos como um outro caminho do filosofar *(alia ratio philosophandi*[35]*)*.

Também isso foi formulado de modo bastante negativo. Veremos, no entanto, que em todas essas versões está operando o modo de ser do saber ético reconhecido por Aristóteles. A lembrança disso será importante para uma autocompreensão adequada das ciências do espírito.

O fato de Vico recorrer ao conceito romano do *sensus communis* e sua defesa da retórica humanista contra a ciência moderna é de especial interesse para nós. Aqui nos aproximamos de um momento de verdade do conhecimento das ciências do espírito que já não era mais acessível para a autorreflexão das ciências do espírito do século XIX. Vico vivia numa tradição ininterrupta da formação retórico-humanista e precisava apenas resgatar a validade do direito conservado dessa tradição. Por fim, sabia-se desde há muito que as possibilidades da comprovação e do ensino racionais não esgotam todo o campo do conhecimento. Como vimos, o apelo de Vico ao *sensus communis* pertence a um amplo contexto que retrocede até a Antiguidade e cuja repercussão até o presente é o nosso tema[36].

Nós, ao contrário, precisamos abrir penosamente o caminho de regresso a essa tradição, apontando as dificuldades que resultam da aplicação do conceito moderno de método às ciências do espírito. Para isso, procuramos responder à questão de como se chegou à atrofia dessa tradição e como é que, com isso, a pretensão de verdade do conhecimento das ciências do espírito caiu sob o padrão do pensamento metodológico da ciência moderna, cuja natureza lhe é estranha.

Para esse desenvolvimento, determinado essencialmente pela "escola histórica" alemã, nem Vico e nem a ininterrupta tradição retórica italiana tiveram participação decisiva e direta. Quase não se percebe qualquer influência de Vico no século XVIII. No entan-

---

35. Cf. STRAUSS, Leo. *The Political Philosophy of Hobbes*, cap. VI.
36. É evidente que Castiglione desempenhou um papel importante na transmissão desse motivo aristotélico; cf. LOOS, Erich. *Baldassare Castigliones "Libro del cortegiano"* [Analecta romanica, org. por F. Schalk. cad. 2].

[30] to, Vico não foi o único a apelar ao *sensus communis*. Tem um importante paralelo em *Shaftesbury*, cuja influência sobre o século XVIII foi considerável. Shaftesbury situa o apreço do significado social de *Wit* (sentido, graça) e *humour* sob o título *sensus communis* e invoca expressamente os clássicos romanos e seus intérpretes humanistas[37]. De certo que o conceito de *sensus communis*, como vimos, tem também para nós uma nota que o vincula aos estoicos e ao direito natural. Mesmo assim, não se pode contestar a justeza da interpretação humanista, que se apoia nos clássicos romanos e que é seguida por Shaftesbury. Segundo Shaftesbury, os humanistas compreendiam por *sensus communis* o sentido para o bem comum, mas também "amor à comunidade ou à sociedade, afeição natural, humanidade, cortesia". Eles se apoiam numa palavra de Marco Aurélio[38], *koinonoemosyne*. Uma palavra extremamente rara e artificial – o que confirma, no fundo, que o conceito *sensus communis* não provém da filosofia grega, mas deixa ressoar essa tonalidade estoica do conceito como um sobretom. O humanista Salmásio delimita o conteúdo dessa palavra como *"moderatam, usitatam et ordinariam hominis mentem, que in commune quodam modo consulit nec omnia ad commodum suum refert, respectumque etiam habet eorum, cum quibus versatur, modeste, modiceque de se sentiens"*. Shaftesbury não está pensando tanto num dispositivo do direito natural, conferido a todos os homens, como numa virtude social, uma virtude mais do coração do que da cabeça. E, quando entende *wit* e *humour* a partir daí, está seguindo os velhos conceitos romanos que incluíram na *humanitas* o estilo de vida refinado, a atitude do varão que entende e faz troça, porque está seguro da existência de uma profunda solidariedade com relação ao seu interlocutor. (Shaftesbury limita expressamente *wit* e *humour* ao relacionamento social entre amigos.) E embora quase pareça uma virtude do trato social, o *sensus communis* implica a verdade um embasamento moral e até mesmo metafísico.

Shaftesbury tem em mente a virtude espiritual e social da simpatia, sobre a qual edificou não somente a moral mas toda uma me-

---

37. SHAFTESBURY. *Characteristics*, *Treatise*, sobretudo parte III, secção I.
38. Marc Ant. I, 16.

tafísica estética. Seus sucessores, principalmente Hutcheson[39] e Hume, aperfeiçoaram seus estímulos para uma doutrina do *moral sense*, que mais tarde iria servir como pano de fundo à ética kantiana.

O conceito de *common sense* ocupa uma função realmente central e sistemática na filosofia dos *escoceses*, que polemizam tanto contra a metafísica quanto contra sua dissolução cética e edificam seu novo sistema sobre juízos originários e naturais do *common sense* (Thomas Reid)[40]. Não há dúvidas de que nisso está atuando a tradição conceitual aristotélico-escolástica do *sensus communis*. A pesquisa sobre os sentidos e seu desempenho cognitivo é tirada dessa tradição e, em última análise, deve servir para corrigir os exageros da especulação filosófica. Mas, ao mesmo tempo, a relação do *common sense* com a *society* permanece firme: "Eles servem para nos guiar nos afazeres comuns da vida, quando nossa faculdade racional nos deixa no escuro". Para eles, a filosofia da sã compreensão humana, do *good sense*, não é só um remédio contra o "sonambulismo" da metafísica, mas também o fundamento de uma filosofia moral, que faz realmente justiça à vida da sociedade.

[31]

O motivo moral no conceito do *common sense* ou do *bon sens* permaneceu ativo até os nossos dias e é o que distingue esses conceitos do nosso conceito da "sã compreensão humana". Cito, como exemplo, o belo discurso que Henri Bergson fez em 1895, sobre o *bon sens*, por ocasião da homenagem que lhe foi prestada na Sorbônia[41]. Sua crítica às abstrações da ciência da natureza, bem como às da linguagem e do pensamento jurídico, seu tempestuoso apelo à "energia interior de uma inteligência, que a todo momento se reconquista sobre si mesma, eliminando as ideias feitas para deixar

---

39. Hutcheson explicita o *sensus communis* exatamente através da palavra *sympathy*.
40. REID, Thomas. *The Philosophical Works*. 8ª ed. Ali, no vol. II, p. 774s. 1895. [Hamilton (org.)], aparece uma ampla anotação de Hamilton sobre o *sensus communis*, elaborando o seu material, naturalmente, mais do ponto de vista classificatório do que histórico. Devo a Günther Pflug a cordial indicação de que a função sistemática do *sensus communis* na filosofia aparece pela primeira vez em Buffier (1704). O fato de o conhecimento do mundo pelos sentidos se elevar e se legitimar pragmaticamente acima de todo problema teórico representa um antigo motivo do ceticismo. Mas Buffier eleva o *sensus communis* à categoria de um axioma que deve servir de base ao conhecimento do mundo exterior, da *res extra nos*, como o *cogito* cartesiano para o mundo da consciência. Buffier teve influência sobre Reid.
41. BERGSON, Henri. *Ecrits et paroles* I (RM Mossé-Bastide), p. 84s.

espaço livre para as ideias que se fazem" (88), tudo isso pôde ser batizado na França sob o nome de *bon sens*. A determinação desse conceito continha, como é natural, uma referência aos sentidos, mas para Bergson é evidente que, diferentemente dos sentidos, o *bon sens* se refere ao *milieu social*. "Enquanto os outros sentidos nos colocam em relação com coisas, o bom-senso preside nossas relações para com pessoas" (85). É uma espécie de gênio para a vida prática, mas menos um dom do que a permanente tarefa de "ajustamento sempre novo de situações sempre novas", uma espécie de adaptação dos princípios gerais à realidade, pela qual se realiza a justiça, um "tato da verdade prática", uma "retidão de juízo, que provém da retitude da alma" (88). Segundo Bergson, o *bons sens*, enquanto a fonte comum do pensamento e do querer, é um *sens social*, que tanto evita o erro dos dogmáticos científicos, que estão à busca de leis sociais, quanto o dos utopistas metafísicos. "Falando mais propriamente, talvez não exista mais método, mas, antes, um certo modo de fazer." É verdade que Bergson fala da importância dos estudos clássicos para o aperfeiçoamento desse *bon sens* – vê neles o empenho em romper o "gelo das palavras" e descobrir, sob elas, a corrente livre do pensamento (91) –, mas é claro que não inverte a pergunta, ou seja, até que ponto é necessário o *bon sens* para os próprios estudos clássicos, ou seja, não fala de sua função hermenêutica. Sua pergunta não se dirige às ciências mas ao sentido autônomo do *bon sens* para a vida. Quisemos destacar apenas a naturalidade com que o sentido moral-político desse conceito se mantém dominante nele e em seu auditório.

[32]

É muito interessante notar que para a autorreflexão das modernas ciências do espírito do século XIX a tradição moral da filosofia a que pertencem Vico e Shaftesbury, representada principalmente pela França, o clássico país do *bon sens*, foi menos decisiva que a filosofia alemã da época de Kant e de Goethe. Enquanto na Inglaterra e nos países românicos o conceito de *sensus communis* continua designando ainda hoje não apenas um lema crítico mas uma qualidade geral do cidadão, na Alemanha os adeptos de Shaftesbury e de Hutcheson, no século XVIII, não assumiram o conteúdo político-social referido no *sensus communis*. Apesar do esforço da metafísica escolar e da filosofia popular do século XVIII para aprender e imitar os países líderes do *Aufklärung*, Inglaterra e França, elas não puderam se converter, pois lhes faltavam as condições sociais e políticas. Assimilou-se, é verdade, o conceito de *sensus communis*, mas, ao ser inteiramente despolitizado, o conceito perdeu seu significado genuinamente crítico. Por *sensus communis* passou-se a entender apenas uma faculdade teórica, ou seja, o juízo teórico figurando ao lado da consciência ética e do gosto. Dessa maneira, acabou sendo classificado numa escolástica das forças fundamentais. Recebeu posteriormente uma crítica de Herder (no quarto *Wäldchen*, dirigido contra Riedel), pela qual ele acabou se tornando o precursor do historismo também no campo da estética.

Existe, no entanto, uma exceção significativa: o *pietismo*. Em face da "escola", não somente um cidadão do mundo como Shaftesbury deveria interessar-se em limitar as pretensões da ciência, ou seja, da *demonstratio*, apelando ao *sensus communis*, mas isso também valia para o pregador que quisesse alcançar o coração de sua comunidade. É por isso que o pietista suábio Oetinger apoiou-se expressamente na apologia do *sensus comunis* de Shaftesbury. *Sensus communis* é traduzido inclusive por "coração" e é descrito da seguinte forma:

> "O sensus communis está às voltas com coisas simples que os homens veem diante de si cotidianamente, coisas que mantêm unida toda uma sociedade, que dizem respeito tanto a verdades e a enunciados quanto a instituições e formas de compreender os enunciados..."[42]

[33]

---

42. Citação tirada de: *Die Wahrheit des sensus communis oder des allgemeinen Sinnes, in den nach dem Grundtext erklärten Sprüchen und Prediger Salomo oder das beste Haus- und Sittenbuch für Gelehrte und Ungelehrte*, de M. Friedrich Christoph Oetinger (reeditado por Ehman, 1861). Para seu método generativo, Oetinger apela para a tradição retórica e cita também Shaftesbury, Fenelon e Fleury. De acordo com Fleury (Discours sur Platón), a excelência do método do orador consiste em "desfazer os preconceitos", e Oetinger lhe concede razão quando diz que os oradores compartilham esse método com os filósofos (125). Segundo Oetinger, a Aufklärung comete um erro ao crer que se encontra acima desse método. Nossa própria investigação nos permitirá, adiante, confirmar este juízo de Oetinger. Pois se ele se volta contra uma forma do *mos geometricus*, o que hoje já não é mais atual, ou que talvez comece a sê-lo novamente, isto é, se volta contra o ideal da demonstração na Aufklärung, esse mesmo fato passa a valer, na realidade, também para as modernas ciências do espírito e sua relação com a lógica.

O interesse de Oetinger é mostrar que não importa somente a clareza dos conceitos; ela "não é suficiente para um conhecimento vivo". São necessários também "certos sentimentos prévios e certas inclinações". "Mesmo sem demonstrações, os pais sentem-se inclinados a cuidar de seus filhos: o amor não faz demonstrações, mas arrasta o coração, muitas vezes, contra a razão, contra a reprimenda que se ama". O apelo de Oetinger ao *sensus communis* contra o racionalismo da "escola" é especialmente interessante para nós porque nele o encontramos em expressa aplicação hermenêutica. O que importa ao prelado Oetinger é a compreensão da Bíblia Sagrada. E, dado que aqui o método matemático-demonstrativo não é suficiente, ele exige um outro método, o "método generativo", ou seja, "a exposição semeadora da Escritura, a fim de que a justiça possa ser plantada como uma muda".

Oetinger fez do conceito do *sensus communis* objeto de uma pesquisa completa e erudita, também voltada contra o racionalismo[43]. Nesse conceito ele vê a origem de todas as verdades, a genuína *ars inveviendi*, em oposição a Leibniz, que fundamenta tudo em um mero *calculus metaphysicus (excluso omni gusto interno)*. O verdadeiro fundamento do *sensus communis*, para Oetinger, encontra-se no conceito da *vita*, da vida (*sensus communis vitae gaudens*). Frente à violenta retaliação da natureza através do experimento e do cálculo, ele entende o desenvolvimento natural do simples ao complexo como a lei universal do crescimento da criação divina e, com isso, também do espírito humano. Para justificar que a origem de todo o saber está no *sensus communis*, reporta-se a Wolff, Bernoulli e Pascal, à pesquisa de Maupertius sobre a origem [34] da linguagem, a Bacon e Fénelon, entre outros, e define o *sensus communis* como *"viva et penetrans perceptio objectorum toti humanitati obviorum, ex immediato tactu et intuitu eorum, quae sunt simplicissima..."*

Já dessa segunda frase infere-se que Oetinger associa de antemão o significado humanista-político da palavra com o conceito pe-

---

43. OETINGER, F.Ch. *Inquisitio in sensum communem et rationem.* Tübingen [s.e.], 1973 [Reimpressão: Suttgart-Bad Cannstatt, 1964]. • Cf. "Oetinger als Philosoph". In: *Kleine Schriften,* III, p. 89-100. [vol. VI da Obras completas.]

ripatético do *sensus communis*. Em alguns pontos, a definição acima *(immediato tactu et intuitu)* lembra a doutrina aristotélica do *nous*; ele adota a questão aristotélica da *dynamis* comum, que reúne ver, ouvir etc., que lhe serve para a confirmação do verdadeiro mistério da vida. O mistério divino da vida é sua simplicidade. Embora a tenha perdido por causa do pecado original, o homem poderá ainda reencontrar a unidade e a simplicidade através do desígnio da graça de Deus, *operatio "logou"s. praesentia Dei simplificat diversa in unum* (162). A presença de Deus está na própria vida, nesse "sentido comum" que diferencia tudo o que é vivo do que é morto (não é por acaso que Oetinger cita o pólipo e a estrela do mar que, apesar de todos os recortes que sofrem, voltam a se regenerar em um novo indivíduo). No homem atua a mesma força de Deus como instinto e estímulo interior, para que ele perceba os sinais de Deus e reconheça aquilo que mais se parece com a felicidade e a vida humana. Oetinger distingue expressamente a receptividade para as verdades comuns, que são úteis aos homens em todos os tempos e lugares, enquanto verdades "dos sentidos", das verdades racionais. O sentido comum é um complexo de instintos, isto é, um impulso natural para aquilo que fundamenta a verdadeira felicidade da vida, e, nesse sentido, um efeito da presença de Deus. Aqui, como em Leibniz, os instintos não devem ser compreendidos como afetos, isto é, como *confusae repraesentationes*, porque não são efêmeros, mas tendências enraizadas e dotadas de um poder ditatorial, divino e irresistível[44]. O *sensus communis*, que se apoia neles é de especial significação para o nosso conhecimento[45], justamente porque é uma dádiva de Deus. Oetinger escreve:

> "A *ratio* rege-se por leis e muitas vezes até mesmo sem Deus, mas o sentido sempre se rege com Deus. Assim como a natureza se distingue da arte, também o sentido se distingue da *ratio*. Através da natureza Deus procede a um progreso simultâneo de crescimento, que se expande regularmente pelo todo; a arte, ao contrário, inicia-se com uma parte determinada... O sentido imita a natureza, a *ratio* imita a arte" (247).

---

44. *Radicatae tendentiae... Habent vim dictatoriam divinam, irresistibilem.*
45. *In investigandis ideis usum habent insignem.*

[35] É interessante ver que esta frase aparece num contexto hermenêutico, assim como nesse escrito erudito a *sapientia Salomonis* representa o último objeto e a mais elevada instância do conhecimento. Trata-se do capítulo sobre o emprego (*usus*) do *sensus communis*. Aqui Oetinger volta-se contra a teoria hermenêutica dos wolffianos. Mais importante do que todas as regras hermenêuticas, é que a pessoa esteja num *sensu plenus*. Embora seja um extremo espiritualista, essa tese possui seu fundamento lógico no conceito da *vita*, ou seja, do *sensus communis*. Seu sentido hermenêutico pode ser ilustrado através da frase: "as ideias que se encontram nas Escrituras Sagradas e nas obras de Deus são tanto mais fecundas e puras quanto mais se reconheça cada uma delas no todo e todas em cada uma delas"[46]. O que nos séculos XIX e XX se gostava de denominar de *intuition*, aqui é reconduzido ao seu fundamento metafísico, isto é, à estrutura do ser vivo e orgânico, segundo a qual em cada indivíduo está presente o todo: *cyclus vitae centrum suum in corde habet, quod infinita simul percipit per sensum communem* (praef.).

O que marca toda a sabedoria das regras da hermenêutica é a aplicação a si mesma: *applicentur regulae ad se ipsum ante omnia et tum habebitur clavis ad intelligentiam proverbiorum Salomonis* (207)[47]. É a partir disso que Oetinger estabelece a concordância com o pensamento de Shaftesbury que, como ele diz, é o único que escreveu sobre o *sensus communis* sob esse título. Mas ele se reporta também a outros autores que perceberam a unilateralidade do método racional, como Pascal, com sua diferenciação do *esprit geometrique* e *esprit de finesse*. No entanto, no caso do pietista suábio, o que se cristalizou com respeito ao conceito do *sensus communis* é mais um interesse teológico do que político ou social.

Nota-se que face ao racionalismo vigente também outros teólogos pietistas deram preferência à *applicatio* no mesmo sentido de Oetinger, como o demonstra o exemplo de Rambach, cuja herme-

---

46. *Sunt foecundiores et defaecatiores, quo magis intelliguntur singulae in omnibus et omnes in singulis.*
47. No mesmo trecho Oetinger recorda o ceticismo aristotélico com respeito aos ouvintes jovens demais em matéria de investigações de filosofia moral. Também isso é um sinal de como ele tinha consciência do problema da aplicação.

nêutica, então muito influente, trata também da aplicação. Entretanto, o refreamento das tendências pietistas no final do século XVIII fez com que a função hermenêutica do *sensus communis* fosse reduzida a um mero corretivo: o que contradiz o *consensus* quanto a sentimentos, julgamentos e conclusões, ou seja, o *sensus communis* não pode ser correto[48]. Em comparação com o significado que Shaftesbury atribui ao *sensus communis* para a sociedade e o Estado, nessa função negativa do *sensus communis* reflete-se o esvaziamento e a intelectualização de conteúdo que o *Aufklärung* alemão imprimiu a esse conceito.

c) Juízo [36]

Esse desenvolvimento do conceito no século XVIII, na Alemanha, pode ter suas bases na estreita ligação entre o conceito de *sensus communis* e *conceito de juízo*. A "sã compreensão humana", chamada também de "compreensão comum", é, de fato, caracterizada decisivamente pelo juízo. O que distingue um tolo de uma pessoa inteligente é que aquele não possui nenhum juízo, isto é, ele não consegue subsumir corretamente e, por isso, não é capaz de aplicar corretamente o que aprendeu e sabe. A introdução da palavra "juízo" no século XVIII quer, portanto, reproduzir adequadamente o conceito de *iudicium*, que deve ser considerado como uma virtude espiritual fundamental. No mesmo sentido asseveram os filósofos moralistas ingleses que o julgamento moral e estético não obedece à *reason*, mas tem o caráter do *sentiment* (ou seja, do *taste*), e de forma análoga Tetens, um dos representantes do *Aufklärung* alemão, vê no *sensus communis* um "*iudicium* sem reflexão"[49]. Na verdade, a atividade do juízo – de subsumir o particular no universal, de reconhecer algo como o caso de uma regra – não pode ser demonstrada logicamente. Por isso, o juízo se encontra sempre em uma situação de perplexidade fundamental devido à falta de um princípio que poderia guiar sua aplicação. Para seguir esse princípio seria necessário lançar mão de outro juízo, como ob-

---

48. Refiro-me a MORUS. *Hermeneutica*, I, II, II, XXIII.
49. TETENS. Philosophische Versuche über die menschliche Natur und ihre Entwicklung. Leipzig [s.e.], 1777, I, 520.

serva argutamente Kant[50]. Não pode, pois, ser ensinado genericamente; só pode ser exercido de caso a caso e nesse sentido não passa de mais uma faculdade como são os sentidos. Trata-se de algo simplesmente impossível de ser aprendido, porque nenhuma demonstração conceitual pode guiar a aplicação de regras.

É lógico portanto que a filosofia do *Aufklärung* alemão não tenha incluído o juízo entre as capacidades superiores do espírito, mas entre as inferiores do conhecimento. Com isso, ele tomou um rumo que se afasta muito do sentido romano originário do *sensus communis*, dando continuidade à tradição escolástica. Isso tem um significado especial para a estética, como no caso de Baumgarten, p. ex., que afirma que o juízo reconhece o sensorial-individual, a coisa singular, e na coisa singular ele julga sua perfeição ou imperfeição[51]. Nessa determinação do julgamento devemos observar que não se está simplesmente aplicando um conceito pré-existente da coisa, mas que o sensorial-individual acaba chegando por si mesmo à apreensão, na medida em que se percebe nele a concordância do múltiplo no uno. O decisivo, aqui, não é a aplicação de um universal, mas a concordância interna. Como se vê, trata-se já daquilo que Kant mais tarde viria a denominar de "juízo reflexivo" e que entende como o julgamento segundo uma finalidade real e formal. Não se dá nenhum conceito, mas o individual é julgado "imanentemente". Kant chama a isso um julgamento estético, e como Baumgarten chama *iudicium sensitivum* como *gustus*, também Kant vai repetir: "Um julgamento sensorial da perfeição chama-se gosto"[52].

Veremos mais tarde como a versão estética do conceito *iudicium*, estimulada no século XVIII principalmente por Gottsched, alcança em Kant um significado sistemático. Com isso fica claro que também a diferenciação kantiana entre juízo determinante e juízo reflexivo traz em si algo problemático[53]. Tampouco o conteúdo se-

---

50. KANT. *Kritik der Urteilskraft*, 2. ed. 1799, p. VII.
51. BAUMGARTEN. *Metaphysica*, § 606, "Perfectionem imperfectionemque rerum percipio, i., diiudico".
52. *Eine Vorlesung Kants über Ethik*, 1924, p. 34 [MENZER (org.)].
53. Cf. mais adiante p. 44s. (do original).

mântico de *sensus communis* pode ser reduzido sem mais ao juízo estético. Pois se atentarmos ao uso que Vico e Shaftesbury fazem desse conceito, veremos que *sensus communis* não é, em primeira linha, uma capacidade formal, uma faculdade espiritual que se tem de exercitar, mas abrange sempre o conjunto de juízos e padrões de juízo que o determinam quanto ao conteúdo.

A sã razão, o *common sense*, aparece principalmente nos seus julgamentos sobre justo e injusto, factível e infactível. Quem possui um juízo são não está apto, como tal, a julgar o particular a partir de pontos de vista universais, mas sabe o que é que realmente importa, isto é, vê as coisas com base em pontos de vista corretos, justos e sadios. Um chantagista, que calcula corretamente as fraquezas das pessoas e que, para suas fraudes, sempre age corretamente, nem por isso possui um "juízo são", no sentido eminente da palavra. A universalidade atribuída à capacidade de julgamento não é tão "comum" como a vê Kant. Juízo é menos uma faculdade que uma exigência imposta a todos. Todos possuem suficiente *"senso comum"*, isto é, capacidade de julgamento, de modo que se pode exigir-lhes uma demonstração de *"senso comunitário"*, de genuína solidariedade ético-civil, ou seja, julgamento sobre justiça e injustiça, e preocupação pelo "proveito comum". É isso que torna tão imponente o apelo de Vico à tradição humanista: em face da logização do conceito de senso comum, ele mantém toda a abundância de conteúdo que se conservava viva na tradição romana dessa palavra (e que até os nossos dias caracteriza a raça latina). Como vimos, também a apreensão desse conceito por parte de Shaftesbury foi uma retomada da tradição político-social do humanismo. O *sensus communis* é um momento do ser cidadão e ético. Também onde significa uma virada polêmica contra a metafísica, como no pietismo ou na filosofia dos escoceses, esse conceito mantém-se na mesma linha de sua função crítica original.

[38]

Ao contrário, ao assimilar esse conceito na *Crítica do juízo* Kant confere-lhe outra ênfase[54]. O sentido moral fundamental desse conceito já não desempenha nenhum papel sistemático. Sabe-se que ele esboçou sua filosofia moral numa direção oposta à doutri-

---

54. *Kritik der Urteilskraft*, § 40.

na do "*sentimento moral*" da filosofia inglesa. Com isso excluiu totalmente da filosofia moral o conceito do *sensus communis*.

O que surge com a incondicionalidade de um mandamento moral não pode ser baseado num sentimento, mesmo quando este é compreendido não como individualidade do sentimento mas como caráter comum da sensibilidade ética. Pois o caráter do mandamento, próprio da moralidade, exclui fundamentalmente a reflexão comparativa com outros. É claro que a incondicionalidade do mandamento moral não significa para a consciência moral que ela deva manter-se rígida frente ao julgamento do outro. Antes, é aconselhável eticamente que se abstraia das condições privadas subjetivas do próprio juízo e se coloque no ponto de vista do outro. De certo modo, essa incondicionalidade significa que a consciência moral não pode se desobrigar a si mesma apelando ao juízo de outros. A vinculação do mandamento é universal num sentido muito mais estrito do que poderia alcançar a universalidade de um sentimento. A aplicação da lei ética à determinação da vontade é questão do juízo. Mas como aqui se trata do juízo sob leis da razão pura prática, sua tarefa passa a ser justamente a de preservar contra o empirismo da razão prática, que coloca conceitos práticos do bem e do mal meramente nas consequências experimentais..."[55] Isso produz a tipologia da razão pura prática.

Não há dúvidas de que, a par disso, existe também para Kant a questão de como se consegue fazer com que as rigorosas leis da razão pura prática entrem no ânimo humano. Ele aborda isso na "Metodologia da razão pura prática", onde busca esboçar sumariamente o "método da instituição e cultura de sentimentos morais genuínos". Para essa tarefa apela realmente à razão humana comum e pretende exercitar e formar o juízo prático, onde também operam certamente momentos estéticos[56]. Mas que possa haver uma cultura do sentimento moral nesse sentido, não diz respeito à filosofia moral e nem pertence aos seus fundamentos. Pois Kant exige que a determinação de nossa vontade seja determinada apenas pelos vetores que repousam na autolegislação da razão pura

---

55. *Kritik der praktischen Vernunft*, 1787, p. 124.
56. Cf. op. cit., 1787, p. 272; *Kritik der Urteilskraft*, § 60.

prática. Nenhuma comunhão da sensibilidade pode servir de base para isso, mas apenas uma "ação da razão prática, a qual mesmo obscurecida conduz com segurança"; esclarecer e consolidar essa ação é tarefa da crítica da razão prática.

Também no sentido lógico da palavra o *sensus communis* não desempenha nenhum papel na filosofia de Kant. O que Kant elabora na doutrina transcendental do juízo, a teoria do esquematismo e dos princípios[57], não tem nada a ver com o *sensus communis*. Pois aqui trata-se de conceitos que devem se relacionar *a priori* com os seus objetos, e não de uma subsunção do individual no universal. Mas ao acontrário onde realmente se trata da capacidade de reconhecer o individual como um caso do universal e onde falamos de entendimento sadio, então, segundo Kant, estamos às voltas com algo "comum" no mais genuíno sentido da palavra": "possuir o que se encontra por toda parte simplesmente não traz mérito nem vantagem"[58]. Este entendimento sadio não tem outro significado senão o de ser uma etapa prévia do entendimento formado e esclarecido. É verdade que se ocupa de uma obscura distinção do juízo chamado sentimento, mas julga sempre segundo conceitos, "embora comuns, apenas de acordo com princípios representados obscuramente"[59], e não pode, em todo caso, ser tida como um senso comum próprio. O uso lógico universal do juízo que se reporta ao *sensus communis* não contém nada de um princípio próprio[60].

Do âmbito daquilo que se poderia chamar de um juízo sensorial resta, para Kant, o juízo do gosto estético. Aqui se pode falar de um verdadeiro sentido comum. Embora seja duvidoso se podemos falar de conhecimento no âmbito do gosto estético, e embora seja certo que o juízo estético não permite julgar por conceitos, podemos afirmar que o gosto estético define uma necessidade da determinação universal, mesmo que o gosto seja sensorial e não conceitual. Por isso, o verdadeiro sentido comum, diz Kant, é o *gosto*.

---

57. *Kritik der reinen Vernunft*, B 171s.
58. *Kritik der Urteilskraft*. 3. ed. 1799³, p. 157.
59. Idem, p. 64.
60. Cf. o reconhecimento de Kant a respeito da importância dos exemplos (e, portanto, da história) como "andadeiras" do juízo (*Kritik der reinen Vernunft*, B 173).

[40]   Essa formulação torna-se paradoxal se levarmos em conta quanto se discutiram no século XVIII as diversidades do gosto humano. Mas, mesmo que não extraiamos consequências céticas e relativistas das diversidades do gosto, fixando-nos na ideia do bom gosto, soa paradoxal denominar o senso comum de "bom gosto", essa rara distinção pela qual os membros da sociedade instruída se destacam das demais pessoas. Se fosse uma afirmação empírica, isso seria de fato absurdo; veremos no entanto que para Kant essa denominação ganha sentido na intenção transcendental, isto é, como justificação apriorística para estabelecer a crítica do gosto. Mas também teremos de nos indagar o que significa para a pretensão de verdade desse sentido comum essa redução do conceito do sentido comum para um juízo de gosto sobre o belo, e que efeito teve o *a priori* subjetivo do gosto kantiano sobre a autocompreensão da ciência.

d) Gosto

Mais uma vez temos de estender nossa busca, pois, na verdade, não se trata somente da redução do conceito do sentido comum ao conceito do gosto, mas também de uma redução do próprio conceito de gosto. A longa pré-história desse conceito, até ser transformado por Kant como o fundamento de sua crítica do juízo, permite reconhecer que originariamente *o conceito do gosto* possui um cunho muito mais *moral* do que estético. Descreve um ideal de genuína humanidade e deve sua cunhagem ao empenho de se distinguir criticamente do dogmatismo da "escola". Foi só mais tarde que se restringiu o uso do conceito ao "espírito do belo".

Na origem de sua história encontra-se Balthasar Gracian[61]. Gracian parte do princípio de que o gosto sensível, o mais animalesco e o mais íntimo dos nossos sentidos, já contém o gérmen da distinção que se realiza no julgamento espiritual das coisas. A dis-

---

61. Sobre Gracian e sua influência, principalmente na Alemanha, Karl Borinski é fundamental: *Balthasar Gracian und die Hofliteratur in Deutschland*, 1894, ampliada mais recentemente por SCHUMMER, Fr. *Die Entwicklung des Geschmacksbegriffs in der Philosophie des 17. und 18. Jahrhunderts* (Archiv für Begriffsgeschichte I, 1955). [Cf. também KRAUSS, W. *Studien zur deutschen und französischen Aufklärung*. Berlim: [s.e.], 1963.]

tinção sensível do gosto, como recepção ou recusa em virtude do desfrute mais imediato, não é, pois, um mero instinto, mas já se encontra a meio caminho entre o instinto sensorial e a liberdade espiritual. O que caracteriza o gosto é justamente o fato de ele ganhar a distância da escolha e do julgamento frente às necessidades mais prementes da vida. Assim, no gosto Gracian já vê uma "espiritualização da animalidade" e indica, com razão, que não há uma só formação (*cultura*) para o espírito (*ingenio*), mas também para o gosto (*gusto*). Isso vale também para o gosto sensorial. Existem pessoas que têm bom paladar, *gourmets*, que cultivam essas alegrias. Esse conceito do *gusto* é, para Gracian, o ponto de partida para a formação ideal da sociedade. Seu ideal do homem culto (do *discreto*) consiste em que o *hombre en su punto* adquire a correta liberdade de distância com relação a todas as coisas da vida e da sociedade, o que lhe permite saber distinguir e escolher consciente e ponderadamente.

[41]

O ideal de formação apresentado por Gracian acabou marcando época e veio substituir o dos cortesãos cristãos (Castiglione). No âmbito da história do ideal de formação ocidental sua distinção reside em sua independência em relação aos dados prévios estamentais. É o ideal de uma *sociedade instruída*[62]. Parece que essa formação ideal da sociedade se realiza por toda parte sob o signo do absolutismo e pela repreensão da fidalguia de sangue. A história do conceito do gosto acompanha, por isso, a história dos absolutismos da Espanha para a França e a Inglaterra e coincide com a pré-história da terceira classe social. O gosto não é somente o ideal que apresenta uma nova sociedade, mas sob o signo desse ideal do "bom gosto" forma-se aquilo que, desde então, se denomina a "boa sociedade". Ela se reconhece e se legitima não mais através da linhagem e do *status* mas, basicamente, só pela comunhão de seus juízos, ou melhor, sabendo elevar-se da parvoíce dos interesses e da privacidade das preferências para a exigência do julgamento.

Sob o conceito de gosto pensa-se, sem dúvida, uma *forma de conhecimento*. É sinal de bom gosto ser capaz de manter distância

---

62. Parece-me que F. Herr tem razão quando vê a origem do conceito moderno da formação na cultura escolar da Renascença, Reforma e Contra-reforma. Cf. *Der Anfang Europas*, p. 82 e 570.

de si próprio e das preferências particulares. Segundo sua natureza mais própria, o gosto não é algo privado, mas um fenômeno social de primeira categoria. Em nome de uma universalidade que ele representa e a que se refere, pode até opor-se à inclinação privada do indivíduo, como se fosse uma instância de julgamento. Pode-se ter uma preferência por algo que o próprio gosto repudia. Nisso a sentença do gosto possui uma peculiar decisão. Sabe-se que em questões de gosto não existe nenhuma possibilidade de argumentar (Kant diz corretamente que em questões de gosto pode haver desacordo mas não disputa)[63]. E isso não só porque não se conseguem estabelecer padrões conceituais universais, que todos tenham de reconhecer, mas porque nem sequer se procuram esses padrões, e caso existissem não seriam considerados justos. O gosto é algo que se deve ter; ninguém no-lo pode demonstrar, nem pode ser substituído por mera imitação. O gosto tampouco é uma mera propriedade privada, pois sempre quer ser bom gosto. O caráter decisivo do juízo de gosto implica sempre sua pretensão de validade. O bom gosto está sempre seguro de seu julgamento, ou seja, é por natureza um gosto seguro: um aceitar ou rejeitar que não conhece vacilos, nenhuma dependência de outros e não precisa de razões.

O gosto é, pois, algo como um sentido. Não dispõe de um saber prévio baseado em razões. Quando em questões de gosto algo é negativo, a pessoa não consegue dizer por quê. Mas o experimenta com a maior segurança. Segurança no gosto, é pois, segurança ante o que não tem gosto. É curioso notar que somos sensíveis preferencialmente para esse fenômeno negativo da escolha discriminatória do gosto. Seu correspondente positivo não é, no fundo, aquilo que seja de bom gosto, mas o que não repugna ao gosto. É isso, sobretudo, o que o gosto julga. Praticamente, o gosto pode ser definido pelo fato de sentir-se ferido pelo que lhe é repugnante, evitando-o como faz com tudo que ameaça feri-lo. Originalmente, pois, o conceito do "mau gosto" não é um fenômeno contrário ao "bom gosto". O seu oposto é, antes, "não ter gosto algum". O bom gosto é uma sensibilidade que evita tão naturalmente tudo que é

---

63. KANT. *Kritik der Urteilskraft*. 3. ed. 1799, p. 233.

chocante que, para quem não tem gosto, sua reação se torna simplesmente incompreensível.

Um fenômeno que está estreitamente vinculado ao gosto é a *moda*. É aqui que o momento da generalização social presente no conceito de gosto torna-se uma realidade determinante. No destacar-se face à moda, torna-se claro que a generalização que convém ao gosto repousa sobre um fundamento totalmente diverso e que não significa apenas uma universalidade empírica (para Kant, esse é o ponto essencial). O conceito da moda já diz literalmente que se trata de um "como" (*modus*) passível de modificação no âmbito de um todo permanente do comportamento social. O que é mera questão de moda não contém em si nenhuma outra norma senão a que é estabelecida pela atuação de todos. A moda regula a seu bel-prazer apenas aquelas coisas que poderiam também ser diferentes. De fato, para ela, a universalidade empírica, o respeito pelos outros, a comparação, até mesmo o colocar-se num ponto de vista comum, tudo isso lhe é constitutivo. Por isso, a moda cria uma dependência social, da qual fica difícil subtrair-nos. Kant tem toda razão quando acha melhor sermos tolos da moda do que ser contra a moda[64], mesmo que continue sendo uma tolice levar demasiado a sério as coisas da moda.

[43]

Por outro lado, o fenômeno do gosto deve ser definido como uma capacidade de discernimento espiritual. O gosto também se ocupa dessa coletividade, mas não se submete a ela; ao contrário, o bom gosto se caracteriza pelo fato de saber adequar-se à tendência do gosto representado pela moda, ou ao contrário por saber adequar à exigência da moda seu próprio bom gosto. Pertence ao conceito de gosto também ter que manter uma certa moderação na moda, não seguindo cegamente as suas exigências mutáveis, mas fazendo uso do próprio juízo. Mantemos o nosso "estilo", isto é, vinculamos as exigências da moda a um todo que não perde de vista o próprio gosto e só aceita o que se adapte ao todo e na medida em que tem o modo de ser do todo.

---

64. *Anthropologie in pragmatischer Hinsicht*, § 71.

Uma questão básica do gosto, assim, não será só reconhecer como bela esta ou aquela coisa que é efetivamente bela, mas considerar o todo ao qual deve concordar tudo que é belo[65]. O gosto não é, pois, um sentido coletivo, no sentido de que se torne dependente de uma universalidade empírica, da unanimidade geral dos juízos de outros. Ele não diz que todos serão unânimes com o nosso julgamento, mas sim que devem concordar (como Kant constata[66]). Em face da tirania que a moda representa, o gosto seguro salvaguarda uma liberdade e uma superioridade específicas. Sua força normativa específica e totalmente própria reside em ter certeza do assentimento de uma sociedade ideal. Ao contrário da normatização do gosto através da moda, instala-se a idealidade do bom gosto. Segue-se que o gosto conhece algo, evidentemente de uma forma que não pode ser desvinculada do aspecto concreto em que ele se realiza, nem ser guiada por regras e conceitos.

O que perfaz a amplitude originária do conceito de gosto é justamente o fato de que com ele se está designando uma forma própria de conhecimento. Ele pertence ao âmbito daquilo que, sob o modo do juízo reflexivo, engloba no individual o universal, sob o qual deve ser subsumido. Desta forma, tanto o gosto quanto o juízo são julgamentos do individual com vistas a um todo, a ver se ele se ajusta a todos os outros, se "combina"[67]. É preciso ter "sentidos" para isso, já que ele não é demonstrável.

[44] Precisamos evidentemente de um tal sentido sempre que tivermos em mente um todo, mas que não está dado como um todo, nem pensado à base de conceitos teleológicos. Dessa maneira, o gosto não se restringe, de forma alguma, ao belo na natureza e na arte, julgando-o de acordo com a sua qualidade decorativa, mas abrange todo o campo dos costumes e da decência. Também o conceito de costumes nunca está dado como um todo nem determina-

---

65. Cf. BAEUMLER, A. *Einleitung in die Kritik der Urteilskraft*, p. 280s., especialmente 285.
66. *Kritik der Urteilskraft*. 3. ed. 1799, p. 67.
67. Aqui encontra o seu lugar o conceito de "estilo". Como categoria histórica, sua origem encontra-se no fato de que o decorativo afirma a sua validez face ao "belo". Cf. p. 36, 290s. (do original), Excurso I, no vol. II, bem como a dissertação "Die Universalität des hermeneutischen Problems", vol. II.]

do normativamente de maneira unívoca. Antes, a ordenação geral da vida através das regras do direito e dos costumes é bastante deficitária, necessitando de uma complementação produtiva. Ela precisa do juízo para avaliar corretamente os casos concretos. Conhecemos essa função do juízo sobretudo a partir da jurisprudência, onde a contribuição da hermenêutica em complementar o direito consiste em promover a concreção do direito.

Isso representa mais do que a aplicação correta de princípios universais. Nosso saber a cerca do direito e dos costumes sempre será complementado e até determinado produtivamente a partir do caso particular. O juiz não só aplica a lei *in concreto*, mas colabora ele mesmo, através de sua sentença, para a evolução do direito (direito judicial). Assim como o direito, também os costumes aperfeiçoam-se por força da produtividade de cada caso particular. Assim, não se pode afirmar que o juízo só seja produtivo no âmbito da natureza e da arte como julgamento do belo e do sublime, nem tampouco se poderá dizer com Kant[68] que é "sobretudo" nesse campo que se pode reconhecer a produtividade do juízo. Antes, o belo na natureza e a arte terá que ser completado pelo amplo oceano do belo que se alastra na realidade ética do homem.

Em todo caso, pode-se falar da subsunção do individual sob um universal dado (o juízo determinante de Kant) tanto no exercício da razão pura teórica quanto da razão pura prática. Na verdade, também aí existe um julgamento estético. Esse fato encontra, em Kant, um reconhecimento indireto, na medida em que admite a utilidade dos exemplos para um aguçamento do juízo. É verdade que ele faz uma restrição: "No que diz respeito à correção e precisão da evidência compreensiva, eles costumam criar uma certa ruptura, porque só raramente preenchem de maneira adequada as condições da regra (como *casus in terminis*)[69]. Mas o reverso dessa restrição é que o caso que funciona como exemplo é, na verdade, algo diferente do que apenas o caso dessa regra. Para fazer-lhe real-

---

68. *Kritik der Urteilskraft*, 1799, p. VII.
69. *Kritik der reinen Vernunft*, B 173.

mente justiça – ainda que apenas em um juízo técnico ou prático –, é preciso incluir sempre um momento estético. Nesse sentido, a distinção entre juízo determinante e reflexivo, sobre a qual Kant fundamenta a crítica do juízo, não é uma distinção incondicional[70].

É evidente que não se trata apenas do juízo lógico, mas do juízo *estético*. O caso singular em que atua o juízo nunca é um mero caso; ele não se esgota em ser uma particularização de uma lei ou conceito universal. Antes, ele é sempre um "caso individual", e nós o chamamos de um caso particular, um caso especial, por não ser atingido pela regra. Todo juízo sobre algo pensado em sua individualidade concreta, como exigem as situações que envolvem nossa atuação, é, rigorosamente falando, um juízo sobre um caso especial. Isso significa simplesmente que o julgamento do caso não se restringe a aplicar o padrão do universal – de acordo com o qual ele ocorre –, mas o codetermina, completa e corrige. Daí segue-se, afinal, que todas as decisões éticas exigem gosto; não que essa avaliação mais individualizada da decisão seja a única determinante para elas, mas se trata sem dúvida de um momento imprescindível. Implica realmente um tato indemonstrável acertar no que é correto e dar à aplicação do universal, à lei dos costumes (Kant), uma disciplina que a própria razão não está em condições de fornecer. Assim, embora o gosto não seja a base do juízo ético, é por certo seu mais elevado complemento. Onde o injusto conflita com o gosto, coloca-se a mais elevada segurança na aceitação do bom e no repúdio do mau, uma segurança tão elevada quanto o mais vital dos nossos sentidos, aquele que escolhe ou repudia o alimento.

O surgimento do conceito do gosto no século XVII, cuja função social e vinculante já mencionamos, entra assim nos contextos da filosofia moral que vêm da Antiguidade.

---

70. Evidentemente, Hegel se baseia nessa ponderação para superar a distinção que Kant faz entre juízo determinante e reflexivo. Reconhece o sentido especulativo da doutrina kantiana do juízo, na medida em que, nela, o geral é pensado concretamente em si próprio, mas, ao mesmo tempo, apresenta a restrição de que, em Kant, a relação entre o geral e o particular não se impõe como uma verdade, mas é tratada como algo subjetivo (*Enziklopädie*, § 55s., e, analogamente, *Logik* II, ed. Lasson, 19). Kuno Fischer é de opinião, inclusive, que na filosofia da identidade supera-se a oposição entre o geral dado e o geral que se tem de encontrar (*Logik und Wissenschaftslehre*, p. 148).

Esse é um componente humanista e com isso, em última instância, um componente grego, que se torna atuante no âmbito da filosofia moral determinada pelo cristianismo. A ética grega – a ética da medida dos pitagóricos e de Platão, a ética da *mesotes* criada por Aristóteles – é, num sentido profundo e abrangente, uma ética do bom gosto[71].

É evidente que uma tal tese soa estranha aos nossos ouvidos. [46] De um lado, porque na maioria das vezes se desconhece o elemento ideal normativo no conceito do gosto, dando-se mais atenção ao *rasonnement* relativista e cético sobre a diversidade do gosto. Somos determinados sobretudo pela filosofia moral de Kant, que purificou a ética de todos os momentos estéticos e sentimentais. Se considerarmos o papel que a crítica do juízo de Kant desempenha no âmbito da história das ciências do espírito, teremos de dizer que sua fundamentação transcendental e filosófica da estética teve consequências para ambos os lados e serviu como divisor de águas de uma época. Representa a ruptura de uma tradição, mas também o preâmbulo de um novo desenvolvimento. Restringiu o conceito de gosto ao campo em que podia reivindicar validade autônoma e independente, como um princípio próprio do juízo – e, por outro lado, restringiu com isso o conceito do conhecimento ao emprego teórico e prático da razão. A intenção transcendental que o guiava encontrou sua satisfação no restrito fenômeno do juízo sobre o belo (e o sublime) e desterrou do centro da filosofia o conceito mais universal da experiência do gosto e a atividade do juízo estético no âmbito do direito e dos costumes[72].

---

71. A última palavra de Aristóteles ao caracterizar mais de perto as virtudes e o comportamento correto ainda continua sendo: *ós dei* ou *ós o orthos logos*. O que se pode ensinar na *Pragmática* ética é também *logos mas* isso não é *akribés*, além de um esboço de caráter geral. O mais decisivo é descobrir a nuance correta. A *fronésis* que consegue isto, é uma *exis tou alétheuein*, constituição do ser, em que algo oculto se torna patente, em que, portanto, se chega a conhecer algo. Em sua tentativa de compreender todos os momentos normativos da ética em referência a "valores", Nic. Hartmann extraiu daí o "valor da situação", sem dúvida, uma aplicação um tanto surpreendente da tabela dos conceitos aristotélicos sobre a virtude. Cf. HARTMANN, N. *Ethik*. Berlim: [s.e.], 1926, p. 330-331 e, entrementes, minha dissertação "Wertethik und praktische Philosophie". In: BUCH, A.J. (org.), [*Nicolai Hartmann, 1882-1982. Gedenkschrift*. Bonn, 1982, p. 113-122; vol. 4 das Obras Completas.]

72. É evidente que Kant não ignora que o gosto é determinante para a moral como "moralidade na manifestação externa" (cf. *Anthropologie*, § 69). Não obstante, o exclui da determinação radical pura da vontade.

Isso reveste-se de uma importância que não se deve estimar demais. Pois o que se perdeu com isso foi justamente aquilo de que viviam os estudos filológico-históricos e donde, exclusivamente, esses poderiam ter alcançado sua autocompreensão plena quando quiseram fundamentar-se metodologicamente sob o nome de "ciências do espírito" ao lado das ciências da natureza. Agora, por causa das indagações transcendentais de Kant, estava obstruído o caminho que permitiria reconhecer a tradição em sua pretensão de verdade, a cujo cultivo e estudo se dedicavam essas pesquisas. Mas com isso a peculiaridade metodológica das ciências do espírito perdeu sua legitimação.

[47] O que Kant de sua parte legitimou e queria legitimar através de sua crítica do juízo estético era a universalidade subjetiva do gosto estético, na qual já não há conhecimento do objeto, e, no âmbito das "belas artes", a superioridade do gênio sobre toda estética regulativa. É assim que, para sua autocompreensão, a hermenêutica romântica e a historiografia encontram um ponto de vinculação somente no conceito de gênio, que vigorou através da estética de Kant. Esse foi justamente o outro aspecto da atuação kantiana. A justificação transcendental do juízo estético fundou a autonomia da consciência estética, da qual viria a derivar-se também a legitimação da consciência histórica. A subjetivação radical, implicada na refundamentação da estética de Kant, marcou verdadeiramente uma época. Ao desacreditar qualquer outro conhecimento teórico que não fosse o da ciência da natureza, forçou a autorreflexão das ciências do espírito a apoiar-se na metodologia das ciências da natureza. Mas ao mesmo tempo facilitou-lhes esse apoio, ao colocar à sua disposição, como um dispositivo secundário, o "momento artístico", o "sentimento" e a "empatia". A característica das ciências do espírito de Helmholtz, de que nos ocupamos acima[73], é, nos dois sentidos, um bom exemplo dos efeitos da obra kantiana.

Ao mostramos a insuficiência dessa autointerpretação das ciências do espírito, querendo abrir-lhes possibilidades mais adequadas, teremos de trilhar o caminho que passa pelos problemas da *estética*. A função transcendental que Kant atribui ao juízo esté-

---

73. P. 11s. (do original).

tico pode até ser suficiente para delimitá-la frente ao conhecimento conceitual e para determinar os fenômenos do belo e da arte. Mas será que o importante é reservar o conceito da verdade para o conhecimento conceitual? Não será preciso reconhecer também que a obra de arte tem uma verdade? Ainda veremos que ao reconhecer esse aspecto da questão colocaremos sob nova luz não somente o fenômeno da arte, mas também o da história[74].

1.2. A subjetivação da estética pela crítica kantiana [48]

1.2.1. A teoria kantiana do gosto e do gênio

a) A caracterização transcendental do gosto

Com um misto de surpresa espiritual, o próprio Kant percebeu que, no contexto daquilo que forma a base do gosto, surge um momento apriorístico que vai além da universalidade empírica[75]. A "Crítica do juízo" surgiu dessa intuição. Já não é mais mera crítica do gosto, no sentido de o gosto ser objeto de julgamento crítico por parte dos outros. É crítica da crítica, isto é, indaga a respeito dos direitos de um tal comportamento crítico sobre questões de gosto. Aí não se trata mais de meros princípios empíricos que deveriam legitimar um gosto abrangente e dominante, como a pergunta favorita sobre as causas da diversidade do gosto, por exemplo; trata-se, antes, de um genuíno *a priori*, que deverá justificar como tal e sempre a possibilidade da crítica. Mas em que consiste um tal *a priori*?

É claro que a validade do belo não se deixa derivar e comprovar a partir de um princípio universal. Ninguém duvida de que as questões de gosto não podem ser decididas através de argumentação e demonstração. Fica claro também que o bom gosto jamais possuirá uma real universalidade empírica, pois que o apelo ao gosto dominante ignora a genuína natureza do gosto. Vimos que seu próprio conceito assevera que não se deve submeter-se cegamente

---

[74]. O extraordinário livro *Kants Kritik des Urteilskraft*, que devemos a Alfred Beaumler, orienta-se de forma muito sugestiva para o aspecto positivo existente no nexo entre a estética kantiana e o problema da história. Mas o que importa é que irá chegar a hora de se prestar contas inclusive das perdas.

[75]. Cf. MENZER, Paul. *Kants Ästhetik in ihrer Entwicklung*, 1952.

e nem simplesmente imitar a medianidade de padrões dominantes e de modelos selecionados. No âmbito do gosto estético, o modelo e o padrão detêm, de fato, uma função preferencial, mas, como diz corretamente Kant, não na forma da imitação mas do seguimento[76]. O modelo e o exemplo dão uma pista para que o gosto siga seu próprio caminho, mas não lhe retiram sua tarefa própria. "Pois o gosto tem de ser uma capacidade própria e pessoal."[77]

Por outro lado, nosso esboço histórico-conceitual deixou suficientemente claro que em questões de gosto não é a preferência pessoal que decide. Mas tão logo se trate de um julgamento estético exige-se uma norma supraempírica. Precisamos reconhecer que a fundamentação da estética kantiana sobre o juízo do gosto faz justiça a ambos os aspectos do fenômeno, sua não universalidade empírica e sua pretensão apriorística à universalidade.

Mas o preço que ele paga por essa justificação da crítica no terreno do gosto consiste em negar ao gosto qualquer *significado cognitivo*. É um princípio subjetivo, ao qual ele reduz o senso comum. Nele não se reconhece nada dos objetos que são julgados como belos; apenas se afirma que a eles corresponde *a priori* um sentimento de prazer no sujeito. Sabe-se que Kant fundamenta esse sentimento na utilidade que a representação do objeto possui para a nossa capacidade de conhecimento. É o jogo livre da imaginação e da compreensão, uma relação subjetiva idônea para o conhecimento, que apresenta o fundamento do prazer no objeto. Idealmente, essa relação útil subjetiva é igual para todos, é pois passível de ser transmitida universalmente e fundamenta assim a pretensão de validade universal do juízo de gosto.

Esse é o *princípio* que Kant descobre no juízo estético. Ele é aqui lei de si mesmo. Nesse sentido, trata-se de um efeito apriorístico do belo, que se encontra a meio caminho entre uma mera concordância sensorial-empírica em questões de gosto e uma universalidade racionalista da regra. Evidentemente, quando se afirma que a relação com o "sentimento da vida" é seu único fundamento, não

---

76. *Kritik der Urteilskraft*, 1979, p. 139, cf. p. 200 (do original).
77. *Kritik der Urteilskraft*, § 17 p. 54.

se pode mais denominar o gosto como uma *cognitio sensitiva*. Nele não se reconhece nada do objeto, mas também não se concretiza uma mera reação subjetiva, como a produzida pelo que é agradável aos sentidos. O gosto é "gosto reflexivo".

Dessa forma, quando Kant denomina o gosto de verdadeiro "senso comum"[78], já não leva em consideração a grande tradição moral-política do conceito de senso comum que descrevemos acima. Para ele, esse momento reúne dois conceitos: primeiro a universalidade que diz respeito ao gosto enquanto é o efeito do jogo livre de todas as nossas forças de conhecimento e não está limitado a um campo específico como se fosse um sentido exterior; e num segundo momento o gosto contém um caráter comunitário, na medida em que, para Kant, abstrai de todas as condições subjetivas privadas, como as apresentadas pela excitação e comoção. A universalidade desse "sentido" é, pois, determinada privativamente em ambas as direções, através daquilo que fundamenta o caráter comunitário e institui comunidade.

É verdade que também para Kant permanece válida a antiga relação entre gosto e sociabilidade. No entanto, ele só trata da "cultura do gosto", e a modo de apêndice, no verbete "metodologia do gosto"[79]. Aí as *humaniora*, tal como são representadas no modelo dos gregos, são determinadas como forma de sociabilidade adequada à humanidade, e a cultura do sentimento moral designada como o caminho pelo qual o genuíno gosto pode adquirir uma forma determinada e imutável[80]. A determinação do conteúdo do gosto é, pois, eliminada do campo de sua função transcendental. Kant só mostra interesse onde existe um princípio próprio do juízo estético, e por isso só lhe importa o *puro* juízo de gosto.

[50]

Deve-se à sua intenção transcendental o fato de a "Analítica do gosto" poder extrair arbitrariamente exemplos de prazer estético

---

78. *Kritik der Urteilskraft*, 1799, p. 64.
79. *Kritik der Urteilskraft*, § 60.
80. *Kritik der Urteilskraft*, p. 264. Seja como for, e apesar de sua crítica à filosofia inglesa do sentimento moral, não podia desconhecer que este fenômeno do sentimento moral tem parentesco com o estético. Em todo caso, aí onde chama de "moral por parentesco" ao prazer ante a beleza da natureza, ele pode dizer também que o sentimento moral, esse efeito do juízo prático, é uma complacência *a priori*, p. 169.

tanto das belezas artísticas naturais quanto do decorativo ou da representação artística. O modo de existência dos objetos, cuja representação agrada, não tem importância para a natureza do julgamento estético. A "crítica do juízo estético" não pretende ser uma filosofia da arte, por mais que a arte seja um dos objetos desse juízo. O conceito de "juízo de gosto estético puro" é uma abstração metodológica que se cruza com a diferença entre a natureza e a arte. Assim, é preciso proceder a um exame mais preciso da estética kantiana para reconduzir à sua real medida suas interpretações estético-filosóficas que se ligam sobretudo ao conceito de gênio. Para isso, vamos analisar a notável e controvertida teoria kantiana da beleza livre e dependente[81].

b) A teoria da beleza livre e dependente

Kant discute aqui a diferença entre o juízo de gosto "puro" e "intelectualizado", que corresponde à oposição entre beleza "livre" e "dependente" (com relação a um conceito). Para a compreensão da arte, essa teoria é extremamente decisiva, na medida em que a beleza natural livre e – no terreno da arte – o ornamento se apresentam como a genuína beleza do juízo de gosto puro, porque são belos "por si mesmos" (*"für sich"*). Toda vez que "aciona" esse conceito – e isso não ocorre só no campo da poesia, mas em toda a arte *representativa* – a situação parece a mesma dos exemplos apresentados por Kant para a beleza "dependente". Os exemplos

[51] de Kant – homem, animal, edifício – designam coisas da natureza, como ocorrem no mundo regido pelos fins humanos, ou coisas que foram produzidas para fins humanos. Em todos esses casos, a determinação do fim significa uma restrição do prazer estético. Assim, segundo Kant, a tatuagem, a ornamentação do corpo humano, causa repugnância, embora "de imediato" pudesse agradar. Kant não está falando aqui da arte como tal (não está falando simplesmente da "representação bela de uma coisa"), nem tampouco das belas coisas (da natureza ou da arquitetura).

---

81. *Kritik der Urteilskraft*, § 16s.

Como mais tarde ele mesmo discute (parágrafo 48), a diferença entre beleza natural e beleza artística não tem maiores significados. Mas quando, entre os exemplos de beleza livre, cita, além das flores, também os tapetes de arabesco e a música ("sem tema" ou mesmo "sem texto"), isso abrange indiretamente tudo o que representa um "objeto sob um determinado conceito", e que por isso passa a ser uma beleza condicionada e não livre: todo o reino da poesia, das artes plásticas e da arquitetura, assim como todas as coisas da natureza, que não vemos como tais somente por sua beleza, como as flores ornamentais. Em todos esses casos o juízo de gosto encontra-se turvado e restrito. A partir da fundamentação da estética no "juízo de gosto puro", o reconhecimento da arte parece impossível – a não ser que o padrão do gosto seja rebaixado a uma mera condição prévia. Pode-se compreender a introdução do conceito de gênio nos trechos mais tardios da "Crítica do juízo" nesse sentido. Mas isso viria a significar um deslocamento posterior. De início, nada se fala sobre isso. Aqui (no parágrafo 16), ao que parece, o ponto de vista do gosto não só não significa uma condição prévia, como pretende esgotar a essência do juízo estético e protegê-la contra a redução feita por padrões "intelectuais". E quando também Kant percebe que se pode julgar o mesmo objeto sob os dois pontos de vista diversos da beleza livre e dependente, o juiz ideal do gosto parece ser aquele que julga segundo "o que ele tem diante dos sentidos" e não segundo "o que tem diante do pensamento". A verdadeira beleza seria a das flores e dos ornamentos, que no nosso mundo dominado pelos fins se apresentam de antemão e a partir de si como belezas e que por isso não se torna necessário prescindir conscientemente de um conceito ou finalidade.

Todavia, se olharmos atentamente, essa concepção não confere com as palavras de Kant nem com a questão que ele examina. Dessa forma, o suposto deslocamento do ponto de vista de Kant, do gosto para o gênio, não se confirma; basta aprender a detectar já de início a preparação latente do desenvolvimento posterior. Já de início não podemos duvidar de que as restrições que proíbem tatuagens a um homem ou determinado ornamento a uma igreja não sejam lamentadas mas fomentadas por Kant, e que a ruptura que sofreu com isso o prazer estético seja considerada um ganho. Os [52] exemplos da beleza livre não devem evidentemente representar a verdadeira beleza, mas apenas assegurar que o agradar, como tal, não representa um julgamento da perfeição da coisa. Ao final do parágrafo, Kant acredita poder dirimir mais de uma disputa sobre a beleza entre os árbitros do gosto pela distinção das duas espécies de beleza, ou melhor, de comportamento em relação ao belo. Essa possibilidade de dirimir uma divergência com relação ao gosto é, afinal, apenas um efeito colateral, que tem como base a cooperação de dois modos de consideração, e de tal maneira que o caso mais frequente será a unanimidade de ambos.

Essa unanimidade vai ocorrer sempre que o ato de "considerar um conceito" não suspende a liberdade da imaginação. Sem se contradizer, Kant pode caracterizar como uma condição justificável do prazer *estético* que não surja nenhuma disputa em relação à determinação do objetivo. E assim como o isolamento das belezas livres como seres para si era artificial (o "gosto" parece mostrar-se sobretudo onde não se escolhe o correto, mas o correto para o lugar correto), pode-se e deve-se superar o ponto de vista daquele juízo de gosto puro, dizendo que a beleza não está em questão onde se tenta, através da imaginação, tornar sensível e esquemático um certo conceito de compreensão, mas tão somente onde a imaginação está em livre concordância com a compreensão, ou seja, onde pode ser produtiva. Esse formar produtivo da força da imaginação, no entanto, não alcança sua maior riqueza onde é simplesmente livre, como no revolutear dos arabescos, mas onde vive em um espaço de jogo que instaura o empenho compreensivo por unidade, não como barreira mas prelineando estímulos para seu jogo.

c) A teoria do ideal da beleza

Com as últimas observações é claro que nos adiantamos bastante em relação ao texto de Kant, mas a sequência do raciocínio (parágrafo 17) justifica essa interpretação. A distribuição de centros de importância desse parágrafo só vai ficar clara após uma avaliação detalhada. Aquela ideia normal da beleza, de que o texto fala extensivamente, não é o tema principal, nem representa o ideal da beleza a que aspira o gosto por natureza. Antes, um ideal da beleza só existe com relação à figura humana: na "expressão do ético", *"sem a qual o objeto não agradaria de forma universal"*. Como diz Kant, o julgamento segundo um ideal da beleza não é pois um mero juízo do gosto. Mas a consequência mais importante dessa teoria é a seguinte: Para que algo possa agradar como obra de arte é preciso que seja sempre algo mais que agradável ao gosto[82]. [53]

É, de fato, surpreendente que num momento anterior a genuína beleza parecia excluir toda e qualquer fixação a conceitos teleológicos e que aqui se diga, ao contrário, que não se pode representar nenhum ideal, mesmo de uma bela moradia, de uma bela árvore, de um belo jardim etc., "porque esses fins *não estão suficientemente* (grifo do autor) determinados e fixados por seu conceito. Consequentemente a finalidade é quase tão livre quanto a da beleza *vaga*". Somente da figura humana, justamente por ser a única capaz de uma beleza fixada por um conceito teleológico, existe um ideal de beleza! Essa teoria, elaborada por Winckelmann e Lessing[83], ganha na fundamentação da estética de Kant uma espécie de posição-chave. Isso porque é justamente nessa tese que se mostra quão pouco uma estética formal do gosto (estética dos arabescos) corresponde ao pensamento kantiano.

A teoria do ideal de beleza radica-se na distinção entre a ideia normal e a ideia racional ou ideal de beleza. A ideia normal estética encontra-se em todas as espécies da natureza. Como deve ser a aparência de um belo animal (p. ex., uma vaca: Miró), é um padrão para o julgamento do exemplar individual. Essa ideia normal é, portanto, uma contemplação individual da imaginação, como a "imagem da espécie que paira entre todos os indivíduos singulares". Mas a representação dessa ideia normal não agrada por sua beleza, mas só "porque não contradiz nenhuma das condições sob as quais um objeto dessa espécie pode ser belo". Não é a imagem originária da beleza, mas somente da exatidão.

---

82. [Infelizmente, continua-se a fazer mau uso da análise kantiana sobre o juízo do gosto para a teoria da arte, quer da parte de ADORNO, T.W. *Asthetischer Theorie*, Escritos, vol. 7, p. 22s., ou da parte de JAUSS, H.R. *Ästhetische Erfahrung und literarische Hermeneutik*, Frankfurt, 1982, p. 29s.]
83. LESSING. *Entwürfe zum Laokoon*, nº 20 b; in: *Lessings sämtl. Schriften*. 1886s., vol. 14, p. 415 [LACHMANN (org.)].

[54] Isso vale também para a ideia normal da figura humana. Mas na figura humana existe um verdadeiro ideal de beleza na "expressão do ético". Se a frase "expressão do ético" foi considerada juntamente com a teoria posterior das ideias estéticas e da beleza como símbolo da eticidade, então se reconhecerá que, com a teoria do ideal da beleza, encontra-se preparado também o lugar para a essência da arte[84]. A aplicação dessa teoria à teoria da arte, no sentido do classicismo de Winckelmann, sugere-se por si mesma[85]. É óbvio que Kant quer dizer que na representação da figura humana o objeto representado e aquilo que nos fala nessa representação como conteúdo artístico são a mesma coisa. Não pode haver nenhum outro conteúdo dessa representação a não ser aquilo que se expressa na figura e na manifestação do representado. Falando kantianamente: o prazer intelectualizado e interessado nesse ideal representado da beleza não se separa do prazer estético, mas torna-se um com ele. É só na representação da figura humana que todo o conteúdo da obra nos fala ao mesmo tempo como expressão de seu objeto[86].

Segundo Hegel, a essência de toda arte reside em "confrontar o homem consigo mesmo"[87]. Também outros objetos da natureza, e não só a figura humana, podem expressar ideias éticas na representação artística. Isso pode ser produzido por toda e qualquer re-

---

84. Observe-se também que, a partir desse ponto, Kant pensa evidentemente na obra de arte e já não tanto no belo por natureza. [Isso já vale para a "Normalidee" e para a sua representação sistemática, mas, mais propriamente, para o ideal: "ainda mais para aquele que a quer *representar*" (*Kritik der Urteilskraft*, § 17, p. 60.]

85. Cf. LESSING. Op. cit., sobre "pintor de flores e paisagens": "Imita belezas que não são susceptíveis de nenhum ideal", e, positivamente, está de acordo com isso a posição dominante que a plástica ocupa dentro da categoria das artes plásticas.

86. Neste particular, Kant está seguindo a Sulzer, que, no artigo "Schönheit", da sua *Allgemeine Theorie der schönen Künste*, destaca a figura humana de maneira semelhante. Pois o corpo humano não seria outra coisa "senão a alma tornada visível". Também Schiller, no seu tratado *Über Matthissons Gedichte*, escreve – nesse sentido – que "o reino das formas determinadas não ultrapassa o corpo animal e o coração humano, já que somente nesses dois (como se deduz pelo contexto, Schiller se refere aqui à unidade de ambos, ou seja, da corporeidade animal e do coração, que são a dupla essência do homem) pode se estabelecer um ideal". Não obstante, o trabalho de Schiller é, quanto ao demais, uma justificação da pintura e da poesia de paisagens com a ajuda do conceito de símbolo, e assim preludia a futura estética da arte.

87. *Vorlesungen über die Ästhetik*, org. Lasson, p. 57: "Por conseguinte, a necessidade geral da obra de arte deve ser procurada no pensamento do homem, já que é um modo de colocar diante do homem o que este é".

presentação artística, seja de uma paisagem, de uma *nature morte*, ou mesmo a observação da natureza que lhe atribui uma alma. Nesse sentido, Kant continua tendo razão ao afirmar que nesse caso a expressão do ético é apenas emprestada. O homem, ao contrário, expressa essas ideias em seu próprio ser, porque ele é o que é. Uma árvore que se encontra atrofiada devido a condições ambientais adversas pode nos parecer algo miserável, mas essa miséria não é a expressão da árvore sentindo-se miserável, e, a partir do ideal da árvore, o atrofiamento não é uma "miséria". Ao contrário, é porque se mede no próprio ideal humano-ético que o homem miserável é tal (e não porque lhe atribuamos um ideal humano que não é válido para ela, segundo o qual ela pareceria ser miserável para nós sem sê-lo ela mesma). Hegel compreendeu perfeitamente isso nas suas preleções sobre a estética, quando denomina a expressão do ético como a manifestação da espiritualidade"[88]. [55]

É assim que o formalismo do "prazer seco" acaba dissolvendo decisivamente tanto o racionalismo na estética como qualquer teoria universal cosmológica da beleza. Justamente com aquela distinção classicista entre ideia normal e ideal da beleza, Kant destrói o fundamento a partir do qual a estética da perfeição encontra sua beleza única e incomparável na plena agradabilidade sensorial de todo ente. Somente então "a arte" consegue tornar-se um fenômeno autônomo. Sua tarefa não é mais a representação do ideal da natureza, mas o encontro do homem consigo mesmo na natureza e no mundo humano-histórico. A demonstração kantiana de que o belo agrada sem conceituação alguma não impede, de forma alguma, que nos interessemos realmente só pela beleza que nos atinge significativamente. É justamente o reconhecimento da ausência de conceituação do gosto que nos permite superar uma estética do mero gosto[89].

d) O interesse pelo belo na natureza e na arte

Quando Kant indaga pelo *interesse* que suscita o belo, não empiricamente mas *a priori*, essa questão do belo em face da determi-

---

88. *Vorlesungen über die Ästhetik*, org. Lasson, p. 213.
89. [Kant diz expressamente que "o juízo acerca de um ideal da beleza não é um mero juízo do gosto"(*Kritik der Urteilskraft*, p. 61). Cf. a minha dissertação "Die Stellung der Poesie im Hegel'schen System der Künste". In: *Hegel-Studien*, 21, 1986.]

nação fundamental da falta de interesse do prazer estético acaba gerando uma nova questão que faz a transição do ponto de vista do gosto para o ponto de vista do gênio. É a mesma teoria que se desdobra com relação a ambos os fenômenos. Ao assegurar os fundamentos, acaba-se liberando a "crítica do gosto" de todo preconceito, tanto sensualista como racionalista. É perfeitamente natural que Kant ainda não apresente aqui a pergunta sobre o modo de existência do que foi julgado esteticamente (e consequentemente de todo questionamento sobre a relação do belo natural e do belo artístico). Mas o dimensionamento dessa questão só irá mostrar-se necessário quando se pensar o ponto de vista do gosto até o fim, e isto significa para além de si mesmo[90]. A interessante importância do belo é o que realmente movimenta a problemática da estética kantiana. Ela é distinta para a natureza e para a arte, e é justamente a comparação do belo natural com o belo artificial o que promove o desenvolvimento dos problemas.

[56]

Aqui aparece o elemento mais próprio de Kant[91]. Como era de se esperar, o que faz com que Kant ultrapasse o "prazer desinteressado" e questione o interesse pelo belo não é certamente a arte. A partir da teoria do ideal da beleza, havíamos concluído apenas uma vantagem da arte com relação ao belo natural, a saber, a vantagem de ser uma linguagem mais imediata na expressão do ético. Kant, ao contrário, acentua inicialmente (no parágrafo 42) a vantagem do *belo natural* frente ao belo artístico. A beleza natural não possui uma vantagem somente para o juízo estético puro, a de tornar claro que o belo repousa na finalidade da coisa representada para nossa capacidade de compreensão como tal. Isso se torna muito claro no belo natural porque não possui nenhum significado de conteúdo que mostre o juízo de gosto em sua pureza não intelectualizada.

---

90. Schiller percebeu isso acertadamente, quando escreveu: "Aquele que somente aprendeu a admirar o autor como um grande pensador irá se alegrar de encontrar aqui um rastro de seu coração" (*Über naive und sentimentalische Dichtung*, Obras. Leipzig, 1910s., parte 17, p. 480 [GÜNTTER & WITKOWSKI (orgs.)].

91. É mérito de R. Odebrecht (in: *Form und Geist – Der Aufstieg des dialektischen Gedankens in Kants Ästhetik*, Berlim, 1930) ter reconhecido essas relações. [Cf., entrementes, minha dissertação "Anschauung und Anschaulichkeit". In: *Neue Hefte für Philosophie*, 18/19, 1980, p. 173-180, vol. 8 das Obras Completas.]

Mas não possui somente essa vantagem metodológica – possui também, segundo Kant, uma vantagem de conteúdo e, nesse ponto, torna-se evidente que Kant coloque um especial interesse em sua teoria. A bela natureza consegue despertar um interesse imediato, ou seja, um interesse moral. O achar belas as belas formas da natureza nos leva a pensar que "a natureza produziu aquela beleza". Onde esse pensamento desperta um interesse, pode-se falar de um cultivo do sentimento ético. Enquanto um Kant, doutrinado por Rousseau, recusa a possibilidade de se chegar a deduzir genericamente o sentimento ético aguçando o gosto pelo belo, a questão muda de figura quando se trata do sentido para a beleza natural. Que a natureza seja bela, é coisa que só desperta interesse para quem "já tenha anteriormente fundamentado seu interesse pelo bem ético". O interesse pelo belo na natureza é, portanto, "moral por parentesco". Na medida em que percebe a coincidência não intencional da natureza com o nosso prazer, independente de qualquer interesse, junto com uma maravilhosa conveniência (*Zweckmässigkeit*) da natureza para conosco, esse interesse aponta-nos como o fim último da criação, a nossa "determinação moral".

Aqui conjuga-se perfeitamente a rejeição da estética da perfeição com a significação moral do belo natural. Justamente porque não encontramos na natureza *fins em si* e, mesmo assim, encontramos beleza, isto é, algo útil para nosso prazer, a natureza nos dá um "sinal" de que somos realmente o fim último, o objetivo final da criação. A dissolução do antigo pensamento cosmológico que marcava o lugar do homem no arcabouço total dos entes, determinando o objetivo de perfeição de cada ente, outorga ao mundo, que deixa de ser belo enquanto uma ordem de fins absolutos, a nova *beleza*, a beleza de ser conveniente (*zweckmässig*) para nós. Torna-se "natureza", cuja inocência reside em que nada sabe dos homens e de seus vícios sociais. Mesmo assim, ela tem algo a nos dizer. Com vistas à ideia de uma determinação inteligível da humanidade, a natureza enquanto bela natureza ganha uma *linguagem* que a conduz a *nós*.

[57]

É claro que a importância da arte repousa também no fato de nos interpelar, e de colocar o homem diante de si mesmo em sua existência determinada moralmente. Mas os produtos artísticos só servem para nos interpelar; os objetos naturais, ao contrário, não estão aí para nos interpelar. Justamente nisso reside o significativo interesse pelo belo natural, que, não obstante isso, consegue tornar consciente nossa determinação moral. A arte não pode nos proporcionar esse encontro do homem consigo mesmo numa realidade não intencional. Que o homem se encontre a si mesmo na arte, não é para ele a confirmação procedente de algo diferente de si mesmo[92].

Em si, isso está correto. Mas por mais interessante que seja a probidade de seu raciocínio, Kant não coloca o fenômeno da arte sob um padrão a ela adequado. Podemos também fazer o raciocínio inverso. A vantagem do belo natural sobre o belo artístico é apenas o reverso da carência do belo natural quanto a uma certa força de expressão. Assim, podemos constatar, ao contrário, a vantagem da arte sobre o belo natural no fato de que a linguagem da arte é uma linguagem exigente e interpeladora. A arte não se oferece livre e indeterminada à interpretação que vem da disposição de ânimo, mas nos interpela com significados bem determinados. E o que há de maravilhoso e misterioso na arte é que essa interpretação determinada não representa um grilhão para nosso ânimo, mas justamente abre o espaço de jogo da liberdade lúdica de nossa capacidade de conhecimento. Kant faz justiça absoluta a isso ao dizer[93] que a arte deveria "ser vista como natureza", ou seja, agradar sem denunciar coerções regulatórias. Na arte não estamos interessados na coincidência intencional do que é representado com uma realidade já conhecida, nem procuramos saber com que se parece. Não medimos o sentido de suas pretensões segundo um padrão já conhecido; antes, esse padrão, o "conceito", será "ampliado esteticamente" de uma forma ilimitada[94].

[58] A definição kantiana de arte como a "bela representação de uma coisa" faz justiça à fama, na medida em que na arte mesmo a

---

92. [Aqui dever-se-ia ter assinalado a análise do sublime, na sua função vinculativa. Cf., entrementes, TREDE, J.H. *Die Differenz von theoretischem und praktischem Vernunftgebrauch und dessen Einheit innerhalb der Kritik der Urteilsckraft*, Heidelberg, 1969, e meu trabalho "Anschauug und Anschaulichkeit". In: *Neue Hefte für Philosophie*, 18/19, 1980, p. 1-13, vol. 8 das Obras Completas.]
93. *Kritik der Urteilskraft*. 3. ed. 1799, p. 179s.
94. Idem, p. 194.

representação do feio torna-se bela. No entanto, a verdadeira natureza da arte não se manifesta suficientemente pelo mero contraste com o belo natural. Se o conceito de uma coisa fosse apresentado visando unicamente seu aspecto de beleza, isso não passaria de uma questão de representação "acadêmica" e preencheria apenas a condição imprescindível de toda beleza. Também para Kant, a arte é mais que uma "bela representação de uma coisa": É a representação de *ideias estéticas*, isto é, de algo que ultrapassa todo conceito. O conceito do gênio pretende formular essa concepção de Kant.

Não se pode negar que a teoria das ideias estéticas, cuja representação permitiria ao artista ampliar infinitamente o conceito dado e reavivar o livre jogo das forças do ânimo, carrega um traço incômodo para o leitor hodierno. Parece que essas ideias poderiam ser adicionadas ao conceito que já as guia, como os atributos de uma divindade à sua figura. A primazia tradicional do conceito racional sobre a representação estética inefável é tão forte que até mesmo em Kant surge a falsa aparência de que o conceito precederia a ideia estética, sendo que não é o entendimento, mas a imaginação que detém o controle no jogo das capacidades[95]. O teórico da arte encontrará, no mais, testemunhos suficientes das dificuldades que Kant encontrou para manter sua ideia básica da impossibilidade de se conceber o belo, que assegura ao mesmo tempo sua vinculabilidade, sem afirmar involuntariamente a primazia do conceito.

As linhas-mestras de seu raciocínio encontram-se, porém, livres de tais lacunas e mostram uma impressionante coerência que culmina na função do conceito de gênio para a fundamentação da arte. Mesmo sem entrar numa interpretação mais detalhada dessa "capacidade para a representação de ideias estéticas", pode-se dizer que Kant não se desvia de seu questionamento filosófico transcendental, nem se vê forçado a tomar o falso caminho de uma psicologia da criação artística. Ao contrário, a irracionalidade do gênio nomeia um momento produtivo da criação de regras, que se mostra igualmente tanto a quem cria como a quem desfruta: Fren-

---

95. *Kritik der Urteilskraft*, p. 161: "Onde a imaginação, em sua liberdade, estimula o entendimento"; assim como na p. 194: "É assim que a imaginação se torna aqui criativa e põe em movimento a capacidade das ideias intelectuais (a razão)".

[59] te à obra da arte bela, não há nenhuma possibilidade de apossar-se de seu conteúdo a não ser sob a forma única da obra e sob o mistério de sua impressão, que nenhuma linguagem jamais poderá alcançar inteiramente. O conceito do gênio coincide, pois, com o que Kant considera o decisivo do gosto estético, ou seja, o jogo leve das forças do ânimo, a ampliação do sentimento vital que nasce da concordância entre forma de imaginação e entendimento e que convida ao repouso ante o belo. O gênio é um modo de manifestação desse espírito vivificador. Pois face à rígida regularidade da maestria escolar, o gênio mostra o livre impulso da invenção e, com isso, uma originalidade criadora de modelos.

e) A relação entre gosto e gênio

Em face dessa situação, apresenta-se a pergunta pelo modo como Kant determina a mútua relação entre o gosto e o gênio. Kant conserva sua primazia principial para o gosto, na medida em que também as obras das belas artes, que são artes de um gênio, encontram-se sob o ponto de vista dominante da beleza. Em contraste com a inventividade do gênio, pode-se considerar penoso o aprimoramento posterior que se torna um imperativo do gosto; mas este é a disciplina necessária que se deve atribuir ao gênio. Nesse sentido, segundo Kant, o gosto continua merecendo a primazia em casos de desacordo. Mas essa questão não ocupa o primeiro lugar na significação. Isso porque, no fundo, o gosto encontra-se na mesma base que o gênio. A arte do gênio reside em tornar comunicável o jogo livre das forças do conhecimento. É o que produzem as ideias estéticas, que ele inventa. A comunicabilidade do estado de ânimo, do prazer, caracteriza também o prazer estético do gosto. É uma capacidade do julgamento, portanto, um gosto reflexivo, mas aquilo sobre o que ele reflete é somente aquele estado de ânimo do avivamento das forças do conhecimento que se encontra tanto no belo natural como no belo artístico. A significação sistemática do conceito de gênio, ao contrário, restringe-se ao caso especial da beleza artística, mas a significação do conceito de gosto é universal.

Que Kant ponha o conceito do gênio totalmente a serviço de seu questionamento transcendental e não descambe para uma psicologia empírica fica claro pela sua restrição do conceito de gênio à criação artística. Desde o ponto de vista da psicologia empírica, parece injustificado que ele reserve essa designação aos grandes inventores e descobridores no âmbito da ciência e da técnica[96]. Sempre que se deve "chegar à alguma coisa" que não se pode descobrir só pelo aprendizado e pelo trabalho metodológico, portanto, sempre que se dá alguma *inventio*, onde se deve algo à inspiração e não ao cálculo metodológico, entra em jogo o *ingenium*, isto é, o gênio. Mesmo assim, a intenção de Kant é correta: somente a obra de arte, segundo o seu sentido, está determinada a ser criada pelo gênio e por ninguém mais. Somente no caso do artista é que o seu "invento", a obra, de acordo com o seu próprio ser, continua vinculada ao espírito, tanto o espírito que cria, quanto aquele que julga e usufrui. São só essas invenções que não podem ser imitadas, e por isso, do ponto de vista transcendental, é correto que Kant fale do gênio somente aqui e defina as belas artes como a arte do gênio. Todas as demais produções e invenções geniais, por maior que seja a genialidade da invenção, em sua essência, não são determinados por essa genialidade. [60]

Uma coisa é certa. Para Kant, o conceito de gênio significa apenas uma complementação daquilo que o faz interessar-se pelo juízo estético, "na intenção transcendental". Não devemos esquecer que, em sua segunda parte, a crítica do juízo absolutamente só tem a ver com a natureza (e seu julgamento segundo conceitos de finalidade), e não com a arte. Para a intenção sistemática do todo, a aplicação do juízo estético ao belo e ao sublime na *natureza* é mais importante do que a fundamentação transcendental da *arte*. A "adequação (*Zweckmässigkeit*) da natureza à nossa capacidade de conhecimento", que como vimos só pode ocorrer no belo natural (e não nas belas artes), como princípio transcendental do juízo estético, tem também o significado de preparar o entendimento para aplicar o conceito de uma finalidade à natureza[97]. Desse ponto de vista, a crítica do gosto, isto é, a estética, é uma preparação para a teleologia. A intenção filosófica de Kant, que representa o cume

---

96. *Kritik der Urteilskraft*, p. 183s.
97. *Kritik der Urteilskraft*, p. LI.

sistemático do conjunto de sua filosofia, consiste em legitimar como princípio do juízo a esta teleologia, cuja pretensão constitutiva para o conhecimento natural já havia sido destruída pela crítica da razão pura. O juízo lança a ponte entre entendimento e razão. O inteligível, para o qual aponta o gosto, o substrato suprassensível da humanidade, contém ao mesmo tempo a intermediação entre os conceitos de natureza e de liberdade[98]. Essa é a importância sistemática que tem para Kant o problema da beleza natural: *Ela fundamenta a posição central da teleologia.* Só ela, não a arte, pode servir para legitimar o conceito de finalidade para o julgamento da natureza. Já a partir desse fundamento sistemático o juízo de gosto "puro" torna-se a base imprescindível da terceira crítica.

Mas, mesmo no âmbito da crítica do juízo estético, nada se fala a respeito de que o ponto de vista do gênio acabe deslocando o do gosto. Considere-se apenas como Kant descreve o gênio: o gênio é um favorito da natureza – como a beleza natural é vista como um favor da natureza. As belas artes devem ser vistas como natureza. A natureza impõe suas regras à arte pelo gênio. Em todas essas explanações o conceito da natureza é o padrão imbatível[99].

[61] O conceito de gênio nada mais faz do que equiparar esteticamente os produtos das belas artes com a beleza natural. Também a arte é vista esteticamente, isto é, também ela é um caso para o juízo reflexivo. O que se produz intencionalmente e, nesse sentido, com vistas a algum objetivo, não deve ser referido a um conceito, mas pretende ser agradável ao mero julgamento, como o belo natural. "Que as belas artes são arte do gênio" significa somente que também para o belo na arte não existe nenhum outro princípio de julgamento, nenhuma medida de conceito ou de conhecimento, a não ser o da conveniência (*Zweckmässigkeit*) para o sentimento da liberdade no jogo de nossa capacidade de conhecimento. O belo na natureza *ou* na arte[100] possui um e o mesmo princípio apriorístico, que reside totalmente na subjetividade. A "heautonomia" do juízo estético não funda, de forma alguma, nenhum campo de validade

---

98. Idem, p. LVs.
99. Idem, p. 181.
100. Caracteristicamente, Kant prefere o "e" antes do "ou".

autônoma para os belos objetos. A reflexão transcendental de Kant sobre um *a priori* do juízo justifica a pretensão do julgamento estético, mas, no fundo, não admite uma estética filosófica no sentido de uma filosofia da arte (o próprio Kant diz que aqui a crítica não corresponde a nenhuma teoria ou metafísica[101]).

1.2.2. A estética do gênio e o conceito de vivência

a) O avanço do conceito de gênio

A fundamentação do juízo estético sobre um *a priori* da subjetividade vai ganhar uma significação totalmente nova ao modificar-se o sentido da reflexão transcendental-filosófica nos sucessores de Kant. Quando deixa de existir o pano de fundo da metafísica, que em Kant fundamentava a primazia do belo natural e que mantinha o conceito de gênio vinculado à natureza, o problema da arte passa a apresentar um novo sentido. Já o modo como Schiller assimilou a *Crítica do Juízo* de Kant, aplicando todo o ímpeto de seu temperamento moral-pedagógico na ideia de uma "educação estética", elevou ao primeiro plano o ponto de vista da arte em contraste com o ponto de vista kantiano do gosto e do juízo.

A partir do ponto de vista da arte, a relação dos conceitos kantianos de gosto e de gênio deslocam-se completamente. O conceito mais abrangente passa a ser o do gênio, enquanto que se começa a desvalorizar o fenômeno do gosto.

É verdade que no próprio Kant não faltam possibilidades para essa transformação de valores. E, segundo Kant, também o fato de que as belas artes sejam arte do gênio não é um dado indiferente para a capacidade de julgamento do gosto. O gosto ajuda a julgar justamente se uma obra de arte possui espírito ou não. Kant disse certa vez que com relação à possibilidade da beleza artística "deve-se ter cuidado também com o julgamento desse tipo de objeto", e consequentemente com o gênio que há ali[102], e noutro lugar diz com muita naturalidade que sem o gênio não são possíveis nem as belas artes e nem um gosto correto, um gosto próprio que as jul-

[62]

---

101. *Kritik der Urteilskraft*, p. X e LII.
102. *Kritik der Urteilskraft*, § 48.

gue[103]. Por isso, o ponto de vista do gosto, na medida em que é exercido no seu mais distinto objeto, as belas artes, desloca-se por si mesmo para o ponto de vista do gênio. À genialidade da criação corresponde uma genialidade da compreensão. Kant não o expressa assim, mas o conceito de espírito que ele utiliza aqui[104] vale igualmente para ambos os pontos de vista. Essa é a base sobre a qual mais tarde se iria continuar construindo.

Fica de fato muito evidente que o conceito de gosto perca o seu significado quando o fenômeno da arte passa a ocupar o primeiro plano. Em face da obra de arte, o ponto de vista do gosto é secundário. Em contraste com a originalidade da obra de arte genial, a sensibilidade seletiva que o constitui possui uma função muitas vezes niveladora. O gosto evita o que é incomum e monstruoso. É um sentido superficial e não quer se haver com o que há de original numa produção artística. Já a ascensão do conceito de gênio no século XVIII mostra uma ponta polêmica contra o conceito de gosto. Ele se dirige contra a estética do classicismo, na medida em que se exigia ao ideal dos clássicos franceses o reconhecimento de Shakespeare (Lessing!). Nesse sentido, Kant é antiquado e assume uma posição mediadora, na medida em que, em virtude de sua intenção transcendental, mantém-se firme no conceito de gosto que sob o signo de "Sturm und Drang" acaba sendo vigorosamente recusado e ferozmente atacado.

No entanto, quando passa dessa fundamentação geral para o problema especial da filosofia da arte, o próprio Kant assinala a superação do ponto de vista do gosto. Fala então da ideia de uma *consumação do gosto*[105]. Mas em que consiste isso? O caráter normativo do gosto inclui a possibilidade de sua formação e de seu aperfeiçoamento: Segundo Kant, o gosto consumado, cuja fundamentação está em questão aqui, irá assumir uma forma determinada e imutável. Por mais absurdo que isso soe aos nossos ouvidos, essa maneira de pensar é absolutamente consequente. Pois se o

---

103. *Kritik der Urteilskraft*, § 60.
104. *Kritik der Urteilskraft*, § 49.
105. *Kritik der Urteilskraft*, p. 264.

gosto, segundo suas pretensões, é bom gosto, então o cumprimento dessa pretensão deveria de fato acabar com todo o relativismo do gosto a que apela o ceticismo estético. Abrangeria todas as obras de arte que tenham "qualidade", portanto, todas que tenham sido realizadas com gênio.

[63]

Assim, vemos que a ideia discutida por Kant de um gosto consumado seria objetivamente melhor definida através do conceito de gênio. Seria evidentemente um erro aplicar a ideia do gosto consumado, como tal, no campo do belo natural. Para a arte da jardinagem, poderia até, eventualmente, ser aceita. Mas, de uma forma consequente, Kant cunhou a arte da jardinagem como o belo artístico[106]. No entanto, em face da beleza da natureza, p. ex., da beleza de uma paisagem, a ideia de um gosto consumado é muito pouco adequada. Será que ele consiste em valorizar devidamente tudo que é belo na natureza? Poderá haver escolha ali? Existirá ali uma ordem hierárquica? Será que uma paisagem ensolarada é mais bela que uma paisagem mergulhada em chuva? Afinal, existe na natureza o feio? Ou haveria algo mais que coisas que nos interpelam segundo nosso estado de ânimo e nos agradam segundo nossos gostos? Kant pode ter razão quando considera que o fato de a natureza poder agradar ou não a alguém possui importância no âmbito da moral. Mas será que frente a ela se pode distinguir entre um bom e um mau gosto? Onde essa distinção não oferece dúvidas face à arte e ao artístico, aí, como vimos, o gosto é apenas uma condição restritiva do belo e não contém o seu genuíno princípio. Assim, a ideia de um gosto consumado torna-se problemática tanto frente à natureza como frente à arte. Violentamos seu conceito quando não admitimos a mutabilidade do gosto. Se há algo que é um testemunho da mutabilidade de todas as coisas humanas e da relatividade de todos os valores humanos, esse algo é o gosto.

---

106. Curiosamente, a referência é feita à pintura em vez de à arquitetura (*Kritik der Urteilskraft*, p. 205), uma classificação que pressupõe a mudança de gosto do ideal da jardinagem francesa para a inglesa. Cf. o tratado de Schiller: *Über den Gartenkalender auf das Jahr 1795*. Diferentemente disso, Schleiermacher (*Ästhetik*, ed. Odebrecht, p. 204) volta a incluir a jardinagem inglesa na arquitetura, como "arquitetura horizontal". [Cf. abaixo nota 270 da Primeira Parte.]

Sob esse aspecto, a fundamentação kantiana da estética no conceito de gosto não pôde satisfazer plenamente. É muito mais adequado empregar como princípio estético universal o conceito de gênio, que Kant desenvolve como um princípio transcendental para o belo artístico. Preenche a exigência de manter-se invariável frente à mudança dos tempos bem melhor do que o conceito de gosto. O milagre da arte, a consumação misteriosa inerente às criações mais bem-sucedidas da arte, é visível ao longo de todos os tempos. Parece possível subordinar o conceito de gosto à fundamentação transcendental da arte e entender por gosto o sentido seguro para o que é genial da arte. A frase de Kant de que "as belas artes são arte do gênio" transforma-se então no princípio transcendental de toda estética. Em última instância, estética só é possível como filosofia da arte.

Foi o idealismo alemão que tirou essa consequência. Uma vez que Fichte e Schelling aderem à teoria kantiana da imaginação transcendental também alhures, acabaram fazendo um novo uso desse conceito também para a estética. Diferentemente de Kant, o *ponto de vista da arte* tornou-se, com isso, aquele que abrange toda a produção inconscientemente genial, inclusive a natureza, que passa a ser entendida como produto do espírito[107].

Com isso, porém, deslocaram-se os fundamentos da estética. Como o conceito de gosto, desvaloriza-se também o do belo natural, ou no mínimo passa a ser entendido diversamente. O interesse moral pelo belo da natureza, que Kant descrevera tão entusiasticamente, retrocede frente ao encontro do homem consigo mesmo nas obras de arte. Na extraordinária estética de Hegel, o belo natural só aparece ainda como "reflexo do espírito". No fundo,

---

107. O primeiro fragmento de Schlegel (F. Schlegel, *Fragmente*, "Aus dem Lyceum", 1797) pode demonstrar até que ponto a transformação que aparece entre Kant e seus seguidores vem a obscurecer o fenômeno universal do belo, e que eu procuro caracterizar com a fórmula "ponto de vista da arte": "Chamamos artistas a muitos que na realidade são obras de arte da natureza". Nessa maneira de nos expressarmos, ressoa a fundamentação kantiana do conceito de gênio nos dons da natureza, mas é tão pouco apreciada que se converte, inversamente, numa objeção contra um tipo de artista excessivamente pouco consciente de si próprio.

não há mais nenhum momento independente no todo sistemático da estética[108].

Obviamente, e falando hegelianamente, o que justifica que a natureza "esteja contida por sua substância no espírito"[109] é a indeterminação com que se apresenta o belo da natureza ao espírito que a interpreta e entende. Do ponto de vista estético, Hegel tira aqui uma consequência absolutamente correta, que já nos foi insinuada acima quando falamos da imprecisão na aplicação da ideia do gosto à natureza. Pois é inegável que o julgamento sobre a beleza de uma paisagem fica na dependência do gosto artístico de uma época. Basta pensar, por exemplo, na descrição da fealdade da paisagem dos Alpes, que ainda encontramos no século XVIII – claramente um reflexo do espírito da simetria artística que dominava o século do absolutismo. É assim que a estética hegeliana assenta-se totalmente sobre o ponto de vista da arte. Na arte o homem se encontra a si mesmo, o espírito como espírito. [65]

Para o desenvolvimento da nova estética, torna-se decisivo que também aqui, como em toda a filosofia sistemática, o idealismo especulativo tenha tido um efeito que ultrapassa sua validade reconhecida. Sabe-se que o aborrecimento do esquematismo dogmático da escola de Hegel, em meados do século XIX, acabou promovendo uma renovação da crítica sob a divisa: "De volta a Kant!" Isso vale também para a estética. Por mais grandiosa que tenha sido na estética hegeliana a valoração da arte para uma história das cosmovisões, o método de uma tal construção apriorística da história, que encontrou algumas aplicações na escola hegeliana (Rosenkranz, Schasler, entre outros), acabou sendo rapidamente desacreditado. Nisso, a exigência de uma volta a Kant não conseguiu representar uma verdadeira volta e recuperação do horizonte que abrangia as críticas de Kant. Antes, o fenômeno da arte e o conceito de gênio permanece-

---

108. A forma como Hothos redige as dissertações sobre a estética confere à beleza natural uma posição talvez excessivamente autônoma, como demonstra a articulação original de Hegel, reproduzida por Lasson a partir de seus pós-escritos. Cf. Hegel, *Sämtl. Werke*, org. Lasson, vol. Xa, tomo I parcial ("Die Idee und das ideal"), p. XIIs. [Cf. agora os estudos de A. Gethmann-Siefert, *Hegel-Studien*, suplemento 25, 1985, resultantes da preparação de uma nova edição, e minha dissertação "Die Stellung der Poesie im Hegel'schen System der Künste", *Hegel-studien*, 21, 1986.]

109. *Vorlesungen über die Ästhetik*, org. Lasson.

ram no centro da estética, e o problema do belo natural, bem como o conceito do gosto, continuaram à margem.

Isso se mostra também no uso da linguagem. A redução kantiana do conceito de gênio ao artista, de que tratamos acima, não conseguiu se impor. Ao contrário, no século XIX o conceito de gênio elevou-se a um conceito de valor universal e experimentou, junto com o conceito de criatividade, uma verdadeira apoteose. Era o conceito romântico-idealista da produção inconsciente, que sustentou esse desenvolvimento e alcançou uma enorme repercussão através de Schopenhauer e da filosofia do inconsciente. De fato mostramos que uma tal primazia sistemática do conceito de gênio frente ao conceito de gosto não correspondia à estética kantiana. Mas a preocupação essencial de Kant era produzir uma fundamentação da estética autônoma e livre do padrão do conceito; não colocou a questão da verdade no âmbito da arte, mas fundamentou o julgamento estético sobre o *a priori* subjetivo do sentimento vital, a harmonia de nossa capacidade para "o conhecimento em geral", que constitui a essência comum do gosto e do gênio frente ao irracionalismo e ao culto do gênio do século XIX. A teoria kantiana da "elevação do sentimento vital" no prazer estético promoveu o desenvolvimento do conceito de "gênio" para um conceito de vida abrangente, sobretudo depois que Fichte elevou o ponto de vista do gênio e da produção genial a uma perspectiva universal e transcendental. Foi assim que o neokantismo, buscando derivar da subjetividade transcendental toda validez objetiva, acabou caracterizando o conceito de vivência como a genuína realidade da consciência[110].

b) Sobre a história da palavra "vivência"

A pesquisa do surgimento da palavra "vivência" (*Erlebnis*) na literatura alemã conduz ao surpreendente resultado de que, diferentemente de "vivenciar" (*Erleben*), somente se tornou usual nos

---

110. Deve-se à obra de Luigi Pareyson, *L'estetica del idealismo tedesco*, 1952, o mérito de ter salientado o significado de Fichte para a estética idealista. A oculta influência de Fichte e Hegel também pode ser observada no conjunto do movimento neokantiano.

anos 70 do século XIX. No século XVIII ela absolutamente ainda não existe, mas também Schiller e Goethe não a conhecem. O testemunho mais antigo[111] parece ser uma carta de Hegel[112]. Mas também nos anos 30 e 40 encontrei, até o momento, ocorrências muito isoladas (de Tieck, Alexis e Gutzkow). Da mesma forma, parece ser rara a palavra nos anos 50 e 60, somente aparecendo de repente com maior frequência nos anos 70[113]. Sua introdução geral no uso da linguagem comum está vinculada, pelo que parece, à sua aplicação na literatura biográfica.

Como se trata aqui de uma formação secundária da palavra "vivenciar", que já é mais antiga e que já se encontra com frequência na época de Goethe, deve-se extrair a motivação para essa nova formação da palavra na análise do significado de "vivenciar". Vivenciar significa, de início, "ainda estar vivo, quando algo acontece". A partir daí a palavra "vivenciar" apresenta o tom da imediaticidade com que se apreende algo real, em oposição àquilo que se pensa saber, mas para o qual falta a credencial da vivência própria, quer porque o tenhamos recebido de outros, porque venha do ouvir falar ou que o tenhamos deduzido, suposto ou imaginado. O vivenciado (*das Erlebte*) é sempre o que nós mesmos vivenciamos (*das Selbsterlebte*).

Mas a forma "o vivenciado" é usada também no sentido de designar o conteúdo permanente daquilo que é vivenciado. Esse conteúdo é como um rendimento ou resultado que ganha duração, peso e importância a partir da transitoriedade do vivenciar. Ambas

[67]

---

111. Graças a uma amável informação da Deutsche Akademie, de Berlim, que ainda não completou o trabalho de coleta para o verbete *Erlebnis*. [Entrementes, Konrad Cramer, in: *Historisches Wörterbuch der Philosophie*, de J. Ritter, apresentou um artigo sobre "Erlebnis", vol. 2, p. 702-711.]

112. No relato de uma de suas viagens, Hegel escreve "meine ganze Erlebnis" ("toda a minha vivência") (*Briefe*, ed. Hofmeister, III, 179). Observe-se, no caso, que se trata de uma carta, em que se podem admitir expressões incomuns procedentes da linguagem falada quando não se encontra uma palavra mais corriqueira. Além disso, Hegel utiliza uma outra forma semelhante de expressão (*Briefe*, III, 55), ao escrever "nun von meinem Lebwesen in Wien" ("agora, quanto à minha vida (*Lebwesen* = ser vivo) em Viena"). É evidente que está à procura de um conceito coletivo, de que ainda não dispõe (a favor de que, fala o emprego do feminino na primeira passagem da carta.)

113. Na biografia de Schleiermacher, escrita por Dilthey (1870), na biografia de Winckelmann, de Justi (1872), no *Goethe*, de Hermann Grimm (1877), e provavelmente também noutros lugares.

as direções do significado encontram-se na base da formação da palavra "vivência", tanto a imediaticidade que precede toda interpretação, elaboração e transmissão e que oferece apenas o suporte para a interpretação e a matéria para a configuração, quanto o rendimento transmitido por ela, seu resultado permanente.

Corresponde a essa dupla direção do significado de "vivenciar" o fato de a literatura biográfica ter sido a primeira a dar cidadania à palavra "vivência". A essência da biografia, principalmente a dos artistas e dos poetas do século XIX, consiste em compreender a obra a partir da vida. Sua contribuição reside justamente na mediação de ambas as direções do significado que diferenciamos na palavra "vivência", e correspondentemente em reconhecê-las como uma conexão produtiva. Algo se transforma em vivência na medida em que não somente foi vivenciado mas que o seu ser-vivenciado teve um efeito especial, que lhe empresta um significado permanente. O que se torna uma "vivência" desse modo ganha um *status* de ser totalmente novo na expressão da arte. O famoso título do livro de Dilthey *Das Erlebnis und die Dichtung* oferece uma fórmula pregnante a essa conexão. De fato, foi Dilthey quem primeiro atribuiu uma função conceitual a essa palavra; logo tornou-se uma palavra de moda, designando um conceito de valor tão elucidativo que muitos idiomas europeus acabaram adotando-o como um estrangeirismo. Mas precisamos admitir que o verdadeiro processo na vida do idioma só sedimentou-se na matização terminológica que Dilthey deu ao termo.

Entrementes, e de uma forma bastante feliz, podemos isolar em Dilthey os motivos atuantes na nova cunhagem da linguagem e do conceito da palavra "vivência". O título do livro *Das Erlebnis und die Dichtung* é bastante tardio (1905). É verdade que a primeira versão da dissertação de Goethe, encontrada nele, e publicada por Dilthey em 1877, já mostra uma certa utilização da palavra "vivência", mas nada ainda da solidez terminológica que o conceito teria mais tarde. Vale a pena examinar mais detidamente as formas prévias do sentido de vivência que mais tarde viria a fixar-se conceitualmente. Não parece mero acaso que seja justamente numa biografia de Goethe (e numa dissertação sobre esta) onde de repente se encontra a palavra com frequência. Como nenhum outro, Goethe induz à formulação dessa palavra, uma vez que suas poesias se tornam compreensíveis, em um novo sentido, a partir do que ele vivenciou. Aliás, ele mesmo chegou a dizer que todas as suas poesias têm o caráter de uma grande confissão[114]. A biografia de Goethe escrita por Hermann Grimm segue esse enunciado como um princípio metodológico, e acaba utilizando frequentemente a palavra "vivências".

[68]

O trabalho sobre Goethe presente na obra de Dilthey permite-nos lançar um olhar retrospectivo sobre a pré-história inconsciente da palavra, visto que esse trabalho se encontra na versão de 1877[115] e, mais tarde, na reelaboração do livro *Das Erlebnis und die Dichtung* (1905). Ali Dilthey compara Goethe com Rousseau e, para descrever a poesia moderna de Rousseau a partir do mundo de suas experiências íntimas, ele utiliza a expressão "o vivenciar". Numa paráfrase de um texto de Rousseau encontra-se então a expressão "as vivências de dias de antanho"[116].

No entanto, mesmo nos primeiros trabalhos de Dilthey, nota-se uma certa insegurança no significado da palavra "vivência". Isso pode ser visto claramente sobretudo num trecho em que Dilthey, nas edições posteriores, suprime a palavra "vivência": "Em correspondência ao que ele vivenciou e de acordo com a sua ignorância do mundo, ele recompôs suas fantasias como vivência"[117]. De novo volta-se a falar de Rousseau. Mas essa vivência recomposta na fantasia parece não se adequar corretamente ao sentido originário da palavra "vivenciar", nem sequer ao uso que Dilthey fez dele mais tarde em sua própria linguagem científica, onde "vivência" significa justamente o que está dado de modo imediato, que é

---

114. *Dichtung und Wahrheit*, segunda parte, sétimo livro; *Werke*, Sophienausgabe, vol. 27, p. 110.
115. *Zeitschrift für Völkerpsychologie*, vol. X; cf. observação de Dilthey sobre "Goethe und die dichterische Phantasie" (*Das Erlebnis und die Dichtung*, p. 448s.).
116. *Das Erlebnis und die Dichtung*. 6. ed., p. 219; cf. ROUSSEAU. *Les Confessions*, parte II, livro 9. Não se pode demonstrar uma correspondência exata. Parece óbvio que não se trata de uma tradução, mas é uma paráfrase do que aparece descrito em Rousseau.
117. *Zeitschrift für Völkerpsychologie*, op. cit.

o último material para toda a configuração de uma fantasia[118]. A cunhagem da palavra "vivência" lembra, claramente, a crítica ao racionalismo do *Aufklärung*, que, partindo de Rousseau, deu nova validade ao conceito de vida. Deve ter sido a influência de Rousseau sobre o classicismo alemão o que deu vigor ao padrão do "ser vivenciado", possibilitando assim a formação da palavra "vivência"[119]. Mas o conceito de vida forma também o pano de fundo metafísico que sustenta o pensamento especulativo do idealismo alemão e desempenha um papel fundamental tanto para Fichte e Hegel quanto para Schleiermacher. Frente à abstração do entendimento e à particularidade da sensação ou da representação, esse conceito implica a vinculação à totalidade, à infinitude. É o que se pode perceber nitidamente no tom que a palavra "vivência" guarda até os dias de hoje.

O apelo de Schleiermacher ao sentimento vivo contra o frio racionalismo do *Aufklärung*, a conclamação de Schiller para uma liberdade estética contra o mecanicismo da sociedade e a oposição que estabelece Hegel entre vida (mais tarde, espírito) e "positividade" foram o tom antecipador de um protesto contra a sociedade industrial moderna que, no início do século XX, fizeram ascender as palavras "vivência" e "vivenciar" a um nível quase religioso. O levante do movimento da juventude contra a formação burguesa e sua forma de vida também se deu sob esse signo. A influência de Friedrich Nietzsche e de Henri Bergson atuou nessa direção. Mas também um "movimento espiritual" como o que se organizou em torno a Stefan George e, não por último, a fineza sismográfica com a qual o filosofar de Georg Simmel reagiu a esses processos teste-

---

118. Cf., por exemplo, com a versão posterior do artigo sobre Goethe, in: *Das Erlebnis und die Dichtung*, p. 177: "Poesia é representação e expressão da vida. Expressa e representa a realidade exterior da vida".

119. Sem dúvida, aqui foi decisivo o emprego do termo por Goethe: "Perguntai-vos, em cada poema, se contém algo vivenciado" (Jubiläumausgabe 38, 326); ou: "Também os livros têm algo de vivenciado" (38, 257). Quando se mede, com tais padrões, o mundo da cultura e dos livros, esse mesmo mundo será compreendido também como objeto de uma vivência. Não será certamente casual que justo noutra biografia de Goethe, escrita por F. Gundolf, o conceito de vivência experimente um amplo desenvolvimento terminológico. A distinção que Gundolf faz entre a vivência original e a vivência da formação cultural é uma continuação consequente da formação biográfica de conceitos, de onde o termo *vivência* extraiu sua ascensão.

munham a mesma coisa. É assim que a filosofia da vida dos nossos dias se vincula aos seus antecessores românticos. A rejeição à mecanização da vida na existência de massa da atualidade confere uma ênfase tão natural à palavra que suas implicações conceituais ficam totalmente encobertas[120].

Assim, devemos entender a cunhagem do conceito por parte de Dilthey a partir da pré-história romântica da palavra e não esquecer que Dilthey foi o biógrafo de Schleiermacher. É claro que a palavra "vivência" ainda não se encontra em Schleiermacher e, pelo que parece, nem mesmo a palavra "vivenciar". Mas não faltam sinônimos, que povoam o círculo semântico da palavra "vivência"[121], permanecendo sempre visível o pano de fundo panteístico. Enquanto momento vital, todo ato permanece conectado com a infinitude da vida que se manifesta nele. Tudo que é finito é expressão, representação do infinito.

De fato, na biografia de Schleiermacher escrita por Dilthey, na parte onde descreve a contemplação religiosa encontramos uma aplicação especialmente marcante da palavra "vivência" que já alude ao conteúdo conceitual: "Cada uma de suas vivências, existindo por si, uma específica imagem do universo, extraída do contexto explicativo"[122].

[70]

---

120. Cf., por exemplo, a estranheza de Rothacker, ante a crítica de Heidegger ao *Erleben*, crítica voltada inteiramente às implicações conceituais do cartesianismo: ROTHACKER, E. *Die dogmatische Denkform in den Geisteswissenschaften und das Problem des Historismus*, 1954, p. 431.
121. Ato de vida, ato do ser comunitário, momento, sentimento próprio, sensação, influência, estimulação como livre determinação do ânimo, o originalmente interior, excitação etc.
122. DILTHEY. *Das Leben Schleiermacher*. 2. ed., p. 341. Mas, significativamente, a leitura *Erlebnisse* (que me parece a correta) é uma correção, introduzida na segunda edição (1922, de Mulert), do termo *Ergebnisse* que se encontra na impressão original de 1870 (p. 305). Se a primeira edição contém aqui um erro de impressão, isso manifestaria o parentesco de significado que já havíamos constatado antes entre *Erlebnis* e *Ergebnis* (vivência e resultado). Isso poderia ser ilustrado com outro exemplo. Em Hotho (*Vorstudien für Leben und Kunst*, 1835) lemos: "Não obstante, essa forma de imaginação apoia-se mais na recordação de estados vividos, de experiências já feitas, do que se fosse dotada de uma produtividade própria. A recordação conserva e renova os detalhes individuais e a forma exterior da ocorrência desses resultados, com todas as suas circunstâncias, e não deixa aparecer o geral em si mesmo". Nenhum leitor se admiraria de encontrar, num texto como este, a palavra *Erlebnissse* (*vivências*), em vez de *Ergebnisse* (resultados). [Em sua última introdução à biografia de Schleiermacher, Dilthey utiliza com frequência a palavra *Erlebnis* (vivência). Cf. *Ges. Schriften*, vol. 13, 1, p. XXXV-XLV.]

c) O conceito de vivência

Se com base na história da palavra e nos estudos precedentes investigarmos agora a história do conceito de "vivência", poderemos concluir que o conceito diltheyano de vivência contém claramente dois momentos, o panteísta e mais ainda o positivista, a vivência e também seu resultado. Claro que isso não é casual, mas uma consequência de sua posição intermediária entre a especulação e o empirismo, sobre o que ainda voltaremos a nos ocupar em pormenores. Como o que importa a ele é justificar epistemologicamente o trabalho das ciências do espírito, ele se encontra sempre dominado pelo motivo do verdadeiramente *dado*. É pois um motivo epistemológico, ou melhor, o motivo da própria teoria do conhecimento que motiva sua formação dos conceitos e que corresponde ao processo de linguagem que rastreamos acima. Como a distância e a fome de vivência que nos atingem a partir do sofrimento causado pela complicada aparelhagem de uma civilização alterada pela revolução industrial fazem a palavra "vivência" alcançar o uso comum da linguagem, também o novo distanciamento que a consciência histórica toma em relação à tradição indica a função epistemológica do conceito de vivência. O que caracteriza o desenvolvimento das ciências do espírito no século XIX é que não só reconhecem exteriormente as ciências da natureza como seu modelo como também, partindo do mesmo fundamento de que vive a ciência da natureza, desenvolvem o mesmo *pathos* de experiência e pesquisa que aquela. Se a estranheza que a era da mecânica experimentou face à natureza como mundo natural encontrou sua expressão epistemológica no conceito da autoconsciência e na regra metodológica da certeza na "*perception* clara e distinta", as ciências do espírito do século XIX experimentaram uma estranheza semelhante face ao mundo histórico. As criações espirituais do passado, da arte e da história não pertencem mais ao conteúdo autoevidente do presente, mas se tornaram objetos e situações dadas (*Gegebenheiten*) propostos como tarefa à pesquisa, a partir dos quais pode-se atualizar um passado. Desse modo, o conceito do dado guia também a cunhagem diltheyana do conceito de vivência.

No terreno das ciências do espírito os dados revestem-se de um caráter especial, e é isso que Dilthey quer formular através do conceito de "vivência". Partindo da caracterização que Descartes dá ao *res cogitans*, ele determina o conceito de vivência pela reflexividade, pela interioridade, e busca justificar epistemologicamente o conhecimento do mundo histórico a partir do modo de ser específico desses dados. Os dados primários a que retrocede a interpretação dos objetos históricos não são dados de experimentação e de medição, mas unidades de significado. É isso o que quer dizer o conceito de vivência: as configurações de sentido que nos vêm ao encontro nas ciências do espírito, mesmo parecendo muito estranhas e incompreensíveis, podem ser reconduzidas a unidades últimas do dado na consciência, unidades que já não contêm nada de estranho, objetivo, nem carecem de interpretação. Trata-se das unidades vivenciais, que são em si mesmas unidades de sentido.

Precisamos ver que, para o pensamento de Dilthey, é de decisiva importância que não se denomine a *sensation* ou a percepção como a última unidade da consciência, como era natural no kantianismo e mesmo na teoria do conhecimento positivista do século XIX até Ernst Mach. Dilthey chama a essa unidade de "vivência", limitando, assim, o ideal construtivo de uma estrutura do conhecimento a partir de átomos da sensação e contrapondo a ele uma versão mais aguda do conceito do dado. O que compõe a unidade real do dado é a unidade da vivência, e não elementos psíquicos nos quais ela poderia ser analisada. Assim, na teoria do conhecimento das ciências do espírito se anuncia um conceito de vida que limita o modelo mecânico.

Esse conceito de vida é pensado teleologicamente: Vida é, para Dilthey, produtividade, sem mais nem menos. Na medida em que a vida se objetiva em imagens dos sentidos, toda compreensão de sentido é "uma retradução das objetivações da vida para a vitalidade espiritual donde surgiram". É assim que o conceito de vivência forma o fundamento epistemológico para todo o conhecimento do que seja objetivo.

Também a função epistemológica presente no conceito de vivência da fenomenologia de Husserl reveste-se da mesma universalidade. Na 5ª investigação lógica (2º capítulo) diferencia-se expressamente o conceito de vivência fenomenológica do conceito de vi- [72]

vência popular. A unidade vivencial não é entendida como um fragmento da corrente real da experiência de um eu, mas como uma relação intencional. A unidade de sentido chamada "vivência" é também aqui uma unidade teleológica. Só há vivências na medida em que se vivencia ou se tem em mente alguma coisa nelas. É verdade que Husserl reconhece também vivências não intencionais, mas essas entram na unidade de sentido das vivências intencionais como momentos materiais. Nesse sentido, o conceito de vivência husserliano transforma-se num conceito que abrange todos os atos da consciência, cuja estrutura essencial é a intencionalidade[123].

Vemos assim que tanto em Dilthey como em Husserl, na filosofia da vida e na fenomenologia, o conceito de vivência se mostra, de início, como um conceito puramente epistemológico. Ambos pretendem dar-lhe um significado teleológico, mas não o determinam conceitualmente. O fato de ser a vida que se manifesta na vivência significa simplesmente que é a última instância a que podemos retroceder. A história da palavra forneceu uma certa legitimação a essa cunhagem conceitual baseada em sua produção. Já vimos que a formação da palavra "vivência" reveste-se de um significado condensador e intensificador. Quando algo é denominado ou avaliado como uma vivência, isso ocorre pelo fato de sua significação estar associada a uma totalidade de sentido. O que vale como vivência destaca-se tanto de outras vivências, nas quais se vivencia algo diferente, como do restante do decurso da vida, onde não se vivencia "nada". O que vale como uma vivência não é mais algo que flui e se esvai na torrente da vida da consciência, mas é visto como unidade e com isso ganha uma nova maneira de ser uno. Nesse sentido, é natural que a palavra surja na literatura biográfica e que se origine, ao final das contas, do uso autobiográfico. O que se pode chamar de vivência constitui-se na recordação. Com isso, temos em mente o conteúdo semântico de uma experiência. Para quem teve essa vivência, esse conteúdo reveste-se de um caráter permanente. É isso que ainda nos dá o direito de falar de uma vivência intencional e de uma estrutura teleológica que a consciência possui. Mas,

---

123. Cf. HUSSERL, E. *Logische Untersuchungen*, II, nota 365; Ideen zu einer reinen Phänomenologischen Philosophie, I, 65.

por outro lado, no conceito de vivência encontramos também uma contraposição entre vida e conceito. A vivência possui uma imediaticidade bem característica, que se subtrai a todas as opiniões sobre o seu significado. O vivenciado é sempre a vivência que alguém faz de si mesmo, e o que ajuda a constituir seu significado é o fato de ele fazer parte da unidade desse si mesmo e conter uma referência inconfundível e insubstituível com o todo dessa vida una. Nesse sentido, não se esgota essencialmente no que se pode transmitir dele nem no que se pode fixar como seu significado. A reflexão autobiográfica ou biográfica, onde se determina seu conteúdo significativo, fica fundida no todo do movimento da vida e continua acompanhando-a ininterruptamente. O modo de ser da vivência é tão determinado que não se esgota. Nietzsche diz: "Nos homens profundos as vivências duram longo tempo"[124]. Com isso, quer dizer que elas não são esquecidas rapidamente, sua elaboração é um longo processo e justamente nisso reside seu ser específico e seu significado e não somente no conteúdo experimentado originariamente. O que denominamos enfaticamente de vivência significa, pois, algo inesquecível e insubstituível, basicamente inesgotável para a determinação compreensiva de seu significado[125].

[73]

Do ponto de vista filosófico, a duplicidade que apontamos no conceito de vivência significa que esse conceito não se esgota no papel que lhe é atribuído, isto é, de ser o dado último e o fundamento de todo o conhecimento. Há ainda algo totalmente diferente no conceito de "vivência", algo que exige reconhecimento e que indica uma problemática não superada: sua referência interna com a vida[126].

Foram sobretudo dois princípios a partir dos quais se apresentou esse tema abrangente que diz respeito ao nexo entre vida e vivência; e veremos mais tarde como Dilthey, e especialmente Hus-

---

124. *Gesammelte Werke*, Musarionausgabe, vol. XIV, p. 50.
125. Cf. Dilthey, VII, 29s.
126. É por isso que, mais tarde, Dilthey irá restringir sua própria definição de vivência, ao escrever: "A vivência é um ser qualitativo – uma realidade que não pode ser definida pelo estar consciente (*Innensein*), mas que também se estende àquilo que possuímos de uma maneira indistinta" (VII, 230). No fundo, ele próprio não consegue esclarecer até que ponto se pode tomar aqui a subjetividade como ponto de partida, e, no entanto, algo disso se torna consciente sob a forma de uma ponderação de linguagem: "Será que se pode dizer que será possuído?"

serl, enredaram-se nessa problemática. De um lado, trata-se do significado fundamental que possui a crítica kantiana para toda psicologia substancialista e para a unidade transcendental da autoconsciência, distinta daquela, a unidade sintética da *aperception*. Nessa crítica da psicologia racionalista foi possível vincular a ideia de uma psicologia baseada num método crítico, iniciativa que Paul Natorp já havia tomado em 1888[127], e a partir do que Richard Hönigswald viria a fundamentar, mais tarde, o conceito da psicologia do pensamento[128]. Natorp designou o objeto da psicologia crítica através do conceito da consciencialidade, que expressa a imediaticidade da vivência, e desenvolveu o método de uma subjetivação universal como sendo a forma de pesquisa da psicologia reconstrutiva. Mais tarde, Natorp consolidou e ampliou seu princípio fundamental através de uma crítica pormenorizada à formação do conceito de pesquisa psicológica contemporânea. Mas já em 1888 estava fixado o pensamento básico de que a concreção da vivência originária, isto é, a totalidade da consciência, constitui uma unidade indivisível, que somente se diferencia e determina através do método objetivador do conhecimento. "Mas a consciência significa vida, isto é, relação recíproca transigente." Isso se observa principalmente na relação entre a consciência e o tempo: "O que está dado não é a consciência como processo no tempo, mas o tempo como forma da consciência"[129].

No mesmo ano de 1888, ano em que Natorp se opôs assim à psicologia dominante, foi publicado o primeiro livro de Henri Bergson, *Les données immédiates de la conscience*, um ataque crítico à psicofísica contemporânea, que, tão decididamente quanto Natorp, exibe o conceito de vida contra a tendência objetivante e sobretudo espacializadora dos conceitos psicológicos. Aqui encontram-se expressões sobre a consciência e sua concreção indivisível muito semelhantes às de Natorp. Para isso Bergson cunhou a famosa expressão *durée* que anuncia a continuidade absoluta do psí-

---

127. *Einleitung in die Psychologie nach kritischer Methode*, 188; *Allgemeine Psychologie nach kritischer Methode*, 1912 (reelaboração).
128. *Die Grundlagen der Denkpsychologie*, 1921 [2. ed., 1925].
129. *Einleitung in die Psychologie nach kritischer Methode*, p. 32.

quico. Bergson concebe-a como *organização*, ou seja, determina-a a partir da maneira de ser do ser vivo (*être vivant*), no qual cada elemento é representativo do todo (*représentativ du tout*). Ele compara a interpenetração interna de todos os elementos na consciência com a maneira pela qual se interpenetram os sons quando ouvimos uma melodia. Bergson também defende o momento anticartesiano do conceito de vida contra a ciência objetivadora[130].

Se examinarmos a exata determinação daquilo que aqui se chama vida e o que disso opera no conceito de vivência, será fácil ver que a relação entre vida e vivência não é a relação entre um universal e um particular. A unidade da vivência determinada pelo seu conteúdo intencional encontra-se, antes, numa relação direta com o todo, com a totalidade da vida. Bergson fala da *représentation* do todo, e o conceito da relação recíproca empregado por Natorp também expressa a relação "orgânica" entre a parte e o todo, que se encontra aqui. Foi sobretudo Georg Simmel que analisou o conceito de vida sob esse aspecto, "a vida estendendo seus tentáculos para além de si mesma"[131].

A representação do todo na vivência do momento vai certamente além do fato de sua determinação, feita pelo seu próprio objeto. Nas palavras de Schleiermacher, toda vivência é "um momento da vida infinita"[132]. Georg Simmel, que não somente acompanhou a ascensão da palavra "vivência" até se tornar uma expressão de moda, mas que, em boa parte, foi corresponsável por isso, considera que o decisivo no conceito de vivência é o fato de que "o objetivo não somente se torna imagem e representação, como no conhecimento, mas torna-se também em momentos do próprio processo da vida"[133]. Certa vez, inclusive, alude ao fato de que cada vivência tem algo de aventura[134]. Mas o que vem a ser uma aventura? A aventura não é, de forma alguma, apenas um episódio. Os episó-

[75]

---

130. BERGSON, H. *Les Donnés immédiates de la conscience*, p. 76s.
131. SIMMEL, Georg. *Lebensanschauung*. 2. ed., 1922, p. 13. Veremos mais tarde de que maneira Heidegger deu um passo decisivo ao levar ontologicamente a sério a circunscrição dialética do conceito de vida (cf. p. 247s. do original).
132. SCHLEIERMACHER, F. *Über die Religion*, parte II.
133. SIMMEL, George. *Brücke und Tür*. 1957, p. 8 [LANDMANN (org.)].
134. Cf. SIMMEL. *Philosophische Kultur, Gesammelte Essays*, 1911, p. 11-28.

dios são casos singulares enfileirados, que não possuem nenhum nexo interno, e que justamente por isso não têm um significado duradouro, porque são apenas episódios. A aventura, ao contrário, embora também interrompa o curso costumeiro das coisas, relaciona-se positiva e significativamente com o nexo que interrompe. Por isso, a aventura permite que se sinta a vida no todo, na extensão e na sua força. Nisso reside o fascínio da aventura. Suspende as condicionalidades e os compromissos sob os quais se encontra a vida costumeira. Ousa partir rumo ao que é incerto.

Ao mesmo tempo está consciente do caráter de exceção que é próprio da aventura, e assim continua vinculado ao retorno ao costumeiro, para onde a aventura não pode ser levada. Desse modo, "vencemos" uma aventura como se fosse um teste ou uma prova de onde saímos enriquecidos e amadurecidos.

De fato, alguma coisa disso se dá em cada vivência. Cada vivência é trazida para fora da continuidade da vida, permanecendo ao mesmo tempo referida ao todo da própria vida. Não apenas porque, enquanto vivência, somente há de continuar viva na medida em que ainda não esteja inteiramente elaborada no contexto da própria consciência da vida. Também o modo como "se subsume" por sua elaboração no todo da consciência vital é algo que vai muito além de qualquer "significado", do qual alguém pensa saber. Na medida em que a vivência fica integrada no todo da vida, este todo se torna também presente nela.

No final da nossa análise conceitual da "vivência" ficou clara a afinidade entre a estrutura da vivência e o modo de ser do estético. A experiência estética não é apenas uma espécie de vivência ao lado de outras, mas representa a forma de ser da própria vivência. Assim como a obra de arte é um mundo para si, também o vivenciado esteticamente como vivência distancia-se de todos os nexos com a realidade. Parece, inclusive, que a determinação da obra de arte é tornar-se uma vivência estética, ou seja, arrancar de um golpe aquele que a vive dos nexos de sua vida por força da obra de arte, sem deixar de referi-lo ao todo de sua existência. Na vivência da arte se faz presente uma riqueza de significados que não pertence somente a este conteúdo específico ou a esse objeto, mas que representa,

[76]

antes, o todo do sentido da vida. Uma vivência estética contém sempre a experiência de um todo infinito. E seu significado é infinito justamente porque não se conecta com outras coisas na unidade de um processo aberto de experiência, mas representa imediatamente o todo.

Como dissemos acima, na medida em que a vivência estética representa exemplarmente o conteúdo do conceito da vivência, é compreensível que o conceito desta seja determinante para a fundamentação da perspectiva da arte. A obra de arte é compreendida como a consumação da representação simbólica da vida, a caminho da qual já se encontra também toda vivência. É por isso que ela mesma é caracterizada como objeto da vivência estética. Para a estética, isso tem como consequência que a chamada arte vivencial aparece como a verdadeira arte.

1.2.3. Os limites da arte vivencial – Reabilitação da alegoria

O conceito de arte vivencial contém uma ambiguidade característica. Arte vivencial significa, em princípio, que a arte origina-se *da* vivência e dela é expressão. Num sentido derivado, o conceito de arte vivencial é então utilizado também para aquela arte que se destina *à* vivência estética. É evidente que ambas estão interconectadas. Aquilo que ganha sua determinação ontológica expressando uma vivência não poderá ser entendido, em seu significado, a não ser através de uma vivência.

O conceito de "arte vivencial", como quase sempre se dá nesses casos, foi cunhado a partir da experiência do limite imposto à sua pretensão. As dimensões do conceito de arte vivencial somente se tornam conscientes quando deixa de ser autoevidente que uma obra de arte represente uma transposição de vivências e quando já não é autoevidente que essa transposição se deve à vivência de uma inspiração genial que, com a segurança de um sonâmbulo, cria a obra de arte que, por sua vez, converter-se-á numa vivência para aquele que a recebe. Para nós, o século caracterizado pela autoevidência desses pressupostos é o de Goethe, um século que é toda uma era, uma época. Somente porque para nós já está encerrado, e porque isso nos permite ver além de seus limites, podemos vê-lo nos seus limites e para isso temos um conceito.

[77]　　Aos poucos nos tornamos conscientes de que essa época não passou de um caso episódico no todo da história da arte e da poesia. As extraordinárias pesquisas sobre a estética literária da Idade Média, sintetizadas por Ernest Robert Curtius, dão-nos uma boa ideia disso[135]. Quando se começa a lançar um olhar para além dos limites da arte vivencial e se deixa valer outros padrões, abrem-se novos e amplos espaços no âmbito da arte ocidental, uma arte que, desde a Antiguidade até a era do barroco, foi dominada por padrões de valor totalmente diversos dos da vivencialidade, e com isso o olhar se torna livre para mundos da arte totalmente estranhos.

De certo que tudo isso poderá transformar-se numa "vivência" para nós. Essa autocompreensão estética está sempre disponível. Mas não podemos nos deixar enganar sobre o fato de que a própria obra de arte que se torna para nós uma vivência não foi destinada para esse tipo de concepção. Nossos conceitos de valor sobre o gênio e a vivencialidade não são adequados aqui. Podemos nos lembrar também de padrões totalmente diversos e dizer, por exemplo: Não é a autenticidade da vivência ou a intensidade de sua expressão, mas a disposição artística de formas e maneiras fixas de dizer que faz com que a obra de arte seja uma obra de arte. Essa contradição quanto aos padrões vale para todos os gêneros de arte, mas possui nas artes de linguagem sua especial legitimação[136]. Ainda no século XVIII, de uma forma surpreendente para a consciência moderna, a poesia e a retórica encontravam-se lado a lado. Kant vê em ambas "um jogo livre da imaginação e um negócio do entendimento"[137]. Embora "negócios", tanto a poesia como a retórica são, para ele, belas artes, e valem como "livres", na medida em que a harmonia das duas capacidades do conhecimento, a sensibilidade e o entendimento, é alcançada em ambas de maneira não deliberada. O padrão da vivencialidade e da inspiração genial teria de contrapor a esta tradição um conceito muito diferente da arte "livre", a que somente responderia a poesia, na medida em que nela se tives-

---

135. CURTIUS, E.R. *Europäische Literatur und lateinisches Mittelalter*, Bern: [s.e.], 1948.
136. Cf. também a oposição entre a linguagem por imagens significativas e a linguagem expressiva que Paul Böckmann toma como base para a sua *Formgeschichte der deutschen Dichtung*.
137. *Kritik der Urteilskraft*, § 51.

se suprimido todo o ocasional, e da qual a retórica deveria ser excluída inteiramente.

Assim, a desvalorização da retórica no século XIX é a consequência necessária da aplicação da teoria da produção inconsciente do gênio. Vamos ao encalço disso através de um exemplo determinado, o da história dos conceitos de *símbolo* e de *alegoria*, cuja relação interna no decurso da Modernidade foi sendo extinta.

Mesmo interessados na história das palavras, os pesquisadores muitas vezes não prestam suficientemente atenção ao fato de que a oposição artística entre alegoria e símbolo, que nos parece evidente, é apenas o resultado do desenvolvimento filosófico dos últimos dois séculos; muito pouco se pode esperar dessa iniciativa e devemos perguntar ao contrário como foi que afinal se chegou à necessidade de uma tal distinção e antagonismo. Não pode passar despercebido que Winkelmann, cuja influência sobre a estética e a [78] filosofia da história foi determinante na sua época, utilizou ambos os conceitos como sinônimos, o que pode ser aplicado a toda a literatura estética do século XVIII. Os significados de ambas as palavras têm realmente, desde sua origem, algo comum: Ambas as palavras designam algo que não está na sua aparência visual, no seu aspecto, ou no som da palavra, mas num significado situado para além disso. O que lhes é comum é que em ambas algo está para outra coisa. Essa importante referência pela qual o suprassensível se torna sensível encontra-se tanto no campo da poesia e das artes plásticas como no âmbito religioso-sacramental.

Deveria ficar reservado a uma pesquisa mais detalhada examinar até que ponto o uso das palavras *símbolo* e *alegoria* na Antiguidade já abriu caminho ao posterior antagonismo que nos é familiar hoje. Aqui só podemos estabelecer algumas linhas básicas. Evidentemente que, de início, ambos os conceitos nada têm a ver um com o outro. A alegoria pertence originariamente à esfera do discurso, do *logos*, sendo pois uma figura retórica ou hermenêutica. Em lugar daquilo que se quer realmente dizer coloca-se algo diferente, algo mais à mão, mas de maneira que, apesar disso, esse deixa e faz entender aquele outro[138]. O símbolo, ao contrário, não se restringe à esfera do *logos*, pois não é o seu significado que o liga a outro significado, mas, ao contrário, é seu ser próprio e manifesto que tem "significado". Na medida em que se exibe, reconhecemos nele algo diferente. Tal é a *tessera hospitalis* e outras coisas semelhantes. É claro que se denomina "símbolo" aquilo que vale não só por seu conteúdo, mas também por sua capacidade de exibir, ou seja, é um documento[139] no qual se reconhecem os membros de uma comunidade: quer seja um símbolo religioso, ou se apresente com um sentido profano, como uma insígnia, uma credencial ou uma senha, seja qual for o caso, o significado do *symbolon* está em sua presença e só obtém sua função representativa pelo fato de ser mostrado ou ser dito em sua atualidade.

Embora tanto os conceitos de símbolo quanto de alegoria pertençam a esferas diferentes, estão próximos um do outro não somente porque possuem uma estrutura comum, de representar alguma coisa através de outra, mas também pelo fato de que ambos encontram sua aplicação primordial no âmbito religioso. A alegoria surge da necessidade teológica de eliminar o que é chocante na tradição religiosa – como ocorreu originariamente em Homero –, e reconhecer por trás disso verdades válidas. A alegoria ganha uma função correspondente no uso retórico, sempre que o recurso a rodeios e a enunciados indiretos possa parecer mais conveniente. Também o conceito de símbolo começa a aproximar-se desse conceito retórico-hermenêutico da alegoria (que parece ter sido documentado pela primeira vez por Chrysipp com o significado de alegoria[140]), sobretudo em virtude da reinterpretação cristã do neoplatonismo. Logo na abertura de sua obra principal, Pseudo-Dionísio fundamenta a necessidade de se proceder simbolicamente (*symbolikos*), em função da inadequação do ser suprassensível de Deus para nosso espírito acostumado ao sensível. Por isso, *symbolon* re-

[79]

---

138. *Allégoria* aparece no lugar do original *upanoia*. Plutarco, *De aud. poet.*, 19e.
139. Deixo em suspenso se o significado de *symbolon* como "contrato" repousa sobre o caráter de "convenção" ou sobre sua documentação.
140. *St. Vet. Fragm.* II, p. 257s.

cebe aqui uma função anagógica[141], nos eleva para o conhecimento do divino, assim como o discurso alegórico nos conduz a um significado "mais elevado". O procedimento alegórico da interpretação e o procedimento simbólico do conhecimento são necessários pelo mesmo motivo: não é possível conhecer o divino a não ser através do sensível.

No conceito de símbolo ressoa, porém, um pano de fundo metafísico que se afasta totalmente do uso retórico da alegoria. É possível ser conduzido, a partir do sensível, ao divino, pois o sensível não é um puro nada e meras trevas, mas emanação e reflexo do verdadeiro. Sem essa função gnóstica e seu pano de fundo metafísico, o conceito moderno de símbolo não pode ser compreendido. A palavra "símbolo" só pode ser elevada da sua aplicação originária, enquanto documento, distintivo, senha, conceito filosófico de um signo secreto, convertendo-se assim quase num hieróglifo, cuja decifração só alcançam os iniciados, porque o símbolo não é uma mera adoção ou a criação de um signo, mas pressupõe uma conexão metafísica do visível com o invisível. O fato de não se poder separar a contemplação visível do significado invisível, essa "coincidência" de duas esferas, encontra-se na base de todas as formas do culto religioso. Isso se aproxima muito da visão estética. Segundo Solger[142], o simbólico designa uma "existência em que, de alguma forma, a ideia é reconhecida", trata-se portanto da unidade íntima do ideal e do fenômeno, característica da obra de arte. O alegórico, ao contrário, só deixa surgir essa unidade significativa indicando para um outro, fora de si.

Por sua vez, o conceito de alegoria passou por uma ampliação significativa, na medida em que a alegoria não designa apenas uma figura do discurso e um sentido da interpretação (*sensus allegoricus*), mas também correspondentes representações imagéticas de conceitos abstratos na arte. Torna-se óbvio que, aqui, os conceitos da retórica e da poética servem também de modelo para a forma-

---

141. Symbolikós kai anagógikós, de Coel. Hier., I, 2.
142. *Vorlesungen über Ästhetik*. 1829, p. 127 [HEYSE (org.)].

ção de conceitos estéticos no âmbito das artes plásticas[143]. A referência retórica do conceito de alegoria permanece ativa nessa ampliação de seu significado, na medida em que, como alegoria, não pressupõe propriamente um parentesco metafísico original, como o exige o símbolo; pressupõe apenas um atribuir instituído por convenção e fixação dogmática, o que permite aplicar representações imagéticas a coisas destituídas de imagens.

Mais ou menos deste modo podem ser resumidas as tendências semânticas da linguagem do final do século XVIII, donde resulta a oposição entre o símbolo e o simbólico de um lado, como detentores de um significado interno e essencial, e por outro a alegoria, cujas significações são exteriores e artificiais. O símbolo é a coincidência do sensível e do não sensível; a alegoria é uma referência significativa do sensível ao não sensível.

Sob a influência do conceito de gênio e da subjetivação da "expressão", esta diferença de significados se converte numa oposição de valores. Como ocorre na oposição entre arte e não arte, o símbolo, enquanto é inesgotável devido à sua indeterminação, aparece em oposição excludente frente ao que se encontra numa referência de significado mais precisa e que se esgota nela, como é o caso da alegoria. A indeterminação do seu significado é justamente o que permite a ascensão triunfal da palavra e do *conceito do simbólico*, no momento em que a estética racionalista da época do *Aufklärung* sucumbe à filosofia crítica e à estética do gênio. Vale a pena atualizar este contexto pormenorizadamente.

---

143. Deveria ser investigado quando se dá realmente a translação do termo "alegoria" da esfera da linguagem para a das artes plásticas. Será apenas consequência da emblemática? (Cf. MESNARD, P. "Symbolisme et Humanisme". In: CASTELLI (org.). *Umanesimo e Simbolismo*. 1958). No século XVIII, por outro lado, quando se fala de alegoria pensa-se sempre, em primeiro lugar, nas artes plásticas. Já a ideia de Lessing, de liberar a poesia da alegoria, refere-se, fundamentalmente, a libertá-la do modelo das artes plásticas. Por outro lado, a atitude positiva de Wickelmann com relação ao conceito da alegoria não está de acordo nem com o gosto de seu tempo nem com as ideias dos teóricos contemporâneos como Dubos e Algarotti. Parece ser mais influenciado por Wolff-Baumgarten, quando exige que o pincel do pintor "deve ser mergulhado na razão". Assim, não recusa a alegoria, mas apela à Antiguidade clássica para com ela depreciar as alegorias mais recentes. O exemplo de Justi (I, 430s.) mostra o quão pouco Winckelmann se orienta pela difamação geral que pesa sobre a alegoria no século XIX e a naturalidade com que se lhe opõe o conceito do simbólico.

O decisivo foi que Kant, no § 59 da *Crítica do juízo*, apresentou uma análise lógica do conceito do símbolo que elucida muito bem esse ponto. Ele contrasta a representação simbólica com a esquemática. Ela é representação (e não mera designação, como no chamado "simbolismo" lógico), só que a representação simbólica não representa um conceito de maneira imediata (como se dá com o esquematismo transcendental na filosofia kantiana), mas indiretamente, "através do qual a expressão não contém o genuíno esquema para o conceito, mas apenas um símbolo para a reflexão". [81] Esse conceito da representação simbólica é um dos mais brilhantes resultados do pensamento de Kant. Com isso, Kant faz jus à verdade teológica que recebeu sua configuração escolástica no pensamento da *analogia entis*, mantendo distanciados de Deus os conceitos humanos. Além disso, numa alusão expressa de que esse "negócio" merece uma "pesquisa mais profunda", descobre que a linguagem trabalha de maneira simbólica, (sua permanente metáfora) e por fim aplica o conceito de analogia principalmente para descrever a relação do belo com o bem ético, que não pode ser uma relação de subordinação nem de equiparação. "O belo é o símbolo do eticamente bom": nessa fórmula prudente e pregnante, Kant reúne a exigência de uma inteira liberdade de reflexão do juízo estético com seu significado humano – um pensamento que teve um grande efeito histórico. Nesse particular, Schiller foi seu sucessor[144]. Ao fundamentar a ideia de uma educação estética da espécie humana sobre a analogia da beleza e da ética, que fora formulada por Kant, Schiller pôde seguir uma indicação expressa de Kant: "O gosto torna possível ao mesmo tempo a passagem da excitação dos sentidos para habituais interesses morais, sem necessidade de um salto violento"[145].

Mas aqui surge a indagação: como é que o conceito de símbolo assim entendido acabou se convertendo no conceito oposto ao de alegoria. Em princípio, nada disso se encontra em Schiller, mesmo que ele compartilhe da crítica à alegoria fria e artificial que na épo-

---

144. Em *Anmut und Würde*, por exemplo, afirma que o objeto belo serve de "símbolo" para uma ideia (*Werke*, ed. Güntter u. Witkowski, 1910s, Parte 17, p. 322).
145. KANT, *Kritik der Urteilskraft*. 3. ed., p. 260.

ca fizeram contra Winckelmann tanto Klopstock, Lessing, o jovem Goethe, Karl-Philipp Moritz como outros[146]. É só na correspondência entre Schiller e Goethe que começa a se delinear uma nova cunhagem do conceito de símbolo. Na conhecida carta de 17/08/97, Goethe descreve o estado de ânimo sentimental a que o levaram as impressões que tivera de Frankfurt, e ele diz que os objetos que evocam um tal efeito "são na verdade simbólicos, isto é, como eu quase não preciso dizê-lo, são casos eminentes, que numa variedade característica se apresentam como representantes de muitos outros e englobam em si uma certa totalidade..." Ele dá importância a essa experiência porque deve ajudá-lo a escapar "à hidra de mil formas do empirismo". Schiller confirma essa opinião e acha que essa forma de percepção sentimental está totalmente de acordo com o que "ambos já comprovamos". Mas para Goethe não se trata *tanto de uma experiência estética, quanto de uma experiência da realidade*; parece que para isso ele vai resgatar o conceito do simbólico usado na linguagem do antigo protestantismo.

Schiller faz objeções idealistas contra uma tal concepção do simbolismo da realidade, deslocando assim o significado do símbolo na direção do estético. Também o amante de arte Meyer, amigo de Goethe, segue esta aplicação estética do conceito de símbolo para distinguir a verdadeira arte da alegoria. Para o próprio Goethe, porém, a oposição postulada pela teoria da arte entre símbolo e alegoria não passa de um fenômeno particular de uma orienta-

---

146. As cuidadosas investigações realizadas pela filologia acerca do emprego da palavra "símbolo" em Goethe (C. Müller, *Die geschichtlichen Voraussetzungen des Symbolbegriffs in Goethes Kunstanschauung*, 1933) mostram a importância que tinha para os seus contemporâneos a confrontação com a estética da alegoria de Winckelmann, assim como a importância que veio a alcançar a concepção de arte de Goethe. Na edição de Winckelmann, Fernow (I, 219) e H. Meyer (II, 675s.) pressupõem que o conceito de símbolo elaborado no clacissismo de Weimar já esteja estabelecido. Por mais rápida que tenha sido a expansão do uso de linguagem de Schiller e Goethe, antes deste último não parece que a palavra tenha tido algum significado estético. A contribuição de Goethe na cunhagem do conceito de símbolo tem evidentemente uma origem diferente, a saber, a hermenêutica e doutrina sacramental do protestantismo, que Looff (*Der Symbolbegriff*, p. 195) torna evidente, citando Gerhard. Karl-Philipp Moritz tece algumas considerações muito pertinentes sobre o caso. Ainda que a sua concepção de arte esteja completamente tomada pelo espírito de Goethe, em sua crítica à alegoria ele pode escrever que esta "se aproxima do mero símbolo, onde o que importa já não é a beleza" (apud MÜLLER, 201). [Um rico material encontra-se, entrementes, na coletânea de HAUG, W. (org.). *Formen und Funktionen der Allegorie*, Symposion Wolfenbüttel, 1978, Stuttgart (Metzler), 1979].

ção geral rumo ao significativo que ele procura em todos os fenômenos. É assim que, por exemplo, aplica o conceito de símbolo às cores, porque também aí "a verdadeira relação manifestaria ao mesmo tempo o significado", deixando transparecer nitidamente que se estriba no tradicional esquema hermenêutico da *allegorice, symbolice, mystice*[147] – até o ponto em que acaba escrevendo as palavras que tanto o caracterizam: "Tudo o que acontece é símbolo e, na medida em que se representa inteiramente a si mesmo, acena para todo o restante"[148].

Na estética filosófica, esse uso da linguagem já devia ter certa familiaridade sobretudo pela via da "religião artística" grega. É o que demonstra nitidamente o desenvolvimento da filosofia da arte empreendida por Schelling a partir da mitologia. É verdade que Karl-Philipp Moritz, a quem se reporta Schelling nesse caso, em sua *Teoria dos deuses* já tinha rejeitado a "dissolução numa mera alegoria" das poesias mitológicas, mas ainda não empregava a expressão *símbolo* para essa "linguagem da fantasia". Por seu lado, Schelling escreve que

> "A mitologia em geral, e toda composição da mesma, em particular, não devem ser entendidas nem esquemática, nem alegórica mas simbolicamente. Porque a exigência da representação absoluta da arte é a seguinte: representação com *inteira indiferença*, de maneira que o geral *seja* plenamente o singular e o singular ao mesmo tempo *seja* o geral pleno, portanto, que *seja* e não que signifique"[149]. [83]

Quando (na crítica à concepção que Heyne tinha de Homero) estabelece dessa forma a verdadeira relação entre a mitologia e a alegoria, Schelling está preparando o conceito de símbolo para ocupar uma posição central no âmbito da filosofia da arte. De maneira semelhante encontramos em Solger uma afirmação que diz que toda arte é simbólica[150]. O que ele quer dizer com isso é que a obra de arte é a existência da própria "ideia", e não, por assim di-

---

147. *Farbenlehre*, primeiro volume, primeira parte didática, n° 916.
148. Carta de 03/04/1818 a Schubart. Algo semelhante, diz o jovem Friedrich Schlegel (*Neue philosophische Schriften*, org. por J. Körner, 1935, p. 123), "Todo saber é simbólico".
149. SCHELLING. *Philosophie der Kunst* (1802), (WW., V, 411).
150. ERWIN. *Vier Gespräche über das Schöne und die Kunst*, II, 41.

zer, que significaria uma "ideia que se teria de procurar ao lado da obra de arte propriamente dita". O mais característico para a obra de arte, a criação do gênio, é precisamente que seu significado reside no próprio fenômeno e não que venha a ser introduzido arbitrariamente nele. Schelling apela à germanização do símbolo através da palavra "imagem de sentido" (*Sinnbild*): "Tão concreta, somente igual a si mesma como a imagem, e no entanto tão geral e plena de sentido como o conceito"[151]. De fato, já na caracterização do conceito de símbolo feita por Goethe, o decisivo tom está em que é a própria ideia que se dá existência nisso. Esse conceito de símbolo só pôde elevar-se a um conceito básico da estética com amplidão universal porque nele encontra-se implícita a unidade interna de símbolo e simbolizado. O símbolo significa a coincidência do fenômeno sensível com o significado suprassensível, e essa coincidência, como acontece no sentido original da palavra grega *symbolon* e em sua sobrevivência no uso terminológico das confissões religiosas, não é um acréscimo posterior, como na adoção de um signo, mas é como a união daquilo que mutuamente se pertence. Friedrich Creuzer[152] escreve que toda simbologia na qual "o sacerdócio faz refletir o mais elevado saber" repousa, antes, naquela "ligação inicial" entre deuses e homens. Sua *Symbolik* assumiu a tarefa muito discutida de trazer à fala a misteriosa simbologia dos tempos primitivos.

É evidente que a elevação do conceito de símbolo para um princípio estético universal só veio a acontecer depois de vencer certas resistências. Pois a íntima unidade de imagem e significado, própria do símbolo, não é absoluta. O símbolo simplesmente não anula a tensão entre o mundo das ideias e o mundo dos sentidos. Deixa-nos pensar também na desarmonia entre forma e essência, entre expressão e conteúdo. O fato de que no culto, por causa dessa tensão, se torne possível a coincidência momentânea e total do fenômeno com o infinito pressupõe uma pertença íntima do finito com o infinito que preencha de significado o símbolo. Assim, a forma religiosa do símbolo corresponde exatamente à determinação original do *symbolon*, a saber, ser a divisão do uno e a reunificação da dualidade.

---

151. Op. cit., V, 412.
152. CREUZER, F. *Symbolik*, I, § 19.

A inadequação de forma e essência continua a ser o essencial para o símbolo na medida em que, através de seu significado, acena para além da evidência dos sentidos. Dela provém aquele caráter flutuante de indecisão entre forma e essência, próprio do símbolo; é claro que essa inadequação será tão mais vigorosa quanto mais escuro e significativo for o símbolo, e quanto mais o significado penetrar a forma tanto menor será a inadequação. Essa era a ideia que Creuzer vinha perseguindo[153]. No fundo, a redução hegeliana do uso do simbólico à arte simbólica do Oriente repousa sobre essa desarmonia entre a imagem e o sentido. O excesso do significado referido pelo símbolo deve caracterizar uma forma especial de arte[154], que se diferencia da arte clássica pelo fato de esta colocar-se acima dessa desarmonia. Mas isso já é, claramente, uma fixação consciente e um estreitamento artificial do conceito que, como vimos, quer expressar não tanto a inadequação mas a coincidência entre a imagem e o sentido. Também temos que admitir que a redução que Hegel faz do conceito do simbólico (apesar dos muitos adeptos que encontrou) opõe-se à tendência da mais recente estética, que desde Schelling procurou pensar, nesse conceito, justamente a unidade do fenômeno e do significado, buscando com isso justificar a autonomia estética frente às pretensões do conceito[155].

Precisamos rastrear agora a *depreciação da alegoria* implicada nesse desenvolvimento. Pode ser que o fato de a estética alemã desde Lessing e Herder ter refutado o classicismo francês tenha desempanhado desde o incício um papel importante nisso[156]. Seja

---

153. CREUZER, F. *Symbolik*, I, § 30.

154. *Ästhetik I* (Werke, 1832s., vol. X, 1), p. 430s. [cf. meu trabalho *Hegel und die Heidelberger Romantik*, Hegel D, p. 87-98, vol. 3 das Obras Completas.]

155. Seja como for, o exemplo de Schopenhauer mostra que um uso de linguagem que em 1818 considerava o símbolo como um caso especial de uma alegoria meramente convencional continuava sendo possível em 1859: *Welt als Wille und Vorstellung*, § 50.

156. Até mesmo Winckelmann acha que Klopstock (X, 254s.) se encontra numa falsa dependência: "Os dois erros principais da maior parte das pinturas alegóricas é que na maior parte das vezes não se pode entendê-las ou só se pode entendê-las com muita dificuldade, e o fato de que por sua natureza não são nada interessantes... A verdadeira história sagrada e mundana seria o tema preferido dos grandes mestres... Os demais que se dediquem a elaborar a história de sua pátria. Por mais interessante que seja, o que pode me importar a história dos gregos e dos romanos?" Trata-se de um repúdio expresso do sentido menor da alegoria (compreensão-alegoria), sobretudo nos franceses mais recentes: SOLGER. *Vorlesungen zur Ästhetik*, p. 133s.; bem como Erwin II, 49; *Nachlass* I, p. 525.

[85] como for, Solger mantém a expressão do alegórico num sentido ainda bastante elevado frente ao conjunto da arte cristã; Friedrich Schlegel vai ainda mais longe e afirma que toda beleza é alegoria (no *Gespräch über Poesie*). Também o uso hegeliano do conceito do simbólico (tal como Creuzer) mantém-se bastante próximo desse conceito do alegórico. Mas esse uso de linguagem dos filósofos, que se encontra na base das ideias românticas sobre a relação do indizível para com a linguagem e do descobrimento da poesia alegórica do Oriente, já não pôde mais ser mantido pela formação humanística do século XIX. Havia quem se reportasse ao classicismo de Weimar, e, de fato, a desvalorização da alegoria tornou-se a preocupação dominante do classicismo alemão, consequência necessária da libertação da arte dos grilhões do racionalismo e da caracterização do conceito do gênio. A alegoria não é, certamente, apenas questão do gênio. Repousa sobre sólidas tradições e sempre teve um significado determinado e declarado, que não se opõe, de forma alguma, à compreensão intelectiva através do conceito. Ao contrário, o conceito e a questão da alegoria estão solidamente vinculados com a dogmática, com a racionalização do místico (tal qual no *Aufklärung* grego) ou com a interpretação cristã da Bíblia Sagrada, no sentido da unidade de uma doutrina (tal qual na Patrística) e, finalmente, com a reconciliação entre tradição cristã e cultura da Antiguidade, que forma a base da arte e da poesia dos povos mais recentes e cuja derradeira forma universal foi o barroco. Com a ruptura dessa tradição, rompeu-se também com a alegoria. Isso porque no momento em que a essência da arte libertou-se de toda vinculação dogmática, podendo ser definida através da produção inconsciente do gênio, a alegoria tornou-se esteticamente problemática.

Assim, os esforços de Goethe no campo da teoria da arte exercem forte influência no sentido de rotular o simbólico como conceito artístico positivo e o alegórico como conceito artístico negativo. Foi sobretudo sua própria poesia que atuou nessa direção, na medida em que apresentava uma confissão de vida, ou seja, a figuração poética da vivência. No século XIX, o padrão da vivencialidade estabelecido por ele mesmo tornou-se um conceito básico de valor. Na obra de Goethe, aquilo que não se encaixava nesse padrão – como suas poesias da velhice –, de acordo com o espírito realista daquele século, acabou sendo deixado de lado como alegoricamente "sobrecarregado".

Finalmente isso acaba tendo influência também no desenvolvimento da estética filosófica, que mesmo adotando o conceito de símbolo no sentido universal goethiano, acaba pensando inteiramente a partir do ponto de vista da oposição entre realidade e arte, isto é, com base no "ponto de vista da arte" e da religião estética cultural do século XIX. Um exemplo característico disso é a obra tardia de F.Th. Vischer, que quanto mais busca se afastar de Hegel, tanto mais amplia o conceito de símbolo hegeliano e vê no símbolo um dos produtos básicos da subjetividade. O "obscuro simbolismo do ânimo (*Gemüt*)" empresta alma e significado ao que em si mesmo era inanimado (da natureza ou do fenômeno que afeta os sentidos). Como a consciência estética sabe-se livre frente ao mítico-religioso, o simbolismo que confere consciência a tudo também é "livre". Por mais que uma ampla indeterminação continue sendo adequada ao símbolo, já não pode ser caracterizada por sua relação privativa em relação ao conceito. Passa a ter, antes, sua própria positividade como uma criação do espírito humano. É a completa concordância do fenômeno com a ideia, que segundo Schelling, é pensada no conceito de símbolo, enquanto a não concordância estaria reservada à alegoria ou à consciência mítica[157]. De modo semelhante encontramos em Cassirer o simbolismo estético caracterizado pela oposição ao simbolismo mítico, ou seja, no símbolo estético a tensão entre imagem e significado é levada a um equilíbrio – um último eco do conceito classicista da "religião artística"[158].

[86]

Desse panorama sobre a história dos termos *símbolo* e *alegoria* tiramos uma conclusão objetiva. A sólida base da contraposição entre o conceito de símbolo, que cresce "organicamente", e de alegoria, fria e racional, perde seu caráter vinculativo quando se re-

---

157. VISCHER, F.Th. *Kritische Gänge: Das Symbol.* Cf. a boa análise de VOLHARD, E. *Zischen Hegel und Nietzsche*, 1932, p. 157s. e a representação genética de OELMÜLLER, W.: *F.Th. Vischer und das Problem der nachhegelschen Ästhetik*, 1959.
158. CASSIRER, E. *Der Begriff der symbolischen Form im Aufbau der Geisteswissenschaften*, p. 29. [Da mesma forma, já em CROCE, B. *Ästhetik als Wissenschaft vom Ausdruck und allgemeine Sprachwissenschaft.* Tübingen: [s.e.], 1930.]

conhece sua ligação com a estética do gênio e a estética da vivência. A redescoberta da arte do barroco (um fato que pode ser facilmente constatado no mercado de antiguidades) e nas últimas décadas a redescoberta sobretudo da poesia barroca, junto com as novas investigações da ciência da arte, acabaram resgatando a honra da alegoria. Desse modo, podemos compreender agora também o fundamento teórico desse fato. O fundamento da estética do século XIX foi a liberdade da atividade simbolizadora do ânimo (*Gemüt*). Mas será que essa é uma base sustentável? Será que, de fato, essa atividade simbolizadora não está sendo limitada ainda hoje pela sobrevivência de uma tradição mítico-alegórica? Quando se reconhece isso, é preciso relativizar de novo o antagonismo entre símbolo e alegoria, que sob o preconceito da estética experimental parecia ser absoluto. Da mesma forma, a diferença entre a consciência estética e a mítica não pode se impor de maneira absoluta.

[87] Devemos nos conscientizar de que o aparecimento dessas questões implica uma revisão fundamental dos conceitos básicos da estética. É evidente que aqui está em questão bem mais do que uma nova mudança de gosto e da valoração estética. Antes, o conceito da consciência estética torna-se, ele mesmo, problemático, e com ele o ponto de vista da arte a que pertence. Será que o comportamento estético é uma atitude adequada frente à obra de arte? Ou será que o que denominamos "consciência estética" é uma abstração? A nova avaliação da alegoria, de que falamos, indica que, na verdade, também na consciência estética há um momento dogmático que firma sua validade. E se a diferença entre a consciência mítica e estética não for absoluta, será que o próprio conceito de arte não passará a ser problemático, por ser, como vimos, uma criação da consciência estética. Seja como for, não podemos duvidar de que as grandes épocas da história da arte foram aquelas em que, sem qualquer consciência estética e sem o nosso conceito de "arte", nos acercávamos de configurações cuja função vital, religiosa ou profana, era compreensível para todos e ninguém delas desfrutava apenas esteticamente. Será que podemos aplicar o conceito de consciência estética a essas configurações sem diminuir seu verdadeiro ser?

1.3. O resgate da questão pela verdade da arte

1.3.1. Os aspectos problemáticos da formação estética

Para aprender a medir corretamente o alcance dessa questão, começamos com uma reflexão histórica que deverá determinar o conceito de "consciência estética" em seu sentido específico e cunhado historicamente. É claro que hoje já não identificamos o "estético" exatamente com o que Kant vinculou a essa palavra ao chamar a teoria do espaço e do tempo de uma "estética transcendental", entendendo a teoria do belo e do sublime na natureza e na arte como uma "crítica do juízo estético". O ponto de virada parece encontrar-se em Schiller, que transformou o pensamento transcendental do gosto numa exigência moral, formulando-o como um imperativo: Comporta-te esteticamente![159] Nos seus escritos estéticos, Schiller transformou a subjetivação radical, pela qual Kant havia justificado transcendentalmente o juízo de gosto e sua pretensão de validade universal, convertendo-a de uma pressuposição metodológica em uma pressuposição de conteúdo.

É verdade que para isso buscou apoio em Kant, na medida em que este já tinha atribuído ao gosto o significado de uma transição do prazer dos sentidos ao sentimento ético[160]. Mas quando proclamou a arte um exercício da liberdade, Schiller estava se reportando mais a Fichte do que a Kant. O jogo livre da capacidade de conhecimento, sobre o qual Kant fundamentara o *a priori* do gosto e do gênio, Schiller o compreendeu antropologicamente com base na teoria fichteana dos instintos, segundo a qual o instinto lúdico deve operar a harmonia entre o instinto da forma e o instinto da matéria. O cultivo desse instinto é a meta da educação estética.

Isso teve consequências de longo alcance, uma vez que, a partir daí, a arte enquanto arte da bela aparência irá opor-se à realidade prática e passará a ser entendida a partir dessa oposição. No lugar da relação de uma complementação positiva, que desde os mais

[88]

---

159. Pode-se resumir da seguinte maneira o que vem fundamentado nas cartas *Über die asthetische Erziehung des Menschen*, por exemplo, na carta 15: "Deve ser algo comum entre o instinto formal e o instinto material, ou seja, deve ser um instinto lúdico".
160. *Kritik der Urteilskraft*, p. 164.

antigos tempos havia determinado o relacionamento da arte e da natureza, surge agora a oposição entre aparência e realidade. Tradicionalmente, a "arte", que abrange também toda transformação consciente da natureza para o uso humano, se determina pelo exercício de uma atividade complementar e enriquecedora no âmbito dos espaços dados e liberados pela natureza[161]. Sob essa perspectiva, também as "belas artes" são um aperfeiçoamento da realidade e não uma máscara de aparências, um velamento ou uma transfiguração. Mas, a partir do momento em que a oposição entre realidade e aparência cunha o conceito de arte, rompe-se o círculo contenedor formado pela natureza. A arte torna-se um ponto de vista próprio e alicerça uma pretensão de predomínio próprio e autônomo.

Onde predomina a arte passam a valer as leis da beleza e são ultrapassadas as fronteiras da realidade. É o "reino ideal", a ser defendido contra toda limitação, até mesmo contra a tutela moral do Estado e da sociedade. Esse deslocamento interno na base ontológica da estética schilleriana está intimamente ligado com o fato de que também seu enfoque extraordinário, presente nas *Cartas sobre a educação estética,* acaba se modificando ao longo da execução. Sabe-se que uma educação pela arte torna-se uma educação para a arte. No lugar da verdadeira liberdade ética e política, para o que a arte deve nos preparar, aparece a formação de um "estado estético", uma sociedade cultural que se interessa pela arte[162]. Com isso, também a superação do dualismo kantiano entre mundo dos sentidos e mundo ético, representada pela harmonia da obra de arte e pela liberdade do jogo estético, transforma-se obrigatoriamente numa nova oposição. A reconciliação entre ideal e vida através da arte não passa de uma reconciliação particular. O belo e a arte emprestam à realidade somente um brilho efêmero e transfigurado. A liberdade do ânimo, à qual ambos elevam, só é liberdade num estado estético e não na realidade. Assim, na base da reconciliação estética do dualismo kantiano do ser e do dever abre-se um dualismo ainda mais profundo e insolúvel. A poesia da reconcilia-

[89]

---

161. Idem, p. 164.
162. *Über die ästhetische Erziehung des Menschen,* 27ª carta. Continua valendo a pena conferir a excelente exposição desse processo, por KUHN, H. *Die Vollendung der klassischen deutschen Ästhetik durch Hegel.* Berlim: [s.e.], 1931.

ção estética deve procurar sua própria autoconsciência, frente à prosa da realidade alheada.

Não resta dúvida de que o conceito de realidade, ao qual Schiller opõe a poesia, já não é mais kantiano, uma vez que Kant parte sempre do belo natural. Mas na medida em que Kant, guiado por sua crítica à metafísica dogmática, restringe o conceito do conhecimento à possibilidade da "ciência natural pura", outorgando uma validez indiscutível ao conceito nominalista de realidade, a perplexidade ontológica em que se encontra a estética do século XIX acaba encontrando suas raízes, em última instância, no próprio Kant. Sob o domínio do preconceito nominalista só se pode compreender o ser estético de uma forma insuficiente e equívoca.

No fundo, a liberação dos conceitos que impediam uma adequada compreensão do ser estético é devida antes de tudo à crítica fenomenológica aplicada à psicologia e à teoria do conhecimento do século XIX. Ela demonstrou que nos enganamos toda vez que buscamos pensar o modo de ser do estético a partir do ponto de vista da experiência da realidade ou quando buscamos compreendê-lo como uma modificação da mesma[163]. Todos esses conceitos como imitação, aparência, desrealização, ilusão, magia, sonho pressupõem uma referência com um ser verdadeiro, do qual o ser estético se diferencia. No entanto, o retorno fenomenológico à experiência estética ensina que esta não pensa de modo algum a partir dessa referência; antes, vê a verdade genuína naquilo que ela experimenta. A isso corresponde o fato de que a experiência estética, por sua natureza, não pode ser frustrada por uma experiência genuína da realidade. Ao contrário, o que caracteriza todas as modificações da experiência da realidade, citadas acima, é que por sua própria necessidade e natureza implicam sempre uma experiência de frustração. O que era aparente acabou se revelando, o que era desrealizado torna-se real, o que era magia perde sua magia, o que era ilusão é desvendado, e do sonho despertamos. Se a estética fosse aparência nesse sentido, sua validade – como nos horrores do sonho –

---

163. Cf. FINK, E. "Vergegenwärtigung und Bild". In: *Jahrbuch für Philosophie und phänomenologische Forschung*, vol. XI, 1930.

somente poderia se impor enquanto não se duvidasse da realidade do fenômeno, perdendo sua verdade ao despertarmos.

[90] Relegar a determinação ontológica do estético ao conceito da aparência estética tem pois seu fundamento teórico no fato de que o predomínio do modelo de conhecimento das ciências da natureza acaba desacreditando todas as possibilidades do conhecimento que se encontram fora dessa nova metodologia.

Gostaria de lembrar que na conhecida passagem de que partimos Helmholtz não encontrou outro modo de caracterizar aquele momento distinto, que caracteriza o trabalho das ciências do espírito frente às ciências da natureza, a não ser através do adjetivo "artificial". A essa relação teórica corresponde positivamente o que podemos chamar de consciência estética. Esta surge com o "ponto de vista da arte", fundamentado primeiramente por Schiller, pois assim como a arte da "bela aparência" se opõe à realidade, a consciência estética implica uma alienação da realidade; é uma figura de "espírito alienado", como aquilo que Hegel concebeu para a *formação*. Poder comportar-se esteticamente é um momento da consciência formada[164]. Pois que na consciência estética encontramos os traços que caracterizam a consciência formada: elevação à universalidade, distanciamento da particularidade da aceitação ou rejeição imediata, deixar valer aquilo que não corresponde à própria expectativa ou à própria preferência.

Já examinamos acima o significado do conceito de *gosto* nesse contexto. Todavia, a unidade de um ideal do gosto que caracteriza e une uma sociedade tem características diferentes daquilo que constitui a figura da formação estética. O gosto segue ainda um padrão de conteúdo. O que é válido numa sociedade, qual o gosto que predomina nela, tudo isso é cunhado pela comunidade da vida social. Uma tal sociedade seleciona e sabe o que pertence ou não a ela. Para ela, mesmo a posse de interesses artísticos não é arbitrária nem idealmente universal, mas o que os artistas criam e o que a sociedade aprecia fazem parte integrante da unidade de um estilo de vida e de um ideal do gosto.

---

164. Cf. acima, p. 17s. (do original).

Por outro lado, a ideia da formação estética, como a derivamos de Schiller, reside justamente em não mais vigorar nenhum padrão de conteúdo e em dissolver o vínculo que une a obra de arte com o seu mundo. Uma expressão disso é a ampliação universal da posse que a consciência formada esteticamente reivindica para si. Tudo a que se atribui "qualidade" é coisa sua. Dentre isso já não faz seleções, por não ser nem querer ser nada que pudesse servir de medida para uma seleção. Na qualidade de consciência estética, ela se vê refletida a partir de todo gosto determinante e determinado, representando, ela mesma, um grau zero de determinação. A filiação da obra de arte a seu mundo já não tem valor para ela; ao contrário, a consciência estética é o centro que vivencia, a partir do qual se mede tudo o que vale como arte.

O que chamamos de obra de arte e vivenciamos esteticamente repousa, portanto, sobre um produto da abstração. Na medida em que se abstrai de tudo em que uma obra se enraíza, como seu contexto de vida originário, isto é, de toda função religiosa ou profana em que se encontrava e em que possuía seu significado, então se tornará visível a "pura obra de arte". Nesse sentido, a abstração da consciência estética produz algo que é, para si mesmo, positivo. Permite ver e existir por si mesmo aquilo que é a pura obra de arte. Chamo a esse seu produto de "distinção estética". [91]

Com isso, diferenciando-se da distinção que exerce um gosto determinado e cheio de conteúdo, selecionando e rejeitando, vamos caracterizar a abstração, que somente pratica uma seleção em relação à qualidade estética, como tal. Ela se realiza na autoconsciência da "vivência estética". A obra verdadeira é aquilo a que sempre se volta a vivência estética, e aquilo de que ela abstrai são os momentos não estéticos que lhes são inerentes: objetivo, função e significado de conteúdo. Esses momentos podem até ser bastante significativos, uma vez que incorporam a obra ao seu mundo, determinando assim toda sua riqueza de significado, que lhe é originariamente própria. Mas a natureza artística da obra deve poder se diferenciar de tudo isso. O que define a consciência estética é justamente essa capacidade de distinguir a intenção estética de tudo que não é estético. Faz a abstração de todas as condições de acesso sob as quais uma obra se apresenta a nós. Essa distinção é, pois, ela mesma, especificamente estética. Diferencia a qualidade estética de uma obra de todos os momentos de conteúdo que nos determinam a uma tomada de posição moral, religiosa e também quanto ao conteúdo e só se refere à obra em seu ser estético. Também nas artes reprodutivas distingue-se o original (a poesia, a composição) de sua execução, de tal modo que a intenção estética pode ser tanto o original frente a sua reprodução quanto a reprodução em si mesma. O que perfaz a soberania da consciência estética é poder realizar por toda parte uma tal distinção e poder ver tudo "esteticamente".

É por isso que a consciência estética tem o caráter da simultaneidade, por reivindicar que nela se congregue tudo o que tem valor de arte. Assim, a forma de reflexão em que se movimenta, enquanto estética, não é somente uma forma presente. Pois na medida em que a consciência estética eleva à simultaneidade tudo aquilo a que empresta validade, determina a si mesma ao mesmo tempo como uma consciência histórica. Não somente por incluir em si o conhecimento histórico e utilizá-lo como sinal distintivo[165]; a dissolução de todo gosto com conteúdo determinado e, do ponto de vista estético, próprio, mostra-se também na criação do artista, na conversão em algo histórico. A pintura histórica, que não responde a uma necessidade de representação contemporânea, mas sim à *representation* a partir da reflexão histórica, o romance histórico, as formas historicizantes que adota a arquitetura do século XIX pelas infinitas reminiscências de estilo, tudo isso mostra a pertença íntima dos momentos estético e histórico na consciência da cultura.

Poder-se-ia objetar que a simultaneidade não ocorreu primeiramente através da distinção estética, mas é, desde sempre, um produto de integração da vida histórica. Pelo menos as grandes obras arquitetônicas permanecem como testemunhos vivos do passado pela vida do presente adentro, e toda a preservação do que é herdado nos usos e costumes, nas imagens e nos ornatos, age de forma semelhante, enquanto também eles transmitem algo mais antigo à vida do presente. A única a diferenciar-se disso é a consciência da formação estética. Esta não se concebe como uma tal integração dos tempos, já que a simultaneidade que lhe é própria baseia-se na relatividade histórica do gosto, de que tem consciência. Somente

---

165. A alegria de fazer citações como parte de um jogo social é uma característica disso.

através de uma predisposição básica de não encarar simplesmente como mau gosto um gosto que diverge de seu próprio "bom" gosto é que a concomitância fática torna-se uma simultaneidade de princípio. No lugar da unidade de um gosto surge então um sentimento de qualidade dinâmico[166].

A "distinção estética", que atua como consciência estética, produz para si mesma uma existência exterior própria. Comprova sua produtividade na medida em que prepara, para a simultaneidade os seus próprios lugares, a "biblioteca universal" no âmbito da literatura, o museu ou teatro permanente, a sala de concertos etc. Deve-se distinguir claramente aquilo que surge agora daquilo que é mais antigo. O museu, p. ex., não é simplesmente um acervo que se tornou público. Mais do que isso, os antigos acervos espelhavam (nas cortes e nas cidades) a escolha de um determinado gosto e continham preponderantemente trabalhos de uma mesma "escola", concebida como exemplar. O museu, ao contrário, é o acervo desses acervos e é muito significativo que ele alcance sua perfeição ocultando sua própria procedência desses acervos, quer através de uma reordenação histórica do conjunto, quer através da complementação mais abrangente possível. Algo semelhante pode-se apontar no teatro que está se tornando permanente ou no empreendimento de concertos no último século, onde o repertório ou o programa se distancia cada vez mais das criações contemporâneas, adaptando-se à necessidade de uma autoafirmação que caracteriza a sociedade cultural que sustenta essa instituição. Mesmo formas artísticas que parecem resistir à simultaneidade da vivência estética, como a arte da construção, acabam sendo envolvidas por ela, quer através da moderna técnica de reprodução que transforma edifícios em imagens, quer através do turismo moderno, que transforma as viagens em páginas de livros ilustrados[167].

[93]

---

166. Cf., entrementes, a exposição magistral desse desenvolvimento por WIDLÉ, W. *Die Sterblichkeit der Musen.* [cf. nota 167.]

167. Cf. MALRAUX, André. *La musée imaginaire*, e WEIDLÉ, W. *Les abeilles d'Aristée*. Paris: [s.e.], 1954. No entanto, aqui não aparece a verdadeira consequência que nos interessa hermeneuticamente, já que Weidlé – na crítica do puramente estético – retém o ato criador como norma, como um ato "que precede a obra, mas que penetra por completo na própria obra e que concebo e contemplo quando concebo e contemplo a obra". [Citação segundo a tradução alemã, *Die Sterblichkeit der Musen*, p. 181.]

É assim que, através da "distinção estética", a obra perde o seu lugar e o mundo a que pertence por se tornar parte integrante da consciência estética. Em contrapartida também o artista perde seu lugar no mundo. Isso constata-se no descrédito daquilo a que denominamos arte por encomenda. Na consciência pública dominada pela época da arte vivencial é preciso que se lembre expressamente que a criação por inspiração livre, sem encomenda, sem tema predeterminado, sem uma ocasião dada, representa em épocas passadas um caso excepcional na criação artística, enquanto que hoje vemos o arquiteto como um fenômeno *sui generis*, justamente porque a sua produção, ao contrário dos poetas, pintores e músicos, não é independente de uma encomenda ou de uma ocasião. O artista livre cria sem precisar de encomendas. Parece que o que o caracteriza é a completa independência de seu trabalho criativo, o que, por isso, lhe confere, mesmo socialmente, as feições características de um excêntrico, cujas formas de vida não podem ser mensuradas de acordo com as massas que obedecem aos costumes públicos. O conceito da boemia, que surgiu no século XIX, espelha esse processo. A terra natal das pessoas itinerantes torna-se um conceito genérico para o estilo de vida do artista.

Mas o artista, que é tão "livre como um pássaro ou peixe", é onerado ao mesmo tempo com uma profissão que o torna uma figura ambígua. Pois uma sociedade culta, despojada de suas tradições religiosas, espera da arte mais do que corresponde à consciência estética sob o "critério da arte". A exigência romântica de uma nova mitologia, como aparece em F. Schlegel, Schelling, Hölderlin e no jovem Hegel[168], mas presente também nos ensaios e reflexões artísticas do pintor Philipp Otto Runge, confere ao artista e à sua missão no mundo a consciência de uma nova consagração. Torna-se algo como um "redentor do mundo" (Immermann), cujas criações, no miúdo, devem gerar a redenção da perdição, redenção esperada pelo mundo que se perdeu. Essa pretensão determina desde então a tragédia do artista no mundo, pois a solução que essa pretensão alcança é sempre e apenas algo particular. Mas, na ver-

---

168. Cf. ROSENZWEIG, Fr. *Das älteste Systemprogramm des deutschen Idealismus*, 1917, p. 7 [cf. as mais recentes edições de BUBNER, R. nos *Hegel-Studien*, suplemento 9 (1973), p. 261-265 e JAMME, C. e SCHNEIDER, H. *Mythologie der Vernunft*. Frankfurt [s.e.], 1984, p. 11-14].

dade, isso comprova sua refutação. A busca experimental de novos símbolos ou de uma nova "saga" capaz de unir a todos pode, sem dúvida, congregar um público ao seu redor e criar uma comunidade. Mas como cada artista acaba encontrando sua própria comunidade, a particularidade da formação de uma tal comunidade só testemunha a desagregação que vem ocorrendo. É somente a configuração universal da formação estética que une a todos.

O verdadeiro processo da formação, isto é, a elevação à universalidade, aparece aqui desagregado em si mesmo. A facilidade da reflexão pensante em se movimentar em generalidades, em colocar qualquer conteúdo sob pontos de vista propostos e assim vesti-lo com pensamentos", é, segundo Hegel, a maneira de não se deixar envolver com o verdadeiro conteúdo dos pensamentos. A esse livre dissolver-se do espírito em si mesmo Immermann chama de algo dissipador"[169]. Com isso, descreve a situação introduzida pela literatura e pela filosofia clássicas da época de Goethe, em que os epígonos já encontravam prontas todas as formas do espírito e, por isso, o que se constituía no genuíno trabalho da formação, isto é, eliminar o que era estranho e tosco, acabava sendo trocado pelo desfrute do mesmo. Tinha se tornado *fácil* fazer uma boa poesia e por esse motivo tornara-se difícil ser um poeta.

1.3.2. Crítica da abstração da consciência estética

Voltemo-nos agora para o conceito da distinção estética, cuja configuração formativa já descrevemos, e desenvolvamos as dificuldades teóricas do *conceito do estético*. A abstração que eleva ao "estético puro" suspende claramente a si mesma. Isso parece ficar claro na mais consequente tentativa de desenvolver uma estética sistemática a partir das distinções kantianas, o que devemos a Richard Hamann[170]. Essa tentativa de Hamann notabiliza-se pelo fato de ele realmente se reportar à intenção transcendental de Kant, demolindo assim o padrão unilateral da arte vivencial. Na medida em que elabora regularmente o momento estético onde quer que o encontre, ganham legitimação estética também as formas especiais

---

169. Por exemplo, nos *Epigonen*. [Cf. o meu trabalho "Zu Immermanns Epigonen Roman". In: *Kleine Schriften*, II, p. 148-160, vol. 9 das Obras Completas.]
170. HAMANN, Richard. *Ästhetik*. 2. ed. 1921.

[95] vinculadas a um fim, como a arte monumental ou a arte do cartaz. Mas, também aqui, Hamann mantém sua tarefa da distinção estética, pois nela distingue o estético das referências extraestéticas nas quais se encontra, como no caso em que podemos dizer que alguém se comporta esteticamente mesmo fora da experiência da arte. Desse modo, restabelecemos todo o alcançe do problema da estética e recuperamos o questionamento transcendental que fora abandonado pelo ponto de partida da arte e pela separação que fazia entre a bela aparência e a rude realidade. À vivência estética é indiferente se o seu objetivo é real ou não, se a cena é o palco ou a vida. A consciência estética possui uma soberania ilimitada sobre tudo.

Mas a tentativa de Hamann fracassa no ponto inverso, isto é, no conceito de arte. Ela afasta esse conceito tão consequentemente do âmbito do estético que acaba fazendo com que o conceito de arte coincida com o de virtuosidade[171]. Aqui a "distinção estética" é levada ao seu extremo. Ela abstrai até da arte.

O conceito básico da estética donde parte Hamann é o da "significabilidade própria da percepção". Esse conceito diz a mesma coisa que a teoria kantiana da coincidência, adequada ao fim, com o estado da nossa capacidade de conhecimento como tal. Como para Kant, também para Hamann isso implica a suspensão do padrão do conceito ou do significado, essencial para o conhecimento. Do ponto de vista de linguagem, a "significabilidade" é uma derivação secundária de "significado", que desloca significativamente a referência a um significado determinado para algo incerto. O que é "significativo" tem um significado (não manifesto ou) desconhecido. A "significabilidade própria" vai muito além disso. O que é significativo por si mesmo, autossignificativo, em vez de ser significativo por algo estranho, heterossignificativo, busca cortar a referência com o que poderia determinar seu significado. Será que um tal conceito pode constituir-se numa base sólida para a estética? Pode-se, afinal, utilizar o conceito "significabilidade própria" para uma percepção em geral? Não devemos conceder também ao conceito da "vivência" estética o que creditamos à percepção, ou seja, que percebe o verdadeiro, que continua referida ao conhecimento?

---

171. *Kunst und Können*, Logos, 1933.

De fato, nesse caso fazemos bem em nos lembrar de Aristóteles. Foi ele que demonstrou que toda *aisthesis* se dirige a um universal, mesmo que cada sentido tenha seu campo específico e que o que está dado nele de imediato, enquanto tal, não é universal. Mas a percepção específica de um dado dos sentidos é, como tal, uma abstração. Na verdade, o que nos é dado perceber individualmente pelos sentidos, sempre o vemos na perspectiva de um universal. Reconhecemos, p. ex., um fenômeno branco como uma pessoa[172]. [96]

No entanto, o ver "estético" se caracteriza evidentemente pelo fato de não referir apressadamente o olhar a um universal, ao significado conhecido, a um fim planejado ou algo parecido, detendo-se antes nesse olhar como estético. Mas nem por isso deixamos de estabelecer esse tipo de referência nesse olhar; p. ex., esse fenômeno branco que admiramos esteticamente não deixamos de vê-lo como uma pessoa. Nossa percepção não é nunca um simples reflexo daquilo que foi proporcionado aos sentidos.

Ao contrário, a mais recente psicologia, sobretudo a crítica perspicaz de Scheler, W. Koehler, E. Strauss, M. Wertheimer e outros, ao conceito da pura percepção do "estímulo recíproco"[173] nos ensinou que esse conceito procede de um dogmatismo epistemológico. Seu verdadeiro sentido é apenas normativo, já que a reciprocidade de estímulo seria o resultado final ideal da demolição de todas as fantasias do instinto, isto é, a consequência de uma sobriedade que por fim permitiria perceber o que está aí, em vez das representações apenas supostas pela fantasia instintiva. Mas isso significa que a percepção pura, definida pelo conceito da adequação do estímulo, representa apenas um caso-limite ideal.

A isso se acrescenta uma segunda questão. Mesmo a percepção tida como adequada jamais seria um simples reflexo daquilo que é. Pois continuaria sendo sempre um apreender *enquanto*... Todo apreender enquanto... articula o que está ali, abstraindo de... vendo na perspectiva de... vendo em conjunto com...; e tudo isso pode, novamente, encontrar-se no centro de uma observação ou

---

172. ARISTÓTELES. *De anima*, 425 a 25.
173. SCHERER, M. In: *Die Wissenformen und die Gesellschaft*, 1926, p. 397s. [Agora nas Obras Completas 8, p. 315s.]

ser meramente "visto junto com outra coisa" (*mitgesehen*), à margem ou como pano de fundo. Não há dúvida portanto de que o ver enquanto um ler articulador daquilo que está aí acaba abstraindo de muita coisa que está aí, de maneira que já não está mais lá para o olhar; mas, guiado por suas antecipações, o ver também pode "pôr" o que não está aí. Imagine-se também a tendência à invariabilidade que atua no próprio olhar, de maneira que sempre se veem as coisas da forma mais igual possível.

Essa crítica à teoria da percepção pura, feita a partir da experiência pragmática, recebeu uma formulação fundamental de Heidegger. Com isso, ela passa a ter validade também para a consciência estética, embora nela a visão não se limite a "olhar para além" do que é visto, p. ex., sua utilidade geral para algo, mas se detém na própria visão. O olhar que se detém e o perceber não são simplesmente um ver o puro aspecto mas continuam sendo, eles próprios, um apreender como... O modo de ser do que foi concebido esteticamente não é ocorrência (*Vorhandenheit*). Onde se trata de uma representação significativa, p. ex., em obras das artes plásticas, desde que não sejam abstratas e desprovidas de objeto, a significabilidade tem uma função diretriz para a leitura do aspecto. Só quando "reconhecemos" o que está representado, podemos "ler" uma pintura, e é só então que ela é realmente uma pintura. Ver significa articular. Enquanto ficamos testando formas variáveis de articulação ou ficamos oscilando entre elas, como no caso de certas imagens de "olho mágico", ainda não conseguimos ver o que é. Esse tipo de imagem é a eternização artística de tal oscilar, o "tormento" do ver. Algo semelhante a isso ocorre com a obra de arte própria da linguagem. É só quando entendemos um texto – portanto, quando, pelo menos, dominamos o idioma em que está escrito –, que ele poderá ser para nós uma obra de arte própria da linguagem. Mesmo quando escutamos a música absoluta, é necessário que a "entendamos". É só quando a entendemos, quando fica "clara" para nós, que ela se torna uma configuração artística para nós. Assim, embora a música absoluta seja, como tal, uma pura mobilidade da forma, uma espécie de matemática sonora, onde não há conteúdos semânticos objetivos para se perceber, o entender mantém uma referência para com o que é significativo. É a indeterminação dessa referência que representa a relação específica de significado de uma tal música[174].

O mero ver, o mero ouvir são abstrações dogmáticas que reduzem artificialmente os fenômenos. A percepção inclui sempre o significado. Por isso, procurar a unidade da figura estética unicamente em sua forma e em oposição ao seu conteúdo não passa de um formalismo ao avesso, que, além disso, não pode se reportar a Kant. Com o seu conceito da forma, Kant tinha em mente algo bem diferente. O conceito kantiano de forma designa a construção da configuração estética não frente ao conteúdo significativo de uma obra de arte mas frente ao mero estímulo sensível do que seja material[175]. O chamado conteúdo objetivo não é, de forma alguma, [98] uma matéria à espera de uma conformação posterior, mas na obra de arte o conteúdo encontra-se sempre vinculado à unidade de forma e significado.

O "motivo", uma expressão comum na linguagem dos pintores, pode ilustrar isto. Pode ser tanto objetivo como abstrato; em todo caso, sob o ponto de vista ontológico é sempre imaterial (*aneu hyles*). Mas isso não quer dizer que seja destituído de conteúdo. Antes, algo torna-se um motivo por possuir uma unidade convincente e porque o artista deve impor essa unidade como unidade de um sentido, assim como aquele que a recebe deve entendê-la como unidade. Sabe-se que é nesse contexto que Kant fala de "ideias es-

---

174. Parece-me que as mais recentes investigações sobre a relação entre a música vocal e a música absoluta, trabalho que devemos a Georgíades (*Musik und Sprache*, 1954), confirmam esse nexo (cf., entrementes, também os escritos póstumos de GEORGÍADES. *Nennen und Erklingen*. Göttingen [s.e.], 1985). Tenho a impressão de que a discussão contemporânea sobre a arte abstrata está a ponto de vir a perder-se numa oposição abstrata entre "objetividade" e "inobjetividade". No conceito de abstração há, de fato, uma ênfase verdadeiramente polêmica. Não obstante, o polêmico pressupõe sempre uma certa comunidade. A arte abstrata nunca se desfaz por completo da referência à objetividade, mas a mantém sob a forma da privação. Não se pode sair disso, já que o nosso ver é e continuará sendo um "ver objetos"; somente poderá dar-se uma visão estética afastando-se do hábito de ver "objetos" sempre orientado rumo ao prático, e daquilo de que abstraímos já não podemos não vê-lo e, mais que isso, não podemos perdê-lo de vista. Algo parecido a isso vem expresso nas teses de Bernhard Berenson: "O que em geral designamos com o termo 'ver' é uma confluência orientada rumo a algum objetivo..." "As artes plásticas são um compromisso entre o que vemos e o que sabemos" (Sehen und Wissen, *Die Neue Rundschau*, 1959, p. 55-77).

175. Cf. ODEBRECHT, Rudolf, op. cit. O fato de que, obedecendo a um preconceito classicista, Kant oponha a cor à forma e a classifique como um estímulo não deve induzir a erro ninguém que conheça a pintura moderna, onde se constrói através das cores.

téticas"; a estas o pensamento irá atribuir muita coisa inominável"[176]. Esse é seu modo de ultrapassar a pureza transcendental do estético e de reconhecer o modo de ser da arte. Como demonstramos acima, Kant estava longe de querer evitar a "intelectualização" do prazer estético puro em si. Os arabescos não são, de maneira alguma, seu ideal estético. Eles são um mero exemplo metodológico eminente. Para fazer jus à arte, a estética tem de ultrapassar-se a si mesma e renunciar à "pureza"[177] do estético. Mas será que com isso ela encontra realmente uma posição sólida? Em Kant, o conceito de gênio ocupou uma função transcendental que acabou servindo de base para o conceito de arte. Vimos como, nos seus sucessores, esse conceito de gênio se elevou a uma base universal da estética. Mas será que o conceito do gênio é adequado para isso?

A consciência do artista de hoje parece já contrariar essa tese. Deu-se uma espécie de crepúsculo do gênio. A ideia de uma inconsciência sonâmbula pela qual o gênio cria – uma ideia que pode ser legitimada pela descrição que Goethe faz de sua maneira poética de produzir – soa para nós hoje como um romantismo falso. A isso um poeta como Paul Valéry contrapôs os padrões de um artista e engenheiro como Leonardo da Vinci, em cujo engenho singular o artesanato, a invenção mecânica e a genialidade artística[178] estavam ainda indiferenciados e unos. A consciência geral, ao contrário, continua sendo determinada pelos efeitos do culto ao gênio do século XVIII e pela sacralização do artístico, que vimos ser característica da sociedade burguesa do século XIX. Nisso se comprova que, no fundo, o conceito de gênio é concebido do ponto de vista do observador. Esse antigo conceito parece convincente não para o

---

176. *Kritik der Urteilskraft*, p. 197.
177. A história da "pureza" deveria ser escrita algum dia. SEDLMAYR, H. *Die Revolution in der Moderne Kunst*, 1955, p. 100, nos remete ao purismo calvinista e ao deísmo da *Aufklärung*. Kant, que exerceu uma influência decisiva na linguagem conceitual da filosofia do século XIX, vincula-se diretamente à teoria pitagórico-platônica de pureza da Antiguidade (cf. MOLLOWITZ, G. "Kants Platoauffassung". *Kantstudien*, 1935). Será que o platonismo é a raiz comum de todos os "purismos" modernos? No que diz respeito à *Katharsis*, em Platão, cf. a tese doutoral de W. Schmitz, apresentada em Heidelberg, *Elenktik und Dialektik als Katharsis*, 1953.
178. Valéry, Paul. "Introduction à la méthode de Léonard de Vinci et son annotation marginale", *Variété* I.

espírito que cria, mas para o espírito que julga. O que se apresenta ao observador como um milagre, a ponto de não se poder entender que alguém seja capaz de algo assim, irá se espelhar no que há de milagroso numa criação através de inspiração genial. Então, na medida em que olham para si mesmos, os criadores podem se servir dessas formas de apreensão, e é assim que no século XVIII o culto do gênio acabou sendo alimentado também pelos criadores[179]. Mas nessa autoapoteose nunca chegaram a alcançar o *status* que a sociedade burguesa lhes atribuía. A autocompreensão do criador continua bem mais sóbria. Ele vê possibilidades de fazer e de poder e questões de "técnica" mesmo onde o observador procura inspiração, mistério e significado profundo[180].

Se quisermos levar em conta a crítica à teoria da produtividade inconsciente do gênio, vemo-nos colocados de novo diante do problema que Kant tinha resolvido através da função transcendental que atribuiu ao conceito de gênio. O que é uma obra de arte e como se diferencia de um produto artesanal ou mesmo de uma "obra mal feita", isto é, de algo de menor valor estético? Para Kant e para o idealismo, a obra de arte era definida como a obra do gênio. Sua característica de ser algo completamente bem-sucedido e exemplar confirmava-se ao oferecer um objeto inesgotável para ser desfrutado e observado, deter-se nele e interpretá-lo. O fato de que à genialidade do criar corresponda uma genialidade do desfrutar já estava na teoria kantiana do gosto e do gênio, e mesmo K.Ph. Moritz e Goethe ensinavam-no de modo ainda mais patente.

Como deve ser pensada agora, sem o conceito de gênio, a essência do desfrute da arte e a diferença entre o que é feito artesanalmente e o que é criado artisticamente?

Como se deve pensar também a consumação de uma obra de arte, o seu estar pronta? O que é feito ou produzido em outros campos tem o padrão de sua consumação em sua finalidade, isto é,

---

179. Cf. o meu estudo sobre o símbolo de Prometeu: *Vom geistigen Lauf des Menschen*, 1949. [Cf. *Kleine Schriften*, II, p. 105-135, vol. 9 das Obras Completas.]
180. É nesse ponto que se apoia a razão metodológica da "estética dos artistas", postulada por Dessoir e outros.

[100] é determinado pelo uso que se faz disso. O que foi produzido alcança o seu fim e o que foi feito fica pronto quando satisfazem à finalidade que lhe foi determinada[181]. Mas como se deve imaginar, agora, o padrão de consumação de uma obra de arte? Por mais racional e sobriamente que se encare a "produção" artística, muita coisa do que denominamos obra de arte não se destina ao uso, e nenhuma delas ganha a medida de seu estar pronta através de uma tal finalidade. Nesse caso, será que o ser da obra de arte se apresenta apenas como uma interrupção de um processo de configuração que, virtualmente, aponta para além de si? Será que, em si mesmo, não poderá, de forma alguma, consumar-se?

Paul Valéry viu as coisas, de fato, dessa maneira. Ele também não temeu as consequências que surgem para aquele que se defronta com uma obra de arte e procura compreendê-la. Se é verdade que uma obra de arte não é consumável em si mesma, em que deve-se medir a adequabilidade de sua recepção e compreensão. A interrupção casual e arbitrária de um processo de configuração não pode conter nada de vinculante[182]. Daí resulta, pois, que tem de ser deixado ao receptor o que venha a fazer, de sua parte, daquilo que tem diante de si. Assim, uma maneira de compreender uma configuração não será menos legítima que a outra. Não existe nenhum padrão de adequabilidade. Não somente pelo fato de que o próprio poeta não o possui; com o que iria concordar também a estética do gênio. Antes, todo encontro com a obra tem a categoria e o direito de uma nova produção. Isso me parece um nihilismo hermenêutico insustentável. Se Valéry ocasionalmente tirou tais consequências para a sua obra[183] para escapar ao mito da produção inconsciente do gênio, parece-me que, na verdade, acabou se deixando prender por ele. Dessa forma, transfere ao leitor e ao intérprete o poder pleno da criação absoluta que ele mesmo não quer exercer. A genialidade da compreensão não oferece, na verdade, nenhuma informação melhor que a da genialidade da criação.

---

181. Cf. as observações de Platão sobre a primazia cognitiva que o usuário detém, face ao produtor: *República*, X, 601c.

182. O que me guiou em meus próprios estudos sobre Goethe foi o interesse por essa questão. Cf. *Vom geistigen Lauf des Menschen*, 1949; também minha conferência "Zur Fragwürdigkeit des ästhetischen Bewusstseins", em Veneza, 1958, in: *Rivista di Estetica*, III-AIII, 374-383. [Cf. a reimpressão em *Theorien der Kunst*, org. por D. Henrich e W. Iser, Frankfurt, 1982, aí p. 59-69.]

183. *Variété III, commentaires de Charmes*: "Meus versos têm o sentido que se lhes der".

A mesma aporia ocorre quando, em vez de se partir do conceito do gênio, parte-se do conceito da vivência estética. Esse problema já foi levantado pelo importante artigo de Georg von Lukács "Die Subjekt-Objekt-Beziehung in der Ästhetik" (*A relação sujeito-objeto na estética*)[184]. Ele confere à esfera estética uma estrutura [101] heracliteana, querendo dizer com isso que a unidade do objeto estético não chega a ser um dado (*Gegebenheit*) real. A obra de arte é apenas uma forma vazia, um mero ponto nodal na possível multiplicidade das vivências estéticas, único local onde se encontra o objeto estético. Como se vê, a consequência necessária da estética da vivência é a absoluta descontinuidade, isto é, decomposição da unidade do objeto estético na multiplicidade das vivências. Vinculando-se à ideia de Lukács, Oskar Becker chegou à seguinte formulação: "Vista temporalmente, a obra é apenas um momento (isto é, agora), é 'agora' esta obra, e já agora não é mais!"[185] Isso, de fato, é algo consequente. A fundamentação da estética na vivência conduz à absoluta pontualidade, que suspende tanto a unidade da obra de arte como a identidade do artista consigo mesmo e a identidade de quem a compreende ou a desfruta[186].

Ao que me parece, Kierkegaard já havia demonstrado a insustentabilidade dessa posição ao reconhecer a consequência destrutiva do subjetivismo e ao ser o primeiro a descrever a autoaniquilação da imediatez estética. Sua teoria do estágio estético da existência foi projetada partindo da perspectiva do ético, a quem se tornou patente a impossibilidade de salvação e a insustentabilidade de uma existência na pura imediatez e descontinuidade. Por isso, seu ensaio crítico possui um significado fundamental, pois a crítica à consciência estética apresentada aqui revela tão nitidamente as contradições internas da existência estética que esta é obrigada a ir além de si mesma. Na medida em que o estágio estético da existência se mostra em si insustentável, reconhece-se que o fenômeno da arte coloca uma tarefa à existência: em face da atualidade arrebatadora de cada im-

---

184. Em *Logos*, vol. VII, 1917/18, Valéry compara, ocasionalmente, a obra de arte com um catalisador químico, op. cit., p. 83.
185. Becker, O. *Die Hinfälligkeit des Schönen und die Abenteuerlichkeit des Künstlers*, *Husserl-Festschrift*, 1928, p. 51. [Agora em BECKER, O. *Dasein und Dawesen*. Pfullingen: [s.e.], 1963, p. 11-40.]
186. Já em MORITZ, K.Ph. *Von der bildenden Nachahmung des Schönen*, 1788, p. 26, lemos o seguinte: "Em sua gênese, em seu devir, a obra já alcançou o seu objetivo supremo".

pressão estética, alcançar a continuidade da autocompreensão, que é a única capaz de sustentar a existência humana (*Dasein*)[187].

Não obstante, se tentássemos determinar ontologicamente a existência estética situando-a fora da continuidade hermenêutica da existência humana, creio que estaríamos distorcendo a verdade da crítica feita por Kierkegaard. Mesmo que se possa reconhecer que no fenômeno estético são visíveis certos limites da autocompreensão histórica da existência (*Dasein*), limites que se parecem aos apresentados pelo que é natural – natural que imposto como condição ao espírito penetra no que é espiritual das mais diversas formas, como mito, como sonho, como pré-formação inconsciente da vida consciente –, isso ainda não nos daria nenhum lugar de onde pudéssemos ver a partir de si próprio o que assim nos limita e condiciona e ver-nos a partir de fora como os que são assim limitados e condicionados. Mesmo aquilo que está fechado à nossa compreensão, nós o experimentamos como algo que limita, pertencendo, assim, à continuidade da autocompreensão onde se movimenta a existência humana. Na verdade, reconhecer a "caducidade do belo e o caráter aventureiro do artista" não significa uma estruturação ontológica fora da "fenomenologia hermenêutica" da existência, mas, antes, uma formulação da tarefa de, em face de tal descontinuidade do ser estético e da experiência estética[188], preservar a continuidade hermenêutica que perfaz o nosso ser.

[102]

O panteão da arte não é uma atualidade atemporal que se revela à consciência estética pura, mas a obra de um espírito histórico

---

187. Cf. Sedlmayr, H. "Kierkegaard über Picasso". In: *Wort und Wahrheit*, 5, p. 356s.

188. Parece-me que as engenhosas ideias de Oskar Becker sobre a "paraontologia" entendem a "fenomenologia hermenêutica" de Heidegger muito pouco como uma tese metodológica e excessivamente como uma tese de conteúdo. E, a partir do ponto de vista do conteúdo, a superação que o próprio O. Becker busca realizar dessa paraontologia, refletindo consequentemente sobre essa problemática, retorna exatamente ao mesmo ponto fixado pela metodologia de Heidegger. Repete-se aqui a controvérsia sobre a "natureza", na qual Schelling foi superado pela consequência metodológica de Fichte, na sua teoria da ciência. Se o projeto da paraontologia admite, para si mesmo, seu caráter complementar, deverá então elevar-se a um plano que abranja ambas as coisas, num esboço dialético da verdadeira dimensão da indagação pelo ser, inaugurada por Heidegger, e que o próprio Becker parece não reconhecer, como tal, ao apresentar o problema estético como exemplo da dimensão "hiperontológica", buscando com isso determinar ontologicamente a *sub*jetividade do gênio artístico (cf. seu recente artigo: "Künstler und Philosoph". *Konkrete Vernunft, Festschrift für E. Rothacker*, 1958). [E, entrementes, o tomo *Dasein und Dawesen*, Pfullingen, 1963, sobretudo p. 67-102.]

que se reúne e se congrega historicamente. Também a experiência estética é uma forma de autocompreender-se. Mas toda autocompreensão se realiza ao compreender algo distinto e inclui a unidade e a mesmidade desse outro. Uma vez que encontramos no mundo a obra de arte e em cada obra de arte individual um mundo, esta não continua sendo um universo estranho onde, por encantamento, estamos à mercê do tempo e do momento. Nela, ao contrário, aprendemos a nos compreender, e isso significa que na continuidade da nossa existência suspendemos a descontinuidade e a pontualidade da vivência. Por isso, com relação ao belo e à arte, importa ganhar um horizonte que não busque imediatez, mas que corresponda à realidade histórica do homem. O apelo à imediatez, à genialidade do momento, ao significado da "vivência", não consegue resistir à [103] pretensão da existência humana à continuidade e à unidade própria da autocompreensão. A experiência da arte não deve ser relegada à falta de comprometimento da consciência estética.

Positivamente, essa visão negativa significa que a arte é conhecimento e a experiência da obra de arte torna esse conhecimento partilhável.

Com isso se coloca a pergunta de como se poderá fazer jus à verdade da experiência estética e de como se poderá suplantar a radical subjetivação do estético que teve início com a "Crítica do juízo estético" de Kant. Já mostramos que o que levou Kant a referir o juízo estético totalmente ao estado do sujeito foi uma abstração metodológica, tendo por finalidade um trabalho de fundamentação bem determinado e transcendental. Se, em seguida, essa abstração estética veio a ser compreendida a partir da perspectiva do conteúdo, sendo transformada na exigência de se compreender a arte "meramente do ponto de vista estético", vemos agora que essa exigência de abstração se depara com uma contradição insolúvel frente à verdadeira experiência da arte.

Será que não deve haver nenhum conhecimento na arte? Não há também na experiência da arte uma pretensão de verdade, diversa daquela da ciência, mas certamente não inferior? E será que a tarefa da estética não está justamente em fundamentar que a experiência da arte é uma forma de conhecimento *sui generis*, certamente distinta daquela do conhecimento sensível que oferece à ciência os últimos dados, a partir dos quais ela constrói o conhecimento da natureza, também diferente de todo conhecimento racional da ética e de todo o conhecimento conceitual, mas mesmo assim sempre conhecimento, ou seja, mediação da verdade?

Fica difícil de se reconhecer isso quando, com Kant, medimos a verdade do conhecimento com o conceito do conhecimento da ciência e com o conceito de realidade da ciência da natureza. É necessário entender o conceito da experiência com mais amplidão do que Kant o fez, a fim de que se possa entender como experiência também a experiência da obra de arte. Para isso, podemos nos reportar às admiráveis preleções de Hegel sobre a estética. Nelas, podemos ver de forma extraordinária o conteúdo de verdade presente em toda experiência da arte e reconciliado com a consciência histórica. Com isso, a estética torna-se uma história das cosmovisões, isto é, uma história da verdade, tal qual se retrata no espelho da arte. Com isso, confirma-se fundamentalmente a tarefa que formulamos antes: justificar na própria experiência da arte o conhecimento da verdade.

[104] O conceito da "cosmovisão", que nos é familiar e que surge pela primeira vez em Hegel, na *Fenomenologia do Espírito*[189], para caracterizar a complementação postulatória da experiência ética fundamental em uma ordem moral do mundo, proposta por Kant e Fichte, só irá encontrar sua cunhagem genuína na estética. É a multiplicidade e a possibilidade de mudança das cosmovisões que acabou emprestando ao conceito "cosmovisão" esse tom que nos é familiar[190]. Mas o exemplo-guia nesse sentido é a história da arte, porque essa multiplicidade histórica não pode ser abolida pela unidade de uma meta do progresso voltada para a verdadeira arte. É verdade que Hegel só conseguiu reconhecer a verdade da arte por tê-la sobrepujado com o saber conceitual da filosofia e construiu a

---

189. Org. Hoffmeister, p. 424s.
190. A palavra *Weltanschauug* (cf. A. Götze, *Euphorion*, 1924) fixa, de início, a sua referência ao *mundus sensibilis*, inclusive em Hegel, na medida em que é na arte que se encontram as *Weltanschauungen* essenciais (*Ästh.* II, 131). Mas como em Hegel a determinidade da cosmovisão representa algo de passado para o artista atual, a pluralidade e a relatividade das cosmovisões tornaram-se coisas da reflexão e da interioridade.

história das cosmovisões bem como a história mundial e a história da filosofia a partir de uma completa autoconsciência do presente. Tampouco isso pode ser considerado um mero desvio do caminho, já que permitiu que se ultrapassasse amplamente o campo do espírito subjetivo. Nessa ultrapassagem reside um momento da verdade permanente do pensamento de Hegel. Sabemos também que, na medida em que a verdade do conceito se torna assim todo-poderosa, subsumindo em si toda experiência, a filosofia de Hegel volta a negar o caminho da verdade que reconhecera na experiência da arte. Se procurarmos defender o que esse caminho comporta de razão, devemos prestar contas, por princípio, do que se compreende aqui por verdade. É nas ciências do espírito, em seu conjunto, onde devemos buscar uma resposta para essa pergunta. Pois estas não querem suprimir, mas compreender a variabilidade de todas as experiências, quer seja a variabilidade da consciência estética ou histórica, quer a da consciência religiosa ou política, ou seja, reconhecer sua verdade. Ainda vamos discutir a relação recíproca entre Hegel e a autocompreensão das ciências do espírito representada pela "escola histórica" e como eles partilham o que possibilita uma compreensão adequada do que chamamos de verdade nas ciências do espírito. Não poderemos fazer justiça ao problema da arte partindo do ponto de vista da consciência estética, mas apenas partindo desse horizonte mais amplo.

No início demos apenas um primeiro passo nessa direção ao procurar corrigir a autointerpretação da consciência estética e ao recolocarmos a questão pela verdade da arte, a favor da qual testemunha a experiência estética. O que nos importa, portanto, é ver a experiência da arte de tal modo que venha a ser entendida como experiência. A experiência da arte não deve ser falsificada como um fragmento em posse da formação estética, não tendo neutralizada assim sua pretensão própria. Veremos que nisso reside uma consequência hermenêutica de longo alcance, na medida em que *todo encontro com a linguagem da arte é um encontro com um acontecimento inacabado, sendo ela mesma uma parte desse acontecimento*. É isso o que se deve erigir contra a consciência estética e sua neutralização da questão da verdade.

[105]

Como vimos, quando o idealismo especulativo procurou superar o subjetivismo e o agnosticismo estéticos fundamentados em Kant, elevando-se a um ponto de partida do saber infinito, uma tal autolibertação gnóstica da finitude implicou a subsunção da arte na filosofia. Em lugar disso, devemos fixar-nos no ponto de partida da finitude. Parece-me que o que há de produtivo na crítica de Heidegger ao subjetivismo da modernidade é que sua interpretação temporal do ser abriu, nesse sentido, possibilidades próprias. A interpretação do ser pelo horizonte do tempo não significa, segundo mal-entendido que sempre ocorre, que a pre-sença (*Dasein*) seja temporalizada tão radicalmente que já não possa mais deixar valer nada como perene ou eterno, mas que deveria compreender-se totalmente por referência ao seu próprio tempo e futuro. Se fosse essa a intenção, não estaríamos diante da crítica e da superação do subjetivismo, mas de uma radicalização "existencialista" do mesmo, cujo futuro coletivista se poderia profetizar. A questão da filosofia em questão aqui se dirige justamente a esse subjetivismo. Este só é levado ao extremo a fim de ser questionado. A questão da filosofia é indagar o que vem a ser o ser do compreender-se. Com essa indagação, ultrapassa, em princípio, o horizonte desse compreender-se. Ao revelar o tempo como o seu fundamento oculto, não prega um engajamento cego com base num desespero niilista, mas abre-se a algo até então oculto, a uma experiência que supera o pensamento baseado na subjetividade, e que Heidegger denomina de *ser*.

Para fazer justiça à experiência da arte, iniciamos com a crítica da consciência estética. A experiência da arte reconhece, de si mesma, que não consegue apreender num conhecimento definitivo a verdade consumada daquilo que experimenta. Por assim dizer, aqui não existe nenhum progresso absoluto e nenhum esgotamento definitivo daquilo que se encontra numa obra de arte. A experiência da arte sabe disso por si mesma. Mesmo assim importa não aceitar simplesmente o que a consciência estética pensa ser sua experiência, pois em última consequência ela a pensa, como vimos, como a descontinuidade de vivências. Mas nós consideramos essa consequência inaceitável.

Em lugar disso, não perguntamos à experiência da arte o que ela mesma acredita ser, mas o que ela é na verdade e o que é sua verdade, ainda que não saiba o que é e não possa dizer o que sabe; da mesma forma como Heidegger perguntou pelo que é a metafísica, em contraposição ao que ela pensa de si mesma. Na experiência da arte vemos uma genuína experiência, que não deixa inalterado aquele que a faz, e perguntamos pelo modo de ser daquilo que é assim experimentado. Assim, podemos ter esperança de compreender melhor qual é a verdade que nos vem ao encontro ali. [106]

Veremos que isso abre igualmente a dimensão onde se recoloca a questão da verdade no "compreender" empreendido pelas ciências do espírito[191].

Para saber o que é a verdade das ciências do espírito é preciso que a questão da filosofia se volte ao conjunto dos procedimentos das ciências do espírito, como fez Heidegger ao questionar a metafísica e nós, a consciência estética. Devemos aceitar a resposta da autocompreensão das ciências do espírito, mas indagando o que é de fato sua compreensão. A pergunta pela verdade da arte serve para preparar essa pergunta de longo alcance, sobretudo porque inclui a compreensão da experiência da obra de arte, ou seja, representa ela mesma um fenômeno hermenêutico, e não, certamente, no sentido de um método científico. A compreensão pertence, antes, ao próprio encontro com a obra de arte, de modo que só se poderá aclarar essa pertença a partir do *modo de ser da obra de arte*.

---

191. [Cf. "Wahrheit in den Geisteswissenschaften", vol. II.]

[107] ## 2. A ontologia da obra de arte e seu significado hermenêutico

2.1. O jogo como fio condutor da explicação ontológica

2.1.1. O conceito de jogo

Para analisarmos essa questão, escolhemos como primeiro ponto de partida um conceito que desempenhou importante papel na estética: o conceito de *jogo*. Mas o que nos importa de fato é libertar esse conceito do significado subjetivo que apresenta em Kant e Schiller e que domina toda a nova estética e antropologia. Quando falamos de jogo no contexto da experiência da arte não nos referimos ao comportamento, nem ao estado de ânimo daquele que cria ou daquele que desfruta do jogo e muito menos à liberdade de uma subjetividade que atua no jogo, mas ao modo de ser da própria obra de arte. Na análise da consciência estética vimos que a contraposição entre uma consciência estética e um objeto não corresponde ao estado das coisas. É esse o motivo por que nos é importante o conceito de jogo.

De certo, pode-se diferenciar do próprio jogo o comportamento do jogador, que, como tal, se integra com outros modos de comportamento da subjetividade. Assim, por exemplo, pode-se dizer que, para quem joga, o jogo não é uma questão séria, e que é por isso mesmo que se joga. A partir disso, podemos procurar determinar o conceito de jogo. O que é mero jogo não é sério. O jogar possui uma referência essencial própria para com o que é sério. Não apenas porque nisso se encontra sua "finalidade". Joga-se "por uma questão de recreação", como diz Aristóteles[192]. É mais importante o fato de que no jogar se dá uma seriedade própria, até mesmo sagrada. E, não obstante, no comportamento lúdico não desaparecem simplesmente todas as referências à finalidade que determinam a existência (*Dasein*) atuante e cuidadosa, mas, de uma forma muito peculiar, permanecem em suspenso. Aquele que joga sabe por si mesmo que o jogo não é nada mais que um jogo e que

---

192. ARISTÓTELES. *Pol.*, VIII, 3, 1337 b 39 *passim*. Cf. *Ética a Nicômaco*, X, 6, 1175 b 33: *paizein opós spoudazé kat Anaxarsin orthós exein dokei.*

se encontra num mundo determinado pela seriedade dos fins. Mas ele não sabe isso na forma pela qual, como jogador, ainda *imaginava* essa referência à seriedade. O jogar só cumpre a finalidade que lhe é própria quando aquele que joga entra no jogo. Não é a referência que, a partir do jogo, de dentro para fora, aponta para a seriedade; é só a seriedade que há no jogo que permite que o jogo seja inteiramente um jogo. Quem não leva a sério o jogo é um desmancha-prazeres. O modo de ser do jogo não permite que quem joga se comporte em relação ao jogo como se fosse um objeto. Aquele que joga sabe muito bem o que é o jogo e que o que está fazendo é "apenas um jogo", mas não sabe o que ele "sabe" nisso. [108]

Assim, nossa pergunta pela natureza do próprio jogo não poderá encontrar nenhuma resposta, se é que a estamos esperando da reflexão subjetiva de quem joga[193]. Em vez disso, perguntamos pelo modo de ser do jogo como tal. Já tínhamos visto que o objeto de nossa reflexão não é a consciência estética, mas a experiência da arte e, com ela, a questão pelo modo do ser da obra de arte. Mas a experiência da arte que precisamos fixar contra a nivelação da consciência estética consiste justamente em que a obra de arte não é um objeto que se posta frente ao sujeito que é por si. Antes, a obra de arte ganha seu verdadeiro ser ao se tornar uma experiência que transforma aquele que a experimenta. O "sujeito" da experiência da arte, o que fica e permanece, não é a subjetividade de quem a experimenta, mas a própria obra de arte. É justamente esse o ponto em que o modo de ser do jogo se torna significativo, pois o jogo tem uma natureza própria, independente da consciência daqueles que jogam. O jogo encontra-se também lá, sim, propriamente lá, onde nenhum ser-para-si da subjetividade limita o horizonte temático e onde não existem sujeitos que se comportam ludicamente.

O sujeito do jogo não são os jogadores. Ele simplesmente ganha representação através dos que jogam o jogo. É o que já nos en-

---

193. Kurt Riezler, no seu arguto *Traktat vom Schönen*, manteve o ponto de partida da subjetividade do jogador e com isso a oposição entre o jogo e a seriedade, com o que o conceito de jogo torna-se, para ele, muito estreito, e ele tem que afirmar: "Duvidamos que o jogo das crianças seja somente jogo", e também: "o jogo da arte não é somente jogo", p. 189.

sina o uso da palavra e principalmente seu múltiplo emprego metafórico, sobretudo segundo uma análise de Buytendijk[194].

Como em tantas outras ocasiões, também aqui o uso metafórico tem uma primazia metodológica. Quando uma palavra é transposta para um campo de aplicação que originariamente não é o seu, seu significado originário e próprio aparece como que realçado. Nesse caso, a linguagem antecipou uma abstração que, em si, é tarefa da análise conceitual. Agora o pensamento só precisa avaliar esse trabalho antecipado.

Algo semelhante, aliás, vale também para as etimologias. É verdade que são bem menos confiáveis, porque não são abstrações produzidas pela linguagem, mas pela linguística e porque jamais podem ser plenamente verificadas pela própria linguagem, por seu uso real. É por isso que, mesmo quando acertam, elas não são provas, mas trabalho antecipado da análise conceitual, encontrando somente nesta sua sólida fundamentação[195].

Se considerarmos o uso da palavra "jogo" dando preferência ao chamado significado figurado, resultará o seguinte: falamos do jogo das luzes, do jogo das ondas, do jogo da peça da máquina no rolamento, do jogo articulado dos membros, do jogo das forças, do jogo das moscas, até mesmo do jogo das palavras. Nisso sempre está implícito o vaivém de um movimento que não se fixa em nenhum alvo, onde termine. A isso corresponde também o significado originário da palavra "jogo" enquanto dança, que sobrevive em múltiplas formas de palavras (p. ex. na palavra alemã *Spielmann*, menestrel)[196]. O movimento que é jogo não possui nenhum alvo em que termine, mas renova-se em constante repetição. O movimento de vaivém é obviamente tão central para a determinação da essência do jogo que chega a ser indiferente quem ou o que executa esse movimento. O movimento do jogo como tal também é desprovido de substrato. É o jogo que é jogado ou que se desenrola como jogo; não há um sujeito fixo que esteja jogando ali. O jogo é a realização

---

194. BUYTENDIJK, F.J.J. *Wesen und Sinn des Spiels*, 1933.
195. Esta naturalidade deve sustentar-se frente aos que pretendem criticar o conteúdo de verdade das proposições de Heidegger a partir de seu hábito etimologizante.
196. Cf. TRIER, J. Beiträge zur Geschichte der deutschen Sprache und Literatur, 1947, 67.

do movimento como tal. Assim falamos, por exemplo, do jogo das cores e com isso não nos referimos ao jogo de uma única cor com outra, mas estamos aludindo ao processo ou à visão unitários onde se mostra uma multiplicidade variável de cores.

O modo de ser do jogo, portanto, não implica a necessidade de haver um sujeito que se comporte como jogador, de maneira que o jogo seja jogado. Ao contrário, o sentido mais originário de jogar é o que se expressa na forma medial. Assim, por exemplo, costumamos falar que algo "está jogando" em tal lugar ou em tal momento, que algo está se desenrolando como jogo, que algo está em jogo[197].

Essa observação filológica me parece uma indicação indireta de que o jogar não requer ser entendido como uma espécie de atividade. Para a linguagem, é óbvio que o verdadeiro sujeito do jogo não é a subjetividade daquele que entre outras atividades também joga, mas o próprio jogo. Estamos tão acostumados a referir fenômenos como o jogo à subjetividade e às suas formas de comportamento que permanecemos fechados frente a essas indicações do espírito da língua. [110]

Seja como for, também a pesquisa antropológica mais recente compreendeu tão amplamente o tema do jogo que essa compreensão a levou ao limite do modo de observação fundado na subjetividade. Huizinga procurou descobrir o momento do jogo em toda cultura, elaborando sobretudo a correlação do jogo infantil e animal com os "jogos sagrados" do culto. Isso o levou a reconhecer a peculiar indecisão na consciência lúdica que simplesmente torna impossível distinguir entre crença e descrença. "O próprio selvagem não conhece nenhuma distinção conceitual entre ser e jogar, não conhece nenhuma identidade, nenhuma imagem ou símbolo. É por isso que nos questionamos se a melhor forma de nos aproxi-

---

197. No livro *Homo ludens. Vom Ursprung der Kultur im Spiel*, rde, p. 43, Huizinga chama a atenção para os seguintes fatos da linguagem: "Em alemão pode-se 'ein Spiel treiben' (praticar um jogo), e, em holandês, 'een spelletje doen', mas o verbo que realmente corresponde a isso é o mesmo *Spielen* (jogar). Joga-se um jogo. Noutras palavras: para expressar o tipo de atividade de que se trata, tem-se de repetir no verbo o conceito que o substantivo contém. Tudo leva a crer que isso significa que a ação tem um caráter tão especial e autônomo que se subtrai às formas habituais de atividade. Jogar não é um fazer no sentido habitual da palavra". Da mesma forma, a expressão "ein Spielchen machen" (fazer um joguinho) denota sintomas de um dispor do próprio tempo, e que ainda não é propriamente um jogo.

marmos do estado de espírito do selvagem em sua ação sacral não será fixando-nos no termo primário do 'jogar'. No nosso conceito de jogo desfaz-se a distinção entre crença e simulação."[198]

Em princípio, percebemos aqui *o primado do jogo face à consciência do jogador*, e se partirmos de fato do sentido medial do jogo também as experiências do jogo descritas pelo psicólogo e o antropólogo irão ganhar uma luz nova e esclarecedora. Fica claro que o jogo representa uma ordem na qual o vaivém do movimento do jogo se produz como que por si mesmo. Faz parte do jogo o fato de que o movimento não somente não tem finalidade nem intenção, mas também que não exige esforço. Ele vai como que por si mesmo. A leveza do jogo, que não precisa necessariamente significar uma real falta de esforço, aludindo apenas para o fenômeno da ausência de tensão (*Angestrengtheit*)[199], será experimentada subjetivamente como alívio. A estrutura ordenadora do jogo faz com que o jogador se abandone a si mesmo, dispensando-o assim da tarefa da iniciativa que perfaz o verdadeiro esforço da existência. É o que aparece também no impulso espontâneo para a repetição, que surge no jogador e no contínuo renovar-se do jogo, que é o que cunha sua forma (p. ex., no refrão).

Do fato de o modo de ser do jogo encontrar-se tão próximo da forma de movimento da natureza, podemos extrair uma importante conclusão metodológica. É claro que não podemos dizer que os animais também jogam[200] e que a água e a luz só "jogam" em sentido figurado. Antes, deveríamos dizer que também o homem joga. Também o seu jogar é um processo natural, e o sentido de seu jogar, justamente por ser natureza e na medida em que é natureza, é um puro representar-se a si mesmo. Assim, nesse âmbito já não faz sentido distinguir entre uso próprio e metafórico.

---

198. HUIZINGA. Op. cit., p. 32 [cf. também meu artigo "Zur Problematik des Selbstverständnisses", *Kl. Schr.* I, p. 70-81; vol. II das *Ges. Werke*, p. 121s. e vol. II e "Mensch und Sprache", *Kl. Schr.* I, p. 93-100, vol. II das *Ges. Werke*, p. 146s.].
199. Rilke, na quinta Elegia de Duíno: "... wo sich das reine Zuwenig unbegreiflich verwandelt – umspringt in jenes leere Zuviel" ("onde a pura insuficiência se transforma incompreensivelmente – e se torna abundância vazia").
200. *Spielen*, em alemão, significa tanto jogar como brincar, tocar um instrumento, representar teatro etc. (NdR).

É sobretudo desse sentido medial do jogo que resulta a referência ao ser da obra de arte. Na medida em que existe sem finalidade, sem intenção e inclusive sem esforço, e enquanto um jogo que sempre se renova, a natureza pode aparecer como um modelo da arte. Friedrich Schlegel diz que "todos os jogos sagrados da arte não passam de imitações distantes do jogo infinito do mundo, da obra de arte que se forma eternamente"[201].

Esse papel fundamental do vaivém do movimento do jogo esclarece também uma outra questão analisada por Huizinga: o caráter lúdico da competição. De acordo com a própria consciência do competidor, o que vale certamente não é que ele jogue. Na competição surge o tenso movimento do vaivém, do qual resulta o vencedor, fazendo assim com que o conjunto seja um jogo. O vaivém pertence tão essencialmente ao jogo que em sentido extremo torna impossível um jogar-para-si-somente. Para que haja jogo não é absolutamente indispensável que outro participe efetivamente do jogo, mas é preciso que ali sempre haja um outro elemento com o qual o jogador jogue e que, de si mesmo, responda com um contralance ao lance do jogador. É assim que o gato que brinca escolhe o rolo de lã porque este também joga com ele; e os jogos com bola são imortais por causa da mobilidade total e livre da bola, que também de si mesma produz surpresas.

Onde se trata da subjetividade humana que se comporta ludicamente, o primado do jogo frente aos jogadores que o executam acaba sendo experimentado pelos próprios jogadores de uma forma muito especial. Outra vez são os usos figurados da palavra que dão a mais rica explicação para sua verdadeira natureza. Assim, por exemplo, costumamos dizer que alguém joga com possibilidades ou com planos. É bem nítido o que queremos dizer com isso. Este ainda não se fixou tanto em tais possibilidades como em metas sérias. Tem ainda a liberdade de se decidir assim ou assado, por esta ou por aquela possibilidade. Por outro lado, essa liberdade não está livre de riscos. O próprio jogo é um risco para o jogador.

---

201. Friedrich Schlegel, "Gespräch über die Poesie" (*Friedrich Schlegels Jugendschriften*, org. por J. Minor, 1882, II, p. 364) [cf. também a reedição de Hans Eichner na *Kritische Schlegel-Ausgabe*, de E. Behler, parte I, vol. 2, p. 284-351, aí p. 324].

[112] Só se pode jogar com possibilidades sérias. Isso significa, evidentemente, que alguém se engaja ao ponto de permitir que elas o superem e se imponham. O atrativo que o jogo exerce sobre o jogador reside exatamente nesse risco. Desfrutamos assim de uma liberdade de decisão que está correndo riscos e está sendo inapelavelmente restringida. Pense-se, por exemplo, nos jogos de paciência e outros semelhantes. O mesmo vale também no campo da seriedade. Aquele que, buscando desfrutar de sua própria liberdade de decisão, evita decisões que o coagem ou se ocupa de possibilidades que na realidade não leva a sério e que, por isso, não comportam nenhum risco de serem escolhidas e de ver-se assim limitado por elas, a esse alguém iremos chamar de frívolo.

Dessa análise destaca-se um traço comum no modo como a natureza do jogo se reflete no comportamento lúdico: *Todo jogar é um ser-jogado*. O atrativo do jogo, a fascinação que exerce, reside justamente no fato de que o jogo se assenhora do jogador. Mesmo quando se trata de jogos em que se procura realizar tarefas que alguém impõe a si mesmo, o atrativo do jogo é o risco de saber se "vai", se "conseguirá" e se "voltará a conseguir". Quem tenta dessa maneira é, na verdade, o tentado. Justamente essas experiências em que há apenas um único jogador demonstram que o verdadeiro sujeito do jogo não é o jogador mas o próprio jogo. É o jogo que mantém o jogador a caminho, que o enreda no jogo e que o mantém nele.

Isso se expressa também no fato de que os jogos possuem um espírito próprio e especial[202]. Isso tampouco se refere ao humor ou ao estado de espírito daqueles que jogam o jogo. Ao contrário, essa diversidade do estado de ânimo ao se jogar diferentes jogos ou ao sentir prazer em tais jogos é consequência e não causa da diversidade dos próprios jogos. Os próprios jogos distinguem-se entre si por seu espírito. A única base para isso está no fato de eles prefigurarem e ordenarem cada vez diferente o vaivém do movimento do jogo. O que constitui a essência do jogo são as regras e disposições que prescrevem o preenchimento do espaço lúdico. Isso vale em geral onde quer que haja um jogo. Vale, por exemplo, também para o jogo das

---

202. Cf. JÜNGER, F.G. *Die Spiele*.

águas ou para o brincar dos animais. O espaço lúdico em que se desenrola o jogo é mensurado a partir de dentro pelo próprio jogo e limita-se muito mais pela disposição que determina o movimento do jogo do que por aquilo contra o que se choca, isto é, os limites do espaço livre que restringem o movimento a partir de fora.

Em face dessas determinações gerais, parece-me característico para o jogo humano o fato de que ele joga *algo*. Isso significa que a ordenação do movimento a que se subordina possui uma determinação que o jogador "escolhe". De início, ele delimita expressamente seu comportamento lúdico frente a outros comportamentos seus pelo fato de que *quer* jogar. Mas também realiza sua escolha no âmbito de sua disposição de jogar. Escolhe este jogo e não aquele. A isso corresponde que o espaço onde se desenrola o movimento do jogo não é simplesmente o espaço livre do desenrolar-se do jogo, mas sim um espaço limitado e reservado para o movimento do jogo. O jogo humano exige seu próprio espaço de jogo. A delimitação do campo de jogo – como ocorre no âmbito sagrado, como acentua Huizinga com razão[203] – opõe sem qualquer transição e intermediação o mundo do jogo, enquanto um mundo fechado, ao mundo dos fins, sem transição e sem intermediação. O fato de que todo jogo seja jogar alguma coisa passa a valer por primeiro onde o vaivém ordenado do movimento do jogo é determinado como um *comportamento* e se distingue de condutas de natureza diferente. Mesmo no jogo, o homem que está jogando é uma pessoa que se comporta, até mesmo quando a verdadeira essência do jogo consiste em libertar-se da tensão com que se comporta com relação a seus fins. Isso nos permite determinar mais de perto como o jogar é jogar-algo. Cada jogo coloca uma tarefa ao homem que o joga. Não pode igualmente abandonar-se à liberdade do desenrolar-se do jogo, a não ser transformando os fins do seu comportamento em simples tarefas do jogo. É assim que a criança estabelece para si mesma sua tarefa num jogo com bola, e essas tarefas são tarefas do jogo, porque o verdadeiro fim do jogo não é a solução dessas tarefas, mas a ordenação e configuração do próprio movimento do jogo.

[113]

---

203. HUIZINGA. Op. cit., p. 17.

É evidente que a peculiar leveza e alívio que caracterizam o comportamento lúdico repousam no caráter especial de que se revestem as tarefas do jogo, e surge do êxito de sua solução. Pode-se dizer que o êxito de uma tarefa "representa-a". Esse modo de falar é bem plausível quando se trata de jogo, porque aí o cumprimento da tarefa não remete a nenhuma correlação de fim. Realmente, o jogo limita-se a representar-se. Seu modo de ser é portanto autorrepresentação. Ora, a autorrepresentação é um aspecto ontológico universal da natureza. Sabemos hoje que as concepções teleológicas da biologia não são suficientes para tornar compreensível a estruturação do ser vivo[204]. Também a questão relativa à sua função vital e o fim biológico do jogo é uma questão muito curta.

[114] Como vimos, a autorrepresentação do jogo humano repousa em um comportamento vinculado aos fins aparentes do jogo, mas seu "sentido" não reside realmente na conquista desses fins. Ao contrário, o entregar-se à tarefa do jogo é, na verdade, um modo de identificar-se com o jogo. A autorrepresentação do jogo faz com que o jogador alcance sua própria autorrepresentação jogando algo, isto é, representando-o. É só porque jogar já é sempre um representar que o jogo humano pode encontrar na própria representação a tarefa do jogo. Há jogos que devemos chamar de jogos representativos, seja porque têm algo da representação em si na vaga referência de sentido da alusão (como, p. ex., "imperador, rei, fidalgo"), seja porque o jogo consiste justamente em representar algo (p. ex., quando as crianças brincam de automóveis).

De acordo com sua própria possibilidade, todo representar é um representar para alguém. É a referência a essa possibilidade como tal que produz a peculiaridade do caráter lúdico da arte. O espaço fechado do mundo do jogo deixa cair aqui uma parede[205]. O jogo cultural e o jogo teatral não representam evidentemente do

---

204. Foi sobretudo Adolf Portmann que, em numerosos trabalhos, fez essa crítica, fundamentando novamente o direito à compreensão morfológica.

205. Cf. KASSNER, Rudolf. *Zahl und Gesicht*, p. 161s. Kassner assinala que "a notável unidade e dualidade de criança e boneca" está em relação com o fato de que aqui está faltando essa "quarta parede sempre aberta do espectador" (como no ato cultural). Inversamente, sou de opinião de que é precisamente essa quarta parede do espectador que fecha o mundo do jogo da *obra de arte*.

mesmo modo e no mesmo sentido que representa a criança que joga. Não se esgotam naquilo que representam, mas aludem para além de si mesmos, para aqueles que participam como espectadores. Aqui, o jogo já não é mais um mero autorrepresentar-se de um movimento ordenado, nem o mero representar, onde se perde a criança que brinca, mas é "representar para..." Essa remissão própria a todo representar encontra aqui sua realização, tornando-se constitutiva para o ser da arte.

Em geral, apesar de serem por natureza representações e que neles os jogadores se representem, os jogos não são representados para alguém, ou seja, não há neles uma referência aos espectadores. No fundo, mesmo quando representam, as crianças jogam para si mesmas. E mesmo os jogos esportivos, que são executados sempre diante de espectadores, não têm em mente a estes. Justamente ao se transformarem numa competição de espetáculo correm o risco de perder seu verdadeiro caráter lúdico como competição. É o caso sobretudo da procissão, que faz parte da atividade cúltica e é mais do que um espetáculo, pois de acordo com seu sentido próprio abrange toda a comunidade de um culto. E, no entanto, o ato cúltico é uma verdadeira representação para a comunidade, assim como o espetáculo teatral é um processo lúdico que, por sua natureza, exige a presença do espectador. A representação de Deus no culto, a representação do mito no jogo não são, portanto, jogos apenas no sentido de que os jogadores participantes, por assim dizer, se perdem no jogo representativo, encontrando nisso, intensificada, sua autorrepresentação, mas ultrapassam a si mesmos representando uma totalidade de sentido para o espectador. Não é a falta de uma quarta parede, portanto, o que transformaria o jogo num espetáculo. Ao contrário, a abertura para o espectador contribui para formar o caráter fechado do jogo.

O espectador apenas realiza o que é o jogo como tal[206]. [115]

Esse é o ponto em que a determinação do jogo enquanto um processo medial mostra toda a sua importância. Já vimos que o ser do jogo não está na consciência nem no comportamento do joga-

---

206. Cf. nota anterior.

dor; o jogo atrai o jogador para a sua esfera, preenchendo-o com o seu espírito. O jogador experimenta o jogo como uma realidade que o sobrepuja. Isso vale com muito mais propriedade onde o jogo é propriamente "entendido" como sendo uma tal realidade; e este é o caso onde o jogo aparece como *representação para o espectador*, isto é, como espetáculo.

Mesmo o espetáculo teatral continua sendo jogo, isto é, tem a estrutura do jogo, estrutura de ser um mundo fechado em si mesmo. Mas, por mais fechado em si mesmo que seja o mundo representado no espetáculo cúltico ou profano, está como que aberto para o lado do espectador. É só neste que ganha o seu inteiro significado. Como em todo jogo, os atores representam seus papéis, e assim o jogo torna-se representação, mas o próprio jogo é o conjunto de atores (*Spielern*) e espectadores. De fato, é aquele que não participa do jogo mas assiste quem faz a experiência mais autêntica e que percebe a "intenção" do jogo. Nele o jogo (a representação) eleva-se à sua idealidade própria.

Para os jogadores, isso significa que não irão simplesmente exercer seus papéis como em todo e qualquer jogo; antes, representam seus papéis diante de outros, eles os representam para o espectador. Nesse caso, sua forma de participação no jogo não é mais determinada pelo fato de serem totalmente absorvidos e se perderem nele, mas por jogarem (representarem) seu papel por referência e tendo em vista o conjunto do espetáculo no qual não eles, mas os espectadores, devem ser totalmente absorvidos. O que acontece ao jogo como jogo quando se torna espetáculo é uma mudança total. Coloca o espectador no lugar do jogador (ator). É ele, e não o jogador (ator), para quem e em quem se joga (representa) o jogo (espetáculo). É claro que isso não quer dizer que também o jogador (ator) não poderá experimentar o sentido do todo em que ele, representando, desempenha seu papel. O espectador tem somente uma primazia metodológica: pelo fato de o jogo ser realizado para ele, torna-se patente que possui um conteúdo de sentido que deve ser entendido, podendo por isso ser separado do comportamento do jogador (ator). No fundo, aqui se anula a distinção entre jogador (ator) e espectador. A exigência de se visar o jogo mesmo, no seu conteúdo de sentido, é igual para ambos.

Isso deve ser assim, mesmo onde a comunidade dos jogadores (atores) se fecha frente a todos os espectadores, por exemplo, por combaterem a institucionalização social da vida artística, como quando se executa música em casa, onde se busca fazer música num sentido mais autêntico porque se destina aos próprios músicos e não ao público. Quem faz música dessa maneira esforça-se, na verdade, para que a música "saia" bem, mas isso significa: que saia corretamente para alguém que a escuta. Por sua própria natureza, a representação da arte é tal que se endereça a alguém mesmo quando não há ninguém que a ouça ou assista. [116]

2.1.2. A transformação do jogo em configuração (*Gebilde*) e a mediação total

A essa mudança em que o jogo humano alcança sua verdadeira consumação, tornando-se arte, chamo de *transformação em configuração*. É somente através dessa mudança que o jogo alcança sua idealidade, de modo que poderá ser pensado e compreendido enquanto tal. Somente agora mostra-se como que liberto da atividade representativa do jogador (ator) e constitui-se no puro fenômeno daquilo que eles jogam (representam). Como tal, o jogo – mesmo o imprevisível da improvisação – é, por princípio, repetível e, por isso mesmo, duradouro. Tem o caráter da obra, do "ergon" e não somente da "energia"[207]. É nesse sentido que o chamo de configuração.

O que se pode separar dessa maneira da atividade representativa do jogador (ator) permanece, no entanto, vinculado à representação. Essa vinculação não significa dependência no sentido de que o jogo (espetáculo) só receba a determinidade de seu sentido através dos que o representam, isto é, a partir dos representadores ou dos espectadores, e nem através de quem, como autor dessa obra, é seu real criador, o artista. Frente a todos eles, o jogo (espetáculo) possui uma autonomia absoluta, e é justamente o que deve assinalar o conceito de transformação.

A importância disso para a determinação do ser da arte só aparece se considerarmos seriamente o sentido de transformação. Trans-

---

207. Utilizo-me aqui da distinção clássica, pela qual Aristóteles destaca a *poiésis* da *praxis* (*Ética Eud.*, B. 1; *Ética a Nicômaco* A 1).

formação não é uma modificação, algo como uma modificação de porte especialmente grande. Modificação sempre sugere que aquilo que se modifica permanece e continua sendo o mesmo. Mesmo que se modifique totalmente, modifica-se algo nele. Categoricamente, toda modificação (*alloiosis*) pertence ao âmbito da qualidade, isto é, de um acidente da substância. A transformação, ao contrário, significa que algo se torna uma outra coisa, de uma só vez e como um todo, de maneira que essa outra coisa em que se transformou passa a constituir seu verdadeiro ser, em face do qual seu ser anterior é nulo. Quando encontramos alguém como que transformado, isso significa exatamente que se tornou uma outra pessoa. Aqui não pode haver transição, por modificações paulatinas, que conduza de um para o outro, uma vez que um é a negação do outro. Assim, a transformação em configuração significa que aquilo que era antes não é mais.

[117]   Mas também que o que agora é, que se representa no jogo da arte, é o verdadeiro que subsiste.

De imediato, também aqui se percebe claramente como o ponto de partida da subjetividade perde de vista a questão. Por um lado, desaparecem os jogadores, sendo que o poeta ou o compositor entra na mesma conta dos jogadores. Nenhum deles tem um ser-para-si próprio, um ser que ele manteria no sentido de que seu jogo significaria que "está apenas jogando". Se descrevemos do ponto de vista do jogador o que vem a ser o seu jogo, fica claro que não se trata de transformação mas de disfarce. Quem está disfarçado não quer ser reconhecido, mas quer aparecer como se fosse um outro e ser considerado como se fosse o outro. Aos olhos dos outros gostaria de não ser mais ele mesmo; gostaria de ser tomado por alguém. Não quer pois que o adivinhemos ou reconheçamos. Faz o papel de outro, mas ele joga da mesma forma que nós jogamos de alguma coisa na lida prática, isto é, meramente fingindo, simulando e aparentando. Aparentemente, quem joga o jogo dessa forma nega, de certo, a continuidade consigo mesmo. Mas na verdade isso significa que ele reserva para si essa continuidade consigo mesmo e só a sonega aos outros, para os quais representa.

Depois de tudo que desenvolvemos sobre a natureza do jogo, uma tal distinção subjetiva de si mesmo com relação ao jogo, distinção que é a base para se representar um papel, não é o genuíno ser do jogo. O jogo, ele mesmo, é uma transformação tal que a identidade daquele que joga não continua existindo para ninguém. A única coisa que se pode perguntar é qual é a "intenção" do que está aí. Os jogadores (ou poetas) não existem mais, existe apenas o que é jogado por eles.

O que não existe mais é, sobretudo, o mundo onde vivemos, que é o nosso próprio mundo. Transformação em configuração não é simplesmente transferência para um outro mundo. Certamente que é um outro mundo, fechado em si, no qual o jogo joga. Mas, na medida em que é configuração, encontrou sua medida em si mesmo e não se mede com nada que esteja fora de si mesmo. É assim que a ação de um espetáculo – e nisso se assemelha totalmente à ação cúltica – está aí de modo absoluto como algo que repousa em si mesmo. Não admite mais nenhuma comparação com a realidade como se esta fosse o padrão secreto de toda semelhança figurativa. É içada acima de toda comparação desse gênero – e com isso acima da questão de saber se tudo isso é real –, porque por ela está falando uma verdade superior. Mesmo Platão, o mais radical crítico da categoria ontológica da arte que a história da filosofia conhece, fala em ocasiões sem distinguir a comédia e a tragédia da vida com as do palco[208]. Isso só pode ocorrer porque essa distinção se anula quando alguém sabe perceber o sentido do jogo que se desenrola diante dele.

A alegria ante o espetáculo que se oferece é em ambos os casos a alegria do conhecimento. [118]

É só por isso que o que chamamos de transformação em configuração alcança seu sentido pleno. A transformação é na verdade transformação no verdadeiro. Não é encantamento no sentido de um feitiço que espera pela palavra redentora que irá fazer com que se volte a ser o que se era, mas ela mesma é a salvação e o retorno ao verdadeiro ser. Na representação do jogo surge o que é. Nela será sacado e trazido à luz aquilo que, noutras ocasiões, sempre se encobre e se retrai. Quem sabe perceber a comédia e a tragédia da

---

208. PLATÃO. *Filebo*, 50 b.

vida sabe também se subtrair à sugestão das finalidades que dissimulam o jogo que é jogado conosco.

"A realidade" encontra-se sempre num horizonte de futuro de possibilidades desejadas, temidas e, em todo caso, ainda não decididas. Por isso, ela sempre desperta expectativas que se excluem umas às outras, as quais nem todas podem ser realizadas. É a indefinição do futuro que permite um excesso de expectativas, de tal modo que a realidade acaba ficando necessariamente aquém de nossas expectativas. E quando ocorre um caso especial onde um nexo de sentido se fecha e se realiza no real, de modo que os encaminhamentos de sentido sessam de terminar no vazio, então uma tal realidade passa a ser como um espetáculo. Da mesma maneira, quem consegue ver o conjunto da realidade como um fechado círculo de sentido, no qual tudo se realiza, falará propriamente da comédia e da tragédia da vida. Todos esses casos em que a realidade é entendida como jogo mostram o que é a realidade do que caracterizamos como o jogo da arte. O ser de todo jogo é sempre resgate, realização pura, *energeia*, que traz seu *telos* em si mesmo. O mundo da obra de arte, no qual um jogo se manifesta plenamente na unidade de seu decurso, é, de fato, um mundo totalmente transformado. Nele toda e qualquer pessoa reconhece que "assim são as coisas!"

O conceito de transformação, portanto, deve caracterizar o modo de ser independente e superior daquilo que denominamos configuração. A partir dele, aquilo que chamamos de realidade será caracterizado como não transformado, e a arte, como a subsunção dessa realidade na verdade. Também a antiga teoria da arte, que propõe o conceito de *mimesis*, da "imitação", como a base de todas as artes, partiu aqui claramente do jogo que, como dança, é a representação do divino[209].

Mas o conceito de imitação só consegue descrever o jogo da arte se não perder de vista o *sentido cognitivo* que se encontra na imitação. O representado encontra-se aí, e esta é a relação mímica

---

209. Cf. a pesquisa de Koller, *Mimesis*, 1954, que revela o nexo originário entre *mimesis* e dança.

originária. Quem imita alguma coisa torna presente o que ele conhece e como o conhece. É imitando que a criança começa a brincar, confirma assim o que conhece confirmando a si mesma. Também o prazer que as crianças encontram em se disfarçar, a respeito do que já se manifesta Aristóteles, não é na intenção de se esconder, uma simulação a fim de que se adivinhe e se reconheça quem está por trás disso; é antes uma representação que só deixa subsistir o representado. Por nada desse mundo a criança vai querer ser adivinhada por trás de seu disfarce. O que ela representa deve ser, e, se algo deve ser adivinhado, é exatamente isso. Terá de ser reconhecido o que isto "é"[210]. [119]

Dessa reflexão retenhamos o seguinte: O sentido do conhecimento da *mimesis* é reconhecimento. Mas o que vem a ser reconhecimento? É só uma análise mais exata do fenômeno que irá mostrar o sentido ontológico da representação, que é o que nos interessa. Sabemos que já Aristóteles destaca a representação artística que faz com que mesmo o que é desagradável pareça agradável[211], e Kant define a arte como a bela representação de uma coisa porque a arte sabe fazer parecer belo mesmo o que é feio[212]. Com isso, é claro, não estamos nos referindo ao artifício e à habilidade artística como tais. Não costumamos admirar, como no caso dos artistas de circo, a arte com que se faz alguma coisa. A isso dedicamos apenas um interesse secundário, como diz expressamente Aristóteles[213]. O que propriamente experimentamos numa obra de arte e para onde dirigimos nosso interesse é, antes, como ela é verdadeira, isto é, em que medida conhecemos e reconhecemos algo e a nós próprios nela.

Mas não compreenderemos o que é o reconhecimento, em sua essência mais profunda, se atentarmos apenas ao fato de que ali reconhecemos algo que já conhecíamos, isto é, o fato de que o conhecido é reconhecido. A alegria do reconhecimento reside, antes, no fato de identificarmos *mais* do que somente o que é conhecido. No re-

---

210. Aristóteles, *Poética*, 4, principalmente 1448 b 16: *sullogizesthai ti ekaston, oion outos ekeinos*.
211. Op. cit., 1448, b 10.
212. Kant, Kritik der Urteilskraft, § 48.
213. [Aristóteles, *Poética* 4, 1148 b 10s.]

conhecimento, o que conhecemos desvincula-se de toda casualidade e variabilidade das circunstâncias que o condicionam, surgindo de imediato como que através de uma iluminação, sendo apreendido em sua essência. Ele é reconhecido como algo.

Encontramo-nos aqui diante do tema central do platonismo. Juntamente com sua doutrina da "anamnesis", Platão concebeu a ideia mítica da reminiscência junto com o caminho de sua dialética, que procura a verdade do ser nos *logoi*, isto é, na idealidade da linguagem[214]. De fato, um tal idealismo da essência aponta para o fenômeno do reconhecimento. O "conhecido" alcança o seu ser verdadeiro e mostra-se como o que ele é apenas através do reconhecimento. Enquanto reconhecido, é aquilo que é preservado em sua essência, liberto da casualidade de seus aspectos.

[120] Isso se aplica perfeitamente ao tipo de reconhecimento que ocorre no jogo, face à representação. Uma tal representação deixa atrás de si tudo que seja casual e secundário, p. ex., o ser peculiar e especial do ator. Ele desaparece inteiramente no conhecimento daquilo que ele representa. Mas também aquilo que é representado, o conhecido processo da tradição mitológica, através da representação será elevado também à sua verdade válida. Tendo em vista o conhecimento do verdadeiro, o ser da representação é mais do que o ser da matéria representada, o Aquiles de Homero é mais do que seu modelo originário[215].

A relação mímica originária que examinamos inclui não somente o fato de que o representado está aí, mas também que tenha chegado no aí (*ins Da*) de modo mais autêntico. A imitação e a representação não são apenas uma repetição que copia, mas conhecimento da essência. Como não são mera repetição (*Wiederholung*), mas extração (*Hervorholung*), nelas está coreferido também o espectador. Contêm em si uma referência essencial para cada pessoa, para a qual se faz a representação.

Podemos ir mais longe e dizer que a representação da essência não é uma mera imitação, tendo inclusive um caráter ostensivo.

---

214. PLATÃO. *Phid.*, 73s.
215. [Cf. KUHN, H. *Sokrates*, Versuch über den Ursprung der Metaphysik. Berlim: [s.e.], 1934.]

Quem imita tem de deixar algo de fora ou realçar algo. Porque mostra, queira ou não, terá de exagerar [*aphhairein* e *synhoran* são ligados entre si também na teoria platônica das ideias]. Nesse sentido, existe uma distância ontológica intransponível entre o ente que "é assim como" e aquele ao qual ele quer se igualar. Sabe-se que Platão insistiu nesse distanciamento ontológico, apoiado no fato de que a cópia fica sempre mais ou menos atrás de seu modelo originário, e a partir daí, relegou à terceira categoria a imitação e a representação no jogo da arte, tidas como uma imitação da imitação[216]. Na verdade, o que está em obra na representação da arte é o reconhecimento que se caracteriza como um genuíno conhecimento da essência e o que fundamenta isso é justamente o fato de que Platão entende todo conhecimento da essência como reconhecimento: Aristóteles pôde afirmar que a poesia é mais filosófica do que a história[217].

Enquanto representação, a imitação tem uma função congnitiva eminente. Por esse motivo, o conceito de imitação pôde satisfazer a teoria da arte até que não se discutiu o significado cognitivo da arte. Mas isso só será válido enquanto permanecer garantido que conhecimento do verdadeiro é conhecimento da essência[218], já que a arte serve a esse conhecimento de uma maneira convincente.

Mas para o nominalismo da ciência moderna e o seu conceito [121] de realidade, do qual Kant tirou as consequências que levam ao agnosticismo no âmbito da estética, o conceito de *mimesis* perdeu sua vinculação estética.

Depois que as aporias dessa guinada subjetiva da estética se tornaram nítidas para nós, vemo-nos referidos outra vez à mais antiga tradição. Se a arte não é a variedade de vivências cambiantes, cujo objeto é preenchido cada vez com significado subjetivo como

---

216. PLATÃO. *República*, X [cf. *Plato und die Dichter*, 1934; agora nas Obras Completas, vol. 5].
217. ARISTÓTELES. *Poética*, 9, 1451 b 6.
218. Na teoria da arte do século XVIII, Anna Tumarkin apontou, com muita exatidão, a transição da "imitação" para a "expressão" (*Festschrift für Samuel Singer*, 1930). [Cf. BEIERWALTES, W. *Sitzungsberichte der Heidelberger Akademie der Wiss.*, 1980, Abh. 11, no seu escrito sobre Marsilius Ficinus. O conceito neoplatônico da *ektupósis* transforma-se na "expressão" de si mesmo: Petrarca. Cf. no que segue, p. 341, 471 (do original) e excurso VI, no vol. II.]

se fosse uma fórmula vazia, a "representação" terá de ser reconhecida como o modo de ser da própria obra de arte. Isso deveria ser preparado derivando o conceito de representação do conceito de jogo, na medida em que o representar-se é a verdadeira essência do jogo – e com isso também da obra de arte. Através de sua representação, o jogo jogado interpela o espectador e de tal modo que este passa a ser parte integrante do objeto, apesar de todo o distanciamento do estar de frente para o espetáculo.

Observa-se isso com maior nitidez na forma de representação que é a ação cúltica. Aqui fica muito patente sua relação com a comunidade. Por mais reflexiva que seja, uma consciência estética não pode mais achar que somente a distinção estética, que quer dar autonomia ao objeto estético, atinja o verdadeiro sentido da imagem cúltica ou da cerimônia religiosa. Ninguém poderá imaginar que a execução da ação cúltica seja algo inessencial para a verdade religiosa.

A mesma coisa e de maneira semelhante vale para o espetáculo teatral em si e para o que é enquanto poesia. A encenação de um espetáculo teatral não pode ser separada dele como algo que não pertence ao seu ser essencial, já que é tão subjetivo e fugidio como as vivências estéticas nas quais é experimentado. Antes, é só na execução que encontramos a obra ela mesma – o mais claro exemplo é o da música – assim como no culto encontra-se a divindade. Fica claro aqui o ganho metodológico que se obtém partindo-se do conceito de jogo. A obra de arte não pode simplesmente ser isolada da "contingência" das condições de acesso sob as quais se mostra, e onde isso ocorre o resultado é uma abstração que reduz o verdadeiro ser da obra. O espetáculo só acontece onde está sendo representado, e para ser música deve soar.

Minha tese portanto é que o ser da arte não pode ser determinado como objeto de uma consciência estética, porque, por seu lado, o comportamento estético é mais do que sabe de si mesmo. [122] É uma parte do *processo ontológico da representação* e pertence essencialmente ao jogo como jogo.

Que consequências ontológicas tem isso? Se partirmos assim do caráter lúdico do jogo, o que é que resulta para determinar mais acuradamente o modo de ser do ser estético? Uma coisa é clara: o espetáculo teatral e a obra de arte entendida a partir dele não são um mero sistema de regras e de prescrições comportamentais, no âmbito das quais o jogo poderia se realizar livremente. O representar de um espetáculo não quer ser entendido como a satisfação de uma necessidade lúdica, mas como um entrar da própria poesia na existência. Assim, a questão é saber o que é propriamente essa obra poética, de acordo com o seu ser, uma vez que só se torna espetáculo quando é representada, na representação, e que o que nisso se torna representação é o seu ser próprio.

Recordamos aqui a fórmula, utilizada acima, da "transformação em configuração". O jogo é configuração. Essa tese significa: a despeito de sua dependência do ser representado, trata-se de um todo significativo, que como tal pode ser representado e entendido em seu sentido repetidas vezes. Mas também a configuração é jogo porque, a despeito dessa sua unidade ideal, somente alcança seu ser pleno a cada vez que é representada. O que precisamos acentuar contra a abstração da distinção estética é a mútua pertença de ambos os aspectos.

Por outro lado, à distinção estética, ao verdadeiro elemento constitutivo da consciência estética, podemos contrapor agora a *"não distinção estética"*. Com isso, ficou claro que o que é imitado na imitação, formulado pelo poeta, representado pelo ator, reconhecido pelo espectador, é o que se visa (*Gemeinte*) e o que contém o significado da representação, de tal modo que a formulação poética ou o desempenho da representação não ganham nenhuma distinção. Onde se distingue, o que se distingue é a matéria de sua formulação, a composição poética de sua "concepção". Mas essas distinções são secundárias. O que o ator representa e o espectador reconhece são as configurações e a ação, elas mesmas, como foram formuladas pelo poeta. Temos aqui uma *dupla mimesis*: o poeta representa e o ator representa. Mas justamente essa dupla *mimesis* é *una*: Aquilo que ganha existência numa e na outra é a mesma coisa.

Podemos precisar melhor isso dizendo que a representação mímica que se dá na execução confere a presença ao que a obra literária propriamente buscava. À dupla distinção entre obra literária e

[123] sua matéria e obra literária e a execução, corresponde uma dupla não distinção, tida como a unidade da verdade, que se reconhece no jogo da arte. Perde-se a efetiva experiência de uma obra literária quando se interroga, por exemplo, sobre a fábula que lhe serve de origem, e da mesma forma perde-se a efetiva experiência do espetáculo quando o espectador reflete sobre a concepção que está à base de uma execução, ou sobre o desempenho do ator como tal. Esse tipo de reflexão já contém a distinção estética da própria obra com relação à sua representação. Mas como vimos, para o conteúdo da experiência como tal é indiferente se a cena trágica ou cômica que se desenrola diante de alguém está acontecendo no palco ou na vida, quando não se dá mais que espectador. O que chamamos de configuração só é assim na medida em que se representa como um todo com sentido. Não é algo que seja em si, que além do mais se encontra numa mediação acidental, mas alcança o seu ser verdadeiro na mediação.

A variedade das encenações ou execuções de uma tal configuração pode muito bem depender da concepção dos atores; mas esta também não fica encerrada na subjetividade de sua opinião, mas está aí corporalmente. Portanto, não se trata de uma variedade meramente subjetiva de concepções, mas sim de possibilidades de ser, próprias da obra, que também interpreta a si mesma na variedade de seus aspectos.

Com isso não se quer negar que aqui resida um possível ponto de partida para a reflexão estética. Em diversas encenações da mesma peça teatral pode-se, por exemplo, diferenciar um modo de mediação de outro, assim como se pode imaginar diversamente também as condições de acesso a obras de arte de gêneros diferentes, p. ex., quando se examina um edifício perguntando qual o efeito que produziria "em separado" ou como deveria parecer seu entorno; ou quando nos encontramos diante da questão da restauração de um quadro. Em todos esses casos distingue-se a obra em si de sua "representação"[219]. Mas quando se considera que as varia-

---

219. Um problema especial é saber se no processo da própria formulação não deveríamos considerar que a reflexão estética já está agindo no mesmo sentido. É inegável que, em relação à ideia de sua obra, o criador está em condições de sopesar diversas possibilidades de lhe dar forma, bem como de compará-las e julgá-las criticamente. Não obstante, creio que esta só-

ções na representação podem ser livres e arbitrárias, se está ignorando a vinculabilidade da obra de arte. Na verdade, todas elas se subordinam ao padrão da representação "correta"[220]. [124]

Conhecemos isso, por exemplo, no teatro moderno, como a tradição que provém de uma encenação, da criação de um personagem ou da prática de uma execução musical. Isso não tem nada a ver com uma justaposição artibrária, uma mera variedade de concepções; ao contrário, a partir da retomada constante de modelos e da modificação produtiva forma-se uma tradição, com a qual cada nova tentativa terá de dialogar. O artista reprodutivo tem uma certa consciência disso. De alguma forma, o modo pelo qual ele se aproxima de uma obra ou de um personagem já está sempre referido a modelos que fizeram a mesma coisa que ele. De modo algum se trata aqui de uma imitação cega. A tradição criada por um grande ator, regente ou músico, na medida em que seu modelo continua atuante, não representa necessariamente um obstáculo para a livre criação, mas se terá fundido de tal maneira com a própria obra que o confronto com esse modelo estimula a recriação criativa posterior de todo artista tanto quanto a própria obra. As artes reprodutivas possuem exatamente esse algo especial, ou seja, que as obras com as quais elas se ocupam autorizam essas recriações,

---

bria lucidez, que é inerente à própria criação, é coisa muito diferente da reflexão estética e da crítica estética, que podem surgir na própria obra. Pode ser que o que para o criador foi objeto de reflexão, ou seja, as possibilidades de formulação, possa ser também o ponto de partida para uma crítica estética. Todavia, mesmo no caso dessa coincidência de conteúdo entre a reflexão criadora e a reflexão crítica, a medida é diferente. O fundamento da crítica estética é uma distorção da compreensão unitária, enquanto que a reflexão estética do criador se orienta para a consecução da unidade da própria obra. Mais tarde veremos quais as consequências hermenêuticas dessa comprovação.

Continua me parecendo um resíduo de falso psicologismo, procedente da estética do gosto e da estética do gênio, o fato de que se faça coincidir na ideia o processo de produção e de reprodução. Com isso, ignora-se o acontecimento que ultrapassa a subjetividade tanto do criador como da pessoa que a desfruta, o êxito que alcança uma obra.

220. Não posso considerar correto que R. Ingarden, em suas "Bemerkungen zum Problem des ästhetischen Werturteils", in: *Rivista di Estetica*, 1959 – cujas análises do "esquematismo" da obra de arte literária costumam ser pouco levadas em conta –, considere o campo de jogo da valorização estética da obra de arte em sua concreção como "objeto estético". O objeto estético não é constituído pela vivência da recepção estética, mas, em virtude de sua concretização e constituição, é a própria obra de arte que se experimenta em sua qualidade estética. Nisso concordo plenamente com a *Estética da formatividade*, de L. Pareyson.

mantendo assim visivelmente abertas para o futuro a identidade e a continuidade da obra de arte[221].

É possível que o padrão que se aplica nesse caso para medir se algo é uma "representação correta" seja extremamente móvel e relativo. Mas o caráter vinculativo de uma representação não será diminuído pelo fato de ter de renunciar a um padrão fixo. Assim, certamente não iremos permitir que a interpretação de uma obra musical ou de um drama possa tomar o "texto" fixado como ocasião para produzir efeitos aleatórios; ao contrário, a canonização de uma determinada interpretação, p. ex., uma gravação discográfica dirigida pelo compositor ou as prescrições detalhadas de execução que procedem da estreia canonizada de uma peça, seriam consideradas como falta de compreensão da verdadeira tarefa da interpretação. Uma "correção" que se procurasse alcançar dessa maneira não faria justiça à vinculabilidade genuína da obra, que vincula cada intérprete de uma forma própria e imediata através da mera imitação de um modelo.

[125]

Também seria evidentemente falso limitar a "liberdade" reprodutiva a exterioridades e a fenômenos marginais, em vez de conceber o todo de uma reprodução como obrigatório e livre ao mesmo tempo. Num certo sentido, a interpretação é um recriar (*Nachschaffen*), mas esse recriar não segue um ato criativo precedente mas sim a figura de uma obra criada, que o intérprete deve representar segundo o sentido que encontrou aí. Representações historicizantes como, p. ex., a música tocada em instrumentos antigos nem por isso são tão fiéis como imaginam. Antes, enquanto imitação da imitação, estão correndo o risco de encontrar-se "triplamente afastadas da verdade" (Platão).

Em face da finitude da nossa existência histórica, parece que a ideia de uma única representação correta possui algo de absurdo.

---

221. Mais tarde veremos que isto não se restringe às artes reprodutivas, pois abrange toda a obra de arte, inclusive toda configuração de sentido que se abre a uma nova compreensão. [Nas p. 165s. (original), discute-se a posição-limite da literatura e tematiza-se, com isso, a significação universal da "leitura" como a construção temporal do sentido. Cf.: *Versuch einer Selbstkritik*, vol. 2. das Obras Completas, p. 3s.]

Voltaremos a falar sobre isso noutro contexto[222]. Aqui, o fato evidente de que toda representação quer ser correta serve apenas para confirmar que a não distinção entre a mediação e a obra ela mesma é a verdadeira experiência da obra. Coincide com isso o fato de que a consciência estética só consegue realizar a distinção estética entre a obra e a sua mediação em forma de crítica, portanto, aí onde essa mediação malogra. Por essência, a mediação é total.

A mediação total significa que aquele que mediatiza suspende a si mesmo enquanto serve de mediador. Isso quer dizer que a reprodução como tal (no caso de peça teatral ou de música, mas também no recital épico ou lírico) não se torna temática, mas através dela e nela a obra torna-se representação. Veremos que a mesma coisa vale para o caráter de acesso e de encontro, em que se representam construções e quadros. Também aqui o acesso, como tal, não é temático, mas também não é necessário abstrair dessas relações de vida para compreender a própria obra. Antes, está nelas próprias. O fato de que existem obras que se originam num passado, a partir donde penetram no presente como monumentos duradouros, de modo algum converte seu ser num objeto da consciência estética ou histórica. Enquanto mantêm suas funções, elas são contemporâneas a todo e qualquer presente. Mesmo quando só encontram ainda lugar nos museus, não estão totalmente alheadas de si mesmas. Não só porque uma obra de arte jamais deixa apagar inteiramente os traços de sua função originária, possibilitando ao perito restaurá-la quando a conhece; a obra de arte que ocupa seu lugar ao lado de outras na galeria continua a ser sempre uma origem por si própria. Dá validade a si mesma, e o modo como o faz – "matando" as demais ou harmonizando-se com elas e completando-as – é algo que provém de si mesma. [126]

Perguntamos pela identidade desse si-mesmo, que se representa tão diversamente na mudança dos tempos e das circunstâncias. É evidente que, apesar dos aspectos cambiantes de si mesmo, não se desagrega a ponto de perder sua identidade, mas está presente

---

222. [A estética da recepção, desenvolvida por H.R. Jauss, defendeu esse ponto de vista, mas de uma forma tão enfatizada que acabou se aproximando sem querer da "*dekonstruktion*" de Derrida. Cf. meu trabalho "Text und Interpretation", vol. II, no qual faço referência a "Zwischen Phänomenologie und Dialektik – Versuch einer Selbstkritik", vol. II.]

em todos eles. Todos lhe pertencem. Todos eles são *simultâneos* a ela. Assim nos deparamos com a tarefa de uma interpretação temporal da obra de arte.

2.1.3. A temporalidade da estética

Que simultaneidade é essa? Que temporalidade é essa que convém ao ser estético? Em geral, a essa simultaneidade e essa presencialidade do ser estético chamamos de a-temporalidade. Mas a tarefa que se apresenta é pensar essa a-temporalidade juntamente com a temporalidade à qual pertence essencialmente. De início, a a-temporalidade não é nada mais que uma determinação dialética que se eleva sobre o fundamento da temporalidade e sobre a oposição em relação à temporalidade. Também o discurso sobre duas temporalidades, uma temporalidade histórica e uma temporalidade supra-histórica, pelas quais Sedlmayr procura determinar a temporalidade da obra de arte em correlação com Baader e reportando-se a Bollnow[223], não consegue ultrapassar uma oposição dialética. O tempo "sagrado", supra-histórico, no qual o "presente" não é o momento efêmero mas a plenitude do tempo, é descrito do ponto de vista da temporalidade "existencial", pouco importando o que a caracterize, seja a indolência, o desembaraço, a inocência ou o que quer que seja. Percebe-se a insuficiência dessa objeção quando analisamos a questão e concedemos que o "verdadeiro tempo" soergue-se no "tempo-aparente" histórico-existencial. Um tal soerguimento teria, evidentemente, o caráter de uma epifania; isto significa, porém, que seria sem continuidade para a consciência que o experimenta.

Com isso repetem-se no fundo as aporias da consciência estética que apresentamos acima. Pois é justamente a continuidade que tem de produzir toda compreensão do tempo, mesmo quando se trata da temporalidade da obra de arte. É aqui que o mal-entendido que se deu com a exposição ontológica do horizonte do tempo de Heidegger se vinga. Em vez de reter o sentido metodológico da análise existencial da pré-sença, procura-se tratar essa temporalidade existencial e histórica da pré-sença, determinada pela cura, pelo preceder a morte, isto é, pela finitude radical, como uma entre outras

---

223. SEDLMAYR, Hans. *Kunst und Wahrheit*, 1958, p. 140s.

possibilidades de compreensão da existência, esquecendo além do mais que o que se revela aqui como temporalidade é o próprio modo de ser da compreensão. Querer distinguir a verdadeira temporalidade da obra de arte, como "tempo sagrado", do tempo decadente e histórico, não passa, na verdade, de um mero reflexo da experiência humano-finita da arte. Somente uma teologia bíblica do tempo, cujo saber não procede do ponto de vista da autocompreensão humana, mas da revelação divina, poderia falar de um "tempo sagrado" e legitimar teologicamente a analogia entre a a-temporalidade da obra de arte e esse "tempo sagrado". Sem essa legitimação teológica, o discurso sobre o "tempo sagrado" encobre o verdadeiro problema que reside não no fato de a obra de arte poder subtrair-se ao tempo, mas na sua temporalidade.

Voltemos a retomar a nossa questão: que temporalidade é essa?[224]

Partimos do fato de que a obra de arte é jogo, isto é, que seu verdadeiro ser não é separável de sua representação e que na representação surge a unidade e identidade de uma configuração. A dependência que esta tem de representar-se faz parte de sua essência. Isso significa que, por mais mudança e desfiguração que a representação venha a sofrer, continua sendo a mesma. O que perfaz a vinculabilidade de toda e qualquer representação é justamente o fato de conter ela mesma a referência para com a configuração e de se subordinar ao padrão de correção que se deriva daí. Isso pode ser confirmado até mesmo no caso extremo e privativo de uma representação absolutamente deformadora. Torna-se consciente como deformação, na medida em que a representação é julgada e pensada como representação da própria configuração. A representação tem, de forma inextinguível e inseparável, o caráter da repetição do mesmo. É claro que, aqui, repetição não significa que algo

---

224. Com relação ao que se segue, cf. a sólida análise de R. e G. Koebner, *Vom Schönen und seiner Wahrheit*, 1957, que o autor veio a conhecer quando o seu próprio trabalho já estava concluído. Cf. resenha na *Philosophische Rundschau*, 7, p. 79. [Entrementes, já realizei outros trabalhos sobre o assunto, "Über leere und erfüllte Zeit", *Kleine Schriften*, III, p. 221-226; atualmente no vol. IV das Obras Completas. "Über das Zeitproblem im Abendland", *Kleine Schriften*, IV, p. 17-33, atualmente no vol. IV das Obras Completas. "Die Kunst des Feierns". In: Schultz, J. (org.). *Was der Mensch braucht*. Stuttgart: [s.e.], 1977, p. 61-70. • *Die Aktualität des Schönen*. Stuttgart: [s.e.], 1977, p. 29s.]

venha a se repetir em sentido próprio, isto é, seja reconduzido a um original.

[128] Ao contrário, toda repetição é tão original quanto a própria obra.

Conhecemos o caráter extremamente enigmático da estrutura do tempo que se encontra aqui, a partir da festa[225]. A repetição é constitutiva das festas, pelo menos das festas periódicas. É o que chamamos de retorno da festa. No entanto, a festa que retorna não é uma outra nem a mera reminiscência de algo festejado na sua origem. O caráter originariamente sacral de todas as festas exclui, evidentemente, essas distinções que conhecemos da nossa experiência do tempo como presente, recordação e expectativa. A experiência temporal da festa é, antes, a *celebração* que é um presente *sui generis*.

Não é fácil compreender o caráter temporal da celebração a partir da experiência corrente do tempo como sucessão. Se referirmos o retorno da festa à experiência corrente do tempo e às suas dimensões, ela nos parecerá uma temporalidade histórica. A cada vez que ocorre, a festa vai se modificando, pois o que é simultâneo com ela é sempre algo diverso. Mesmo assim, também sob esse aspecto histórico continuaria sendo uma e a mesma festa que vai sofrendo tais mudanças. Na sua origem, era assim e era festejada de uma maneira, depois foi se modificando e mais tarde modificou-se novamente.

Todavia, de modo algum esse aspecto atinge o caráter temporal da festa, que reside no fato de ser celebrada. As referências históricas da festa não são secundárias para sua essência. Enquanto festa, sua identidade não será moldada por um dado histórico; tampouco é determinada a partir de sua origem, no sentido de que outrora era a festa genuína, diferentemente do modo como veio a ser celebrada com o passar do tempo. Antes, o fato de ser celebrada regularmente deve-se à sua origem, p. ex., através de sua instituição ou através de sua paulatina introdução. Está de acordo com a sua própria essência original que ela seja sempre diferente (ainda que

---

225. W.F. Otto e K. Kerényi têm o mérito de haverem reconhecido o significado da festa para a história da religião e na antropologia; cf. KERÉNYI, Karl. *Vom Wesen des Festes. Paideuma*, 1938. [Cf., entrementes, *Die Aktualität des Schönen*, p. 52s. e o ensaio acima citado, *Die Kunst des Feierns.*]

seja celebrada "exatamente do mesmo modo"). O ente que só é na medida em que sempre é diferente é um ente temporal num sentido mais radical do que tudo que pertence à história. Só possui seu ser no devir e no retornar[226].

A festa só existe na medida em que é celebrada. Com isso não se [129] quer dizer, de maneira alguma, que seja de caráter subjetivo e que só tenha o seu ser na subjetividade dos que a celebram. Antes, celebra-se a festa porque chegou o seu dia, ela está aí. O mesmo se dá com o espetáculo teatral, que deve ser representado para o espectador e no entanto o seu ser não é, em absoluto, um mero ponto de reencontro de vivências dos espectadores. Antes, o ser do espectador é determinado por sua "assistência" (*Dabeisein*). Assistir é mais que um mero estar ali concomitantemente junto com alguma outra coisa. Assistir significa participar. Quem assistiu alguma coisa conhece em conjunto como foi realmente. É só num sentido derivado que assistir também denota uma forma do comportamento subjetivo, ou seja, "estar na coisa". O ato de ser espectador é, pois, uma forma de participação verdadeira. Podemos recordar aqui o conceito de comunhão sacral que é a base do originário conceito grego da *theoria*. Sabe-se que *Theoros* significa o participante de uma delegação de festa. Os membros de uma delegação de festa não possuem nenhu-

---

226. Para caracterizar o modo de ser do *apeiron*, portanto, em sua relação com Anaximandro, Aristóteles se refere ao ser do dia e da competição, portanto, da festa (*Physica*, III, 6, 206 a 200). Será que se pode considerar que o próprio Anaximandro já tentou determinar a permanência do *apeiron* por referência a esses fenômenos puramente temporais? Será que tinha em mente algo mais do que aquilo que se percebe nos conceitos aristotélicos de devir e ser? Pois a imagem do dia encontra-se ainda, numa função eminente, noutro contexto diferente: No *Parmênides*, 131 b, de Platão, Sócrates procura ilustrar a relação da ideia com as coisas, com a presença do *dia* que existe para todos. O que aqui se demonstra com o ser do dia não é que o dia é o único a ser enquanto tudo passa, mas a indivisível presença e *parusia* do *mesmo*, sem prejuízo de que o dia seja diferente em cada lugar. Quando os pensadores originários pensavam o ser, isto é, a presença, será que o que é o presente poderia aparecer-lhes na comunicação sacral em que se mostra o divino? Para o próprio Aristóteles, a parusia do divino é o ser mais autêntico, a *energeia* que não é limitada por nenhuma *dynamis* (*Met.*, XIII, 7). Esse caráter temporal não é concebível a partir da experiência habitual do tempo como sucessão. A dimensão do tempo e a experiência que temos dele somente permitem compreender o retorno da festa como um retorno histórico. Uma e a mesma coisa se transforma a cada vez. Na verdade, uma festa não é sempre a mesma coisa, mas só é na medida em que é sempre diferente. Um ente que somente é na medida em que é sempre diferente é um ente temporal em sentido radical. Possui seu ser em seu devir. Sobre o caráter ontológico da *Weile* (pausa, momento de repouso), cf. HEIDEGGER, M. *Hozwege*. p. 322s. [Aqui penso poder contribuir com algo em relação à pertença comum de Heráclito e Platão e também para o problema em questão. Cf. meu trabalho "Vom Anfang bei Heraklit" (agora no vol. VI das Obras Completas, p. 232-241) e meu "Heraklit Studien", no vol. VII das Obras Completas.]

ma outra qualificação e função além de assistir à festa. No sentido genuíno da palavra, *theoros* significa o espectador que, por sua assistência, participa do ato festivo e através disso adquire sua caracterização jurídico-sacral, p. ex., sua imunidade.

É assim que a metafísica grega compreende também a essência da *theoria*[227] e do *nous* como sendo o puro assistir o ser verdadeiro[228]; também para nós a capacidade de se comportar teoricamente é definida pelo fato de que, ante uma questão, podemos nos esquecer de nossos próprios objetivos[229].

[130] Mas em princípio a *theoria* não deve ser pensada como um comportamento da subjetividade, como uma autodeterminação do sujeito, mas a partir daquilo que o sujeito está olhando. A *theoria* é verdadeira participação, não é atividade; é um sofrer (*pathos*), isto é, um ser atraído e dominado pela visão (*Anblick*). Partindo dessa perspectiva, recentemente, G. Krüger procurou tornar compreensível o pano de fundo religioso do conceito grego da razão[230].

---

227. [Com relação ao conceito de "Teoria", cf. GADAMER, H.-G. *Lob der Theorie*. Frankfurt: [s.e.], 1983, p. 26-50.]
228. Cf. minha dissertação *Zur Vorgeschichte der Metaphysik*, sobre a relação de "ser" e "pensar", em Parmênides (Anteile, 1949). [Atualmente no vol. VI das Obras Completas, p. 9-29.]
229. Cf. acima o que foi dito sobre "formação" nas p. 15s. (original).
230. Cf. KRÜGER, G. *Einsicht und Leideschaft. Das Wesen des platonischen Denkens*, 1940. Sobretudo a introdução deste livro contém ideias muito importantes. Entrementes, um curso publicado por Krüger *Grundfragen der Philosophie*, 1958, tornou mais claras as intenções sistemáticas do autor. Vamos fazer aqui algumas observações. A crítica de Krüger ao pensamento moderno e a sua emancipação de todo vínculo com a "verdade ôntica" me parece fictícia. A própria filosofia da idade moderna nunca pôde esquecer que a ciência moderna jamais renunciou nem poderá renunciar à sua vinculação fundamental com a experiência, mesmo que seus procedimentos tenham sido construtivos. Basta pensar no questionamento kantiano de como é possível uma ciência natural pura. Não obstante, também não seria justo interpretar o idealismo especulativo de uma maneira tão parcial como o faz Krüger. Sua construção da totalidade de todas as determinações do pensar não é, de modo algum, a elaboração reflexiva de uma imagem do mundo arbitrária e inventada, mas pretende integrar no pensamento a absoluta aposterioridade da experiência. Este é o sentido exato da reflexão transcendental. O exemplo de Hegel pode ensinar que isso possibilita inclusive pretender renovar o antigo realismo conceitual. O modelo de Krüger sobre o pensamento moderno orienta-se inteiramente segundo o extremismo desesperado de Nietzsche. Seu perspectivismo da vontade de poder não está em concordância com a filosofia idealista, mas nasce do solo preparado pelo historicismo do século XIX depois do sossobro da filosofia do idealismo. Tampouco posso apreciar a teoria diltheyana do conhecimento nas ciências do espírito, nos moldes como fez Krüger. Creio, pelo contrário, que o que importa é corrigir a interpretação filosófica das modernas ciências do espírito que vem se realizando até o momento e que também em Dilthey aparece demasiadamente fixada no pensamento metodológico unilateral das ciências naturais exatas. [Cf. para isso meus trabalhos mais recentes "Wilhelm Dilthey nach 150 Jahren", *Phänomenologische Forschungen*, 16 (1984), p. 157-182 (vol. IV das *Ges. Werke*) e "Dilthey und Ortega. Ein Kapitel europäischer Geistesgeschichte", conferên-

Nosso ponto de partida foi que o verdadeiro ser do espectador, que pertence ao jogo da arte, não pode ser compreendido adequadamente a partir da perspectiva da subjetividade como uma forma de comportamento da consciência estética. Mas isso não significa que também não podemos descrever a natureza do espectador a partir daquele assistir que destacamos acima. O assistir, enquanto uma produção subjetiva do comportamento humano, tem o caráter do estar-fora-de-si.

No *Fedro* Platão já assinalou a falta de compreensão que existe quando, baseados numa sagacidade racional, costumamos ignorar o caráter extático do estar-fora-de-si (*Aussersichsein*), reduzindo-o assim a uma mera negação do estar-em-si (*Beisichsein*), portanto, uma espécie de desvario. Na verdade, o estar-fora-de-si é a possibilidade positiva de estar inteiramente em alguma coisa. Esse estar presente tem o caráter de um autoesquecimento. O estar entregue a uma visão, totalmente esquecido de si, é constitutivo da natureza do espectador. Aqui, o autoesquecimento pode ser tudo, menos um estado privativo, pois procede da dedicação total à causa, que constitui a contribuição positiva própria do espectador[231]. [131]

---

cia apresentada no Congresso sobre Dilthey em Madri, 1983 (vol. IV das *Ges. Werke*) e "Zwischen Romantik und Positivismus". Conferência apresentada no Congresso sobre Dilthey em Roma, 1983 (vol. IV das *Ges. Werke*)]. Obviamente, estou de acordo com Krüger quando apela para a experiência vital e a experiência do artista. Não obstante, a permanente validez dessas instâncias no nosso pensamento me parece antes demonstrar que a oposição entre pensamento antigo e moderno, tão aguçada por Krüger, é, por sua vez, uma construção moderna.

Quando a nossa investigação reflete sobre a experiência da arte, face à subjetivação da estética filosófica, não se orienta somente na direção de um problema da estética, mas também de uma autointerpretação mais adequada do pensamento moderno em geral; esta abrange certamente muito mais que aquilo que o moderno conceito de método reconhece.

231. E. Fink procura explicar o sentido do estar-fora-de-si próprio do entusiasmo do homem através de uma distinção que se inspira evidentemente no *Fedro* de Platão. Mas, enquanto em Platão o ideal contrário, o da pura racionalidade, determina a distinção como sendo a distinção entre a demência benigna e maligna, Fink carece de um critério correspondente quando contrasta o "entusiasmo puramente humano" com o *enthousiasmós*, pelo qual o homem está em Deus. Pois, em última instância, também o "entusiasmo puramente humano" é um estar fora e estar presente, que não é "capacidade" do homem, mas algo que lhe advém, razão pela qual não me parece que se possa separar do *enthousiasmós*. O fato de que exista um entusiasmo sobre o qual o homem manteria seu poder, e que, inversamente, o *entousiasmós* venha a ser a experiência de um poder superior que nos supera em todos os sentidos, semelhantes distinções entre o domínio sobre si mesmo e o estar dominado são pensadas, elas mesmas, a partir da ideia de poder e, por isso, não fazem justiça à imbricação do estar fora de si e do estar em algo, a qual vale para toda forma de entusiasmo e *enthousiasmós*. Se não interpretamos as formas de "entusiasmo puramente humano" descritas por Fink de forma puramente narcisista-psicológica, então poderão ser compreendidas como formas da "autossuperação finita" da finitude (cf. FINK, Eugen. *Vom Wesen des Enthusiasmus*, principalmente p. 22-25).

É óbvio que há uma diferença considerável entre o espectador que se entrega inteiramente ao jogo da arte e a sanha de olhar da mera curiosidade. É próprio também da curiosidade ver-se atraída pela visão, esquecendo-se totalmente nela sem conseguir afastar-se. Mas o que caracteriza o objeto da curiosidade, no fundo, é que não tem nenhuma importância para a pessoa. Não tem nenhum sentido para o espectador. Nele não há nada que convide o espectador a retornar, nada em que pudesse recolher-se. Pois, afinal, o que fundamenta o estímulo da visão é a qualidade formal da novidade, isto é, a alteridade abstrata. A demonstração disso é que logo se enfastia e se aborrece, um fato que pertence à curiosidade como seu complemento dialético. Ao contrário, aquilo que é representado ao espectador como o jogo da arte não se esgota na mera enlevação do momento, mas comporta uma pretensão de duração e a duração de uma pretensão (*Anspruch*).

[132] Não é por acaso que se apresenta aqui a palavra "pretensão". Não é por acaso que na reflexão teológica suscitada por Kierkegaard, a que chamamos de "teologia dialética", esse conceito possibilitou uma explicação teológica do que Kierkegaard compreendia com o conceito de simultaneidade. Uma pretensão é algo duradouro. Sua justificação (ou a presunção de tal) é seu primeiro elemento. É justamente porque persiste que uma pretensão poderá ser tornada válida a qualquer tempo. A pretensão persiste frente a qualquer um e por isso tem de se fazer valer junto a ele. O conceito de pretensão implica o fato de não ser uma exigência fixa, cujo cumprimento seja convencionado univocamente, mas, antes, ele fundamenta tal exigência. Uma pretensão é a base jurídica para uma exigência indeterminada. Se ganhar validade, a pretensão deve ser compensada, mas para isso deve assumir a forma de uma exigência. Pertence à persistência de uma pretensão, portanto, que ela se concretize numa exigência.

Sua aplicação à teologia luterana reside no fato de que a pretensão da fé persiste desde o anúncio do Evangelho e ganha sempre nova validez na pregação. A palavra da pregação produz exatamente a mesma mediação total que, de outro modo, cabe à ação cúltica, por exemplo, na santa missa. Ainda veremos que a palavra também é invocada noutras ocasiões para mediar a simultaneidade, assumindo assim um papel determinante na problemática da hermenêutica.

Seja como for, o caráter de "simultaneidade" convém ao ser da obra de arte. Ele constitui a essência do "assistir". Não é a simultaneidade da consciência estética. Pois essa simultaneidade significa o ser-ao-mesmo-tempo e a igual-validade (*Gleich-Gültigkeit*) de diversos objetos estéticos da vivência numa consciência. Ao contrário, aqui "simultaneidade" significa que algo individual alcança plena atualidade na sua representação, mesmo que sua origem seja muito remota. A simultaneidade não é, pois, um modo de estar dado na consciência, mas uma tarefa para a consciência e um desempenho que lhe será exigido. Sua constituição é ater-se de tal forma à coisa em questão que esta se torna "simultânea", o que significa, porém, que toda e qualquer mediação é subsumida numa atualidade total.

Sabe-se que esse conceito de simultaneidade se origina em Kierkegaard, com um caráter eminentemente teológico[232]. Em Kierkegaard, "simultâneo" não quer dizer ser-ao-mesmo-tempo, mas apresenta uma tarefa proposta aos crentes de mediar totalmente entre si aquilo que não é ao-mesmo-tempo, a presença e a salvação de Cristo, de modo que apesar de tudo essas possam ser experimentadas e levadas a sério como algo presente (em vez do distanciamento de outrora). Pelo contrário, a concomitância da consciência estética repousa no encobrimento da tarefa proposta pela simultaneidade.

Nesse sentido, o caráter de simultaneidade convém sobretudo à ação cúltica mas também ao anúncio na pregação. Aqui o sentido do assitir é a genuína participação no próprio acontecimento salvífico. Ninguém pode duvidar de que a distinção estética – por exemplo, da "bela" cerimônia ou da "boa" pregação – se encontre totalmente fora de lugar frente à pretensão que nos é colocada nesses atos. Pois bem, eu afirmo que, no fundo, o mesmo vale também para a experiência da arte. Também aqui a mediação deve ser pensada como sendo total. Nem o ser-para-si do artista que cria – por exemplo, sua biografia – nem o ser-para-si do ator que representa

[133]

---

232. KIERKEGAARD. *Philosophische Brocken*, cap. 4.

ou executa uma obra, nem mesmo o ser-para-si do espectador que acolhe o espetáculo, nenhum deles possui uma legitimação própria em face do ser da obra de arte.

O que está sendo representado diante de cada um está tão distante dos moldes usuais de mundo e tão concentrado num núcleo de sentido independente que não motiva ninguém a sair daí para qualquer outro futuro ou realidade. O receptor é remetido a uma distância absoluta, que lhe veda qualquer participação com finalidade de cunho prático. Essa distância é distância estética em sentido verdadeiro. Significa a distância necessária para ver, que possibilita uma participação verdadeira e global naquilo que se apresenta diante do espectador. Por isso, ao autoesquecimento extático do espectador corresponde a sua continuidade consigo mesmo. Justamente aquilo em que ele se perde como espectador é que lhe exige a continuidade de sentido. É a verdade do seu próprio mundo, do mundo religioso e do mundo ético onde vive que está sendo representada diante dele e onde se reconhece. Assim como a parusia, o absoluto presente, caracterizou o modo de ser do ser estético e uma obra de arte continua sendo a mesma toda vez que ocorra um tal presente, assim também o momento absoluto em que se encontra o espectador é tanto autoesquecimento como mediação consigo mesmo. Aquilo que o arranca de tudo é o mesmo que lhe devolve o todo do seu ser.

O fato de o ser estético depender de representação não significa, pois, uma carência ou falta de autodeterminação autônoma de sentido. É parte integrante de seu próprio ser. O espectador é um momento da essência do próprio espetáculo que denominamos de estético. Lembramos aqui da famosa definição da tragédia que encontramos na *Poética* de Aristóteles. A constituição do espectador está expressamente coincluída na definição da essência da tragédia.

2.1.4. O exemplo do trágico

A teoria aristotélica da tragédia deverá nos servir assim como exemplo para a estrutura do ser estético. Sabe-se que ela está no contexto de uma poética e que parece ter validade somente para a poesia dramática. Não obstante, o trágico é um fenômeno fundamental, uma figura de sentido que não ocorre somente na tragédia, na obra de arte trágica no sentido estrito da palavra, mas pode [134] ter seu lugar também noutros gêneros de arte, principalmente nas obras épicas. Na verdade, nem se trata de um fenômeno especificamente artístico, uma vez que se encontra também na vida. Por esse motivo, os mais recentes pesquisadores (Richard Hamann, Max Scheler[233]) estão vendo o trágico simplesmente como um momento extraestético. Tratar-se-ia de um fenômeno ético-metafísico, que só intervém na esfera da problemática estética a partir de fora.

Mas depois que o conceito de estético nos revelou sua problematicidade, precisamos perguntar por outro lado se o trágico não é um fenômeno fundamentalmente estético. O ser do estético havia se tornado visível para nós como jogo e representação. Assim podemos interrogar também a teoria do jogo trágico, que é a poética da tragédia, sobre a essência do trágico.

O que se espelha na reflexão sobre o trágico que se estende desde Aristóteles até o presente certamente não é uma essência imutável. Não há dúvida de que a essência do trágico é representada na tragédia ática de uma forma única – diferentemente para Aristóteles, para quem Eurípides foi "o mais trágico"[234], e diferentemente para aquele a quem, por exemplo, Ésquilo revela a verdadeira profundidade do fenômeno trágico – mas sobretudo diferente para quem pensa em Shakespeare ou Hebbel. No entanto, uma tal mudança não significa simplesmente que a questão pela essência unitária do trágico careça de objeto; antes, o fenômeno se apresenta condensado numa unidade histórica. O reflexo do trágico antigo no trágico moderno, de que fala Kierkegaard[235], tem estado permanentemente presente em todas as recentes reflexões sobre o trágico. Se começarmos por Aristóteles, teremos uma perspectiva da totalidade do fenômeno trágico. Em sua famosa definição da tragédia, Aristóteles deu uma indicação decisiva para o problema da estética que começamos a expor; isso porque na determinação da essência da tragédia incluiu também *o efeito sobre o espectador*.

---

233. HAMANN, Richard. *Ästhetik*, p. 97: "O trágico, portanto, não tem nada a ver com a estética". Max Scheler, *Vom Umsturz der Werte, Zum Phänomen des Tragischen*: "É duvidoso que o trágico seja um fenômeno essencialmente *estético*". Sobre a cunhagem do conceito de "tragédia", cf. STAIGER, E. *Die Kunst der Interpretation*, p. 132s.
234. ARISTÓTELES. *Poética*, 13, 1453 a 29.
235. KIERKEGAARD, S. *Entweder-Oder*, I.

Não pode ser tarefa deste livro entrar em detalhes sobre essa célebre e controversa definição da tragédia. Mas o mero fato de que o espectador é incluído na determinação da essência da tragédia elucida o que foi dito acima sobre a pertença essencial do espectador ao jogo (espetáculo). É só a maneira pela qual o espectador está implicado aí que traz à luz o sentido da figura do jogo. Assim, a distância que o espectador mantém com relação ao espetáculo teatral não é a escolha arbitrária de um comportamento, mas a relação essencial que tem seu fundamento na unidade de sentido do jogo. A tragédia é a unidade de um processo trágico, que é experimentado como tal. Mas o que é experimentado como um processo trágico, ainda que não se trate de um espetáculo teatral que esteja sendo mostrado no palco mas de uma tragédia "da vida", é um núcleo de sentido fechado em si, que, de si mesmo, rechaça toda e qualquer intervenção e infiltração alheia. O que se caracteriza como trágico deve ser somente aceito. Nesse sentido, é de fato um fenômeno fundamentalmente "estético".

[135]

Ora, aprendemos de Aristóteles que a representação da ação trágica causa um efeito específico no espectador. A representação atua através de *eleos* e *phobos*. A tradução tradicional dessas afecções por "compaixão" e "temor" deixa transparecer uma tonalidade demasiadamente subjetiva. Em Aristóteles não está em questão a compaixão, nem sequer sua avaliação[236], diferente de século para século; nem mesmo podemos entender o temor como um estado de ânimo da interioridade. Antes, ambas são ocorrências que nos vêm de assalto e nos arrastam consigo. *Eleos* é a desolação (*Jammer*) que advém a alguém em face daquilo que chamamos de desolador. É assim que o destino de Édipo é desolador (o exemplo que Aristóteles sempre tem diante dos olhos). A palavra alemã *Jammer* (desolação) é um bom equivalente para isso, porque não se refere a uma mera interioridade mas também à sua expressão[237]. Corresponden-

---

236. Devemos louvar o trabalho de M. Kommerell (*Lessing und Aristoteles*) que escreveu esta história da compaixão; no entanto, ele não o distingue suficientemente do sentido original de *eleos*. Cf., entrementes, SCHADEWALDT, W. *Furcht und Mitleid?*, Hermes, 83, 1955, p. 129s. e a complementação de FLASHAR, J. Hermes, 1956, p. 12-48.

237. NdR: *Jammer*, em alemão, tanto contempla o estado de ser e sentir da desolação e miséria interior, como também sempre é o lamento exposto no aberto da expressão.

temente, *Phobos* não é apenas um estado de ânimo, mas como diz Aristóteles um calafrio que gela o sangue e faz tremer[238]. Pelo modo como dentro dos moldes da tragédia se fala de *Phobos* em vinculação com *Eleos*, *Phobos* significa o espanto de tremor que se apossa de nós quando vemos alguém ir às pressas de encontro a sua ruína, e tememos por esse alguém. A desolação e o temor são formas de êxtase, do estar-fora-de-si, que atestam o fascínio daquilo que se desenrola diante de nós.

Sobre essas afecções de que trata Aristóteles, diz-se que é através delas que o espetáculo teatral proporciona a purificação de paixões desse gênero. Como se sabe, essa tradução é discutível, sobretudo, o sentido do genitivo[239]. Mas a questão a que se refere Aristóteles parece-me inteiramente independente disto, e saber disso deve ajudar-nos a compreender por que duas concepções gramaticalmente tão diferentes podem contrapor-se tão tenazmente uma à outra. Parece-me claro que Aristóteles se refere à melancolia trágica que se assenhora do espectador à vista de uma tragédia. A melancolia, porém, é uma espécie de alívio e de solução, onde a dor e o prazer estão misturados de uma forma singular. Como é que, então, Aristóteles pode denominar esse estado de purificação? Qual é a impureza que adere às afecções ou qual é a impureza própria das afecções e como é que isso pode ser expulso pela comoção trágica? Parece-me que a resposta seria que, quando se é assolado pela desolação e pelo calafrio, isso provoca uma divisão dolorosa. Ali ocorre uma desunião com o que acontece de fato, um não-querer-ter-por-verdadeiro que se rebela contra o horrendo acontecimento. No entanto, é justamente este o efeito da catástrofe trágica, isto é, que essa divisão se dissolve com o que é, e assim produz uma libertação geral do peito oprimido. Não somente nos livramos do fetiche onde estamos presos pelo que é desolador e espantoso desse destino único, como também, reconciliados com isso, estamos livres de tudo que nos divide daquilo que é.

[136]

---

238. ARISTÓTELES. *Retórica*, II, 13, 1389 b 32.
239. Cf. M. Kommerell, o qual dá uma panorâmica das concepções mais antigas, op. cit., p. 262-272; também recentemente encontram-se defensores do genitivo objetivo: por último, VOLKMANN-SCHLUCK, K.H. In: *Varia Variorum, Festschrift für Karl Reinhardt*, 1952.

A melancolia trágica espelha, portanto, uma forma de afirmação, um retorno a si mesmo, e quando a consciência do herói é matizada com uma tal melancolia trágica – o que não é raro na tragédia moderna –, ele próprio passa a ter um pouco de participação nessa afirmação, ao aceitar o seu destino.

Mas qual é o verdadeiro objeto dessa afirmação? O que é que se está afirmando aí? Não, certamente, a justiça de uma ordem ética mundial. A mal-afamada teoria trágica da culpa, que para Aristóteles quase não desempenha papel algum, não é um esclarecimento adequado nem mesmo para a tragédia moderna. Pois a tragédia não ocorre onde a culpa e o pecado correspondem um ao outro numa justa proporção, onde se salda uma conta ética de débito sem sobrar nenhum resto. Mesmo na tragédia moderna, não pode nem deve haver completa subjetivação da culpa e do destino. Antes, o excesso de consequências trágicas é algo bem característico da essência do trágico. Apesar de toda a subjetividade da culpabilidade, vemos que, mesmo na tragédia moderna, continua atuante um momento daquela antiga supremacia do destino, que se revela justamente na desigualdade entre culpa e destino, igual para todos. Parece que somente Hebbel se encontra na fronteira daquilo que ainda podemos chamar de tragédia, tal é a exatidão com que nele o ser subjetivamente culpado se integra ao curso do acontecimento trágico. Por essa mesma razão, também o pensamento de uma tragédia cristã tem sua própria questionabilidade, já que, à luz da história da salvação divina, as dimensões de felicidade e infelicidade, constitutivas para a ocorrência trágica, não determinam mais o destino humano. Mesmo a penetrante confrontação de Kierkegaard[240] entre o sofrimento na Antiguidade, que é consequência de uma maldição que paira sobre uma estirpe, e a dor, que despedaça a consciência desunida consigo mesma e conflitiva, toca de leve a fronteira do trágico como tal. Sua reformulação do Antígona[241] já não seria mais uma tragédia.

---

240. KIERKEGAARD. *Entweder – Oder*, I, p. 133 (Diederichs). [Cf. a nova edição (E. Hirsch), cap. I, 1, p. 157s.]
241. KIERKEGAARD. Op. cit., p. 139.

Temos que recolocar a questão: o que é confirmado pelo espectador? É evidente que se trata justo da inconveniência e da dimensão assustadora das consequências que resultam de uma ação culposa, que representam o verdadeiro desafio para o espectador. A afirmação trágica é a superação desse desafio. Tem o caráter de uma genuína comunhão. O que se experimenta num tal excesso de desgraça trágica é algo verdadeiramente comum. O espectador reconhece a si mesmo e ao seu próprio ser finito em face do poder do destino. O que acontece com os grandes passa a ter significado exemplar. A confirmação da nostalgia trágica não se refere ao processo trágico como tal ou à justiça do destino que se abate sobre o herói, mas significa uma ordem metafísica do ser válida para todos. O "assim são as coisas" é uma espécie de autoconhecimento do espectador, que retorna de modo clarividente dos ofuscamentos em que ele, como qualquer outro, vive. A afirmação trágica se torna clarividência por força da continuidade de sentido para a qual o próprio espectador retorna.

Desta análise do trágico não extraímos apenas o fato de que aqui se trata de um conceito fundamental da estética, uma vez que o distanciamento inerente à condição ontológica do espectador pertence à essência do trágico; mais importante é que o distanciamento do ser espectador, que determina o modo de ser do estético, não contém algo como a "distinção estética", que tínhamos reconhecido como o traço essencial da consciência estética. O espectador não se mantém no distanciamento da consciência que desfruta da arte da representação[242], mas na comunhão do assistir. No fundo, o genuíno centro de gravidade do fenômeno trágico reside naquilo que está sendo representado e reconhecido e onde, obviamente, a participação não pode ser um ato arbitrário. Por mais que o espetáculo teatral trágico encenado solenemente no teatro represente uma situação excepcional na vida de cada um, não é como que uma vivência aventuresca e nem produz uma embriaguez de perplexidade, da qual depois despertamos para o nosso verdadeiro ser; ao contrário, a elevação e a comoção que se abatem sobre o

---

242. ARISTÓTELES. *Poética*, 4, 1448 b 18: *dia tén apergasian é tén xroan é dia toiautén tina allén aitian*, em oposição ao "conhecer" da *mimema*.

[138] espectador aprofundam, na verdade, sua *continuidade consigo mesmo*. A nostalgia trágica provém do autoconhecimento com que é contemplado o espectador. Reencontra-se a si mesmo na situação trágica, porque o que vem ao seu encontro é sua própria saga, conhecida a partir da tradição religiosa ou histórica; e se essa tradição já não possui um caráter vinculativo para uma tomada de consciência posterior – certamente já a de Aristóteles, mas mais a de Sêneca ou de Corneille –, na atuação que se segue de tais obras e materiais trágicos encontra-se mais do que a manutenção da validade de um modelo literário. Não pressupõe apenas que o espectador ainda esteja familiarizado com a saga, inclui também o fato de que sua linguagem ainda o alcance realmente. É só assim que o encontro com esses materiais e essas obras trágicas poderá se tornar um encontro consigo mesmo.

O que vale assim para o trágico pode ser aplicado também para um âmbito bem mais amplo. Para o poeta, a livre invenção não passa de um dos aspectos de uma mediação ligada por uma validade prévia. Não inventa livremente sua fábula, por mais que imagine que assim o faça. Ao contrário, alguma coisa do antigo fundamento da teoria da *mimesis* se extende até os dias de hoje. A invenção livre do poeta é representação de uma verdade comum que vincula também o poeta.

Não é diferente o que ocorre com as outras artes, sobretudo com as artes plásticas. O mito estético da fantasia que cria livremente, que transforma a vivência em obra literária, e o culto do gênio, que dele faz parte, testemunham apenas que, no século XIX, o acervo da tradição mítico-histórica já não era mais um bem incontestável. Porém, mesmo aí, o mito estético da fantasia e da invenção genial ainda representa um exagero que não resiste àquilo que realmente é. Mesmo assim, a escolha do material e a formulação do tema escolhido não surgem do livre-arbítrio do artista e nem são uma mera expressão de sua interioridade. Antes, o artista dirige-se a espíritos já preparados e, para isso, escolhe o que promete causar-lhes efeito. Ele próprio encontra-se em meio às mesmas tradições do público a que se dirige e ao qual se congrega. Nesse sentido, como indivíduo, como consciência pensante, ele não precisa saber expressamente o que faz e o que expressa sua obra. Não se trata nunca de um mundo mágico estranho, do arrebatamento, do sonho ao qual se sente arrastado o ator, o escultor ou o espectador, mas é sempre ainda o seu próprio mundo, ao qual é remetido de modo mais autêntico ao se reconhecer mais profundamente nele. Permanece uma continuidade de sentido, que congrega a obra de arte com o mundo da existência; mesmo a consciência alheada de uma sociedade instruída jamais se separa totalmente dessa continuidade de sentido.

Façamos um balanço disso tudo. O que significa ser estético? Com o conceito de jogo e da transformação em configuração, que caracteriza o jogo da arte, procuramos mostrar algo de universal, ou seja, que justamente a representação e correspondentemente a execução da obra literária e da música é algo essencial e nunca acidental. Em ambas realiza-se apenas o que as próprias obras de arte já são: a existência daquilo que é representado através delas. Na reprodução a temporalidade específica do ser estético – só ganha seu ser ao ser representado – ganha existência como um fenômeno independente e distinto. [139]

Então nos perguntamos se isso tem uma validade realmente universal, de modo a poder determinar a partir daí o caráter ontológico do ser estético. Podemos estender isso também a obras de arte de caráter estatuário? De início, colocamos a questão às chamadas artes plásticas. Veremos, no entanto, que a mais estatuária de todas as artes, a arquitetura, será particularmente instrutiva para o nosso questionamento.

2.2. Consequências estéticas e hermenêuticas

2.2.1. A valência ontológica da imagem (*Bild*)[243]

À primeira vista parece que, nas artes plásticas, a obra possui uma identidade tão inequívoca, que não admite nenhuma variabili-

---

243. [Cf., entrementes, BOEHM, G. "Zu einer Hermeneutik des Bildes". In: GADAMER, H.-G./BOEHEME, G. (orgs.). *Die Hermeneutik und die Wissenschaften*. Frankfurt: [s.e.], 1978, p. 444-471. GADAMER, H.-G. *Von Bauten und Bildern*. FS Imdahl, 1986.]

dade representativa. O que varia não parece pertencer ao aspecto da própria obra, e nesse sentido possuiria um caráter subjetivo. Assim, do ponto de vista do sujeito, é possível que surjam restrições que prejudicam a vivência adequada da obra, porém tais restrições subjetivas podem ser fundamentalmente superadas. Cada uma das obras das artes plásticas pode ser experienciada "diretamente", isto é, não necessita de outra mediação. E como existem reproduções de quadros, estes certamente já não pertencem à obra de arte ela mesma. E quando há pré-requisitos subjetivos que condicionam o acesso à obra, teremos naturalmente que abstrair deles se quisermos experienciá-la. Assim, parece que a distinção estética possui aqui sua inteira legitimidade.

Ela poderá apelar sobretudo para o que no uso da linguagem corrente se chama de "quadro" (*Bild*). Sob essa designação entendemos sobretudo o quadro de parede contemporâneo, que não está fixado em lugar determinado e, cercado pela moldura, representa inteiramente a si mesmo, possibilitando assim uma justaposição arbitrária como se vê na galeria moderna. Ao que parece, um tal quadro não apresenta absolutamente nenhuma dependência objetiva da mediação que realçamos na obra literária e na música.

[140] Esse quadro pintado exclusivamente para a exposição ou galeria, o que foi se tornando regra com o recuo da arte por encomenda, vem claramente ao encontro da exigência de abstração da consciência estética, bem como da teoria da inspiração, formulada na estética do gênio. Então parece que o quadro vem dar razão à imediaticidade da consciência estética. É como se fosse a principal testemunha de sua pretensão de universalidade e parece não ser mera coincidência o fato de a consciência estética, que desenvolve o conceito de arte e do artístico como forma de concepção de configurações tradicionais, realizando assim a distinção estética, surgir ao mesmo tempo que a criação de acervos que reúnem no museu tudo o que vemos nessa linha. Com isso, por assim dizer, transformamos toda obra de arte em quadro; ao livrá-la de todas as suas ligações vitais e da especificidade de suas condições de acesso, como acontece com um quadro, acabamos cercando-a por uma moldura e pendurando-a igualmente na parede.

Precisamos examinar mais de perto o modo de ser do quadro e indagar se a estrutura ontológica do estético descrita do ponto de vista do jogo pode ser aplicada também para a questão relativa ao ser do quadro.

A questão pelo modo de ser do quadro que colocamos aqui pergunta por algo que é comum a toda diversidade de modos de apresentação do quadro. Com isso, ela dedica-se a uma abstração. Essa abstração não é nenhuma arbitrariedade da reflexão filosófica, mas algo que ela encontra realizado pela consciência estética, para a qual tudo que se deixa subordinar à técnica de imagem da atualidade, no fundo, torna-se quadro. Nessa aplicação do conceito de quadro não se encontra nenhuma verdade histórica. A atual pesquisa da história da arte poderá nos instruir abundantemente sobre o fato de que isso a que chamamos quadro possui uma história diferenciada[244]. No fundo, a plena "soberania do quadro" só advém ao conteúdo do quadro (Theodor Hetzer) na fase de desenvolvimento da pintura ocidental, alcançada pela alta renascença. Somente aqui passamos a ter quadros que se estabelecem por si mesmos e que, sem moldura e sem o emolduramento de um ambiente, já são por si mesmos configurações unitárias e concluídas. Por exemplo, na exigência da *concinnitas*, imposta ao quadro por L.B. Alberti, podemos perceber uma boa expressão teórica do novo ideal de arte que define a criação pictórica da Renascença.

Creio, porém, que o característico é que aquilo que o teórico do "quadro" utiliza aqui são sobretudo as determinações conceituais clássicas do belo. Aristóteles já sabia que a constituição do belo é tal que dele nada se pode tirar e nem acrescentar nele, sem com isso destruí-lo; para ele certamente não existia o quadro no sentido que lhe empresta Alberti[245]. Isso indica que o conceito de [141] "quadro" pode ter realmente um sentido universal que não se limita apenas a uma determinada fase da história do quadro. Num sentido mais amplo, mesmo a miniatura otônica ou o ícone bizantino

---

244. Devo a um diálogo que tive com Wolfgang Schöne uma valiosa informação e conselho, por ocasião dos diálogos de historiadores da arte das Academias Evangélicas (*Christophorus-Stift*), em Münster, 1956.
245. Cf. *Ética a Nicômaco*, II, 5, 1106 b 10.

também são quadros, ainda que, nesses casos, a criação do quadro siga princípios bem diferentes, podendo ser caracterizada pelo conceito de "signo pictórico" (*Bildzeinchen*)[246]. Nesse sentido, o conceito estético de quadro terá de englobar também a escultura, contada entre as artes plásticas. Isso não é uma generalização arbitrária, mas corresponde a uma problemática da estética filosófica que ganhou cunho histórico e que em última instância retrocede ao papel do quadro (imagem) no platonismo, sedimentando-se no uso da palavra "quadro" ("imagem") que se faz na linguagem[247].

É claro que o conceito de quadro próprio dos últimos séculos não pode ser aplicado como um ponto de partida evidente. A presente investigação quer, antes, libertar-se dessa pressuposição. Para o modo de ser do quadro, ela gostaria de propor uma forma de concepção que o libere da relação com a consciência estética e do conceito de quadro, que nos é familiar na galeria moderna, rearticulando-o com o conceito de "decorativo", desacreditado pela estética da vivência. Não será por acaso que com isso acabemos coincidindo com as atuais investigações no campo da arte, a qual deu um fim aos ingênuos conceitos de quadro e de escultura que na época da arte vivencial dominavam não só a consciência estética mas também o pensamento da história da arte. Ao contrário, na base das pesquisas em ciência da arte e da reflexão filosófica encontra-se a mesma crise da imagem (*Bild*) provocada na atualidade pelo estado industrial e administrativo moderno e sua vida pública funcionalizada. Somente a partir do momento em que não temos mais lugar para quadros, voltamos a saber que os quadros não são só quadros mas que requerem um lugar[248].

Assim, a intenção da presente análise conceitual não é artístico-teorética, mas ontológica. Para ela, a crítica da estética tradicional, por onde começa, não passa de uma transição para alcançar um horizonte que abranja comumente a arte e a história. Na análise do conceito de quadro temos em vista apenas duas questões.

---

246. A expressão procede de Dagobert Frey (cf. sua contribuição no *Festschrift Jantzen*).
247. Cf. PAATZ, W. *Von den Gattungen und vom Sinn der gotischen Rundfigur*. 1951, [dissertações da Heidelberger Akademie der Wissenschaften].
248. Cf. WEISCHEDEL, W. *Wirklichkeit und Wirklichkeiten*. [s.l.]: [s.e.], 1960, p. 158s.

Por um lado, perguntamos em que sentido se distingue o quadro [142] (*Bild*) da *cópia* (*Abbild*) (a problemática do quadro original [*Urbild*]), depois, como se dá a referência do quadro com o seu *mundo*.

É assim que o conceito de quadro ultrapassa o conceito de representação empregado até aqui, por vincular-se essencialmente com o quadro original.

No que diz respeito à primeira pergunta, é somente aqui que o conceito de representação tem imbricação com o conceito de quadro, que está referido ao seu original. Nas artes transitórias das quais partimos falamos de representação, mas não de quadro. A representação apresentou-se então como dupla. Tanto a obra literária como a sua reprodução, que se dá no palco, por exemplo, são representação. E foi para nós de importância decisiva que a verdadeira experiência da arte passasse pela duplicação dessas representações sem distingui-las. O mundo que aparece no jogo da representação não é uma cópia ao lado do mundo real, mas é esse mundo mesmo na excelência de seu ser. Tampouco a reprodução, p. ex., a encenação no palco, é uma cópia ao lado da qual a imagem original do próprio drama manteria seu ser-para-si. O conceito de *mimesis* empregado para ambas as formas de representação significa menos o ato de copiar (*Abbildung*) do que a manifestação do representado. Sem a *mimesis* da obra, o mundo não se faz presente como está na obra, e sem a reprodução a obra também não se faz presente. Na representação se completa, assim, a presença do representado. Iremos reconhecer o direito do significado fundamental desse entrelaçamento ontológico entre ser original e reprodutivo e a primazia metodológica que demos às artes transitórias, caso a compreensão obtida se mantiver também nas artes plásticas. É claro que aí não podemos falar da reprodução como sendo genuíno ser da obra. O quadro, antes, enquanto original, rejeita o ser reproduzido. Parece claro também que o copiado na cópia possui um ser independente do quadro, e isso de tal maneira que frente ao que é representado o quadro parece um ser de menor categoria. Com isso vemo-nos implicados na problemática ontológica do quadro (imagem) original e da cópia.

Partimos do fato de que o modo de ser da obra de arte é *representação* e nos indagamos como podemos verificar o sentido da representação naquilo que denominamos *quadro (imagem)*. Aqui a representação não pode significar ato de copiar. Precisamos determinar mais de perto o modo de ser do quadro, procurando distinguir como que nele a representação se reporta a uma imagem original e a relação da ação de copiar, a referência à cópia, com a imagem original.

[143] Isso pode ser esclarecido por uma análise mais exata, pela qual recordamos inicialmente[249] a antiga primazia do vivente, o *zoon*, e especialmente a da pessoa. É próprio da essência da cópia não ter outra tarefa a não ser procurar igualar-se à imagem original. A medida de sua adequação é que na cópia se reconheça o original. Isso significa que sua determinação é a de suspender o seu próprio ser-para-si e colocar-se a serviço da total mediação do copiado. Nesse sentido, a reprodução ideal seria a imagem do espelho, pois contém realmente um ser que desaparece; existe somente para quem olha para o espelho, e para além de sua pura aparição ela é um nada. Na verdade, de modo algum é uma imagem ou uma cópia, pois não possui nenhum ser-para-si. O espelho reflete a imagem, isto é, o espelho somente torna visível a alguém o que ele espelha, na medida em que se olha para o espelho e se enxerga a sua própria imagem ou qualquer outra coisa que ali se espelhe. Não é por acaso que aqui falamos de imagem e não de cópia nem de ação de copiar. Pois na imagem do espelho aparece o próprio ente em imagem, de forma que eu o tenho a ele mesmo na imagem do espelho. A cópia, ao contrário, quer ser vista sempre somente na perspectiva daquilo a que ela se refere. A cópia não quer ser nada mais que a reprodução de algo e tem sua única função na identificação do mesmo (p. ex., como foto para um passaporte ou como reprodução em um catálogo de artigos à venda). Ela anula a si mesma, no sentido de que funciona como um meio e que, como todos os meios, perde sua função quando alcança seu fim. Tem uma existência inde-

---

249. Não é por acaso que *zwon* significa também simplesmente "imagem". Mais tarde examinaremos os resultados obtidos para ver se conseguiram eliminar a vinculação a este modelo. No que diz respeito à *imago*, também Bauch destaca o seguinte: "Seja qual for o caso, trata-se sempre da imagem da figura humana. É o único tema da arte medieval!"

pendente, mas para se anular assim. Essa autoanulação da cópia é um momento intencional no ser da própria cópia. Havendo alteração da intenção, p. ex., quando se quer comparar uma cópia com o quadro original, julgando-a quanto à sua semelhança, distinguindo-a assim do original, nesse caso ela coloca em primeiro plano sua própria aparência como qualquer outro meio ou ferramenta que não é utilizado, mas posto à prova. Sua verdadeira função porém não se encontra na reflexão sobre a comparação e a distinção, mas em remeter para o copiado em virtude de sua semelhança com ele.

Ao contrário, o que é uma imagem não é determinado, de forma alguma, pela sua autoanulação, pois não é um meio para um fim. Aqui a referência é colocada na própria imagem, na medida em que o que importa realmente é como nele se representa o representado. Isso significa, de imediato, que ela não nos desvia de si mesma na direção do representado. Antes, a representação continua essencialmente vinculada ao representado, sendo inclusive parte integrante dele. Essa é também a razão por que o espelho reflete a imagem e não a cópia: é a imagem daquilo que se representa no espelho e inseparável de sua presença. De certo que o espelho [144] pode apresentar uma imagem distorcida, mas isso é apenas deficiência sua. Não está desempenhando corretamente sua função. Nesse caso, o espelho confirma o que no fundo devemos dizer aqui, ou seja, que frente à imagem a intenção se volta para a unidade originária e a não distinção entre representação e representado. O que se mostra no espelho é a imagem do representado, é "sua" imagem e não a do espelho.

O fato de que o encanto mágico da imagem se encontre somente nos primórdios de sua história, por assim dizer no que faz parte de sua pré-história – esse encanto repousa na identidade e na não distinção entre a cópia e o que esta reproduz –, não significa que uma consciência da imagem que se torna cada vez mais diferenciada e que se afasta cada vez mais da identidade mágica possa se liberar inteiramente dela[250]. Ao contrário, a não distinção continua

---

250. Sobre a história do conceito de *imago*, na sua transição da Antiguidade para a Idade Média, cf. a obra recente de Kurt Bauch, *Beiträge zur Philosophie und Wissenschaft* (*Festschrift* em homenagem a W. Szilasi pelo 70º aniversário), p. 9-28.

sendo um traço essencial de toda a experiência da imagem. Penso que o caráter insubstituível do quadro, sua vulnerabilidade, sua "sacralidade", pode ser adequadamente fundamentado na já exposta ontologia do quadro. A sacralização da "arte" no século XIX, descrita acima, ainda vive graças a isso.

Então o tipo de imagem vista no espelho não permite que se compreenda o conceito estético de imagem em toda sua essência. Ali só se mostra a inseparabilidade ontológica do quadro com relação ao "representado". Mas isso é suficientemente importante, na medida em que torna evidente que a intenção primeira frente ao quadro não distingue entre o representado e a representação. Somente secundariamente ergue-se sobre isso aquela intenção própria da distinção a que demos o nome de distinção "estética". Essa tem em vista a representação como tal, distinguindo-a do representado. Não faz isso considerando a cópia do copiado na representação do mesmo modo que se constumam considerar em geral as cópias. Ao contrário, o quadro torna válido seu próprio ser para deixar que o reproduzido viva.

[145] Aqui, então, também a principal função da imagem do espelho perde sua validade. A imagem do espelho não passa de mera aparência, isto é, não possui um ser real e, na sua efêmera existência, mostra ser dependente do reflexo. Mas é claro que, no sentido estético da palavra, o quadro possui um ser próprio. Frente à mera cópia, esse seu ser como representação, que é justamente aquilo que o faz distinto do reproduzido, dá-lhe a caracterização positiva de ser uma imagem. Mesmo as técnicas mecânicas da imagem de nossos dias podem ser utilizadas artisticamente, na medida em que extraem do reproduzido algo que não apareceria num primeiro olhar. Essa imagem não é uma cópia, pois está representando algo que sem ela não se representaria assim. Diz algo sobre a imagem original [um bom *portrait*, por exemplo].

Assim, a representação permanece essencialmente referida à imagem original que nela vem à representação. Mas é mais do que uma cópia. O fato de a representação ser uma imagem, e não a própria imagem original, não tem significado negativo, não é uma mera inferiorização do ser, mas, antes, uma realidade autônoma.

Dessa forma, a relação da imagem com o original é totalmente diferente da que vale para a cópia. *Não é mais uma relação unilateral.* Por outro lado, o fato de a imagem possuir uma realidade própria significa para o original que ela ganha representação na representação. Aí, representa-se a si mesma. Isso não significa que dependa justamente dessa representação para aparecer. Enquanto é tal, pode representar-se também diferentemente. Mas quando se representa assim, isso já não é um processo secundário, mas parte integrante de seu próprio ser. Toda representação desse gênero é um processo ontológico, contribuindo para perfazer a categoria ontológica do representado. Através da representação experimenta por assim dizer um *crescimento do ser.* O conteúdo próprio da imagem é determinado ontologicamente como emanação do original.

Pertence à essência da emanação aquilo que emana ser um excesso supérfluo. Aquilo de onde a emanação flui não se torna menor por isso. O desenvolvimento desse pensamento através da filosofia neoplatônica, que rompe o domínio da ontologia grega da substância, fundamenta o *status* ontológico positivo da imagem, pois quando o uno original não se torna menor por causa da multiplicidade que emana dele, isso significa que o ser ganha um incremento.

Parece que já os padres da patrística grega serviram-se desses raciocínios neoplatônicos, ao rejeitarem a hostilidade às imagens do Antigo Testamento com relação à cristologia. Na encarnação de Deus eles viram o reconhecimento fundamental da manifestação visível, resgatando assim uma legitimação das obras de arte. Nessa superação da proibição da imagem, podemos constatar o acontecimento decisivo que possibilitou o desenvolvimento das artes plásticas no mundo ocidental cristão[251].

A realidade ontológica da imagem se fundamenta, pois, na relação ontológica entre original e cópia. Mas o que importa é ver que a relação conceitual platônica entre cópia e original não esgota a valência ontológica daquilo que denominamos de imagem. Parece-me que a melhor maneira de se caracterizar seu modo de ser é

---

251. Cf. Joh. Damascenus, segundo Campenhausen, *Zeitschrift für Theologie und Kirche*, 1952, p. 54s. e Hubert Schrade, *Der verborgene Gott*, 1949, p. 23.

[146] através do conceito forjado no âmbito do direito sagrado, ou seja, através do conceito de *representatio* (*Repräsentation*)[252].

É evidente que o conceito de *repraesentatio* não se apresenta por acaso quando se quer determinar o *status* ontológico da imagem, em contraste com a cópia. É preciso que se dê uma modificação substancial, sim, quase que uma inversão da relação ontológica entre original e cópia, caso a imagem seja um momento de *"representatio"*, possuindo assim uma valência ontológica própria. A imagem adquire então uma independência que estende seu efeito sobre o original. Pois, em sentido estrito, é só através da imagem que o original se torna arquétipo (*Ur-Bild*), ou seja, é somen-
[147] te a partir da imagem que o representado ganha plasticidade.

---

252. A história do significado desse termo é muito instrutiva. Um termo familiar aos romanos adquire uma mudança semântica completamente nova à luz da ideia cristã da encarnação e do *corpus mysticum*. *Representatio* já não significa somente cópia ou representação plástica, nem mesmo "representação", no sentido comercial de satisfazer o valor de compra, mas significa agora "representação" (*Vertretung*) (no sentido de ser representante). O termo pode adotar esse significado porque o copiado está presente por si mesmo na cópia. Representar significa fazer com que algo esteja presente. O Direito Canônico empregou este termo no sentido da representação jurídica. Nicolau de Cusa o toma nesse mesmo sentido e confere uma nova ênfase sistemática tanto a ele quanto ao conceito de imagem (cf. KALLEN, G. "Die politische Theorie im philosophischen System des Nikolaus von Cues". *Historisches Zeitschrift*, 165, 1942, p. 275s., assim como as suas explicações sobre *De auctoritate presidendi; Sitzungsberichte der Heidelberger Akademie, phil.-hist. Klasse*, 1935, p. 64s.). No conceito jurídico da representação, o importante é que só a *persona repraesentata* é o apresentado e exposto, e que, não obstante, o representante que exerce seus direitos *depende* dela. É surpreendente que este sentido jurídico da *representatio* não parece haver desempenhado nenhum papel no conceito leibniziano da *repräsentation*. Pelo contrário, a profunda doutrina metafísica de Leibniz da *representatio universi*, que ocorre em cada mônada, apoia-se no uso matemático do conceito; *representatio* significa aqui, portanto, a "expressão" matemática de algo, a subordinação unívoca como tal. Mas a guinada subjetiva, tão natural ao nosso conceito de "representação" (*Vorstellung*), procede da subjetivação do conceito de ideia no século XVII, no que Malebranche deve ter sido determinante para Leibniz (cf. MAHNKE. *Phänomenologisches Jahrbuch*, VII, p. 519s. e 589s.). A *representatio*, no sentido de *Darstellung* (representação teatral) – o que na Idade Média somente poderia significar jogo religioso – já se encontra nos séculos XIII e XIV, como demonstra WOLF, E. *Die Terminologie des mittelalterlichen Dramas*. Anglia, vol. 77. Mas nem por isso *representatio* passa a se chamar, digamos, "encenação" (*Aufführung*), isto porque, até pelo século XVII adentro, continuará representando a presença do divino, o que ocorre no jogo litúrgico. Tanto aqui, portanto, quando no conceito de Direito Canônico, a alteração da clássica palavra latina é levada a efeito através da nova compreensão teológica do culto e da Igreja. A aplicação da palavra à própria representação (*Spiel*), ao invés de ser aplicada ao que nela se representa, é um processo inteiramente secundário que pressupõe o desligamento do teatro de sua função litúrgica.
[A história do conceito de *representation*, do ponto de vista jurídico, foi descrita na abrangente obra de HOFMANN, Hasso. *Representation. Studien zur Wort- und Begriffsgeschichte von der Antike bis ins 19. Jahrhundert*. Berlim, 1974.]

Pode-se demonstrar isso facilmente no caso especial da imagem representativa (*Repräsentationsbild*). O modo de o soberano, o estadista, o herói se mostrarem e se apresentarem é transformando a imagem em representação. O que significa isso? Com certeza não é o caso de que o representado ganha uma forma de manifestação nova e mais autêntica pela imagem. Ao contrário, a imagem ganha sua própria realidade *porque* o soberano, o estadista, o herói devem se mostrar, apresentar-se aos seus, porque devem representar. Apesar disso, aqui ocorre uma inversão. Quando se mostra, ele próprio deverá corresponder à expectativa da imagem que lhe é atribuída. É somente porque possui um ser no mostrar-se, que ele mesmo passará a ser representado na imagem. Consequentemente, o que vem por primeiro é o representar-se; depois vem a representação em imagem, que esse representar-se encontra. A *representatio* da imagem é um caso especial da *representatio* como evento público. Mas a segunda retroage também sobre a primeira. O ser daquele que implica tão substancialmente o mostrar-se não pertence mais a si mesmo[253]. Não pode, p. ex., evitar de ser representado em imagem, e, uma vez que essas representações determinam a imagem que se tem dele, ele acabará tendo que se mostrar como prescreve sua imagem. Por mais paradoxal que isso soe, a imagem originária só se torna uma imagem a partir da imagem; e, contudo, a imagem não é mais que a manifestação do original[254].

Até aqui examinamos essa "ontologia" da imagem usando relações profanas. É notório, porém, que somente a imagem *religiosa* permite que o verdadeiro poder ontológico da imagem apareça por inteiro[255]. Pois pode-se realmente dizer da manifestação do divino

---

253. Em direito civil o conceito de *representatio* recebe uma acepção peculiar. É evidente que o significado de *representatio* determinado por ele refere-se, no fundo, a uma presença que lhe faz as vezes. Do portador de uma função pública, governante, funcionário etc., somente se pode dizer que representa, na medida em que onde se mostra não aparece como homem privado, mas em sua função, representando-a.

254. Sobre a polissemia produtiva do conceito de imagem e seu pano de fundo histórico, cf. as observações das p. 16s. (original). O fato de que, para o nosso senso da linguagem atual, o *Urbild* (arquétipo) não seja uma imagem é claramente uma consequência tardia de uma compreensão nominalista do ser; nossa própria análise mostra que nisso aparece um aspecto essencial da "dialética" da imagem.

255. Parece comprovado que, no alto alemão (*Hoch Deutsch*), *bilidi* significa, em princípio, sempre "poder". Cf. Kluge-Goetze s. v.

[148] que só alcança sua plasticidade através da palavra e da imagem. O significado da imagem religiosa possui, portanto, um caráter exemplar. Nele fica incontestavelmente claro que a imagem não é a cópia de um ser retratado, mas que se comunica essencialmente com o retratado. A partir desse exemplo podemos compreender que a arte, ela mesma, e num sentido universal, proporciona ao ser um crescimento de plasticidade imagética. A palavra e a imagem não são meras ilustrações subsequentes, mas permitem que o que representam seja enfim inteiramente o que é.

Na ciência da arte, o aspecto ontológico do quadro se revela no problema especial do surgimento e da mudança dos tipos. A peculiaridade dessas relações parece-me repousar no fato de que, aqui, existe um duplo devir da imagem, na medida em que, em face da tradição poético-religiosa, a arte plástica reproduz a mesma coisa que aquela já faz. O conhecido dito de Heródoto segundo o qual Homero e Hesíodo teriam criado os deuses para os gregos quer dizer que trouxeram para a variada tradição religiosa dos gregos a sistemática teológica de uma família de deuses e fixaram pela primeira vez figuras que se distinguem por sua forma (*eidos*) e função (*time*)[256]. A poesia produziu aqui um trabalho teológico. Ao manifestar as relações dos deuses entre si, produziu a fixação de um todo sistemático.

Com isso, possibilitou a criação de tipos fixos, incumbindo e liberando as artes plásticas para a configuração e o aperfeiçoamento dos mesmos. Como proporciona uma primeira unidade à consciência religiosa, superando os cultos locais, a palavra poética apresenta também uma nova tarefa às artes plásticas. Pois o poético, ao trazer algo à representação na universalidade espiritual da língua, mantém sempre uma não-fixação peculiar que deixa o campo aberto para um preenchimento arbitrário pela imaginação. Somente as artes plásticas fixam, e é só nesse sentido que se criam os tipos. Isso continua valendo mesmo quando não confundimos a criação da "imagem" do divino com a invenção de deuses e quando nos mantemos livres da inversão da tese da *imago Dei* do Gênesis, in-

---

256. HERÓDOTO. *Hist.*, II, 53.

troduzida por Feuerbach[257]. Essa inversão antropológica e reinterpretação da experiência religiosa que se tornou dominante no século XIX surge, antes, do mesmo subjetivismo que alicerça também o raciocínio da mais recente estética.

Em contrapartida ao modo de pensar da recente estética, desenvolvemos acima o conceito de *jogo* como o verdadeiro acontecimento da arte. Essa tentativa acabou se confirmando agora no fato de que também a imagem – e com ela o conjunto da arte não dependente de reprodução – é um processo ontológico e, por isso, não pode ser adequadamente entendida como objeto de uma consciência estética, mas pode ser compreendida em sua estrutura ontológica a partir de fenômenos como a *representatio*. A imagem é um [149] processo ontológico; nele o ser torna-se um fenômeno visível e pleno de sentido. O caráter original da imagem, portanto, não se limita à função "copiadora" da imagem, e nem sequer ao domínio particular da pintura e da escultura "figurativas", do qual, por exemplo, a arquitetura ficaria totalmente excluída. O caráter original da imagem é, antes, um momento essencial que encontra seu fundamento no caráter representativo da arte. A "idealidade" da obra de arte não pode ser determinada através da relação com uma ideia como um ser a ser imitado, reproduzido, mas como diz Hegel como o "aparecer" da própria ideia. A partir do fundamento de uma tal ontologia da imagem, torna-se duvidosa a primazia do quadro pintado sobre madeira, que faz parte de um acervo de pinturas e que corresponde à consciência estética. Ao contrário, o quadro guarda uma relação indissolúvel com o seu mundo.

2.2.2. O fundamento ontológico do ocasional e do decorativo

Se partirmos do fato de que a obra de arte não pode ser compreendida do ponto de vista da consciência estética, muitos fenômenos que assumem uma posição marginal para a estética moderna perdem o seu caráter problemático, e até se deslocam para o centro de um questionamento "estético" que não se reduz artificialmente.

Refiro-me a fenômenos como o *portrait*, a dedicatória na poesia ou mesmo a alusão feita na comédia contemporânea. Os concei-

---

257. Cf. BARTH, Karl. Ludwig Feuerbach. *Zwischen den Zeiten*, V, 1927, p. 17s.

tos estéticos do *portrait*, da dedicatória na poesia e da alusão são, eles próprios, naturalmente formados pela própria consciência estética. Para a consciência estética, o que há de comum nesses fenômenos é o *caráter da ocasionalidade* que tais formas de arte por si mesmas reivindicam. Ocasionalidade quer dizer que o significado continua se determinando, quanto ao conteúdo, a partir da ocasião em que ele é pensado, de maneira que contém mais do que conteria sem essa ocasião[258]. Assim, o *portrait* contém uma referência para com a pessoa a que representa, referência que não lhe é atribuída mas que está ao contrário expressamente incluída na própria representação, caracterizando-o como *portrait*.

[150] O que continua sendo decisivo aqui é que essa ocasionalidade referida faz parte da pretensão da própria obra e que, por exemplo, não lhe é imposta primeiramente por seu intérprete. É justamente por isso que formas de arte como o *portrait*, onde se comprova isso, não encontram um lugar certo na estética fundamentada sobre o conceito de vivência. Um *portrait*, p. ex., contém em seu próprio conteúdo figurativo a relação para com o original. Com isso não se pensa apenas que o quadro foi pintado realmente segundo este original mas que se refere a ele.

Isso fica claro na diferença com relação ao modelo que o pintor venha a usar, por exemplo, para um quadro de gênero ou para uma composição figurativa. No *portrait* o que se representa é a individualidade do retratado. Se num quadro, ao contrário, o modelo atua como individualidade, por exemplo, por tratar-se de um tipo interessante com quem se deparou o pintor, isso passa a ser uma objeção contra o quadro, pois no quadro já não se vê mais *o que* o pintor quer representar mas um material não transformado. É assim que destrói o sentido de um quadro figurativo, quando, por exemplo, nele se reconhece um modelo conhecido do pintor. Pois um modelo é um esquema que tende a desaparecer. A referência ao arquétipo que serviu ao pintor deve desaparecer no quadro.

---

258. Este é o sentido de ocasionalidade comum na lógica moderna, onde nos apoiamos. Um bom exemplo do descrédito da ocasionalidade operado pela estética da vivência são as mutilações, na edição de 1826, dos Hinos renanos de Hölderlin. A dedicatória a Sinclair parecia tão estranha, que se preferiu deixar fora as duas últimas estrofes e qualificar o conjunto todo como um fragmento.

Também chamamos de "modelo" a alguma coisa que torne visível uma outra que não seja visível; como o modelo do projeto de uma casa ou o modelo do átomo. O modelo do pintor não é pensado enquanto ele próprio. Serve apenas para mostrar o uso de vestuários ou para exemplificar atitudes, como se fosse um boneco vestido. Ao contrário, o representado no *portrait* é tão ele mesmo que não atua disfarçado, mesmo quando as luxuosas vestes que está usando chamam a atenção para si. O esplendor que apresenta pertence a ele mesmo. É exatamente o que é para os outros[259]. A interpretação de uma poesia a partir de vivências ou fontes, usual na pesquisa literária biográfica e na pesquisa da história das fontes, às vezes nada mais faz do que faria uma pesquisa da arte que examinasse as obras de um pintor na perspectiva de seus modelos.

A diferença entre modelo e *portrait* esclarece o que significa aqui a ocasionalidade. No sentido referido aqui, ocasionalidade significa inequivocamente a pretensão de sentido da própria obra, em diferença de tudo que pode ser observado nela e concluído dela, contrariamente à prentensão da obra. Um *portrait* quer ser entendido como *portrait*, mesmo quando a referência ao original fica quase sufocada pelo próprio conteúdo figurativo da imagem. Isso fica muito claro em quadros que não são *portraits*, mas que, como se diz, contêm feições de *portrait*. Também eles dão motivo para que se indague pelo original que se reconhece por trás do quadro, e por isso são mais que um mero modelo como um mero esquema que tende a desaparecer. A mesma coisa ocorre com obras da literatura, [151] nas quais podem ser incluídos *portraits* literários, sem que com isso tenham que cair na indiscrição pseudoartística do *roman à clés*[260].

Por mais difusa e muitas vezes discutível que possa ser a fronteira que separa uma alusão tida como ocasional do conteúdo temporal e documentário de uma obra, é uma questão fundamental saber se nos subordinamos à pretensão de sentido que busca uma obra ou se nela vemos um mero documento histórico que procuramos submeter a um interrogatório. Mesmo contra a pretensão de

---

259. Platão fala da proximidade do conveniente (*prepon*) com relação ao belo (*kalon*) *Hipp., maj.*, 293 e.
260. O meritório livro de J. Bruns, *Das literarische Porträt bei den Griechen*, não possui nenhuma clareza neste ponto.

sentido de uma obra, o historiador irá procurar por toda parte todas as referências que possam lhe transmitir algo do passado. Nas obras de arte buscará sempre os modelos, ou seja, sairá ao encalço das referências temporais imbricadas nas obras de arte, mesmo que tenham passado despercebidas ao observador contemporâneo e não deem a conhecer o sentido do conjunto. A ocasionalidade referida aqui não é isso; só o será quando a pretensão de sentido de uma obra, ela mesma, implica uma referência a um determinado original. Não depende portanto do arbítrio do observador que uma obra tenha ou não um tal momento ocasional. Um *portrait é* um *portrait* e não se torna tal somente através daqueles e para aqueles que ali reconhecem o que foi retratado. Embora a referência ao original resida na própria obra, ainda assim será correto denominá-la ocasional. Porque o *portrait* não diz, ele próprio, quem representa, mas apenas que é um determinado indivíduo (e não um tipo). Só se pode "reconhecer" quem é quando o representado é uma pessoa conhecida, e somente se pode saber se houver alguma nota explicativa ou uma informação anexa. Em todo caso, no próprio quadro há uma indicação não explícita, mas em princípio explicitável, que faz parte de seu significado. Essa ocasionalidade pertence ao conteúdo central do significado do "quadro", independentemente de sua explicitação.

Reconhecemos isso no fato de que um *portrait* aparece a alguém sempre como *portrait* (como a representação de uma pessoa num quadro figurativo, apresentando-se com caráter de *portrait*), quando não se reconhece o retratado. No quadro haverá então alguma coisa implícita, que é justamente sua ocasionalidade. Mas o que não é explícito não está ausente; está de uma forma inteiramente unívoca. Algo semelhante vale para vários fenômenos poéticos. As poesias de vitória, de Píndaro, a comédia que sempre critica o contemporâneo, mas também composições tão literárias como as odes e as sátiras de Horácio, são por natureza de caráter ocasional. Nessas obras de arte o ocasional tornou-se uma forma tão permanente que, embora implícito e incompreendido, colabora com o sentido do conjunto. A referência histórica real que se possa acrescentar como esclarecimento para a poesia como um todo será apenas secundária. Preenche somente um prenúncio de sentido que se encontra nele mesmo.

[152]

Importa reconhecer que aquilo que chamamos de ocasionalidade não representa, de forma alguma, uma redução da pretensão e univocidade artísticas de tais obras. O que se apresenta à subjetividade estética como "irrupção do tempo no jogo"[261] e que na era da arte vivencial apareceu como uma degradação do significado estético de uma obra é, na verdade, apenas o reflexo subjetivo daquela relação ontológica que elaboramos acima. Uma obra de arte está tão estreitamente ligada àquilo a que tem referência que enriquece o ser daquele como que através de um novo processo ontológico. Ser fixado no quadro, ser interpelado no poema, ser objeto de alusão no palco não são coisas acessórias, exteriores à essência, mas representações da própria essência. O que dissemos de modo geral acima sobre a valência ontológica do quadro inclui também esse momento ocasional. Assim, o momento da ocasionalidade que se mostra nos fenômenos citados apresenta-se como um caso especial de uma relação geral que convém ao ser da obra de arte: a "ocasião" de seu vir à representação faz com que sua significação experimente um aumento de determinação.

De certo que isso ocorre mais nitidamente nas artes reprodutivas, sobretudo na representação teatral e na música, que formalmente esperam pela ocasião e se determinam apenas através da ocasião que encontram.

É por isso que o palco teatral é uma instituição política de natureza única, porque somente na execução faz transparecer aquilo tudo que há no jogo, a que está aludindo, os ecos que desperta. Ninguém sabe de antemão qual será o "resultado" e o que irá se perder no vazio. Cada execução é um acontecimento, mas não um acontecimento que se oponha ou posicione ao lado da obra poética como algo autônomo; o que acontece no acontecimento da encenação é a própria obra. Sua natureza é ser tão "ocasional" que a ocasião da execução traz à tona e deixa transparecer o que está nela. O diretor de teatro, que monta a obra literária em cenas, demonstra sua capacidade quando sabe aproveitar a oportunidade. Mas ele age seguindo a indicação do autor, cuja obra inteira é uma indica-

---

261. Cf. Excurso II, no vol. II.

ção cenográfica. A distinção estética bem pode medir a música executada a partir da imagem sonora interior, a leitura da partitura, mas ninguém pode duvidar de que executar a música não seja fazer sua leitura[262].

É da natureza das obras dramáticas ou musicais que a sua execução em diversas épocas e em diversas ocasiões é e terá de ser diferente. Agora, importa compreender que, *mutatis mutandis*, o mesmo vale também para as artes estatuárias. Também aí não se pode dizer que a obra é "em si" e que apenas o efeito é cada vez diferente; é a própria obra de arte que se apresenta diferentemente, segundo as condições vão se modificando. O observador dos nossos dias não vê apenas diferente, ele também vê outra coisa. Basta pensarmos no fato de que a representação do mármore branco da Antiguidade domina o nosso gosto e o nosso comportamento conservador desde os dias da Renascença, ou no reflexo de sensibilidade classista que a espiritualidade purista das catedrais góticas representa no Norte romântico.

Mas mesmo as formas de arte especificamente ocasionais, p. ex., a parábase na comédia antiga ou a caricatura na luta política, que tomaram por alvo uma "ocasião" bem determinada – e, finalmente, também o *portrait* – são formulações da ocasionalidade geral que permitem à obra de arte determinar-se de maneira nova de ocasião em ocasião. Mesmo a determinação única pela qual se realiza, nesse sentido preciso, um momento ocasional na obra de arte ganha no ser da obra de arte uma participação na universalidade, que a torna capaz de uma nova realização – de maneira que a singularidade de sua referência ocasional torna-se implícita, mas a referência que se tornou implícita na própria obra permanece presente e atuante. Nesse sentido, também o *portrait* torna-se independente da singularidade de sua referência ao original e, mesmo assim, contém-no em si mesmo precisamente enquanto o supera.

O caso do *portrait* é apenas o aguçamento de uma estrutura essencial e universal da imagem. Cada imagem é um crescimento

---

262. [Sobre "ler", cf. "Zwischen Phönomenologie und Dialektik – Versuch einer Selbskritik", vol. II e os meus trabalhos lá citados.]

do ser e está essencialmente determinada como *representatio*, como vir-à-representação. No caso especial do *portrait*, essa re-presentação ganha um sentido pessoal, na medida em que, aqui, uma individualidade é representada representativamente. Pois isso significa que o representado se representa a si mesmo em seu *portrait* e representa-se com o seu retrato. A imagem não é mais simples imagem ou cópia, mas pertence à atualidade ou à memória presente do representado. Isso constitui sua verdadeira essência. Nesse sentido, o caso do *portrait* é um caso especial da valência ontológica universal, que tínhamos atribuído à imagem como tal. O que nela ganha existência não está contido de antemão naquilo que seus conhecidos veem no retratado; os juízes certos para um *portrait* nunca são os parentes mais próximos e nem a própria pessoa representada. Isso porque um *portrait* não pretende, de forma alguma, reproduzir a individualidade que ele representa, tal qual ela se dá aos olhos deste ou daquele dentre os seus próximos. Antes, ele revela necessariamente uma idealização que pode percorrer uma infinidade de graduações, do representativo até o mais íntimo. Essa idealização não altera o fato de num *portrait* estar representada uma individualidade e não um tipo, por mais que a individualidade retratada no *portrait* apareça despojada do casual e privativo e transportada para o essencial de sua manifestação vigente. [154]

Por isso, as obras figurativas, como os monumentos religiosos ou profanos, dão testemunho da valência ontológica universal da imagem de modo mais claro que o *portrait* íntimo. Pois é nessa valência que repousa a sua função pública. Um monumento mantém aquilo que ele representa numa atualidade específica, que é algo muito diferente que a atualidade da consciência estética[263]. Não vive apenas da capacidade de expressão autônoma da imagem. Isso já pode ser visto no fato de também coisas diferentes dos quadros, como símbolos ou inscrições, poderem assumir a mesma função. A premissa é sempre a reconhecibilidade daquilo que deve ser lembrado através do monumento, e igualmente a sua atualidade potencial. É assim que as figuras dos deuses, a imagem do rei, o monumento elevado em memória de alguém pressupõem que o Deus,

---

263. Cf. acima, p. 81 (original).

o rei, o herói ou o acontecimento, a vitória ou o tratado de paz, já possuam uma atualidade determinante para todos. Nesse sentido, a obra figurativa que os representa não atua diferente de uma inscrição, p. ex.: mantêm-nos presentes nesse seu significado universal. Seja como for, quando se trata de uma obra de arte, isso não significa apenas que acrescenta algo a esse significado pressuposto como pode também falar de si mesma e que, com isso, se torna independente do prévio conhecimento que a sustenta.

A despeito de toda diferenciação estética, uma imagem continua sendo uma manifestação daquilo que ela representa, ainda que essa manifestação se dê por força da expressão autônoma da imagem. Na imagem do culto isso se torna indiscutível. Mas na obra de arte a diferença entre sagrado e profano é relativa. Quando se trata de uma obra de arte, mesmo o *portrait* individual participa da misteriosa radiação ontológica que resulta do *status* ontológico daquilo que vem à representação ali.

Isso pode ser ilustrado por um exemplo: Justi[264] denominou com muita propriedade a *Rendição de Breda*, de Velasquez, "um sacramento militar". Com isso, quis dizer o seguinte: esse quadro não é um *portrait* de um grupo e nem sequer um mero quadro histórico. O que se fixou no quadro não é somente um acontecimento solene como tal. Antes, a festividade dessa cerimônia está tão presente no quadro porque o caráter pictórico de ser pertence a ela mesma e é realizada como um sacramento. Há entes que precisam da imagem, são dignos de imagens e só se realizam em sua natureza quando estão representados numa imagem.

Não é por acaso que, quando se quer fazer valer o *status* ontológico das obras das belas artes contra o nivelamento estético, apela-se imediatamente para conceitos religiosos.

O fato de que sob nossas premissas a oposição entre profano e sagrado se mostre como relativa é algo que está perfeitamente em ordem. Basta lembrar-nos do significado e da história do conceito de profanidade. Profano é aquilo que se encontra frente ao santuário. O conceito de profano e o conceito de profanação, dele deriva-

---

264. JUSTI, Carl. *Diego Velasquez und sein Jahrhundert*, I, 1888, 366.

do, pressupõem sempre a sacralidade. De fato, a oposição entre profano e sagrado no mundo da Antiguidade, de onde procede, só pode ser relativa, já que o âmbito total da vida é ordenado e determinado pelo sagrado. Somente a partir do cristianismo torna-se possível compreender a profanidade num sentido mais rigoroso, pois foi somente o Novo Testamento que desdemonizou de tal maneira o mundo que abriu espaço para a oposição absoluta entre o profano e o religioso. A promessa da salvação da Igreja significa que o mundo é apenas ainda "este mundo". A peculiaridade dessa pretensão produz também a tensão entre Igreja e Estado, que leva à ruína do mundo antigo e faz com que o conceito de profanidade alcance sua verdadeira atualidade. Como se sabe, a tensão entre Igreja e Estado dominou toda a história da Idade Média. O aprofundamento espiritual do pensamento da igreja cristã acaba liberando o estado secular. A significação da Alta Idade Média para a história universal está no fato de construir um mundo profano que confere ao conceito de profano toda sua amplidão e sua cunhagem moderna[265]. Mas isso não muda o fato de que a profanidade continuou sendo um conceito jurídico-sacral e que só pode ser determinada a partir do sagrado. Profanidade absoluta é um não conceito[266].

A relatividade do profano e do sagrado faz parte não somente da dialética dos conceitos, mas pode ser reconhecida no fenômeno da imagem como uma referência real. É verdade que uma obra de arte religiosa exposta no museu ou uma estátua comemorativa mostrada ali não podem mais ser profanadas no mesmo sentido que uma obra que conservou seu lugar originário.

Mas na verdade isso significa apenas que já foi violada ao se tornar uma peça de museu. É evidente que isso não vale apenas para obras de arte religiosa. Às vezes, temos essa mesma sensação numa loja de antiguidades, onde estão à venda velhas peças que ainda denotam um resquício de vida íntima, algo como um sentimento de vergonha, uma espécie de violação da piedade ou de pro- [156]

---

265. Cf. HEER, Friedrich. *Der Aufgang Europas*. Viena [s.e.], 1949.
266. KAMLAH, W. *Der Mensch in der Profanität*, 1948, procurou dar este sentido ao conceito de profanidade para caracterizar a essência da ciência moderna, mas também para ele o conceito se determina pelo seu oposto, a "recepção do belo".

fanação. Em última instância, toda obra de arte possui algo que se rebela contra a profanação.

Nesse sentido, parece-me que o fato de mesmo uma consciência estética pura conhecer o conceito de profanação (***Frevel***) possui uma força demonstrativa decisiva. Essa consciência ainda sente a destruição de obras de arte como um sacrilégio (a palavra alemã *Frevel* (profanação) sobrevive ainda hoje quase que somente no emprego de "profanação da arte"). É um traço característico da moderna religião da cultura estética, a que se poderia acrescentar vários outros testemunhos. É assim que a palavra "vandalismo", p. ex., que remonta à Idade Média, só foi adotada propriamente na reação às destruições praticadas pelos jacobinos na Revolução Francesa. A destruição de obras de arte é como uma violação de um mundo protegido pela sacralidade. Assim, mesmo uma consciência estética que tenha se tornado autônoma não pode negar que a arte é mais que aquilo que ela mesma quer admitir.

A partir de todas essas ponderações, justifica-se caracterizar o modo de ser da arte, no seu todo, através do *conceito de representação, o qual abarca tanto o jogo como imagem, tanto comunhão como representação*. Assim, a obra de arte passa a ser entendida como um processo ontológico, desfazendo a abstração que lhe atribui a distinção estética. Também a imagem é um processo de representação. Sua referência ao original é tão pouco uma redução de sua autonomia ontológica, que com relação à imagem podemos falar até de um crescimento de seu ser. Por isso, o emprego de conceitos jurídico-sacrais pareceu-nos aconselhada.

Importa agora não confundir o sentido especial da representação que convém à obra de arte com a representação sagrada, como convém, por exemplo, ao *símbolo*. Nem todas as formas de "representação" têm o caráter de "arte". Formas de representação são também os símbolos, também as insígnias. Também esses possuem a estrutura da referência (*Verweisung*) que faz deles representações.

No contexto das investigações lógicas sobre a essência da expressão e do significado, realizadas nas últimas décadas, a estrutura da referência presente em todas essas formas de representação teve uma elaboração muito intensa[267]. Lembremo-nos aqui dessas análises, embora com outra intenção.

O que nos importa no momento não é o problema do significa- [157] do, mas a essência da imagem. Queremos compreender sua peculiaridade, sem nos deixar desviar pela abstração exercida pela consciência estética. Por essa razão, importa passar em revista esses fenômenos da referência, para fixar o que lhes é comum e o que os distingue.

A essência da imagem encontra-se mais ou menos a meio caminho entre dois extremos. Esses extremos da representação são o *puro referir* – a essência do sinal – e o *puro fazer as vezes de outro* (*Vertretten*) – a essência do símbolo. Na essência da imagem há alguma coisa de ambos. Sua representação contém o momento da referência àquilo que nele é representado. Vimos que isso sobressai com maior nitidez em formas especiais como o *portrait*, para o qual é essencial a relação com o original. Mesmo assim, uma imagem não é um *sinal*, pois um sinal não é nada mais que aquilo que exige a sua função; e essa é a de referir de si para outra coisa. Para poder preencher essa função, é preciso que, de início, ele atraia a atenção para si. Precisa chamar a atenção, ou seja, precisa destacar-se nitidamente e mostrar seu conteúdo referencial – como um cartaz. No entanto, nem um sinal e nem um cartaz são uma imagem. Não deve atrair a atenção para si a ponto de alguém se demorar junto a ele, pois apenas deve tornar presente algo que não está presente, de tal modo que se vise só o que não está presente[268]. Assim, não tem o direito de nos convidar por seu próprio conteúdo imagético a nos demorarmos. Isso pode ser aplicado também para todos os sinais, p. ex., para sinais de trânsito ou para sinais indicati-

---

267. Sobretudo na primeira das *Logische Untersuchungen*, de Husserl, nos estudos de Dilthey, influenciados por aquele, sobre o *Aufbau der geschichtlichen Welt* (Dilthey, vol. VII), e na análise da mundanidade do mundo de M. Heidegger (*Sein und Zeit*, § 17 e 18).
268. Já destacamos acima que o conceito de imagem que empregamos aqui tem seu cumprimento histórico nos quadros da pintura moderna. Mesmo assim, parece-me inquestionável seu emprego "transcendental". Quando numa perspectiva histórica destacamos representações medievais com o conceito de signo-imagem (*Bildzeichen*) por oposição ao "quadro" (*Bild*) posterior (D. Frey), pode até ser que algumas coisas que dissemos no texto sobre o "signo" possam ser aplicadas a essas representações, mas a distinção frente ao mero signo é inconfundível. Os signos-imagem não são uma classe de signos, mas uma classe de imagens.

vos e similares. Também esses têm algo esquemático e abstrato, porque não querem mostrar-se a si mesmos mas, sim, o não presente, p. ex., a próxima curva ou a página até onde o livro já foi lido (mesmo os sinais naturais, que servem como previsão do tempo, p. ex., só têm a sua função de referência através da abstração. Por exemplo, quando olhamos para o céu, nos sentimos tomados pela beleza de um fenômeno celeste e nos demoramos admirando-o, experimentamos um deslocamento de intenção, que faz recuar o seu ser de sinal).

Parece que, de todos os sinais, o que tem maior realidade própria é o objeto da recordação. A recordação refere-se ao passado e nesse sentido é realmente um sinal, mas é precioso para nós mesmos porque nos mantém presente o passado como uma parte que não passou. Mesmo assim, é evidente que não se fundamenta no próprio ser do objeto da recordação. A recordação só tem valor de recordação para quem já – e isto significa, ainda – tem um laço com o próprio passado. As recordações perdem o seu valor quando o passado que nos recordam não tem mais nenhum significado. Mas para quem não somente cultiva essas recordações mas lhes presta culto, vivendo com o passado como se fosse um presente, devemos afirmar que sua relação com a realidade está perturbada.

[158]

Uma imagem, portanto, não é um sinal. Mesmo a recordação não permite que alguém se demore junto a ela, mas junto ao passado que ela apresenta. A imagem, ao contrário, realiza sua referência ao representado apenas através de seu próprio conteúdo. Ao nos aprofundarmos nele, atingimos também o representado. A imagem faz referência a outra coisa na medida em que permite que nos demoremos nela. Pois o que perfaz aquela valência ontológica que acentuamos é o fato de que não está simplesmente separada daquilo que representa, mas participa de seu ser. Vimos que o representado só se torna ele mesmo na imagem. Ele experimenta um crescimento de ser. Isso significa que ele está presente na própria imagem. É só uma reflexão estética – que chamamos de distinção estética – que pode abstrair dessa presença do original na imagem.

A diferença entre a imagem e o sinal tem, portanto, um fundamento ontológico. O quadro não se esgota em sua função de referência, mas por seu próprio ser participa daquilo que reproduz.

É claro que essa participação ontológica é atribuída não somente à imagem mas também àquilo que chamamos de *símbolo*. Tanto para o símbolo quanto para a imagem vale o fato de que não se referem a algo que não esteja concomitantemente presente neles mesmos. Assim, nos deparamos com a tarefa de distinguir entre o modo de ser da imagem e o modo de ser do símbolo[269].

A distinção entre símbolo e sinal que faz com que o símbolo se aproxime da imagem é evidente por si mesma. A função representativa do símbolo não é a de uma mera referência a algo não presente. Mais do que isso, o símbolo deixa aparecer como presente algo que, no fundo, está sempre presente. Isso aparece no sentido original do termo "símbolo". Se no passado chamamos de "símbolo" o sinal de reconhecimento entre amigos afastados ou membros dispersos de uma comunidade religiosa, que atesta uma pertença comum, um tal símbolo terá, certamente, a função de sinal. No entanto, é mais do que um sinal. Não somente indica uma pertença comum, mas demonstra-a e torna-a visível. A "tessera hospitalis" é um resto de uma vida vivida outrora e testemunha por sua existência aquilo que indica, isto é, permite que o próprio passado se torne presente e que seja reconhecido como válido.

Isso se aplica com muito mais razão aos símbolos religiosos, [159] pois não funcionam somente como distintivos; o sentido desses símbolos é entendido por todos, vincula a todos e por isso pode assumir também uma função de sinal. O que é simbolizado, portanto, necessita de representação, na medida em que ele próprio é imaterial, infinito e não representável, mas passível de ser representado, pois só porque ele mesmo está presente pode se fazer presente no símbolo.

Desse modo, um símbolo não serve apenas como referência, mas representa enquanto faz as vezes de outro (*vertritt*). Fazer as vezes de outro, porém, significa deixar que se torne presente algo que não estava presente. É assim que o símbolo faz as vezes de outro na medida em que o representa, ou seja, permite que algo se torne imediatamente presente. É só porque o símbolo representa assim a presença daquilo que ele faz as vezes que a honra devida àquilo que ele

---

269. Cf. acima, p. 77-86 (original), a diferença conceitual e histórica de *símbolo* e *alegoria*.

simboliza será prestada a ele mesmo. Símbolos como o símbolo religioso, a bandeira, o uniforme, assumem de tal modo a suplência daquilo que é honrado que este se faz presente neles.

O fato de que o conceito de *representatio*, que acima utilizamos para a caracterização da imagem, tenha aqui seu lugar de origem mostra a proximidade objetiva que existe entre a representação na imagem e a função de representação do símbolo. Mesmo assim, uma imagem como tal não é um símbolo. Não somente porque os símbolos não precisam ser imagens: Eles realizam sua função de fazer as vezes de outro através de sua pura presença e do seu mostrar-se, mas a partir de si mesmos não dizem nada sobre o simbolizado. Precisamos conhecê-los, como precisamos conhecer um sinal, se quisermos seguir sua referência. Nesse sentido, eles não significam nenhum crescimento de ser para o representado. É verdade que o ser do representado implica seu fazer-se presente em símbolos. Mas o fato de os símbolos estarem aí e serem mostrados não acrescenta nada, do ponto de vista do conteúdo, à determinação de seu próprio ser. Quando o símbolo está aí, o simbolizado não está aí *num grau superior*. São meros suplentes. É por isso que o seu significado próprio não tem importância, mesmo que eles tenham um significado. São representantes e recebem sua função ontológica representativa daquilo que devem representar. A imagem, ao contrário, também representa, mas através de si mesma, através do incremento de significado que proporciona. Mas isso significa que, nela, o representado – o "original" – está mais presente, de modo mais autêntico, como é verdadeiramente.

Assim, a imagem encontra-se de fato a meio caminho entre sinal e símbolo. O seu representar não é nem um puro referir nem um fazer as vezes de outro. E justamente essa posição intermediária que lhe convém e eleva-o a um *status* ontológico que é inteiramente seu. Os sinais artificiais, tanto quanto os símbolos, não recebem seu sentido funcional como a imagem o recebe de seu próprio conteúdo, mas devem ser adotados como sinal ou como símbolo. A essa origem de seu sentido funcional chamamos de *instituição*. O fato de naquilo que chamamos de imagem não haver instituição nesse sentido mencionado é decisivo para a determinação da valência ontológica da imagem.

[160]

Sob o nome de instituição compreendemos a origem da adoção do sinal ou da função do símbolo. Mesmo os assim chamados sinais naturais, p. ex., todos os indícios e prenúncios de uma ocorrência natural, são instituídos nesse sentido básico. Só assumem uma função de sinal quando são experimentados como sinais. Mas só serão experimentados como sinal por uma conjugação prévia de sinal e sinalizado. Isso se aplica também para todos os sinais artificiais. Aqui a adoção do sinal se realiza através da convenção, e a linguagem chama de instituição ao ato que lhe dá origem, pelo qual são introduzidos. A instituição do sinal é o que sustenta o seu sentido referencial, assim como o que sustenta o sinal de trânsito é a promulgação de um código de trânsito e o que sustenta o objeto de recordação (*Andenken*) é o sentido que damos a sua conservação etc. Da mesma forma, o símbolo remonta à sua instituição, pois é só esta que lhe confere seu caráter representativo. Assim o que lhe confere seu significado não é o seu próprio conteúdo ontológico, mas justamente uma instituição, uma investidura, uma consagração; ela dá significado ao que em si não tem significado, p. ex., o emblema nacional, a bandeira, o símbolo do culto.

O que importa agora é observar que uma obra de arte não deve o seu significado genuíno a uma instituição, nem mesmo se tiver sido instituída de fato como imagem cúltica ou como monumento profano. O que lhe confere por primeiro seu significado não é o ato público da consagração ou da revelação, que o remete à sua destinação. Ao contrário, antes de receber uma função como memorial, ela já é uma configuração com função significativa própria, como representação que possui ou não imagem. A instituição e a consagração de um monumento – e não é por acaso que se chamem monumentos arquitetônicos tanto os edifícios religiosos quanto os profanos, quando a distância histórica as consagrou – só realiza uma função que já estava implicada no próprio conteúdo da obra.

Esse é o motivo por que obras de arte podem assumir determinadas funções reais e rejeitar outras, p. ex., funções religiosas ou profanas, públicas ou íntimas. São instituídas e erigidas como monumentos de devoção, de veneração, de piedade, somente porque de si mesmas prescrevem e ajudam a formar esse nexo funcional. Pleiteiam por si mesmas o seu lugar, e mesmo quando estão deslocadas, p. ex., ao serem incluídas num acervo moderno, não perdem os vestígios que as remetem à sua determinação original. Essa determinação pertence ao seu próprio ser, porque o seu ser é representação.

[161] Quando pensamos no significado exemplar dessas formas especiais, compreendemos que formas artísticas que do ponto de vista da arte vivencial representam casos-limite podem ocupar um ponto eminentemente central: ou seja, todas aquelas cujo conteúdo próprio aponta para além de si mesmas, para o todo de uma conjuntura determinada por elas e para elas. A mais distinta e a mais extraordinária forma de arte que podemos colocar sob esse critério é a *arquitetura*[270].

Uma obra arquitetônica remete para além de si mesma de dois modos distintos. É determinada tanto pelo fim a que deve servir, quanto pelo lugar que tem de ocupar no todo de uma conjuntura espacial. Todo arquiteto deve levar em conta ambos os fatores. O próprio projeto deve ser definido levando em conta que deve servir a um modo de vida e adaptar-se a condições prévias naturais e arquitetônicas. Assim a uma construção bem acertada podemos chamar de uma "feliz solução", e isso significa que tanto realiza plenamente sua finalidade, quanto introduz algo novo no espaço visual urbano ou rural onde é erigida. Em função dessa dupla adaptação, também a construção representa um verdadeiro crescimento do ser, ou seja, é uma obra de arte.

Mas não será uma obra de arte se estiver em algum lugar qualquer, como um edifício que compromete a paisagem, mas somente quando representa a solução de uma "tarefa arquitetônica". Por isso também a ciência da arte só contempla os edifícios que contêm algo que mereça sua consideração, e chama-os de "monumentos arquitetônicos". Um edifício é uma obra de arte quando não só representa a solução artística de uma tarefa arquitetônica imposta por sua finalidade e os nexos de vida a que a obra pertence originariamente, mas também quando, de certa forma, conserva esses nexos, de modo que são visíveis mesmo quando o aspecto atual já está muito distante de sua destinação original. Há algo nele que alude ao

---

270. [Cf. meu artigo *Vom Lesen von Bauten und Bildern, FS für H. Indahl*, organizado por G. Boehm, Würzburg, 1986.]

original. E quando essa destinação original já não pode ser reconhecida, ou a sua unidade acaba por romper-se ao cabo de tantas transformações empreendidas com o passar dos tempos, o próprio edifício se torna incompreensível. A arquitetura, a mais estatuária de todas as artes, nos mostra com clareza o caráter secundário da "distinção estética". Um edifício jamais poderá ser reduzido a uma obra de arte. A destinação prática, pela qual se integra no contexto da vida, não pode separar-se dela, sem perder algo de sua própria realidade. Se for reduzido a objeto da consciência estética, sua realidade será pura sombra e só vive ainda sob a forma degenerada do objeto turístico ou de reprodução fotográfica. A "obra de arte em si" se mostra como uma pura abstração.

Na realidade, a sobrevivência dos grandes monumentos arquitetônicos do passado na vida do tráfego moderno e de seus edifícios propõe a tarefa de uma integração pétrea do antes e do agora. [162] As obras arquitetônicas não permanecem irreversíveis, à margem da torrente histórica da vida, mas esta arrasta-as consigo. Inclusive quando as épocas que se pautam pelo conhecimento da história tentam restaurar o antigo estado de um edifício, elas não podem dar marcha a ré à roda da história, mas devem buscar, de sua parte, uma nova e melhor mediação entre o passado e o presente. Até mesmo o restaurador ou o responsável pela conservação de um monumento continuam sendo artistas de seu tempo.

O significado especial que a arquitetura tem para o nosso questionamento reside no fato de que, também nela, podemos ver aquela mediação, sem a qual uma obra de arte não possui verdadeira atualidade. Mesmo onde a representação não ocorre primeiramente em virtude da reprodução (da qual todo mundo sabe que ela pertence a seu próprio presente), a obra de arte propicia uma mediação entre passado e presente. O fato de cada obra de arte possuir seu mundo não significa que, uma vez mudado seu mundo original, já não possa ter realidade a não ser numa consciência estética alienada. Isso é algo sobre o que a arquitetura pode nos ensinar, já que nela sua pertença a um mundo é uma marca indelével.

Mas com isso se dá também algo mais. A arquitetura é uma conformadora de espaço por excelência. Espaço é o que abarca todos os entes que estão no espaço. Por isso a arquitetura abrange todas as demais formas de representação: todas as obras das artes plásticas, toda ornamentação; só ela proporciona o lugar para a representação da poesia, da música, da mímica e da dança. Ao abarcar o conjunto de todas as artes, instaura em toda parte o domínio de seu próprio horizonte. E este é o da *decoração*. A arquitetura o conserva, inclusive, face àquelas formas de arte cujas obras não devem ser decorativas, mas que se centram sobre si mesmas pelo caráter fechado do seu círculo de sentido. A investigação mais recente está começando a recordar que isso vale para todas as obras figurativas, cujo lugar já estava previsto quando foram encomendadas. Nem sequer uma escultura independente, postada sobre seu pedestal, pode subtrair-se ao contexto de vida a que se subordina adornando-o[271]. Também a poesia e a música, dotadas da mais livre mobilidade e suscetíveis de serem executadas em qualquer lugar, não são adequadas para qualquer espaço; seu lugar apropriado só pode ser aqui ou lá, no teatro, no salão ou na igreja. Isso tampouco quer dizer que se encontre *a posteriori* e a partir de fora um lugar para uma obra já acabada em si; antes, é necessário obedecer à potência configuradora do espaço que pertence à própria obra. Esta deve adaptar-se à situação dada e também impor suas próprias condições (pense-se, por exemplo, no problema da acústica, que não depende só de uma questão técnica mas do aspecto arquitetônico).

Dessa reflexão concluímos que a posição abrangente que a arquitetura assume face a todas as demais artes inclui uma mediação bipolar. Como arte configuradora de espaço por excelência, opera tanto a conformação do espaço como a sua liberação. Não somente abarca todos os pontos de vista decorativos da conformação do espaço até a ornamentação, como é também, por sua essência, decorativa. E a essência da decoração consiste em proporcionar essa dupla mediação, a de atrair sobre si a atenção do observador, satisfazer seu gosto e ao mesmo tempo afastá-lo, remetendo-o ao conjunto mais amplo do contexto vital a que ela acompanha.

---

271. Por esse motivo, Schleiermacher destaca corretamente, face a Kant, que a jardinagem não faz parte da pintura, mas da arquitetura (*Ästhetik*, 201). Quanto ao tema "paisagem e jardinagem", cf., entrementes, RITTER, J. *Landschaft* – Zur Funktion des Ästhetischen in der modernen Gesellschaft. Münster, 1963, sobretudo a erudita nota 61, p. 52s.

E isso pode-se afirmar para toda a gama do decorativo, desde a construção das cidades até os detalhes ornamentais. Uma obra arquitetônica deve ser, certamente, a solução de uma tarefa artística e, enquanto tal, deve atrair a admiração maravilhada do observador. Ao mesmo tempo deve submeter-se a um modo de vida e não pretender ser um fim em si. Ela pretende corresponder a esse modo de vida como adorno, como fundo destinado a criar ambiência, como moldura que integra e mantém. O mesmo vale também para os detalhes ornamentais criados pelo arquiteto, inclusive para ornamento, que não deve atrair a atenção para si mas desaparecer por completo em sua função decorativa de acompanhamento. Mas até o caso extremo do ornamento conserva em si algo da duplicidade da mediação decorativa. É verdade que não deve convidar a que nos demoremos nele, e que, como motivo decorativo, não deve mesmo ser observado; antes, deve ter um efeito de mero acompanhamento. Por isso, em geral, não terá nenhum conteúdo objetivo, e, se o tiver, estará tão nivelado pela estilização ou pela repetição que o olhar passará por ele sem se deter. A intenção não é buscar o "reconhecimento" das formas naturais empregadas num ornamento. E se o modelo que se repete for considerado naquilo que é objetivamente, sua repetição irá se converter em penosa monotonia. Mas, por outro lado, não deve atuar de modo uniforme e morto, já que, em sua tarefa de acompanhamento, deve ter um efeito vivaz; até certo ponto, portanto, deve atrair o olhar sobre si.

Se observarmos assim a gama completa das tarefas decorativas que se impõem à arquitetura, não será difícil de reconhecer que aqui aparece com mais clareza o fracasso do preconceito de consciência estética; segundo essa consciência, a verdadeira obra de arte seria aquilo que, abstraído de todo espaço e de todo tempo, representa o objeto de uma vivência estética na presença do vivenciar. Na arquitetura reconhecemos com clareza a necessidade de revermos a distinção que se tornou habitual entre obra de arte autêntica e simples decoração.

Em geral, o conceito de decorativo é pensado a partir de sua [164] oposição à "obra de arte autêntica" e a partir de sua origem na inspiração genial. Argumenta-se, por exemplo, assim: o mero decorativo não é arte do gênio mas ofício da arte. Como meio, está submetido àquilo que deve adornar, e como qualquer outro meio submetido a um fim poderia ser substituído por qualquer outro meio igualmente apropriado. O decorativo não participa do caráter único da obra de arte.

Na realidade, o conceito de decoração precisa ser libertado dessa oposição com o conceito de arte vivencial e encontrar seu fundamento na estrutura ontológica da representação, que já elaboramos como modo de ser da obra de arte. Bastará recordar que o adorno, o decorativo, em seu sentido originário são o belo como tal. Vale a pena recuperar esse antigo conhecimento. Tudo o que é adorno e adorna é determinado por sua referência ao que ele adorna, sobre o qual é aplicado, àquilo que é seu portador. Não possui um conteúdo estético próprio, que depois sofreria uma restrição por sua referência para com seu portador. Inclusive Kant, que poderia defender essa opinião, em sua famosa declaração contra as tatuagens, leva em conta que um adorno só é tal quando é conveniente ao seu portador e lhe cai bem[272]. O gosto não consiste somente em saber apreciar que algo é bonito em si, mas em saber também onde cabe e onde não. O adorno não é primeiramente uma coisa para si, que mais tarde se acrescenta a uma outra, mas pertence ao modo de apresentar-se de seu portador. É muito correto afirmarmos que também o adorno pertence à representação; mas a representação é um processo ontológico, é *representatio*. Um adorno, um ornamento, uma escultura colocada num local escolhido são representativos no mesmo sentido em que o é, por exemplo, a própria igreja onde estão.

Assim, o conceito de decorativo torna-se apropriado para aperfeiçoar o nosso questionamento sobre o modo de ser do estético. Mais tarde veremos que a recuperação do velho sentido transcendental do belo é aconselhável também a partir de outro ponto de vista. Em todo caso, o que queremos dizer com o termo "representação" é um momento estrutural, universal e ontológico, do estético, um processo ontológico e não, por exemplo, um processo vivencial gerado no momento da criação artística e que o espírito que o recebe apenas poderia repeti-lo. Partindo do sentido universal do jogo, tínhamos reconhecido o sentido ontológico da representa-

---

272. KANT. *Kritik der Urteilskraft*, 1799, p. 50.

ção no fato de que a "reprodução" é o modo de ser originário da [165] própria arte original. Agora se confirma que também a imagem (*Bild*) e as artes estatuárias no seu todo possuem, ontologicamente falando, o mesmo modo de ser. A presença específica da obra de arte é o ser vindo à representação.

2.2.3. A posição-limite da literatura

Conviria agora verificar se o exemplo do aspecto ontológico que desenvolvemos até aqui se estende também ao modo de ser da *literatura*. Aqui já não parece haver nenhuma representação que pudesse reivindicar uma valência ontológica própria. A leitura é um processo da pura interioridade. Nela parece consumada a eliminação de toda ocasião e contingência, que ainda afetam a conferência pública ou a encenação. A única condição sob a qual se encontra a literatura é a transmissão pela linguagem e seu desenrolar-se na leitura. A distinção estética, pela qual a consciência estética se coloca como autônoma face à obra, não acaba alcançando legitimidade, por assim dizer, através da autonomia do leitor? De qualquer livro e não só do célebre[273], pode-se dizer que é para todos e para ninguém.

Mas será que este é um conceito correto da literatura? Ou estará procedendo, afinal de contas, de uma retroprojeção romântica da consciência cultural alienada? Não há dúvida de que a literatura, como objeto de leitura, é um fenômeno muito tardio. Mas não será por acaso que a palavra *literatura* não se refere à leitura mas à escrita. Este pertence na realidade aos dados originários de todo o grande fazer poético. A pesquisa mais recente (Parry e outros), que me obrigou a mudar de perspectiva em relação a meu texto anterior, renovou a ideia romântica da oralidade da poesia épica anterior a Homero, na medida em que sabemos da longevidade oral da epopeia albanesa. Quando surge a escrita, impõe-se a fixação escrita da epopeia. A "literatura" aparece como auxílio aos rapsodos, não como material de leitura mas como auxílio para a recitação. Mesmo assim, o fato de em tempos posteriores assistirmos ao triunfo da lei-

---

273. Friedrich Nietzsche. Also Sprach Zarathustra. Ein Buch für alle und keinen.

tura frente à recitação não é algo totalmente novo (basta pensarmos que Aristóteles distanciou-se do teatro).

Isso se' mostra sobretudo quando a leitura é feita em voz alta. Não obstante, não se pode traçar uma distinção nítida com respeito à leitura feita em silêncio; toda leitura compreensiva é sempre uma forma de reprodução e interpretação. A entonação, a articulação rítmica e afins pertencem também à leitura mais silenciosa.

[166]   O significativo e sua compreensão estão tão estreitamente vinculados ao elemento corporal da linguagem que a compreensão sempre contém um falar interior.

E se for assim, já não se pode evitar de concluir que na leitura a literatura – por exemplo, nessa forma artística tão peculiarmente sua que é o romance – tem uma existência tão originária quanto a epopeia, na declamação do rapsodo, ou a imagem (quadro), na contemplação do observador. Também a leitura do livro permaneceria, segundo isso, uma ocorrência em que o conteúdo lido se torna representação. É verdade que a literatura e sua recepção na leitura mostram um grau máximo de desvinculação e mobilidade[274]. Sinal disso é que não precisamos ler um livro de uma só vez, de modo que o fato de deixá-lo de lado representa uma tarefa própria da retomada, coisa que não possui correlato no escutar ou no contemplar. Isso permite ver claramente que a "leitura" corresponde à unidade do texto.

A especificidade artística da literatura só pode ser concebida a partir da ontologia da obra de arte, e não a partir das vivências estéticas que vão aparecendo ao longo da leitura. A leitura pertence essencialmente à obra de arte literária, tanto como a declamação ou a execução. Todos esses são graus do que em geral se costuma chamar de reprodução, mas que, na realidade, representa o modo

---

274. INGARDEN, R. *Das literarische Kunstwerk*, 1931, oferece uma correta análise da estratificação da linguagem na obra literária e da mobilidade da realização intuitiva que convém à palavra literária. No entanto, observe-se acima a nota da p. 124 (original). [Entrementes, eu publiquei uma série de estudos sobre esse tema. Cf. "Zwischen Phänomenologie und Dialektik – Versuch einer Selbstkritik", vol. II e, principalmente, o trabalho aí publicado, "Text und Interpretation", bem como os trabalhos previstos para publicação no vol. VIII das Obras Completas.]

de ser *original* de todas as artes transitórias e que se tornou exemplar para a determinação do modo de ser da arte em geral.

Isso implica outra consequência. O conceito de literatura não deixa de estar vinculado a seu receptor. A existência da literatura não é a sobrevivência morta de um ser alienado que se oferece simultaneamente à realidade vivencial de uma época posterior. A literatura é, antes, uma função da preservação e da transmissão espiritual e por isso introduz em cada presente sua história oculta. Desde a formação dos cânones da literatura antiga, que devemos aos filólogos alexandrinos, toda a sequência da transcrição e preservação dos "clássicos" constitui uma tradição cultural viva, que não se limita a conservar o que existe, mas também a reconhecê-lo como exemplar e a transmiti-lo como modelo. Em toda mudança de gosto forma-se essa grandeza operante que chamamos "literatura clássica", como modelo permanente para todas as épocas posteriores, alcançando e ultrapassando os tempos da disputa ambígua dos "anciens et modernes".

Foi só o desenvolvimento da consciência histórica que transformou essa unidade viva da literatura universal, extraindo-a da imediatez da sua pretensão normativa de unidade e inserindo-a na problemática da história da literatura. Trata-se, porém, de um processo inacabado e que provavelmente jamais poderá ser acabado. Sabe-se que Goethe foi o primeiro a cunhar o conceito de literatura universal em língua alemã[275], só que para ele o sentido normativo de um tal conceito era ainda plenamente evidente. Mesmo hoje em dia esse conceito ainda não está extinto, pois quando nos referimos a uma obra de significado duradouro dizemos que pertence à literatura universal. [167]

A obra que faz parte da literatura universal ocupa seu lugar na consciência de todos. Pertence ao "mundo". Ora, o mundo que uma obra da literatura universal atribui a si mesma pode estar muito distante e afastado do mundo original ao qual a obra falou. Não se trata mais do mesmo "mundo", portanto. Mas, mesmo assim, o

---

275. GOETHE. *Kunst und Altertum*, Jubileums Ausgabe, vol. XXXVIII, p. 97, assim como a conversação com Eckermann, de 31 de janeiro de 1827.

sentido normativo contido no conceito de literatura universal significa que as obras incluídas nela continuam falando, mesmo que o mundo a que falam seja completamente diferente. Da mesma forma, a existência de uma literatura traduzida comprova que essas obras apresentam algo que possui uma verdade e validez universal e perene. Isso não significa que a literatura universal seja uma formulação alienada daquilo que perfaz o modo de ser de uma obra segundo sua determinação original. Ao contrário, é o modo de ser histórico da literatura como tal o que permite que algo pertença à literatura universal.

A caracterização normativa que se dá com a pertença à literatura universal situa o fenômeno da literatura sob um novo ponto de vista. Pois, se esta pertença à literatura universal só é reconhecida no caso de uma obra literária que possui um certo *status* próprio, como poesia ou como obra de arte da linguagem, o conceito de literatura é muito mais amplo do que o da obra de arte literária. Do modo de ser da literatura participa toda tradição feita pela linguagem, não somente os textos religiosos, jurídicos, econômicos, públicos e privados de toda classe, mas também os escritos em que se elaboram e interpretam cientificamente esses textos transmitidos, e consequentemente todo o conjunto das ciências do espírito. A forma da literatura convém em geral a toda investigação científica, na medida em que esta se encontra essencialmente vinculada ao caráter de linguagem (*Sprachlichkeit*). A capacidade que tem tudo que pertence à linguagem de aceder à escrita circunscreve o sentido mais vasto da literatura.

Nos perguntamos, agora, se o que descobrimos sobre o modo de ser da arte pode ser aplicado também para esse sentido mais amplo da literatura. O sentido normativo da literatura desenvolvido acima deverá ser reservado só às obras literárias que podem
[168] ser consideradas como obras de arte? E pode-se dizer que apenas estas fazem parte da valência ontológica da arte? Ou será que todas as outras formas de realidade literária não participam fundamentalmente dela?

Ou talvez não exista aqui um limite tão preciso? Existem obras científicas que por sua qualidade literária conquistaram o direito de ser consideradas obras da arte literária e incluídas na literatura universal. Do ponto de vista da consciência estética isto é evidente na medida em que a referida consciência considera decisivo na obra de arte não o significado do conteúdo, mas unicamente a qualidade de sua formulação. Mas, na medida em que nossa crítica à consciência estética restringiu radicalmente o alcance desse ponto de vista, esse princípio de delimitação entre arte literária e literatura torna-se problemático. Vimos que nem sequer a obra de arte poética pode ser concebida na sua verdade essencial a partir do padrão da consciência estética. O que a obra poética tem em comum com todos os demais textos literários é que ela nos fala a partir do significado de seu conteúdo. Nossa compreensão não se volta especificamente para o resultado da forma que lhe convém como obra de arte, mas para o que nos diz.

Levando isso em consideração, a diferença entre uma obra de arte literária e qualquer outro texto literário já não é tão fundamental. É claro que existem diferenças entre a linguagem da poesia e a da prosa, e igualmente entre a linguagem da prosa poética e a da prosa "científica". Essas diferenças podem ser consideradas também do ponto de vista da forma literária. Mas a diferença essencial dessas "linguagens" diferentes reside, evidentemente, noutro aspecto, ou seja, na diversidade da pretensão de verdade de cada uma delas. Mas há uma profunda comunhão entre todas as obras literárias no fato de que a formulação que se dá na linguagem permite que o significado a ser expresso possa produzir seu efeito. Sob esse aspecto, a compreensão de textos, como é praticada pelo historiador, por exemplo, não difere tanto da experiência da arte. E não é por acaso que no conceito de literatura se reúnam não somente as obras da arte literária, mas toda tradição literária como tal.

Em todo caso, não é por acaso que o fenômeno da literatura representa o ponto onde confluem a arte e a ciência. O modo de ser da literatura tem algo de peculiar e incomparável; ela impõe uma tarefa específica para o transformar-se em compreensão. Não há nada tão estranho e tão exigente para a compreensão como a escrita. Nem sequer o encontro com pessoas que falam um idioma estrangeiro pode ser comparado com essa estranheza e estranha-

[169] mento, pois a linguagem dos gestos e o tom de voz comportam um momento de compreensibilidade imediata. A escrita, e a literatura enquanto participa dela, é a compreensibilidade do espírito de tal modo despojada que se situa no que há de mais estranho. Não há nada que possua um caráter espiritual tão puro quanto a escrita, e nada depende tanto do espírito compreendedor como ela. Em seu deciframento e interpretação dá-se um verdadeiro milagre: a transformação de algo estranho e morto em um ser absolutamente familiar e coetâneo. Nenhum outro gênero de tradição que nos venha do passado se parece com este. As relíquias de uma vida passada, restos de edificações, instrumentos, o conteúdo dos sepulcros, tudo isso sofreu a erosão dos vendavais do tempo que se assolaram sobre eles – mas, desde o momento em que é decifrada e lida, a tradição escrita é de tal modo espírito puro que nos fala como se estivesse presente. Por isso, a capacidade de ler, de compreender os escritos, é como uma arte secreta, como um feitiço que nos libera e nos prende. Nela o espaço e o tempo parecem suspensos. Quem sabe ler o que foi transmitido por escrito atesta e realiza a pura atualidade do passado.

Por isso, a despeito de todas as fronteiras traçadas pela estética, o conceito mais amplo da literatura se aplica também ao nosso contexto. Assim como pudemos mostrar que o ser da obra de arte é um jogo que só se cumpre na sua recepção pelo espectador, pode-se dizer também dos textos em geral que a reconversão de um traço morto em sentido vivo só se dá ao ser compreendido. É necessário, portanto, que se pergunte se o que já demonstramos com relação à experiência da arte pode ser afirmado também para a compreensão dos textos em conjunto, portanto, também aqueles que não são obras de arte. Vimos que a obra de arte só alcança sua consumação na representação que ela recebe, e fomos obrigados a concluir que toda obra de arte literária só pode se realizar inteiramente pela leitura. Ora, será que isso vale também para a compreensão de todo e qualquer texto? Será que o sentido de todo texto se realiza somente em sua recepção por quem o compreende? Dito de outra forma, será que o compreender faz parte do acontecer semântico de um texto, como o fazer com que se torne audível faz parte da música? Quando frente ao sentido de um texto nos comportamos com tanta liberdade como o artista reprodutivo frente ao seu modelo, será que ainda podemos chamar a isso de compreensão?

2.2.4. A reconstrução e a integração como tarefas hermenêuticas

A disciplina clássica que se ocupa da arte de compreender textos é a hermenêutica. Mas, se nossas reflexões são corretas, o verdadeiro problema da hermenêutica deve ser posto de uma maneira totalmente diferente da habitual. Deverá apontar para a mesma direção em que nossa crítica à consciência estética havia deslocado o problema da estética. A hermenêutica deveria então ser compreendida de um modo tão abrangente a ponto de incluir em si toda esfera da arte e sua problemática. Qualquer obra de arte, e não apenas as literárias, deve ser compreendida no mesmo sentido que qualquer outro texto, e isso requer capacidade. Com isso a consciência [170] hermenêutica adquire uma extensão tão abrangente que ultrapassa a da consciência estética. *A estética deve subordinar-se à hermenêutica.* E este enunciado não se refere apenas ao aspecto formal do problema, mas aplica-se antes de tudo ao conteúdo. A hermenêutica, ao contrário, deve determinar-se, em seu conjunto, de maneira a fazer justiça à experiência da arte. A compreensão deve ser entendida como parte do acontecimento semântico, no qual se forma e se realiza o sentido de todo enunciado, tanto os enunciados da arte quanto os de qualquer outra tradição.

Como disciplina auxiliar da teologia e da filosofia, a hermenêutica experimentou no século XIX um desenvolvimento sistemático que a transformou em fundamento para o conjunto das atividades das ciências do espírito. Ela elevou-se fundamentalmente acima de seu objetivo pragmático original, ou seja, o de tornar possível ou facilitar a compreensão de textos literários. Não é somente a tradição literária que representa um espírito alienado, necessitado de uma apropriação nova e mais viva; antes, tudo que já não está imediatamente em seu mundo e não se expressa nele e para ele, junto com toda a tradição, a arte e todas as demais criações espirituais do passado, o direito, a religião, a filosofia etc., encontram-se despojados de seu sentido original e dependem de um espírito que as interprete e intermedie, espírito que, a exemplo dos gregos chamamos de Hermes, o mensageiro dos deuses. É à *gênese da consciên-*

cia histórica que a hermenêutica deve sua função central no âmbito das ciências do espírito. Mas a questão é saber se o alcance do problema que ela coloca pode ser visto de maneira correta a partir das premissas da consciência histórica.

O trabalho que se realizou até o presente, nesse terreno, sobretudo pela tentativa diltheyana de uma fundamentação hermenêutica das ciências do espírito[276] e suas investigações sobre a gênese da hermenêutica[277], fixou a seu modo as dimensões do problema hermenêutico. Nossa tarefa atual poderia ser a de tentar subtrair-nos da influência dominante da problemática diltheyana e dos preconceitos da "história do espírito" fundada por ele.

Com o objetivo de dar uma ideia antecipada da questão e de estabelecer uma relação das consequências sistemáticas do que desenvolvemos até aqui com a ampliação que experimenta agora o nosso questionamento, faremos bem se nos ativermos de imediato à tarefa hermenêutica colocada pelo fenômeno da arte. Se por um lado conseguimos mostrar que a "distinção estética" é uma abstração que não pode suspender a pertença da obra de arte ao seu mundo, por outro, também é incontestável que a arte jamais é passado, mas consegue superar a distância dos tempos através da presença de seu próprio sentido. Assim, parece que a partir de um duplo ponto de vista o exemplo da arte nos mostra um caso privilegiado de compreensão. A arte não é mero objeto da consciência histórica, e no entanto a sua compreensão implica sempre uma mediação histórica. Diante disso, como determinar a tarefa da hermenêutica?

Schleiermacher e Hegel poderiam representar as duas possibilidades extremas de resposta a essa pergunta. Suas respostas poderiam ser caracterizadas pelos conceitos de *reconstrução* e *integração*. Tanto para Schleiermacher quanto para Hegel, no começo se encontra a consciência de uma perda e uma alienação frente à tradição; é essa consciência que provoca a reflexão hermenêutica. Entretanto, eles determinam a tarefa da hermenêutica de maneira bem diferente.

---

276. Wilhelm Diltheys Gesammelte Schriften, vols. VII e VIII.
277. Ibid., vol. V.

Schleiermacher, de cuja teoria hermenêutica nos ocuparemos mais adiante, está totalmente empenhado em reconstruir na compreensão a determinação original de uma obra. Pois a arte e a literatura que nos são transmitidas do passado chegam a nós desenraizadas de seu mundo original. Nossas análises já demonstraram que isso vale para todas as artes e portanto também para a literatura, mas que se faz particularmente evidente nas artes plásticas. Schleiermacher escreve que "a partir do momento em que as obras de arte entram em circulação" o natural e originário já foram perdidos. "Ou seja, cada uma tem uma parte de sua compreensibilidade a partir de sua determinação original". "Por isso, a obra de arte perde algo de seu significado quando é arrancada de seu contexto originário e este não foi conservado historicamente." Ele chega, inclusive, a dizer: "Assim, uma obra de arte está enraizada também no seu solo e chão, no seu entorno. Ao ser retirada desse entorno e entrar em circulação, perde o seu significado, é como algo que foi salvo do fogo e agora traz as marcas de queimado"[278].

Será que isso não implica que a obra de arte somente tem seu verdadeiro significado ali onde originalmente pertence? Será que compreender seu significado não será de algum modo restabelecer o originário? Se sabemos e reconhecemos que a obra de arte não é um objeto a-temporal da vivência estética mas pertence a um mundo e somente este poderá determinar plenamente o seu significado, parece que devemos concluir que o verdadeiro significado da obra de arte só pode ser compreendido a partir desse "mundo", portanto, principalmente a partir da sua origem e de seu surgimento. A reconstrução do "mundo" a que pertence, a reconstrução do estado original que havia na "intenção" do artista criador, a execução da obra no seu estilo original, todos esses meios de reconstrução histórica teriam então o direito de reivindicar que eles tornam compreensível o verdadeiro significado da obra de arte e que devem protegê-la contra mal-entendidos e falsas atualizações. Essa é, efetivamente, a ideia de Schleiermacher, o pressuposto tácito de toda sua hermenêutica. Segundo ele, o saber histórico abre a possibili- [172]

---

278. SCHLEIERMACHER. *Ästhetik*, p. 84s. [ODEBRECHT, R. (org.)].

dade de suprir o que foi perdido e reconstruir a tradição, na medida em que nos devolve o ocasional e o originário. Assim, o empenho hermenêutico se orienta para a recuperação do "ponto de conexão" (*Anknüpfungspunkt*) no espírito do artista, o único a tornar inteiramente compreensível o significado de uma obra de arte, como faz, por outro lado, no caso de textos onde a hermenêutica se esforça por reproduzir a produção original do autor.

É claro que a reconstrução das condições sob as quais uma obra transmitida cumpria sua determinação original constituiu uma operação auxiliar verdadeiramente essencial para a compreensão. Apenas temos que perguntar se o que se alcança por esse caminho é realmente o que buscamos quando tentamos encontrar o *significado* da obra de arte, e se determinamos corretamente a compreensão quando a consideramos como uma segunda criação, como a reprodução da produção original. Uma tal determinação da hermenêutica acaba não sendo menos absurda do que toda restituição e restauração da vida passada. Face à historicidade de nosso ser, a reconstrução das condições originais, como toda e qualquer restauração, não passa de uma empresa impotente. A vida reconstruída, recuperada do alheamento, não é a original. Com a persistência do alheamento, ela obtém uma existência secundária na cultura. A tendência recente de devolver as obras de arte dos museus ao seu lugar original ou de reconstruir o aspecto original dos monumentos arquitetônicos só confirma este ponto de vista. Mesmo o quadro retirado do museu e recolocado na igreja ou o edifício reconstruído segundo o seu estado antigo não são o que foram: convertem-se em objeto para turistas. Igualmente a atividade hermenêutica que entenda a compreensão como a reconstrução do original não passa de um exercício de transmissão de um sentido morto.

Frente a isso, *Hegel* oferece outra possibilidade: equilibrar o ganho e a perda da empresa hermenêutica. Hegel tem plena consciência da impotência de qualquer restauração; assim, pensando no declínio da vida antiga e de sua "religião da arte", escreve:

> "As obras da musa são agora o que são para nós: belos frutos arrancados da árvore; um destino amável no-los ofereceu, como uma jovem oferece aqueles frutos; não existe a vida real de sua existência, não existe a árvore que os produziu, nem a terra e os elementos que constituem sua substância, nem o clima que constitui sua determinação e nem a mudança das estações que dominavam o processo de seu devir. Assim, junto com as obras daquela arte, o destino não nos dá seu mundo, nem a primavera ou o verão da vida e dos costumes em que floresceram e maduraram, mas apenas a lembrança velada daquela realidade"[279].

[173]

E, ao comportamento das gerações posteriores com respeito às obras de arte recebidas do passado, ele chama de uma

> "atividade exterior, que talvez retire uma gota de chuva ou um pozinho desses frutos e, em lugar dos elementos interiores da realidade dos costumes circundantes, geradora e espiritualizadora, erige a armadura grandiosa dos elementos mortos de sua existência exterior, da linguagem, do histórico etc., não para adentrá-los, experimentando-lhe a vida, mas somente para imaginá-los"[280].

O que Hegel descreve aqui é exatamente o que em Schleiermacher continha a exigência de uma conservação histórica, mas que em Hegel traz, desde o princípio, um acento negativo. A investigação do ocasional, que complementa o significado das obras de arte, não está em condições de reconstruí-las. Continuam sendo frutos arrancados da árvore. Fazendo-os retornar ao seu contexto histórico, não se adquire nenhuma relação vital com eles, mas apenas uma relação imaginativa. Com isso, Hegel não contesta a legitimidade de adotar um tal comportamento histórico frente à arte do passado. O que faz é expressar o princípio da investigação da histó-

---

279. HEGEL. *Phänomenologie des Geistes*, p. 524 [HOFFMEISTER (org.)].
280. Uma frase da *Ästhetik* (Hotho II, 233) pode ilustrar que esse "adentrar experimentando" (*sich hineinleben*) representa, para Hegel, uma solução pouco satisfatória: "Não serve de nada por assim dizer querer apropriar-se substancialmente de concepções de mundo passadas, ou seja, querer implicar-se por completo numa dessas maneiras de compreender, por exemplo, fazendo-se católico, como nos últimos tempos muitos têm feito por amor da arte, para fixar seu ânimo..."

ria da arte, que, como todo comportamento "histórico", aos olhos de Hegel não passa de uma atividade exterior.

Segundo Hegel, a verdadeira tarefa do espírito pensante, frente à história e também frente à história da arte, não deveria ser uma tarefa exterior, já que o espírito deveria ver-se representado nela de uma forma superior. Continuando a tecer as imagens da jovem que oferece os frutos arrancados da árvore, Hegel escreve:

> Mas como a jovem que nos oferece os frutos colhidos é mais que sua natureza, que os apresenta de modo imediato em suas condições e elementos, a árvore, o ar, a luz etc. – na medida em que, no brilho do olhar autoconsciente e do gesto que oferece, ela reúne tudo isso de uma maneira superior –, assim também o espírito do destino que nos oferece aquelas obras de arte é mais que a vida dos costumes e a realidade daquele povo, pois é a re-cordação (*Er-Innerung*[281]) do espírito que nelas ainda está exteriorizado – é o espírito do destino trágico que reúne todos aqueles deuses e atributos individuais da substância no único panteão, no espírito consciente de si mesmo como espírito.

[174]

Nesse ponto Hegel aponta para além da dimensão global em que se havia colocado o problema da compreensão em Schleiermacher. Hegel eleva o problema ao nível sobre o qual ele fundamenta a filosofia como a forma mais alta do espírito absoluto. No saber absoluto da filosofia leva-se a cabo aquela autoconsciência do espírito que, como diz o texto, abrange "de um modo superior" também a verdade da arte. Assim, para Hegel o que domina a tarefa hermenêutica é a filosofia, isto é, o espírito que penetra e se impõe na história. Essa posição é diametralmente oposta ao esquecimento de si da consciência histórica. Nela o comportamento histórico da imaginação se transforma em um comportamento pensante com respeito ao passado. Hegel expressa assim uma verdade categórica, dizendo que a essência do espírito histórico não consiste na restituição do passado, mas na *mediação com a vida atual feita pelo pensamento*. Hegel tem razão quando se nega a pensar essa me-

---

281. NdR: *Er-Innerung*, literalmente, significa a ação de interiorizar e, por isso, re-cordar.

diação feita pelo pensamento como uma relação exterior e posterior, colocando-a no mesmo nível que a verdade da arte. Com isso ele ultrapassa fundamentalmente a ideia da hermenêutica de Schleiermacher. Também para nós a questão da verdade da arte obrigou-nos a uma crítica da consciência estética e histórica, na medida em que indagamos pela *verdade* que se manifesta na arte e na história.

SEGUNDA PARTE

A EXTENSÃO DA QUESTÃO DA VERDADE À COMPREENSÃO NAS CIÊNCIAS DO ESPÍRITO

"Qui non intelligit res, non potest ex verbis sensum elicere" (M. Lutero)

1. Preliminares históricas

1.1. A problematicidade da hermenêutica romântica e sua aplicação à historiografia

1.1.1. A transformação essencial da hermenêutica entre a *Aufklärung* e o Romantismo

Se reconhecemos, então, como tarefa, seguir mais a Hegel do que a Schleiermacher, devemos acentuar a história da hermenêutica de um modo totalmente novo. Sua realização já não se dá liberando a compreensão histórica de todos os pressupostos dogmáticos, nem se poderá considerar a gênese da hermenêutica sob o aspecto em que a apresentou Dilthey, seguindo os passos de Schleiermacher. Antes, nossa tarefa será retomar o caminho aberto por Dilthey, atendendo a objetivos diferentes dos que ele tinha em mente com sua autoconsciência histórica. Nesse sentido, deixamos totalmente de lado o interesse dogmático pelo problema hermenêutico que despertava o Antigo Testamento na Igreja primitiva[1], e nos contentamos em seguir o desenvolvimento do método hermenêutico na Idade Moderna, que desemboca no surgimento da consciência histórica.

a) A pré-história da hermenêutica romântica

A arte da compreensão e interpretação havia se desenvolvido por dois caminhos distintos, o teológico e o filológico, a partir de um estímulo análogo: a hermenêutica teológica, como mostrou muito bem Dilthey[2], a partir de sua defesa da compreensão reformista da Bíblia contra o ataque dos teólogos tridentinos e seu apelo ao caráter indispensável da tradição; a hermenêutica filológica apareceu como instrumental para as tentativas humanísticas de redescobrir a literatura clássica.

---

1. Pense-se no *De doctrina christiana*, de Santo Agostinho. Cf., mais recentemente, o artigo *Hermeneutik*, de G. Ebeling, em RGG[3].
2. DILTHEY. "Die Entstehung der Hermeneutik". *Gesammelte Schriften*, vol. V, p. 317-338. [Entrementes, foi publicada a versão original erudita de Dilthey, como vol. 2 da biografia de Schleiermacher. Cf. a minha apreciação no vol. II das *Ges. Werke* – posfácio à 3ª edição de W. u. M. – p. 463s.]

[178]　　Em ambos os casos trata-se de redescobrimentos, e talvez de um redescobrimento de algo que não é totalmente desconhecido, mas algo de cujo sentido se havia tornado estranho e inacessível. Enquanto material educativo, a literatura clássica sempre esteve presente, mas havia sido moldada por completo ao mundo cristão; também a Bíblia era, sem dúvida, o livro sagrado que se lia constantemente na Igreja, mas sua compreensão fora determinada pela tradição dogmática da Igreja e, segundo a convicção dos reformados, também fora obscurecida por ela. Em ambas as tradições estava-se às voltas com línguas estranhas, não a língua universal dos eruditos da época medieval latina, de modo que o estudo da tradição que se procura recuperar em sua origem exige tanto que se aprenda grego e hebraico como que se purifique o latim. Em ambos os terrenos da tradição, tanto na literatura quanto na Bíblia, a hermenêutica procura desvendar o sentido original dos textos através de um procedimento de correção quase artesanal; o fato de que em Lutero e Melanchthon a tradição humanística se unifique com o impulso reformador ganha uma importância decisiva.

O pressuposto da hermenêutica bíblica – na medida em que a hermenêutica bíblica interessa enquanto pré-histórica da hermenêutica moderna das ciências do espírito – é o princípio que a Reforma propõe quanto às Escrituras. O ponto de vista de Lutero[3] é mais ou menos o seguinte: a Sagrada Escritura é *sui ipsius interpres*. Não se tem necessidade da tradição para compreendê-la adequadamente, nem tampouco de uma técnica interpretativa ao estilo da antiga doutrina do quádruplo sentido da Escritura, pois sua literalidade possui um sentido unívoco, o *sensus literalis*, que deve ser mediado por ela mesma. Sobretudo o método alegórico, que até então parecia indispensável para alcançar uma unidade dogmática na doutrina bíblica, só é legítimo quando a intenção alegórica

---

3. Os princípios hermenêuticos da explicação bíblica luterana foram investigados, depois de K. Holl, sobretudo por G. Ebeling, *Ev. Evangelienauslegung. Eine Untersuchung zu Luthers Hermeneutik* [1942]; e "Die Anfange von Luthers Hermeneutik" in: [*Zeitschrift für Theologie und Kirche*, 48, 1951, p. 172-230]; e recentemente "Wort Gottes und Hermeneutik", in: [*ZThK*, 56, 1959]. Aqui teremos de nos contentar com uma exposição sumária, que serve apenas para destacar o problema e para deixar clara a guinada da hermenêutica rumo à história no século XVIII. Com relação à problemática própria da *sola scriptura*, cf. também EBELING, G. "Hermeneutik". *RGG III*. [Cf. EBELING, G. *Wort und Glaube*, vol. II, Tübingen, 1969, p. 99-120. Cf. também meu trabalho "Klassische und philosophische Hermeneutik", no vol. II, bem como GADAMER, H.-G./BOEHM, G. (orgs.) *Philosophische Hermeneutik*. Frankfurt: [s.e.] 1976.]

se encontra na própria Escritura. É correto, pois, aplicá-la no caso do discurso das parábolas. Por outro lado, o Antigo Testamento não pode ganhar sua relevância especificamente cristã através de uma interpretação alegórica. Deve ser entendido literalmente, e ele adquire um significado cristão justamente ao ser compreendido literalmente e quando se reconhece nele o ponto de vista da lei, subsumida pela ação salvífica de Cristo. [179]

Naturalmente, o sentido literal da Escritura não pode ser compreendido univocamente em todas as suas passagens nem a todo momento. Pois o que guia a compreensão do individual é o todo da Escritura Sagrada, assim como que, por outro lado, só se pode alcançar esse todo tendo percorrido a compreensão do individual. Em si, essa relação circular do todo e das partes não é nenhuma novidade. A retórica antiga já sabia disso; ela comparava o discurso perfeito com um corpo orgânico e com a relação entre a cabeça e os membros. Lutero e seus seguidores[4] transferiram essa imagem oriunda da retórica clássica para o procedimento da compreensão, e desenvolveram um princípio geral de interpretação de texto segundo o qual todos os aspectos individuais de um texto devem ser compreendidos a partir do *contextus*, do conjunto, e a partir do sentido unitário para o qual o todo está orientado, o *scopus*[5].

---

4. A comparação entre *caput* e *membra* encontra-se também em Flacius.

5. É evidente que a gênese do conceito de sistema se fundamenta na mesma situação teológica que a da hermenêutica. Para isso, é muito instrutivo o trabalho de RITSCHL, O. *System und systematische Methode in der Geschichte des wissenschaftlichen Sprachgebrauch und in der philosophischen Methodologie*. Bonn: [s.e.], 1906. Demonstra que a teologia da reforma dirige-se no rumo da sistemática, porque não queria continuar sendo uma elaboração enciclopédica da tradição dogmática, mas procurava reorganizar toda a doutrina cristã a partir das passagens decisivas da Bíblia (*loci communes*); é uma constatação duplamente instrutiva se pensarmos na aparição posterior do termo *sistema* na filosofia do século XVII. Também ali havia irrompido algo novo na estrutura tradicional do conjunto da ciência escolástica: a nova ciência da natureza. Este novo elemento obrigou a filosofia a elaborar uma sistemática, ou seja, a harmonizar o velho e o novo. O conceito de sistema, que desde então se converteu em requisito metodologicamente indispensável para a filosofia, tem pois sua raiz histórica no divórcio entre filosofia e ciência nos primórdios da Idade Moderna, e o fato de que se converta numa exigência lógica e natural da filosofia se deve a que esse divórcio entre filosofia e ciência tem estado constantemente na pauta de quetões da tarefa da filosofia. [Com relação à história etimológica, o ponto de partida é Epinomis 991e, onde a palavra *sustéma* aparece relacionada com *arithmos* e *armonia*. Parece, pois, ter sido transferido das relações aritméticas e musicais para a ordem celeste (cf. St. V. fr. II, 168, 11, passim.) Pode-se também pensar no conceito heraclítico de *armonia* (VS 12 B 54): as dissonâncias aparecem "superadas" nos intervalos harmônicos. Que coisas disjuntivas se encontrem reunidas ocorre tanto no conceito astronômico como no conceito filosófico de "sistema".]

Enquanto a teologia da Reforma apela para esse princípio para a sua interpretação da Escritura Sagrada, continua, de fato, presa a uma pressuposição de base dogmática. Pressupõe que a própria Bíblia é uma unidade. Julgada a partir do ponto de vista histórico conquistado no século XVIII, também a teologia da Reforma é dogmática e confunde o caminho a uma sã interpretação de partes individuais da Escritura Sagrada, que tivesse em mente o contexto [180] relativo de uma escritura, sua finalidade e sua composição cada vez separadamente.

Mais ainda, a teologia da Reforma parece nem sequer ser consequente. Ao tomar a fórmula de fé protestante como fio condutor para a compreensão da unidade da Bíblia suspende, também ela, o princípio da Escritura em favor de uma tradição reformatória, que também não dura muito. Sobre isso, tanto a teologia da Contra-reforma como o próprio Dilthey[6] já emitiram seu juízo. Dilthey compila essas contradições da hermenêutica protestante partindo da autoconfiança plena das ciências históricas do espírito. Mais tarde teremos de nos indagar se essa autoconsciência realmente se justifica – também com relação ao sentido teológico da exegese bíblica – e se o princípio fundamental da hermenêutica filológica de compreender os textos a partir deles mesmos não traz em si uma certa insuficiência necessitando sempre ser completado por um fio condutor de caráter dogmático, mesmo que nem sempre o reconheça.

Todavia, esse tipo de pergunta só pode ser colocada hoje, depois que o *Aufklärung* histórico já mediu plenamente suas possibilidades. Os estudos de Dilthey sobre a gênese da hermenêutica desenvolvem um quadro coerente e convincente à luz das pressuposições do conceito de ciência da Idade Moderna. A hermenêutica teve que começar a desvencilhar-se de todas as limitações dogmáticas e libertar-se para alcançar o significado universal de um *organon* histórico. Isto ocorreu no século XVIII, quando homens como Semler e Ernesti reconheceram que, para compreender adequadamente a Escritura, pressupunha-se conhecer a diversidade de seus autores, e abandonar, por consequência, a unidade dogmática do cânon. Com essa "emancipação da interpretação do dogma" (Dilthey), a reunião

---

6. Cf. Dilthey II, 126, nota 3 da crítica que Richard Simon faz a Flacius.

das Escrituras Sagradas da cristandade assume o papel de reunir fontes históricas que, na qualidade de obras escritas, devem se submeter a uma interpretação não somente gramatical mas também histórica[7]. A compreensão a partir do contexto do todo requer agora, necessariamente, também a restauração histórica do contexto de vida a que pertencem os documentos. O velho princípio interpretativo de compreender o particular a partir do todo já não podia reportar-se nem limitar-se à unanimidade dogmática do cânon, mas dirigia-se à abrangência conjuntural da realidade histórica, a cuja totalidade pertence cada documento particular.

E assim como a partir desse momento já não há diferença entre a interpretação de escritos sagrados e escritos profanos, havendo portanto só *uma* hermenêutica, esta hermenêutica não é mais apenas uma função propedêutica de toda historiografia – como a arte da interpretação correta das fontes escritas – mas abarca também toda a atividade da historiografia. Pois o que se afirma das fontes escritas, ou seja, que nelas cada frase só pode ser compreendida a partir de seu contexto, vale também para os conteúdos que elas reportam. Tampouco seu significado pode se estabelecer por si próprio. O contexto da história universal onde os objetos individuais da investigação histórica, tanto os grandes como os pequenos, se mostram em sua significação verdadeira e relativa, é, ele próprio, um todo a partir do qual pode-se compreender plenamente cada elemento particular em seu sentido; por seu lado, o próprio todo só pode ser plenamente compreendido a partir desses elementos particulares. De certo modo, a história é o grande livro obscuro, a obra completa do espírito humano, redigida nas línguas do passado, cujo texto deve ser compreendido. A exigência histórica compreende a si mesma segundo o modelo da filologia, de que se serve. Veremos que, de fato, este é o modelo pelo qual se guia Dilthey para fundamentar a concepção histórica do mundo. [181]

---

7. Semler, que coloca essa exigência, crê, obviamente, que com isso está servindo ao sentido salvífico da Bíblia, na medida em que quem compreende historicamente "está em condições de falar sobre esses objetos como exige uma outra época e as novas circunstâncias em que se encontram os homens que convivem conosco" (apud EBELING. "Hermeneutik". *RGG III*): portanto, historiografia a serviço da *Applicatio*.

Aos olhos de Dilthey, portanto, a hermenêutica só alcança sua verdadeira essência quando deixa de estar a serviço de uma tarefa dogmática – que para os teólogos cristãos é a correta proclamação do Evangelho – e assume a função de um *organon* histórico. Mas se o ideal do *Aufklärung* histórico, a que pertence Dilthey, acabasse se revelando como uma ilusão, então toda a pré-história que ele esboça da hermenêutica receberia um significado totalmente diferente; a guinada em direção à consciência histórica já não seria sua emancipação das presilhas do dogma mas uma mudança de sua essência. O mesmo vale também para a hermenêutica filológica, pois a *ars critica* da filologia encontrava sua pressuposição primeira na exemplaridade irrefletida da Antiguidade Clássica, cuja tradição cultivava. Assim, se entre a Antiguidade e o próprio presente já não existe nenhuma relação inequívoca de modelo e seguimento, também esta deverá transformar-se de modo essencial. Uma prova disso é a *querelle des anciens et des modernes* que cunha o tema geral para toda época que vai do classicismo francês ao alemão. Este é também o tema no qual se desenvolve a reflexão histórica, que acaba dissolvendo a pretensão normativa da Antiguidade Clássica. Em ambos os caminhos, portanto, na filologia e na teologia, dá-se o mesmo processo que acabou levando à concepção de uma hermenêutica universal, para a qual a exemplaridade especial da tradição já não representa uma pressuposição para a tarefa hermenêutica.

[182]   A formação de uma ciência da hermenêutica, desenvolvida por Schleiermacher na confrontação com os filólogos F.A. Wolf e F. Ast e ampliando a hermenêutica teológica de Ernesti, não representa um mero passo adiante na história da arte de compreender. Em si, essa história da compreensão tem estado acompanhada pela reflexão teórica desde os tempos da filologia antiga. Essas reflexões, porém, têm o caráter de uma "doutrina da arte" (*Kunstlehre*), isto é, pretendem servir à arte da compreensão do mesmo modo que a retórica serve à arte de falar e a poética à arte de poetar e sua apreciação. Nesse sentido também a hermenêutica teológica da patrística e da Reforma foi uma doutrina da arte. Mas agora é a compreensão como tal que se converte em problema. A generalidade desse problema testemunha que a compreensão se converteu numa tarefa num novo sentido. Com isso também a reflexão teórica recebe um novo sentido. Já não é uma doutrina da arte a serviço da práxis

do filólogo ou do teólogo. É verdade que o próprio Schleiermacher acaba dando à sua hermenêutica o nome de doutrina da arte, porém, em um sentido sistemático completamente diferente. Ele quer fundamentar teoricamente o procedimento comum a teólogos e filólogos remontando, para além da intenção de ambos, a uma relação mais originária da compreensão do pensamento.

Os filólogos que foram seus predecessores imediatos viam as coisas diferentemente. Para eles a hermenêutica era determinada pelo conteúdo do que se devia compreender, ou seja, pela unidade óbvia da literatura vétero-cristã. O que Ast propõe como objetivo de uma hermenêutica universal, i.é, "alcançar a unidade entre vida grega e cristã", expressa no fundo o que pensam todos os "humanistas cristãos"[8]. Schleiermacher, ao contrário, *já não* busca a unidade da hermenêutica na *unidade de conteúdo* da *tradição* a que se deve aplicar a compreensão; mas abstraindo de toda especificação de conteúdo, ele a procura na unidade de um procedimento que nem sequer se diferencia pelo modo como as ideias são transmitidas, se por escrito ou oralmente, se numa língua estranha ou na língua própria e contemporânea. O esforço da compreensão surge toda vez que não se dá uma compreensão imediata, e assim toda vez que se deve contar com a possibilidade de um mal-entendido.

Este é o contexto a partir do qual se determina a ideia de Schleiermacher de uma hermenêutica universal.

Essa ideia nasceu da noção de que a experiência da estranheza [183] (*Fremdheit*) e da possibilidade do mal-entendido são universais. Não resta dúvida de que essa estranheza é maior no discurso artístico e o mal-entendido também é mais provável no discurso artístico do que no discurso desprovido de arte, e torna-se mais aguda no discurso fixado por escrito do que no oral. Na viva voz esse discurso acaba de certo modo tendo sempre uma cointerpretação. Mas precisamente a extensão da tarefa hermenêutica ao "diálogo significativo", tão característica de Schleiermacher, mostra como se transformou profun-

---

[8]. Dilthey, que também observa isso, mesmo avaliando-o de modo diferente, escreve já em 1859: "Temos de levar em conta que a filologia, a teologia, a história e a filosofia... não estavam ainda tão separadas entre si como é costume agora. Se Heyne foi o primeiro a dar espaço à filologia como disciplina autônoma, o primeiro a se inscrever como estudante de filologia foi Wolf" (*Der junge Dilthey*, 1933, 88).

damente o sentido da estranheza, cuja superação a hermenêutica deve promover frente ao que até então se propunha como tarefa da hermenêutica. Na individualidade do tu a estranheza já está indissoluvelmente dada num sentido novo e universal.

Este sentido vivo e mesmo genial da individualidade humana que carcteriza Schleiermacher não deve ser tomado como uma característica individual que influencia aqui na sua teoria. É, antes, a recusa crítica de tudo que na era do *Aufklärung* se fazia passar por essência comum da humanidade sob o título de "pensamentos racionais"; isso exige uma nova e fundamental determinação da relação com a tradição[9]. A arte de compreender é honrada com uma atenção teórica de princípio e com um cultivo universal, porque o fio condutor dogmático da compreensão de textos já não pode fundamentar-se num consenso bíblico nem racional. Daí, a necessidade de Schleiermacher de proporcionar à reflexão hermenêutica uma motivação fundamental que situe o problema da hermenêutica num horizonte que esta não conhecia até então.

Para poder situar em seu pano de fundo correto a verdadeira guinada que Schleiermacher dá à história da hermenêutica, começaremos com uma reflexão que não desempenha nenhum papel para ele e que depois dele desapareceu por completo dos questionamentos da hermenêutica (coisa que também restringe de uma maneira muito peculiar o interesse histórico de Dilthey pela história da hermenêutica), mas que na verdade domina o problema da hermenêutica e que permite compreender a posição que Schleiermacher ocupa na história da hermenêutica. Partiremos da proposição segundo a qual "compreender significa, de princípio, entender-se uns aos outros". Compreensão é, de princípio, entendimento. Assim, na maioria das vezes os homens se entendem de imediato, isto é, vão se pondo de acordo até chegar a um entendimento. Acordo é sempre, portanto, acordo sobre algo. Compreender-se é compreender-se sobre algo.

---

9. De maneira consequente, Chr. Wolff e sua escola atribuíam a "arte da interpretação geral" à filosofia, já que "em última instância tudo tende a que se possa conhecer e examinar a verdade de outros, uma vez compreendidos os seus discursos" (Walch, 165). Algo parecido pensa Bentley, quando demanda do filólogo "que seus únicos guias sejam a razão, a luz dos pensamentos do autor e sua força vinculante (apud WEGNER. *Altertumskunde*. p. 94).

A própria linguagem já mostra que o "sobre quê" e o "em quê" [184] não são apenas um objeto qualquer do discurso, de que pudesse prescindir a compreensão mútua ao buscar seu caminho, mas são, antes, caminho e meta do próprio compreender-se. E quando se pode dizer que duas pessoas se entendem independentemente desse "sobre quê" e "em quê" significa que não somente se entendem nisso ou naquilo, mas em todas as coisas essenciais que unem os homens. A compreensão só se converte numa tarefa especial no momento em que esta vida natural experimenta alguma distorção no covisar do visado, que é um visar da *coisa* (*Sache*) comum. É só no momento em que se produz um mal-entendido ou que alguém manifesta uma opinião que causa estranheza por ser incompreensível que a vida natural fica tão inibida com relação à coisa comum que a opinião enquanto opinião, isto é, enquanto opinião do outro, do tu ou do texto, se converte num dado fixo. Mas, mesmo assim, o que se procura em geral é chegar a um acordo, e não somente compreender. E isso de tal modo, que se refaz o caminho em direção à coisa em questão. Quando se mostram vãs todas essas idas e vindas que perfazem a arte do diálogo, da argumentação, do perguntar e do responder, do objetar e do refutar, e que se realizam também face a um texto como diálogo interior da alma que busca a compreensão, só então dá-se uma mudança no questionamento. Só então o esforço da compreensão vai perceber a individualidade do tu e considerar sua *peculiaridade*. Na medida em que se trata de uma língua estrangeira, o texto já será objeto de uma interpretação linguística e gramatical, mas isso não passa de uma condição prévia. O verdadeiro problema da compreensão aparece quando o esforço de compreender um conteúdo coloca a pergunta reflexiva de como o outro chegou à sua opinião. Pois é evidente que um questionamento como este anuncia uma forma de estranheza bem diferente, e significa, no fundo, a renúncia a um sentido comum.

A crítica bíblica de Spinoza é um bom exemplo para isso (e ao mesmo tempo um dos primeiros documentos). No capítulo 7 do *Tractatus theologico-politicus* Spinoza desenvolve seu método interpretativo da Escritura Sagrada apoiando-se na interpretação da natureza. A partir dos dados históricos temos de inferir a ideia (*mens*) dos autores – na medida em que esses livros narram coisas (histórias de milagres e revelações) que não podem ser derivadas dos princípios conhecidos da razão natural. Independentemente do fato indiscutível de que a Escritura em seu conjunto possui um sentido moral, também nessas coisas que em si mesmas são incompreensíveis (*imperceptibiles*) pode-se compreender tudo que importa, mas só se reconhecermos "historicamente" o espírito do autor, isto é, superando nossos preconceitos, pensamos só nas coisas que o autor pôde ter em mente.

[185] A necessidade da interpretação histórica "segundo o espírito do autor" é, nesse caso, consequência do caráter hieroglífico e incompreensível do conteúdo. Ninguém iria interpretar Euclides observando a vida, o estudo e os costumes (*vita, studium et mores*) do autor[10], e isso valeria também para o espírito da Bíblia em questões de ordem moral (*circa documenta moralia*). E só porque nas narrações da Bíblia aparecem coisas incompreensíveis (*res imperceptibiles*) que sua compreensão dependerá de conseguirmos elucidar a ideia do autor a partir do conjunto de sua obra (*ut mentem auctoris percipiamus*). E aqui pouco importa se o sentido visado corresponde à nossa perspectiva; pois queremos conhecer unicamente o sentido das frases (o *sensus orationum*), não sua verdade (*veritas*). Para isso precisamos eliminar toda e qualquer pressuposição, inclusive a da nossa razão (e tanto mais a de nossos preconceitos) (§ 17).

A "naturalidade" da compreensão da Bíblia repousa, portanto, sobre o fato de que o que é evidente será visto e o não evidente tornar-se-á compreensível "historicamente". A perturbação da compreensão imediata das coisas em sua verdade é o que motiva o rodeio pelo histórico. Uma questão bem diferente é saber o que significa o princípio interpretativo, assim formulado, para a relação específica de Spinoza com respeito à tradição bíblica. Em todo caso, aos olhos de Spinoza, a *amplitude* do que na Bíblia só se pode

---

10. É sintomático do triunfo do pensamento histórico o fato de, em sua hermenêutica, Schleiermacher considerar sempre a possibilidade de interpretar inclusive um Euclides segundo o "lado subjetivo" da gênese de suas ideias (p. 151).

compreender historicamente é muito grande, embora o espírito do conjunto (*quod ipsa veram virtutem doceat*) seja evidente, e mesmo que o evidente possua um *significado* predominante.

Assim, remontamos à pré-história da hermenêutica histórica, teremos de destacar de imediato que entre a filologia e a ciência da natureza, em sua primeira autorreflexão, se estabelece uma correlação muito estreita, que reveste de um duplo sentido. Por um lado, a "naturalidade" do procedimento da ciência natural pode ser aplicada também ao posicionamento frente à tradição bíblica – e para isso serve-se do método histórico. Mas por outro lado também a naturalidade da arte filológica praticada na exegese bíblica, a arte de compreender pelo contexto, impõe ao conhecimento da natureza a tarefa de decifrar o "livro da natureza"[11]. Nesse sentido, o modelo da *filologia* pode orientar o método da ciência da natureza.

Ali se mostra que o saber instituído pela Escritura Sagrada e pelas autoridades é o adversário contra o qual a nova ciência da natureza deve se impor. Diferentemente daquela, esta tem a sua verdadeira essência em sua metodologia própria, que através da matemática e da razão a conduz à evidência do que é compreensível em si mesmo. [186]

Como vimos em Spinoza, a crítica histórica da Bíblia que conseguiu se impor amplamente no século XVIII possui um fundamento dogmático na fé que o *Aufklärung* deposita na razão. De modo semelhante, também outros precursores do pensamento histórico – entre os quais, no século XVIII, há nomes esquecidos há muito tempo – procuram oferecer diretivas para a compreensão e interpretação de livros históricos. Entre eles destaca-se sobretudo Chladenius[12], apresentado como um precursor da hermenêutica romântica[13]. Nele encontramos o interessante conceito do "ponto de vista" que

---

11. Assim, Bacon entende seu novo método como *interpretatio naturae*. Cf. adiante, p. 353s. [Cf. tb. CURTIUS, E.R. *Europaische Literatur und lateinisches Mittelalter*. Genebra, 1948, p. 116s. e ROTHACKER, E. *Das "Buch der Natur". Materialien und Grundsätzliches zur Methaphergeschichte*. Publicado com base nas obras póstumas e elaborado por Perpeet, Bonn, 1979].
12. *Einleitung zur richtigen Auslegung vernunftiger Reden und Schriften*, 1742.
13. Por J. Wach, cuja obra *Das Verstehen* permanece inteiramente dentro dos horizontes de Dilthey.

explica "por que conhecemos uma coisa desse e não de outro modo". É um conceito procedente da ótica e que o autor toma expressamente de Leibniz.

Só que basta repararmos no título de seu escrito para aprendermos que, no fundo, colocamos a hermenêutica de Chladenius sob uma falsa luz quando vemos nela apenas uma forma prévia da historiografia. Não somente porque o caso da "interpretação dos livros históricos" não é, para ele, o ponto mais importante – de qualquer modo, trata-se sempre do conteúdo objetivo dos escritos e para ele todo o problema da interpretação se coloca, no fundo, como pedagógico e é de natureza *ocasional*. A interpretação se ocupa expressamente de "discursos e escritos racionais". Para ele, interpretar significa "acrescentar aqueles conceitos necessários para a compreensão plena de uma passagem". A interpretação, portanto, não deve "indicar a verdadeira compreensão de uma passagem", mas destina-se expressamente a dissolver as obscuridades que impedem o aluno de "compreender plenamente" (Prefácio). Na interpretação é preciso que nos guiemos pela perspectiva do aluno (§ 102).

Assim, para Chladenius, compreender e interpretar não são a mesma coisa (§ 648). Para ele, fica claro que uma passagem que necessita de interpretação é, por princípio, um caso excepcional, e que, em geral, as passagens podem ser entendidas imediatamente, quando conhecemos o assunto de que tratam, seja porque a passagem nos recorda essa coisa, ou porque apenas pela passagem obtemos acesso ao seu conhecimento. Não há dúvidas de que, para o *compreender*, o decisivo continua sendo a compreensão da coisa, a inteligência do conteúdo – não se trata de um procedimento histórico nem de um procedimento psicológico-genético.

[187]

Ao mesmo tempo, o autor tem clara consciência de que a arte da interpretação alcançou uma espécie de urgência nova e particular, na medida em que a arte da interpretação proporciona, ao mesmo tempo, a justificação da interpretação. Esta não faz falta enquanto o aluno tiver o mesmo conhecimento que o intérprete" (de maneira que a "compreensão" lhe seja evidente "sem demonstração"), nem tampouco "quando existe uma boa confiança no intérprete". Mas, segundo ele, essas duas condições parecem não mais serem preenchidas em sua época, a segunda porque (sob o signo do *Aufklärung*) "os alunos querem ver com os seus próprios olhos", e a primeira porque, com o conhecimento crescente das coisas – refere-se ao progresso da ciência –, a obscuridade das passagens que se procura compreender se torna cada vez maior (§ 668s.). A necessidade de uma hermenêutica caminha lado a lado com o desaparecimento do compreender-por-si-mesmo.

Dessa maneira, o que era motivação ocasional da interpretação acaba adquirindo um significado fundamental. De fato, Chladenius chega a uma conclusão interessantíssima: constata que compreender plenamente um autor não é o mesmo que compreender plenamente um discurso ou um escrito (§ 86). A norma para a compreensão de um livro não seria, de modo algum, a intenção do autor. Pois, "assim como os homens não são capazes de abranger tudo com sua visão, também suas palavras, discursos e escritos podem significar algo que eles próprios não tiveram a intenção de dizer ou de escrever", e, portanto, "quando se busca compreender seus escritos pode-se chegar a pensar, e, com razão, em coisas que aos autores não ocorreria".

Embora possa acontecer também o inverso, que "um autor possa ter tido em mente mais do que se pôde compreender", para ele a verdadeira tarefa da hermenêutica não é a de fazer chegar esse "mais" à compreensão, mas compreender os próprios livros na sua significação verdadeira e objetiva. Como "todos os livros humanos e seus discursos contêm algo de incompreensível" – ou seja, obscuridades que procedem da falta de transparência objetiva –, necessita-se de uma interpretação correta: "Passagens estéreis podem tornar-se fecundas", isto é, "dar ocasião a novas ideias".

Devemos notar que, em tudo isso, Chladenius não está visando a exegese bíblica edificante, mas faz uma abstração expressa das "Escrituras Sagradas", para as quais "a arte da interpretação filosófica" não seria mais que uma antessala. De certo que com seus raciocínios ele tampouco quer legitimar tudo que se possa pensar (todas as "aplicações") quando se compreende um livro, mas unicamente o que corresponde às intenções do autor. Mas para ele isso não significa uma restrição histórico-psicológica, mas tem a ver com uma correspondência objetiva, da qual ele garante explicitamente que a recente teologia observa-a exegeticamente[14].

b) O projeto de Schleiermacher de uma hermenêutica universal

Como se vê, a pré-história da hermenêutica do século XIX adquire um aspecto bastante diferente se não a considerarmos mais sob as premissas de Dilthey. Que guinada extraordinária se dá entre Spinoza e Chladenius, de um lado, e Schleiermacher, do outro! A incompreensibilidade que, para Spinoza, motivava o rodeio pelo histórico e que, para Chladenius, convoca a arte da interpretação para um sentido que se dirige diretamente ao conteúdo adquire em Schleiermacher um significado universal completamente diferente.

Para começar, se não me engano, já se dá uma diferença interessante no fato de que Schleiermacher não fala tanto de *incompreensão* mas de *mal-entendido*. O que ele tem em vista não é mais a situação pedagógica da interpretação que procura ajudar a compreensão do outro, do aluno. Ao contrário, nele a interpretação e a compreensão se interpretam tão intimamente como a palavra exterior e interior, e todos os problemas da interpretação são, na realidade, problemas da compreensão[15]. Trata-se apenas da *subtilitas intelligendi*, não da *subtilitas explicandi*[16] (para não falar da *applicatio*[17]). Mas Schleiermacher distingue expressamente sobretudo entre práxis no sentido lato da hermenêutica, segundo a qual a compreensão se realiza por si mesma, e a práxis mais estrita, que parte da ideia de que o mal-entendido se produz por si mesmo[18]. Sobre essa diferença fundamentou sua verdadeira contribuição:

---

14. Isto deveria valer, sem dúvida, para Semler, cuja declaração citada acima, p. 180[7] (original), mostra a intenção teológica de sua exigência de uma interpretação histórica.

15. [Esta fusão de compreensão e interpretação, que me foi contestada por autores como D. Hirsch, deveria ter sido comprovada por mim, através do próprio Schleiermacher, Obras Completas III, 3, p. 384 (= tomo da Suhrkamp sobre *Philosophische Hermeneutik*, p. 163): "A interpretação diferencia-se da compreensão, sem dúvida, tal qual a fala em voz alta da fala interna". É claro que isto tem suas consequências para o caráter de linguagem do pensamento.]

16. Que Ernesti, *Institutio interpretis*, NT (1761), p. 7, não separa da anterior.

17. RAMBACH, J.J. *Institutiones hermeneuticae sacrae*, 1723, p. 2.

18. *Hermeneutik*, § 15 e 16, *Werke* I, 7, p. 29s.

desenvolver uma verdadeira doutrina da arte do compreender em vez de uma "agregação de observações". E isso significa algo fundamentalmente novo. A dificuldade de compreensão e o mal-entendido já não são levados em conta só como momentos ocasionais, e sim como momentos integradores que se procura eliminar de antemão. Schleiermacher chega inclusive a definir que: "a hermenêutica é a arte de evitar o mal-entendido". Para além da ocasionalidade pedagógica da prática da interpretação, a hermenêutica se eleva à autonomia de um método, na medida em que "o mal-entendido se produz por si mesmo e a compreensão é algo que temos de querer e de procurar em cada ponto"[19]. Evitar o mal-entendido – "todas as tarefas estão contidas nessa expressão negativa". Para Schleiermacher, sua resolução positiva está num cânon de regras gramaticais e psicológicas de interpretação que se afastam completamente de toda ligação dogmática de conteúdo, inclusive na consciência do intérprete.

Por certo que Schleiermacher não foi o primeiro a restringir a tarefa da hermenêutica em tornar compreensível a intenção de outras pessoas expressa em discursos e textos. A arte da hermenêutica jamais foi o *organon* da investigação das coisas. Desde o início, isso a distinguiu daquilo que Schleiermacher chama de dialética. Entretanto, sempre que alguém se esforça por compreender – por exemplo, a Escritura Sagrada ou os clássicos –, está operando, indiretamente, uma referência à verdade que está oculta no texto e que deve vir à luz. Na realidade, o que se deve compreender não é um pensamento enquanto um momento vital, mas enquanto uma verdade. Este é o motivo por que a hermenêutica possui uma função auxiliar, permanecendo subordinada à investigação da coisa em questão. Também Schleiermacher leva isso em conta, desde o momento em que relaciona a hermenêutica por princípio – no sistema das ciências – à dialética.

Mesmo assim, a tarefa que ele se impõe é precisamente isolar o procedimento do compreender. Trata-se de torná-lo autônomo, como uma metodologia própria. Para Schleiermacher, isso implica a necessidade de libertar-se das tarefas redutoras que determina-

---

19. Ibid., p. 30.

vam a essência da hermenêutica em seus predecessores, Wolf e Ast. Não aceita a restrição às línguas estrangeiras nem a restrição aos escritores, "como se a mesma coisa não pudesse ocorrer igualmente na conversação e escutando diretamente um discurso"[20].

Isso significa bem mais do que expandir o problema hermenêutico da compreensão do que foi fixado por escrito à compreensão do discurso em geral – percebe-se aqui um deslocamento de caráter fundamental. O que deve ser compreendido não é a literalidade das palavras e seu sentido objetivo, mas também a individualidade de quem fala ou do autor. Schleiermacher entende que os pensamentos só podem ser compreendidos adequadamente retrocedendo até sua gênese. O que para Spinoza representa um caso extremo da compreensibilidade, obrigando, com isso, a um rodeio histórico, converte-se para ele no caso normal e constitui a pressuposição a partir da qual desenvolve a teoria da compreensão. O que ele encontra "em geral relegado e em parte até mesmo completamente abandonado" é "o compreender uma série de ideias como um momento vital que irrompe, como um ato que está em conexão com muitos outros, inclusive de natureza diferente"[21].

[190]

Assim, ao lado da interpretação gramatical, ele coloca a interpretação psicológica (técnica) – e é aqui que se encontra sua contribuição mais genuína[22]. No que se segue, deixaremos de lado as elaborações, em si mesmo perspicazes, elaboradas por Schleiermacher sobre a interpretação gramatical. Elas são primorosas para o papel que a totalidade prévia da linguagem desempenha para o autor – e com isso também para o seu intérprete –, assim como para o significado do todo de uma literatura para cada obra individual. Como uma nova investigação do legado de Schleiermacher torna provável[23], pode ser que a interpretação psicológica só aos poucos

---

20. SCHLEIERMACHER. *Werke* III, 3, p. 390.
21. [Ibid., p. 392s. Suhrkamp.]
22. [Cf. a crítica feita por M. Frank à minha exposição e minha resposta em "Zwischen Phänomenologie und Dialektik – Versuch einer Selbstkritik", vol. II.]
23. Até o presente, o nosso conhecimento sobre a hermenêutica de Schleiermacher se baseava em seus discursos na academia, do ano de 1829, e em seu curso sobre hermenêutica editado por Lücke. Esse último se baseia num manuscrito de 1819 e em apontamentos tomados de colegas, sobretudo no último decênio. Este simples fato exterior mostra que a teoria her-

tenha ganho sua posição de destaque no desenvolvimento do pensamento de Schleiermacher. Seja como for, essa interpretação psicológica tornou-se realmente determinante para a formação das teorias do século XIX – para Savigny, Boeckh, Steinthal e sobretudo para Dilthey.

Para Schleiermacher, a cisão metodológica entre filologia e dogmática continua sendo essencial[24], até mesmo em relação à Bíblia, onde a interpretação psicológico-individual de cada um de seus autores é menos importante[25] do que a significação do que é dogmaticamente unitário e comum. A hermenêutica abrange a [191] arte da interpretação gramatical e psicológica. Mas o que há de mais próprio em Schleiermacher é a interpretação psicológica. É, em última análise, um comportamento divinatório, um transferir-se para dentro da constituição completa do escritor, um conceber o "decurso interno" da feitura da obra[26], uma reformulação do ato criador. A compreensão é, pois, uma reprodução referida à produção original, um reconhecer do conhecido (Boeckh)[27], uma recons-

---

menêutica que dele nos chegou pertence à sua fase mais tardia e não aos tempos de seus primórdios mais fecundos no trato com F. Schlegel. É essa última fase que alcançou uma maior influência histórica, sobretudo através de Dilthey. Nossa própria discussão anterior parte desses textos e procura desenvolver suas tendências essenciais. Não obstante, a própria elaboração da edição de Lücke não está inteiramente livre de motivos que apontam para um desenvolvimento das ideias hermenêuticas de Schleiermacher e que merecem um interesse próprio. Por insistência minha, H. Kimmerle elaborou de novo os materiais póstumos que se mantêm conservados na Deutsche Akademie, em Berlim, e publicou um texto criticamente revisado nas *Abhandlungen der Heidelberger Akademie der Wissenschaften* (Jg. 1959, 2ª elaboração). Em sua tese doutoral, *Die Hermeneutik Schleiermachers im Zusammenhang reines spekulativen Denkens*, 1959, Kimmerle realiza a interessante tentativa de determinar o sentido da evolução de Schleiermacher. Cf. seu artigo *Kantstudien* 51, 4, p. 410s. [no que diz respeito à nova edição de H. Kimmerle, ela alcança sua autenticidade pelo fato de ser menos legível do que a elaboração de Lücke, que entrementes se tornou mais acessível através da edição de M. Frank. Cf. M. Frank (org.), *F.D.E. Schleiermacher, Hermeneutik und Kritik*, Frankfurt, 1977.]

24. *Werke* I, 7, p. 83.
25. I, 7, 262: "Embora não cheguemos a compreender nunca, por completo, cada uma das peculiaridades pessoais das passagens neotestamentárias, o mais importante dessa tarefa é possível: ir conhecendo, de uma maneira cada vez mais perfeita, a vida comum ... que se manifesta nelas".
26. *Werke* III, 3, p. 355, 358, 364.
27. Enzyklopädie und Methodologie der philosophischen Wissenschaft, 2. ed. 1886, p. 10 [BRATUSCHEK (org.)].

trução que parte do momento vivo da concepção, da "decisão germinal" como o ponto de organização da composição[28].

Mas uma tal descrição que isola a compreensão significa que a estrutura do pensamento que procuramos compreender como discurso ou como texto não é compreendido em função de seu conteúdo objetivo mas como estrutura estética, como obra de arte ou "pensamento artístico". Retendo isso compreenderemos por que aqui não se trata da relação com a coisa (em Schleiermacher "o ser"). Schleiermacher segue as determinações fundamentais de Kant, quando diz que o "pensamento artístico" "somente se distingue pelo maior ou menor grau de satisfação", que é "propriamente só o ato momentâneo do sujeito"[29]. Ora, a pressuposição natural, pela qual se colocou pela primeira vez a tarefa da compreensão, é que faz com que este "pensamento artístico" não seja um simples ato momentâneo mas que se exteriorize. No "pensamento artístico" Schleiermacher vê momentos privilegiados da vida, nos quais se dá uma satisfação tão grande que eles irrompem e se exteriorizam, mas mesmo assim – e por mais que suscitem prazer nas "imagens originais das obras de arte" – continuam sendo um pensamento individual, livre combinação não vinculada pelo ser. É exatamente isso que distingue os textos poéticos dos científicos[30]. Com isso, Schleiermacher quer dizer que o discurso poético não se submete ao padrão de entendimento sobre a coisa, descrito acima, pois não pode separar o que ele diz do modo como o diz. Por exemplo, a guerra de Troia *encontra-se* no poema homérico – quem a ler na perspectiva da realidade histórica da coisa já não lê Homero como discurso poético. Ninguém pretenderá afirmar que o poema homérico tenha ganho algo de realidade artística através das escavações dos arqueólogos. O que se deve compreender aqui não é um pensamento comum sobre o conteúdo, mas um pensamento indivi-

---

28. No contexto de seus estudos sobre a imaginação poética, Dilthey introduz a expressão "ponto de impressão" (*Eindruckspunkt*), transferindo-o expressamente do artista ao historiógrafo (VI, p. 283). Mais tarde examinaremos o significado desse transporte a partir do ponto de vista da história do espírito. Sua base é o conceito da *vida* em Schleiermacher: "Mas aí onde há vida as funções e as partes se mantêm conjuntamente". O termo *Keimentschluss* (decisão germinal) aparece em *Werke* I, 7, p. 168.
29. SCHLEIERMACHER, *Dialektik*, p. 569s. [ODEBRECHT, (org.)].
30. *Dialektik*, p. 470.

dual, que por essência é combinação livre, expressão, livre exteriorização de uma essência individual.

Ora, uma das características de Schleiermacher é procurar em tudo esse momento da produção livre. Schleiermacher irá fazer essa mesma distinção também no diálogo, de que se falava há pouco: ao lado do "verdadeiro diálogo", que busca um saber comum do sentido e que constitui a forma original da dialética, ele reconhece também o "diálogo livre"; ele atribui este diálogo livre ao pensamento artístico. Nesse os pensamentos "quase não são levados em consideração" pelo seu conteúdo. O diálogo não passa de uma estimulação recíproca na geração de pensamentos ("e seu fim natural não é outro que o esgotamento paulatino do processo descrito")[31], uma espécie de construção artística na relação recíproca da comunicação.

Na medida em que não é só um produto interno da geração de pensamentos mas também comunicação, possuindo como tal uma forma exterior, o discurso não é apenas manifestação imediata do pensamento mas já pressupõe reflexão. E isso vale tanto mais para o que foi fixado por escrito, portanto, para todos os textos. Eles já são sempre representação pela arte[32]. E aí, onde o discurso é arte, também o compreender o será. Todo discurso e todo texto possuem uma referência fundamental à arte de compreender, à hermenêutica; com isso se explica também o parentesco da retórica (que é parte da estética) com a hermenêutica: para Schleiermacher todo ato de compreensão é a inversão de um ato do discurso, a reconstrução de uma construção. Correspondentemente, a hermenêutica é uma espécie de inversão rumo à retórica e à poética.

Para nós é um tanto estranho reunir assim a poesia com a arte do discurso[33]. Pois parece-nos que o que distingue e dá dignidade à arte poética é justamente que, nela, a linguagem não é discurso, ou seja, ela possui uma unidade de sentido e de forma independente de todo entendimento que se dá no falar, no ser interpelado e persuadido. O conceito de Schleiermacher sobre "o pensamento artís-

---

31. *Dialektik*, p. 572.
32. *Ästhetik*, p. 269 [ODEBRECHT (org.)].
33. *Ästhetik*, p. 384.

tico", sob o qual ele reúne a arte da poesia e a arte do discurso, considera, pelo contrário, não o produto mas o modo de comportamento do sujeito. Assim, também o falar é concebido aqui puramente como arte, isto é, abstraído de toda referência a fins ou conteúdos, como expressão de uma produtividade plástica. Em todo [193] caso, a passagem entre o artístico e o que não o é torna-se fluente; como é fluente também a passagem da compreensão sem arte (imediata) para um procedimento artístico. Na medida em que essa produção ocorre mecanicamente, segundo leis e regras, e não de uma maneira inconsciente-genial, o intérprete realiza a composição conscientemente; mas enquanto ela é uma produção individual do gênio, produção criadora em sentido autêntico, essa reprodução já não pode dar-se através de regras. O próprio gênio é o que forma os padrões e dá as regras: cria novas formas de uso da linguagem, novas formas de composição literária etc. Schleiermacher dá muita importância a essa diferença. No plano da hermenêutica, o que corresponde à produção genial é que ela necessita da adivinhação, do adivinhar de imediato que, em última análise, pressupõe uma espécie de congenialidade. Mas se as fronteiras entre a produção sem arte e com arte, entre a produção mecânica e genial, são fluentes, na medida em que o que se expressa é sempre uma individualidade e nela sempre opera um momento da genialidade livre de regras – como ocorre com as crianças que crescem em um idioma –, segue-se que também o fundamento último de toda compreensão terá que ser sempre um ato divinatório da congenialidade, cuja possibilidade repousa sobre uma vinculação prévia de todas as individualidades.

Na verdade, o pressuposto de Schleiermacher é de que cada individualidade é uma manifestação da vida universal e assim "cada qual traz em si um mínimo de cada um dos demais, o que estimula a adivinhação por comparação consigo mesmo". Assim, ele pode dizer que se deve conceber imediatamente a individualidade do autor, "transformando-se de certo modo no outro". Ao pontualizar assim a compreensão no problema da individualidade, a tarefa da hermenêutica apresenta-se para Schleiermacher como uma tarefa universal. Pois tanto o extremo da estranheza quanto o da familiaridade dão-se com a diferença relativa de toda individualidade. O "método" da compreensão visará tanto o comum – por comparação – como o peculiar – por adivinhação –, ou seja, terá de ser tanto comparativo como adivinhatório. Mas em ambas as perspectivas continuará sendo "arte", porque não pode ser mecanizado como se fosse mera aplicação de regras. O adivinhatório continua indispensável[34].

Sobre a base dessa metafísica estética da individualidade, os princípios hermenêuticos utilizados por filólogos e teólogos sofrem uma guinada peculiar. Quando Schleiermacher reconhece como um traço essencial do compreender o fato de que o sentido do peculiar só pode resultar do contexto e, em última análise, do todo, está seguindo a Friedrich Ast e toda a tradição hermenêutico-retórica. Esse postulado pode ser aplicado naturalmente para a compreensão gramatical de toda e qualquer frase, para sua integração no contexto do todo de uma obra literária e até mesmo para o todo da literatura ou seu respectivo gênero literário – *mas Schleiermacher aplica-o também à compreensão psicológica*, que deve compreender toda formulação do pensamento como um momento vital no contexto total deste homem. [194]

É evidente para todos que, a partir do ponto de vista lógico, aqui nos encontramos diante de um raciocínio circular, já que o todo, a partir do qual se deve compreender o individual, não pode ser dado antes do individual, a não ser sob a forma de um cânon dogmático (como o que segue a compreensão católica da Escritura e, como já vimos, em parte também a protestante) ou de uma semelhante pré-concepção do espírito de uma época (um pouco como Ast pressupõe o espírito da Antiguidade à maneira de um pressentimento).

Mas Schleiermacher declara que esses fios-condutores dogmáticos não podem reivindicar nenhuma validez prévia, e por isso não passam de restrições relativas do círculo. Em princípio, compreender é sempre um mover-se nesse círculo, e é por isso que o constante retorno do todo às partes e vice-versa se torna essencial. A isso se acrescenta que esse círculo está sempre se ampliando, já que o conceito do todo é relativo e a integração em contextos cada vez maiores afeta sempre também a compreensão do individual. Schleiermacher aplica à hermenêutica esse seu procedimento tão habitual

---

34. SCHLEIERMACHER. *Werke*, I, 7, 146s.

de uma descrição dialética polar, fazendo jus assim ao caráter provisório e infinito da compreensão que ele desenvolve a partir do velho princípio hermenêutico do todo e das partes. Mas a relativização especulativa que o caracteriza representa mais um esquema de ordenação para descrever o processo do compreender do que uma intenção fundamental. Isso mostra-se no fato de que, ao introduzir a transposição adivinhatória, ele admite algo como uma compreensão completa: "Até que, finalmente, todo particular, de repente, recebe sua luz plena".

Caberia indagar se tais formulações (que aparecem com o mesmo sentido também em Boeckh) podem ser tomadas estritamente ou se propriamente devem descrever só uma perfeição relativa da compreensão. É certo que Schleiermacher, e de um modo mais decisivo Wilhelm von Humboldt, consideram a individualidade como um mistério que jamais pode ser revelado de todo. Só que justamente essa tese só quer ser compreendida como uma tese relativa: A barreira que se levanta aqui frente à razão e o conceber não é insuperável em todos os sentidos. Ela deve ser superada pelo *sentimento*, portanto, com uma compreensão imediata, simpática e congenial. A hermenêutica é, justamente, uma *arte* e não um procedimento mecânico. Assim, leva a cabo sua obra, a compreensão, do mesmo modo como se realiza uma obra de arte.

[195] O limite dessa hermenêutica fundamentada no conceito da individualidade mostra-se no fato de que Schleiermacher considera que a tarefa da filologia e da exegese bíblica – a de compreender um texto composto em uma língua estrangeira e procedente de uma época passada – não é mais problemática que qualquer outro modo de compreender. É evidente que também para Schleiermacher se impõe uma tarefa especial onde se deve superar uma distância temporal. Schleiermacher chama-a de "equiparação com o leitor original". Mas para ele essa "operação de equiparar" a produção da linguagem e da produção histórica dessa igualdade não passa de uma preparação para o verdadeiro ato do compreender, que não é a equiparação com o leitor original mas a equiparação com o autor, pela qual o texto se revela como manifestação vital característica de seu autor. O problema de Schleiermacher não é a obscuridade da história mas a obscuridade do tu.

Precisamos perguntar-nos se podemos fazer essa distinção entre a compreensão e a produção da igualdade com o leitor original. Na verdade, essa condição prévia ideal da equiparação com o leitor não se pode realizar antes do esforço da compreensão propriamente dito, mas é totalmente absorvida por este. Também a opinião de um texto contemporâneo, com cuja linguagem não estamos suficientemente familiarizados ou cujo conteúdo nos seja estranho, só se revelará como foi descrito no vaivém do movimento circular entre o todo e as partes. Schleiermacher também reconhece isso. É sempre nesse movimento que se aprende a compreender uma opinião estranha, uma língua estrangeira ou um passado estranho. O movimento circular ocorre "porque nada do que se deve interpretar pode ser compreendido de uma só vez"[35]. Mesmo dentro da própria língua é ainda verdade que o leitor deve primeiro apropriar-se inteiramente do acervo da linguagem do autor a partir de seus escritos e em seguida do que é característico de sua opinião. Mas dessas constatações, que se encontram no próprio Schleiermacher, segue-se que a equiparação com o leitor original, da qual ele fala, não é uma operação precedente que pudesse ser separada do esforço da compreensão propriamente dito, que para ele equivale à equiparação com o autor.

Examinemos agora mais de perto o que Schleiermacher entende por essa equiparação, pois, obviamente, não pode tratar-se de pura e simples identificação. A reprodução permanece essencialmente distinta da produção. É assim que Schleiermacher chega ao postulado de que importa *compreender um autor melhor do que ele próprio se compreendeu* – uma fórmula que, desde então, tem sido repetida incessantemente e cujas diversas interpretações marcam toda a história da hermenêutica moderna. De fato, esse postulado encerra o verdadeiro problema da hermenêutica. Por isso, vale a pena deter-nos um pouco mais sobre o sentido dessa fórmula. [196]

O que essa fórmula quer dizer em Schleiermacher é claro. Para ele, o ato da compreensão é a realização reconstrutiva de uma produção. Tem que nos tornar conscientes de algumas coisas que ao produtor original podem ter ficado inconscientes. É evidente

---

35. *Werke*, 7, 33.

que com essa fórmula Schleiermacher introduz em sua hermenêutica universal a estética do gênio. O modo de criar do artista genial é o modelo a que se reporta a teoria da produção inconsciente e da consciência necessária na reprodução[36].

De fato, compreendida desse modo a fórmula pode ser considerada um princípio para toda filologia, na medida em que esta é entendida como a compreensão do discurso feito com arte. Esse melhor entendimento que caracteriza o intérprete frente ao autor não se refere, por exemplo, ao entendimento das coisas de que fala o texto, mas meramente à compreensão do texto, isto é, do que o autor quis dizer e expressar. Esse entendimento pode ser chamado de "melhor" na medida em que, frente à realização de seu conteúdo, o entendimento expresso de uma opinião, e por isso mesmo criador de destaque, contém um acréscimo de conhecimento. Assim, o postulado diz quase que uma obviedade. Quem aprende a compreender a linguagem de um texto escrito em um idioma estrangeiro deverá adquirir uma consciência expressa das regras gramaticais e da forma de composição desse texto, recursos de que o autor lançou mão sem se dar conta, porque mora nessa língua e em suas mediações técnicas. O mesmo pode-se dizer fundamentalmente a respeito de toda produção genial autêntica e sua recepção pelos outros. Convém que não se esqueça isso sobretudo quando se interpreta poesia. Também aí devemos compreender um poeta necessariamente melhor do que ele próprio se compreendeu, pois ele não "se compreendia" inteiramente quando a construção do seu texto tomou forma nele.

Disso segue-se – o que a hermenêutica jamais deveria esquecer – que o artista que cria uma obra não é seu intérprete qualificado. Como intérprete não tem nenhuma primazia básica de autoridade face ao simples receptor de sua obra. Na medida em que ele próprio reflete, converte-se em seu próprio leitor. Sua opinião como produto dessa reflexão não é paradigmática. O único critério de interpretação é o conteúdo de sentido da sua criação, aquilo

---

36. Entrementes, H. Patsch elucidou com mais precisão a pré-história da hermenêutica romântica, em SCHLEGELS, F. "Philosophie der Philologie und Schleiermachers frühe Entwürfe zur Hermeneutik". *Zeitschrift für Theologie und Kirche*, 1966, p. 434-472.

que ela "quis dizer"[37]. A teoria da produção genial realiza, assim, um importante desempenho teórico ao extinguir a diferença entre o intérprete e o autor. Ela legitima a equiparação de ambos, na medida em que o que se deve compreender não é, obviamente, a autointerpretação reflexiva, mas a intenção inconsciente do autor. Foi exatamente o que Schleiermacher quis dizer com a sua fórmula paradoxal. [197]

Na esteira de Schleiermacher muitos outros repetiram sua fórmula no mesmo sentido, por exemplo, August Boeckh, Steinthal e Dilthey: "O filólogo entende melhor o orador e o poeta do que este se entende a si mesmo e melhor do que o entenderam em geral seus contemporâneos. Pois ele torna claramente consciente o que naquele somente prejazia de maneira inconsciente e fática"[38]. Segundo Steinthal, através do "conhecimento das leis psicológicas" o filólogo pode aprofundar a compreensão cognitiva até convertê-la em compreensão conceitual, na medida em que sonda as bases da causalidade, da gênese da obra discursiva, da mecânica do espírito do escritor.

A repetição da fórmula de Schleiermacher por Steinthal já é efeito da pesquisa das leis psicológicas, que a pesquisa da natureza toma como modelo. Nisso Dilthey é mais livre, pois se atém preferentemente à estética do gênio. Aplica a fórmula sobretudo na interpretação dos poetas. Pode-se dizer, obviamente, que compreender a "ideia" de um poema a partir de sua "forma interior" é "compreender melhor esta ideia". Dilthey chega a ver aí o "supremo triunfo da hermenêutica"[39]. Compreender a grande poesia como criação livre significa descobri-la em seu conteúdo filosófico. A criação livre não está limitada por condições exteriores ou materiais e, por isso, só pode ser concebida como "forma interior".

---

37. A moda moderna de tomar a autointerpretação de um autor como cânone da interpretação é consequência de um falso psicologismo. Mas, por outro lado, a "teoria" da música, da poética ou da oratória, por ex., pode muito bem ser um cânone legítimo da interpretação. [Cf., por fim, o meu trabalho "Zwischen Phönomenologie und Dialektik – Versuch einer Selbskritik", no vol. II.]
38. STEINTHAL. *Einleitung in die Psychologie und Sprachwissenschaft*. Berlim: [s.e.], 1881.
39. V, 335.

Mas a questão é saber se esse caso ideal da "criação livre" pode ser tomado realmente como padrão para o problema da hermenêutica, e até se a compreensão das obras de arte pode ser concebida suficientemente seguindo-se esse padrão. Temos que questionar também se a frase segundo a qual importa compreender um autor melhor do que ele mesmo se compreendeu permite que se reconheça ainda seu sentido original sob a premissa da estética do gênio ou se esse sentido não se converteu em algo completamente diferente.

Na verdade, a fórmula de Schleiermacher tem uma pré-história. Bollnow, que investigou essa questão[40], apresenta duas passagens onde essa fórmula aparece antes de Schleiermacher: em Fichte[41] e em Kant[42]. Não foi possível comprovar a existência de testemunhos mais antigos[43]. Isso faz supor a Bollnow que talvez se trate de uma tradição oral, de uma espécie de regra filológica de trabalho, provavelmente transmitida de uns para os outros e retomada por Schleiermacher.

Creio que há motivos exteriores e interiores pelos quais essa hipótese parece ser pouco provável. Essa refinada regra metodológica que ainda hoje está sendo tão mal-empregada, e consequentemente combatida, como um salvo-conduto para as mais arbitrárias interpretações, enquadra-se mal no grêmio dos filólogos. Antes, enquanto "humanistas", esses têm sua autoconsciência no reconhecimento da exemplaridade indubitável dos textos clássicos. Para o verdadeiro humanista, o autor que ele estuda não é tal que ele, o humanista, possa compreender melhor do que o autor compreendeu sua própria obra. Não se deve esquecer que o objetivo supremo do humanista jamais é, em princípio, "compreender" seus modelos, mas assemelhar-se a eles e até superá-los. Por isso, o filólogo está ligado a seu modelo não só como intérprete mas também

---

40. BOLLNOW, O.F. *Das Verstehen*. Mainz, 1949.
41. *Werke*, VI, 337.
42. Kritik der reinen Vernunft, B 370.
43. [M. Redeker, na introdução da nova edição do livro de Dilthey *Schleiermachers Leben*, II, 1, p. LIV, acrescenta ainda o testemunho contemporâneo de Herder (*Briefe, das Studium der Theologie betreffend*, parte 5, 1781) e faz alusão à versão do jovem Lutero (Clemen V, p. 416), que cito na nota 46: *Vide quam apte serviat Aristoteles in Philosophia sua Theologiae, si non ut ipse voluit, se melius intelligitur et applicatur.*]

como imitador – quando não como rival. Tal qual a vinculação dogmática à Bíblia, também a vinculação humanista aos clássicos teve que começar por abrir espaço a uma relação mais distanciada para que o ofício do intérprete chegasse a um grau de autoconsciência como o que expressa a fórmula de que nos ocupamos.

Por isso, de princípio é bem provável que Schleiermacher, que concedeu à hermenêutica um método autônomo e desvinculado de qualquer conteúdo, tenha sido o primeiro a levar em consideração uma fórmula que reivindique com tanta ênfase a superioridade do intérprete sobre seu objeto. Se observarmos mais de perto, veremos que isso confirma também a aparição da fórmula em Fichte e Kant, pois o contexto em que aparece essa suposta regra filológica de trabalho demonstra que Fichte e Kant tinham em mente algo totalmente diferente. Ali não se trata, de modo algum, de um princípio da filologia, mas da pretensão da filosofia de superar as contradições que possam ser encontradas numa tese através de uma maior clareza conceitual. Trata-se pois de um princípio bem ao modo do espírito racionalista que expressa a exigência de que só se pode alcançar as ideias que correspondem à verdadeira intenção do autor pelo pensar, desenvolvendo as consequências imanentes nos conceitos de um autor – ideias que o autor deveria ter compartilhado se tivesse pensado de maneira clara e distinta. Também a tese, hermeneuticamente absurda, em que se mete Fichte na sua polêmica contra a interpretação kantiana dominante, segundo a qual "uma coisa é o inventor de um sistema, outra seus intérpretes e seguidores"[44], assim como sua pretensão de "explicar Kant segundo o *espírito*"[45], estão inteiramente impregnadas com as pretensões da crítica objetiva. A discutida fórmula não expressa nada mais que a pretensão de uma crítica filosófica objetiva. Aquele que melhor souber pensar aquilo de que fala o autor estará em condições de ver o que este diz à luz de uma verdade ainda oculta para o próprio autor. Nesse sentido, o princípio segundo o qual devemos compreender um autor melhor do que ele compreendeu a si mesmo é muito

[199]

---

44. Zweite Einleitung in die Wissenschaftslehre, *Werke*, I, 485.
45. Ibid., 479, nota.

antigo, tão antigo quanto a crítica científica em geral⁴⁶. Todavia, só recebe sua cunhagem como fórmula para a crítica filosófica objetiva no espírito do racionalismo. E é natural que ali ganhe um sentido bem diferente que a regra filológica em Schleiermacher. É de se supor que tenha sido justamente Schleiermacher quem reinterpretou este princípio da crítica filosófica transformando-o em um princípio da arte da interpretação filológica⁴⁷. E com isso marca-se com exatidão a posição que ocupam Schleiermacher e o romantismo.

---

46. Devo a H. Bornkamm um belo exemplo de como essa suposta fórmula do trabalho filológico se impõe por si mesma, na medida em que se exerce uma crítica polêmica. Após aplicar o conceito aristotélico do movimento à Trindade, Lutero diz (Homilia de 25.12.1514, ed. Weimar I, 28): "Vide quam apte serviat Aristoteles in philosophia sua theologiae, si non ut ipse voluit, sed melius intelligitur et applicatur. Nam res vere est elocutus et credo quod aliunde furatus sit, quae tanta pompa profert et jactat". Não posso imaginar que o ofício filológico queira se reconhecer nessa aplicação de sua "regra".

47. Em favor disso, fala também a introdução da versão de Schleiermacher: "Com efeito, há algo de verdade nessa fórmula...: então é certo que, com isso, só se poderá ter em mente a esta..." Também no discurso da Academia (*Werke* III, 3, 362) evita o paradoxo escrevendo: "Como se ele pudesse dar conta de si mesmo". Mais ou menos na mesma época (1828), no manuscrito de suas preleções diz que "se trata em princípio de compreender o discurso tão bem quanto e depois melhor que seu autor" (*Abhandlungen der Heidelberger Akademie*, 1959, 2. Abhandlung, p. 87). Os aforismos de F. Schlegel, de seus "anos de aprendizagem e ensino", que acabam de ser publicados, oferecem a desejada confirmação de nossa suposição anterior. Justamente no tempo de suas relações mais estreitas com Schleiermacher, Schlegel anota: "para poder compreender alguém temos que ser, em primeiro lugar, mais inteligentes que ele, em seguida, tão inteligentes quanto ele e finalmente também ser tão ignorantes quanto ele. Não basta compreender o verdadeiro sentido de uma obra confusa melhor do que o compreendeu seu autor. Temos que conhecer também a própria confusão até os seus princípios, caracterizá-la e construí-la" (*Schriften und Fragmente*, org. Behler, 158).
Por um lado, esta nota demonstra que o compreender melhor se refere, aqui, inteiramente, ao conteúdo: "melhor" significa "não confuso". Mas, na medida em que a própria confusão se constitui em objeto da compreensão e do "construir", anuncia-se uma virada que conduziu ao novo postulado hermenêutico de Schleiermacher. Aqui é o ponto de transição entre o significado geral da proposição no contexto do Aufklärung e o novo significado que ela assume no contexto romântico. [Heinrich Nusse (*Die Sprachtheorie F. Schlegels*, p. 92s.) faz crer que a guinada de Schlegel é de um filólogo fiel à história: Ele tem de "caracterizar" o autor em seu sentido ("halb" Athenäumfragment, 401). É só Schleiermacher que não vê nisso uma contribuição verdadeira, uma vez que para ele isso só se dá num "compreender melhor", reinterpretado romanticamente. Esta mesma posição intermediária pode ser lida também em Shelling, "System des transzendentalen Idealismus", *Werke*, III, 623, onde diz: "Quando alguém diz e sustenta coisas cujo sentido não pode de modo algum penetrar, quer em função do tempo em que viveu ou em função do restante de suas declarações, aí onde enuncia parentemente com consciência o que, na realidade, só poderia ter enunciado inconscientemente..."
Cf. também a distinção de Chladenius, já citada, entre "compreender um autor" e "compreender um texto". Como testemunho do sentido originalmente ilustrador da fórmula, pode servir também o fato de que, em tempos mais recentes, encontramos uma aproximação semelhante a essa fórmula num pensador inteiramente não romântico [mas de modo semelhante também Shopenhauer II, 299 (Deussen)], que associa a isso certamente o padrão da crítica objetiva: *Husserliana*, vol. VI, p. 74.

Ao criar uma hermenêutica universal, eles expulsam do âmbito da interpretação científica a crítica guiada pela compreensão objetiva. [200]

A fórmula de Schleiermacher, tal como ele a entende, não inclui mais a própria coisa de que se está falando, mas considera a expressão que representa um texto, abstraindo de seu conteúdo de conhecimento, como uma produção livre. Corresponde a isso o fato de que ele orienta a hermenêutica, que nele está voltada para a compreensão de tudo que pertence à linguagem, segundo o modelo estandártico da própria linguagem. O falar do indivíduo é efetivamente um fazer livre e configurador, por mais que suas possibilidades estejam restritas pela estruturação fixa da língua. A linguagem é um campo de expressão e sua primazia no campo da hermenêutica significa, para Schleiermacher, que ele, como intérprete, considera os textos como puros fenômenos de expressão, à margem de sua pretensão de verdade.

Para ele, a própria história não passa de um espetáculo de livre criação, ou seja, o espetáculo de uma produtividade divina; ele compreende o comportamento histórico como a contemplação e o desfrute desse grandioso espetáculo. Esse desfrute da reflexão romântica sobre a história aparece muito bem descrito numa passagem do diário de Schleiermacher, publicado por Dilthey[48]: "O verdadeiro sentido histórico se eleva acima da história. Todos os fenômenos estão aí tão somente como milagres sagrados para orientar a consideração rumo ao espírito que os produziu por seu jogo".

Lendo um testemunho como este pode-se medir o vigor do passo que deveria conduzir da hermenêutica de Schleiermacher a uma compreensão universal das ciências históricas do espírito. Por mais universal que fosse a hermenêutica desenvolvida por Schleiermacher, sua universalidade deixava entrever um limite muito preciso. Na verdade, sua hermenêutica tinha em mente textos de autoridade estabelecida. Um passo importante no desenvolvimento da consciência histórica é o fato de que, com isso, a compreensão da consciência histórica é o fato de que, com isso, a compreensão e [201] interpretação tanto da Bíblia como da literatura da Antiguidade

---

48. *Das Leben Schleiermachers*. 1. ed., apêndice, p. 117.

Clássica foram liberadas inteiramente do interesse dogmático. Nem a verdade salvífica da Escritura Sagrada, nem o caráter modelar dos clássicos deveriam influenciar um procedimento capaz de compreender a expressão de vida de qualquer texto, deixando de lado a verdade do que diz.

Mas o interesse que motivou Schleiermacher a essa abstração metodológica não era o do historiador mas o do teólogo. Ele queria ensinar como se deve compreender discursos e a tradição escrita, porque o que importava à doutrina da fé era uma única tradição, a tradição bíblica. Por isso, sua teoria hermenêutica estava muito longe de uma historiografia que pudesse servir de *organon* metodológico às ciências do espírito. Seu objetivo era a apreensão de textos, para a qual devia contribuir também o que há de universal nos nexos históricos. Este é o limite de Schleiermacher, frente ao qual a concepção histórica do mundo não poderia deixar de pé.

1.1.2. A conexão da escola histórica com a hermenêutica romântica

a) A perplexidade frente ao ideal da história universal

É preciso perguntar como os historiadores puderam compreender seu próprio trabalho partindo de sua teoria hermenêutica. Seu tema não é um texto individual, mas a *história universal*. O historiador é marcado pelo fato de querer compreender a totalidade dos nexos da história da humanidade. Para ele, todo texto individual não possui um valor próprio, servindo-lhe só como fonte, ou seja, como material mediador para o conhecimento do contexto histórico, o mesmo que todas as ruínas mudas do passado. Esta é a razão por que a escola histórica não pode, na realidade, continuar edificando sobre a hermenêutica de Schleiermacher[49].

Mas o certo é que a concepção histórica do mundo, cuja grande meta era compreender a história universal, acabou buscando apoio na teoria romântica da individualidade e na sua correspondente hermenêutica. Isso também pode ser expresso negativamen-

---

49. [Com relação ao problema objetivo da continuidade da história, cf. meu trabalho de mesmo título, in: *Kleine Schriften*, I, p. 149-160; cf. tb. vol. II.]

te: a anterioridade da referência histórica da vida, representada no presente pela tradição, mesmo agora ainda não foi assumida na reflexão metodológica. Ao contrário, via-se essa tarefa somente no transporte do passado ao presente pela investigação da tradição. O esquema básico sob o qual a escola histórica pensa a metodologia da história universal não é nada mais do que o que vale para qualquer texto. É o esquema do todo e da parte. Há uma certa diferença entre a tentativa de compreender um texto como construção literária sob o ponto de vista de sua intenção e composição e a tentativa de avaliá-lo como documento para o conhecimento de um *nexo* histórico mais amplo, sobre o qual ele proporciona um esclarecimento que requer um exame crítico. Mesmo assim, esse interesse filológico e aquele interesse histórico submetem-se reciprocamente um ao outro. A interpretação histórica pode servir como meio para compreender um certo texto, embora sob um interesse diverso possamos ver nela não mais que uma fonte que se integra no todo da tradição histórica. [202]

Uma reflexão clara e metodológica sobre isso não se encontra expressa obviamente em Ranke, nem no arguto metodólogo que foi Droysen, mas somente em Dilthey, que toma conscientemente a hermenêutica romântica e a amplia transformando-a numa historiografia e mesmo numa teoria do conhecimento das ciências do espírito. A análise lógica diltheana do conceito de contexto histórico representa objetivamente a aplicação histórica do princípio hermenêutico segundo o qual as partes individuais de um texto só podem ser entendidas a partir do todo, e este somente a partir daquelas. Não somente as fontes chegam a nós como textos, como a própria realidade histórica é em si um texto que deve ser compreendido. Com essa *transferência da hermenêutica para a historiografia*, Dilthey torna-se o intérprete da escola histórica. Ele formula o que Ranke e Droysen, no fundo, pensavam.

Desse modo, a hermenêutica romântica e seu pano de fundo, a metafísica panteísta da individualidade, foram determinantes para a reflexão teórica da investigação da história no século XIX. Isso foi decisivo para o destino das ciências do espírito e para a concepção do mundo da escola histórica. Ainda veremos que, a despeito da oposição da escola histórica, a filosofia hegeliana da história universal compreendeu o significado da história para o ser do espírito e para o conhecimento da verdade com uma profundidade incomparavelmente maior que aqueles grandes historiadores que não quiseram reconhecer sua dependência com respeito a ele. O conceito da individualidade de Schleiermacher, que caminhava lado a lado com os interesses da teologia, da estética e da filologia, não somente era uma instância crítica contra a construção apriorística da filosofia da história como oferecia às ciências históricas, ao mesmo tempo, uma orientação metodológica que as remetia, num grau não inferior às ciências da natureza, à investigação, isto é, à única base que sustenta uma experiência progressiva. Assim, a resistência contra a filosofia da história universal acabou empurrando-a para os ductos da filologia. Seu orgulho estava em que tal metodologia não pensava o contexto (*Zusammenhang*) da história universal teleologicamente, a partir de um estado final, como era [203] o estilo do *Aufklärung* pré-romântico ou pós-romântico, estado que seria igualmente o fim da história, o dia final da história universal. Ao contrário, para ela não há nenhum final e nenhum fora, além da história. Só se pode alcançar a compreensão do decurso total da história universal a partir da própria tradição histórica. E esta é justamente a pretensão da hermenêutica filológica, ou seja, a pretensão de que o sentido de um texto pode ser compreendido por si próprio. Por consequência, *a base da historiografia é a hermenêutica*.

Sendo assim, o ideal da história universal torna-se necessariamente uma problemática específica para a concepção histórica do mundo, na medida em que o livro da história é para o presente um fragmento que se interrompe na obscuridade. Falta ao contexto universal da história o caráter de conclusividade que possui um texto para o filólogo, e que faz com que uma biografia, por exemplo – mas também a história de uma nação do passado, desaparecida do cenário da história universal, e até mesmo a história de uma época já encerrada e que ficou para trás –, pareça converter-se num conjunto de sentido acabado, num texto compreensível por si.

Mais tarde veremos que também o pensamento de Dilthey está baseado nessas unidades relativas, edificando assim, inteiramente, sobre a base da hermenêutica romântica. O que se há de compreender num e noutro caso é um conjunto de sentido que em ambos os casos se encontra igualmente destacado de quem procura compreendê-lo. Trata-se a cada vez de uma individualidade estranha que deve ser julgada a partir de seus próprios conceitos, critérios de valor etc., e que, apesar disso, pode ser compreendida, uma vez que o eu e o tu são "momentos" da mesma vida.

A base hermenêutica pode nos levar até aí. No entanto, nem este caráter de ser destacado do objeto com respeito ao seu intérprete, nem tampouco a conclusividade de um conjunto de sentido, no que diz respeito ao seu conteúdo, poderiam sustentar a tarefa *mais autêntica* do historiador, a história universal. Pois não somente a história ainda não chegou ao fim – nós mesmos, enquanto compreendemos a história, nos encontramos nela como membros condicionados e finitos de uma cadeia que continua a avançar. E, partindo-se dessa situação precária do problema da história universal, parecem surgir facilmente dúvidas quanto a se saber se a hermenêutica está realmente em condições de servir de base para a historiografia. A história universal não é um simples problema marginal ou residual do conhecimento histórico, mas seu verdadeiro ponto central. Também a "escola histórica" sabia que, no fundo, não pode haver outra história que a universal, porque o individual somente se determina em seu significado particular a partir do todo. E como há que se haver o investigador empírico, a quem jamais poderá ser-lhe dado esse todo, sem perder seus direitos ante o filósofo e sua arbitrariedade apriorista?

Investiguemos de imediato a maneira como a "escola histórica" [204] procura resolver o problema da história universal. Para isso teremos de ampliar nossas buscas, e dentro do nexo teórico que representa a escola histórica perseguiremos somente o problema da história universal e, por isso, restringir-nos-emos a Ranke e Droysen.

É necessário que se recorde a distância que a escola histórica tomou frente a Hegel. De certa forma, sua certidão de nascimento é sua recusa à construção apriorista da história do mundo. Sua nova pretensão é que o que pode conduzir a uma concepção da história universal não é a filosofia especulativa, mas unicamente a investigação histórica.

Com a sua crítica ao esquema histórico-filosófico do *Aufklärung*, Herder foi o primeiro a criar a pressuposição decisiva para essa guinada. Seu ataque ao orgulho que o *Aufklärung* deposita na razão teve sua arma mais afiada no caráter modelar da Antiguidade clássica, proclamado sobretudo por Winckelmann. A *história da arte na Antiguidade* era, sem dúvida, bem mais que uma exposição histórica. Ela era uma crítica do presente e um programa. Mas, em virtude da ambiguidade inerente a qualquer crítica do presente, a proclamação do caráter modelar da arte grega, que deveria erigir um novo ideal ao próprio presente, significava, não obstante, um verdadeiro passo adiante rumo ao conhecimento histórico. O passado, que aqui se apresenta como modelo para o presente, mostra-se como irrepetível e único justamente pelo fato de que se investigam e reconhecem as causas para o seu ser-assim.

Herder não precisou ir muito além da base colocada por Winckelmann e bastou-lhe também reconhecer a relação dialética entre o caráter modelar e o caráter irrepetível de todo o passado para opor à consideração teleológica da história do *Aufklärung* uma concepção histórica universal do mundo. Pensar historicamente significa agora conceder a cada época seu próprio direito à existência e até mesmo uma perfeição própria. E este é um passo que Herder dá de modo fundamental. A concepção histórica do mundo obviamente ainda não poderia desenvolver-se inteiramente enquanto os preconceitos do classicismo continuassem atribuindo à Antiguidade uma posição modelar especial. Tanto uma teleologia no estilo da fé que o *Aufklärung* deposita na razão, como uma teleologia invertida, que preserva a perfeição a um passado ou a um começo da história, continuam reconhecendo um padrão que se encontra além da história.

Há muitas formas de pensar a história a partir de um padrão situado além dela própria. O classicismo de Wilhelm von Humboldt considera a história como a perda e a decadência da perfeição da vida grega. A teologia histórica gnóstica da época de Goethe, cuja influência sobre o jovem Ranke foi exposta recentemente[50], pensa o futuro como a restauração de uma perfeição perdida dos tempos arcaicos. Hegel reconciliou o caráter estético modelar da Anti-

---

50. HINRICHS, C. *Ranke und die Geschichtstheologie der Goethezeit* (1954). Cf. minha anotação no *Philos. Rundschau* e p. 123s. (no original).

guidade clássica com a autoconsciência do presente, caracterizando a religião da arte dos gregos como uma figura já superada do espírito e proclamando a realização plena da história no tempo presente na autoconsciência universal da liberdade. Todas essas são maneiras de pensar a história que pressupõem um paradigma situado fora dela.

Todavia, tampouco a negação de um tal paradigma apriorístico e a-histórico, que se dá no início da investigação histórica no século XIX, está tão livre de pressuposições metafísicas como esta crê e afirma, quando se compreende a si mesmo como investigação científica. Isso pode ser demonstrado na análise dos conceitos básicos dessa concepção histórica de mundo. É verdade que a intenção desses conceitos orienta-se precisamente no sentido de corrigir a antecipação de uma construção apriorista da história. Mas, na medida em que polemizam com o conceito idealista do espírito, mantêm-se referidos a ele. A mais clara demonstração disso é a detalhada reflexão filosófica que Dilthey faz sobre essa concepção de mundo.

É óbvio que o seu ponto de partida encontra-se inteiramente determinado pela oposição à "filosofia da história". A premissa fundamental comum a todos os representantes dessa concepção histórica do mundo, tanto Ranke e Droysen quanto Dilthey, consiste em que a ideia, a essência, a liberdade não encontram uma expressão completa e adequada na realidade histórica. Mas isso não deve ser entendido no sentido de uma mera deficiência ou de um atraso. Ao contrário, esses autores descobrem o princípio constitutivo da própria história no fato de que, na história, a ideia possui apenas uma representação imperfeita. É só por isso que em vez de filosofia precisamos de uma investigação histórica que instrua o homem sobre si mesmo e sobre sua posição no mundo. A ideia de uma história que fosse pura representação da ideia significaria, ao mesmo tempo, a renúncia a ela como um caminho próprio rumo à verdade.

Mas, por outro lado, a realidade histórica não é um simples *medium* turvo, uma matéria contrária ao espírito, rígida necessidade ante a qual o espírito sucumbiria e em cujas presilhas acabaria se sufocando. Essa avaliação gnóstico-neoplatônica do acontecer como um emergir para o mundo exterior dos fenômenos não faz justiça ao valor ontológico metafísico da história e, portanto, tam-

[206] pouco à categoria cognitiva da ciência histórica. Precisamente o desenvolvimento da essência humana no tempo possui uma produtividade própria. É a plenitude e a diversidade do humano que, através da mudança interminável dos destinos humanos, encaminha a si mesma para uma realidade cada vez maior. Essa poderia ser uma maneira de formular a premissa básica da escola histórica. Não dá para disfarçar aí uma relação com o classicismo da época de Goethe.

O que serve de guia aqui é, no fundo, um ideal humanista. Wilhelm von Humboldt via a perfeição específica da Antiguidade grega na riqueza das grandes formas individuais que apresenta. No entanto, os grandes historiadores não podem restringir-se a um ideal classicista desse gênero. Eles seguem, antes, a Herder. Mas essa concepção histórica do mundo ligada a Herder, que já não tem preferência especial por uma era clássica, o que faz além de considerar o conjunto da história universal sob o mesmo paradigma que Humboldt empregou para fundamentar a primazia da Antiguidade clássica? A riqueza das manifestações individuais não é só uma característica da vida grega, é a característica da vida histórica em geral, e é isso o que constitui o valor e o sentido da história. A angustiante pergunta pelo sentido desse espetáculo de esplendorosos triunfos e ruínas cruéis que abalam o coração humano deveria encontrar aqui uma resposta.

O mérito dessa resposta é que não associa nenhum conteúdo concreto com seu ideal humanista, pois o que lhe serve de fundamento é a ideia formal da máxima diversidade. Um tal ideal é verdadeiramente universal. Não pode mais ser abalado fundamentalmente por nenhuma experiência da história, por nenhuma fragilidade das coisas humanas, por mais desconcertante que esta possa ser. A história tem um sentido em si mesma. O que parece depor contra esse sentido – o caráter efêmero de tudo que é terreno – é, na realidade, seu verdadeiro fundamento, pois no próprio caráter efêmero encontra-se o mistério de uma inesgotável produtividade da vida histórica.

A questão é pois saber como se pode pensar a unidade da história universal e justificar seu conhecimento sob esse paradigma e ideal formal da história. Sigamos primeiramente a Ranke: "Toda ação verdadeiramente histórico-universal, que jamais se reduz unilateralmente a uma pura destruição, mas que no momento passageiro do presente consegue desenvolver o porvir, encerra em si um sentimento pleno e imediato de seu valor indestrutível"[51].

Nem a posição privilegiada da Antiguidade clássica, nem a do presente ou a de um futuro a que ela nos conduz, nem decadência ou progresso – esses esquemas básicos tradicionais da história universal – são compatíveis com um pensamento autenticamente histórico. Ao contrário, a famosa noção de imediatez de todas as épocas com relação a Deus conforma-se muito bem com a ideia de um nexo histórico universal. Pois o nexo – Herder chamava-o de "ordem consecutiva" – é a manifestação da própria realidade histórica. O [207] que é historicamente real surge "segundo leis causais estritas: aquilo que se seguiu daí faz aparecer sob uma luz clara e aberta ao comum o efeito e o modo do que acabou de surgir"[52]. O primeiro enunciado sobre a estrutura formal da história, a saber, de ser devir no passar, é que o que permanece na mudança dos sentidos humanos é um nexo ininterrupto da vida.

Seja como for, é só a partir daqui que se pode compreender o que vem a ser para Ranke "uma ação verdadeiramente histórico-universal, assim como o que sustenta, na realidade, o nexo da história universal". Ela não possui nenhum *telos* que se possa descobrir e fixar fora dela. Enquanto tal, na história não domina nenhuma necessidade que possa ser percebida *a priori*. Mas, apesar de tudo, a estrutura do nexo histórico tem um caráter teleológico. Seu padrão é o êxito. Já vimos que o que segue é o que decide primeiramente sobre o significado daquilo que o precedeu. Ranke pode ter imaginado isso como uma simples condição do conhecimento histórico. Mas, na realidade, também o peso característico que convém ao próprio ser da história está apoiado nisso. O fato de que se alcance sucesso ou se fracasse não decide somente sobre o sentido desse fazer, permitindo-lhe engendrar um efeito duradouro ou passar sem efeito algum, mas este sucesso ou fracasso faz que nexos completos de fatos e de acontecimentos sejam plenos de

---

51. RANKE. *Weltgeschichte*, IX, 270.
52. RANKE. *Lutherfragm.*, 1.

sentido ou se tornem sem sentido. Embora não tenha *telos*, a estrutura ontológica da história é pois em si mesma teleológica[53]. O conceito da ação verdadeiramente histórico-universal utilizado por Ranke define-se precisamente por isso. A ação é ação quando faz história, isto é, quando tem um efeito que lhe confere um significado histórico duradouro. Os elementos do nexo histórico determinam-se pois, de fato, no sentido de uma teleologia inconsciente que os congrega e que exclui desse nexo o que não tem significado.

b) A concepção de Ranke sobre a história do mundo

Uma tal teleologia não pode ser demonstrada a partir do conceito filosófico. Ela não converte a história universal num sistema apriorista, em que os atores são inseridos como num mecanismo que os dirige inconscientemente. É, antes, perfeitamente compatível com a liberdade da ação. Ranke pode inclusive dizer que os membros construtivos do nexo histórico são "cenas da liberdade"[54]. Essa expressão quer dizer que no tecido infinito dos acontecimentos se destacam determinados eventos onde por assim dizer se concentram as decisões históricas. É verdade que há decisão cada vez que se atua livremente, mas o que caracteriza os momentos verdadeiramente históricos é que, com essa decisão, decide-se verdadeiramente *algo*, isto é, que essa decisão faz história e que só em seu efeito se manifesta seu significado pleno e duradouro. Tais momentos conferem sua articulação ao nexo histórico. A esses momentos nos quais uma ação livre se torna historicamente decisiva, chamamos de momentos que fazem época ou também crises, e aos indivíduos cuja ação tornou-se assim decisiva, podemos chamá-los com Hegel de "indivíduos da história universal". Ranke os chama de "espíritos originais que intervêm autonomamente na luta das ideias e das potências do mundo e congregam as mais potentes dentre elas, aquelas sobre as quais repousa o futuro". Isto é espírito do espírito de Hegel.

Em Ranke aparece uma reflexão muito instrutiva sobre o problema de como surge o nexo histórico a partir dessas decisões da liberdade:

---

53. Cf. MASUR, Gerhard. *Rankes Begriff der Weltgeschichte*, 1926.
54. RANKE. *Weltgeschichte*, IX, p. XIV.

Reconheçamos que a história jamais poderá ter a unidade de um sistema filosófico, mas tampouco carece de nexo interno. Temos diante de nós uma série de acontecimentos que se seguem e se condicionam uns aos outros. Quando digo que se condicionam, é óbvio que isso não significa através de uma necessidade absoluta. A grandeza é, antes, o fato de que a liberdade humana está implicada em tudo: a historiografia faz o rastreamento das cenas da liberdade; isso é o que a torna tão apaixonante. Mas com a liberdade se associa a força, uma força original; sem essa força a liberdade se acaba tanto nos acontecimentos do mundo quanto no terreno das ideias. A cada momento pode começar algo novo, que só pode ser atribuído à fonte primeira e comum de todo fazer e deixar de fazer humano; nada está aí inteiramente por causa do outro; nada se esgota totalmente na realidade do outro. E, no entanto, em tudo isso governa um profundo nexo interno do qual ninguém é completamente independente e que penetra tudo. Junto à liberdade está sempre a necessidade. Ela se encontra aí no que já se formou, o que se tornou irreversível, que será a base de toda nova atividade emergente. O que veio a ser forma um nexo com o que devêm. Mas esse mesmo nexo não é algo que deva ser tomado arbitrariamente, pois existia de uma maneira determinada, assim e não de outro modo. É também um objeto de conhecimento. Uma ampla série de acontecimentos – sucessivos e coexistentes – unidos assim forma um século, uma época..."[55] [209]

Nesta exposição torna-se significativo que junto ao conceito de liberdade se coloque, aqui, o de força. A força é evidentemente a categoria central da concepção histórica do mundo. Já Herder lançou mão dela para libertar-se do esquema progressivo do *Aufklärung* e sobretudo para superar o conceito de razão que lhe serve de base[56]. O conceito da força ocupa uma posição tão central na concepção histórica do mundo porque reúne numa tensão particular a interioridade e a exterioridade. Toda força só é tal quando se exterioriza.

---

55. RANKE. *Weltgeschichte*, IX, p. XIIIs.
56. Em meu escrito "Volk und Geschichte im Denken Herders", 1924 [*Kleine Schriften*, III, p. 101-117, agora no vol. IV das Obras Completas], demonstrei que Herder realiza a transposição do conceito leibniziano de força ao mundo histórico.

A exteriorização não é somente a decisão da força, mas também sua realidade. Hegel tinha toda a razão quando desenvolveu dialeticamente a pertença interna de força e exteriorização. Todavia, nessa mesma dialética está implicado, por outro lado, que a força é mais do que sua exteriorização. Ela goza da possibilidade, isto é, não é somente a causa de um determinado efeito, mas tem a capacidade de produzir esse efeito toda vez que for desencadeada. Seu *modus* é um "retraimento disponível e iminente" (*"Anstehen"*) – uma palavra adequada porque expressa justo o ser para si da força frente à indeterminação de tudo aquilo em que pode se exteriorizar. Mas disso se segue que a força não pode ser conhecida ou medida a partir de suas exteriorizações, mas só pode ser experimentada no modo de seu ser-interior. A observação de um efeito sempre permite entrever a causa mas não a força, se é verdade que a força é um excedente interior em relação à causa que o efeito pressupõe. De certo que esse excedente que se percebe no causador pode ser experimentado também a partir do efeito, na resistência, na medida em que o próprio oferecer resistência é uma exteriorização da força. Mas mesmo aqui é um ser-interior (*Innesein*) o que permite experimentar a força. Esse ser-interior é o modo de experimentar a força, uma vez que esta se refere por essência a si mesma. Em sua *Fenomenologia do Espírito* Hegel demonstrou convincentemente a subsunção dialética da ideia de força na infinitude da vida, que se refere a si mesma e se recolhe na sua interioridade[57].

[210] A própria formulação de Ranke chega assim a expor um problema que diz respeito à história universal, alcançando com isso um perfil próprio dentro da história universal do pensamento e da filosofia. Nesse contexto, Platão foi o primeiro a perceber a estrutura reflexiva da *dynamis*, tornando possível a sua transposição à essência da alma, que Aristóteles desenvolveu com a teoria das *dynameis*, as potências da alma[58]. Segundo sua essência ontológica, a força é "interioridade". Nesse sentido é absolutamente correto que Ranke escreva: "A força agrega-se à liberdade", pois a força,

---

57. HEGEL. *Phänomenologie des Geistes*, p. 120s. (Hoffmeister).
58. PLATÃO. *Charm.*, 169a. [Cf. tb. "Vorgestalten der Reflexion". *Kleine Schriften*, III, p. 1-13, vol. VI das Obras Completas, p. 116-128.]

que é mais que a sua exteriorização, já é sempre liberdade. Para o historiador, isso reveste-se de uma importância decisiva. Ele sabe que tudo poderia ter sido diferente, que cada indivíduo que atua teria podido também atuar de outra maneira. A força que faz história não é um momento mecânico. Para excluir isso, Ranke diz expressamente "e talvez uma força original", falando de uma "fonte primeira e comum de todo fazer e deixar de fazer humano", e para Ranke isto é a liberdade.

O fato de que ela esteja limitada e restrita não representa uma contradição à liberdade. Justo isso torna-se patente na essência da força que consegue se impor. É por isso que Ranke pode dizer que "junto à liberdade se encontra a necessidade", pois necessidade não significa aqui uma causação que exclui a liberdade, mas a resistência que a força livre encontra. Eis aqui a verdade da dialética da força descoberta por Hegel[59]. A resistência que a força livre encontra procede ela mesma da liberdade. A necessidade em questão aqui é o poder daquilo que nos sobrevém e o poder dos outros que atuam contra nós, poder que precede toda intervenção da atividade livre. Na medida em que exclui muitas coisas como impossíveis, ela restringe a ação ao possível, ao que está aberto. A necessidade procede da liberdade e até é condicionada pela liberdade, que conta com ela. Do ponto de vista lógico, trata-se de uma necessidade hipotética (a *ex hypotheseos anankaion*); do ponto de vista do conteúdo, trata-se de um modo de ser não da natureza, mas do ser histórico. O que se tornou realidade não pode ser desfeito. Nesse sentido trata-se do "fundamento de toda nova atividade emergente", como diz Ranke, e, no entanto, ele próprio procede da atividade. Enquanto o que se tornou realidade se mantém como fundamento, conforma a nova atividade na unidade de um nexo. Ranke diz: "O que se tornou realidade constitui o nexo com o que se tornará". Essa frase bastante obscura quer expressar manifestamente o que constitui a realidade histórica: que o que devém é, na verdade, livre, mas a liberdade pela qual devém encontra, em cada caso, sua limitação no que se tornou realidade, isto é, nas circunstâncias

---

59. HEGEL. *Enzyklopädie*, § 130s., bem como *Phänomenologie* (Hoffmeister), p. 150s.; *Logik* (Lasson), p. 144s.

em que atua. Os conceitos de força, poder, tendência determinante etc. empregados pelos historiadores procuram todos tornar visível a essência do ser histórico, o que implica afirmar que na história a ideia encontra somente uma representação imperfeita. Não são os [211] planos nem as concepções dos que atuam que compõem o sentido do acontecer, mas os efeitos históricos que permitem conhecer as forças históricas. As forças históricas que constituem os verdadeiros portadores do desenvolvimento histórico não são algo como a subjetividade monádica do indivíduo. Ao contrário, toda individuação já vem, ela mesma, impregnada também pela realidade que lhe é oposta, e é por isso que a individualidade não é subjetividade mas força viva. Segundo Ranke, também os estados são forças vivas desse gênero. Ele diz expressamente que eles não são "compartimentos do geral", mas individualidades, "seres espirituais reais"[60]. Ele os chama de "pensamentos de Deus", indicando com isso que o que permite a existência real dessas construções é a sua própria força vital, e não alguma imposição ou vontade humana ou um plano evidente para os homens.

O emprego da categoria da força permite, pois, pensar a coerência dos nexos na história como um dado primário. A força somente é real como jogo de forças, e a história é um desses jogos de forças que produz continuidade. Nesse contexto, tanto Ranke como Droysen falam que a história é uma "soma em curso", querendo com isso rejeitar qualquer pretensão de se construir aprioristicamente a história do mundo, o que os faz pensar que estão firmemente plantados no terreno da experiência[61]. Mas a pergunta a ser feita é se com isso não estão pressupondo muito mais do que sabem. O fato de a história universal ser uma soma em curso quer dizer que é um todo, embora não esteja completo. Mas isso não é assim tão evidente. Dados qualitativamente heterogêneos não podem ser somados. A soma pressupõe que a unidade sob a qual eles devem ser agregados esteja orientando sua reunião de antemão. Mas essa pressuposição é uma afirmação. Na realidade, a ideia da uni-

---

60. RANKE. *Das politische Gespräch*, ed. Rothacker, p. 19, 22, 25.
61. RANKE. Ibid., 163; DROYSEN. *Historik*, p. 72 [ROTHACKER (org.)].

dade da história não é tão formal nem tão independente de uma compreensão do conteúdo "da" história como parece[62].

O mundo da história não foi sempre pensado sob o aspecto da unidade histórico-universal. Como mostra o caso de Heródoto, ele pode ser considerado também como um fenômeno moral. Como tal, ele oferece uma grande quantidade de exemplos, mas não uma unidade. O que é que legitima o discurso de uma unidade da história do mundo? Era fácil de responder a isso, então pressupondo-se a unidade de uma meta e, por consequência, de um plano na história. Mas, se já não se admite nem essa meta nem esse plano, qual é então o denominador comum que permitiria somar? [212]

É evidente que a ideia que busca pensar a realidade da história como jogo de forças não basta para urgir sua unidade. Também o que servia de guia para Herder e Humboldt, o ideal da riqueza de manifestações do humano, não alicerça como tal uma verdadeira unidade. Tem de haver *algo* que se mostre como meta orientadora na continuidade do acontecer. E, de fato, o lugar ocupado pelas escatologias histórico-filosóficas de origem religiosa e suas versões secularizadas encontra-se agora vago[63]. Nenhuma opinião prévia sobre o sentido da história deve hipotecar sua investigação. Mesmo assim, a pressuposição óbvia de sua investigação é que ela forma uma unidade. É assim que Droysen pode reconhecer expressamente o pensamento da unidade histórico-universal como relativa, ainda que não seja nenhuma representação de conteúdo do plano da providência.

Mas, além disso, esse postulado contém outra pressuposição que determina seu conteúdo. A ideia da unidade da história do mundo inclui a continuidade ininterrupta do desenvolvimento histórico universal. Também essa ideia da continuidade é, em princípio, de natureza formal e não implica nenhum conteúdo concreto. Também ela é uma espécie de *a priori* da investigação que convida a penetrarmos cada vez mais profundamente no tecido dos nexos

---

62. É muito significativo para a tendência secreta da escola histórica que Ranke – e não somente ele – pense e escreva "subsumir" como "somar" (por exemplo, op. cit., p. 63).
63. Cf. LÖWITH, K. *Weltgeschichte und Heilsgeschehen*. Stuttgart: [s.e.], 1953, e meu artigo *Geschichtsphilosophie*, em RGG[3].

da história universal. Nesse sentido, a fala de Ranke sobre a "admirável constância" do desenvolvimento histórico deve ser considerada como uma ingenuidade metodológica[64]. Na verdade, o que ele tem em mente com isso não é essa estrutura da constância, mas o conteúdo que se elabora nesse desenvolvimento constante. O que desperta sua admiração é o fato de que alguma coisa, e algo único, acaba emergindo do todo inabarcavelmente variado do desenvolvimento histórico universal, ou seja, a unidade do mundo da cultura ocidental, produzida pelos povos germano-românicos que se estende por todo o mundo.

Todavia, ainda que se reconheça o sentido relacionado ao conteúdo nessa admiração de Ranke sobre a "constância", sua ingenuidade permanece manifesta. O fato de a história do mundo, pelo desenvolvimento contínuo, ter produzido este mundo da cultura ocidental não é um mero fato da experiência constatado pela consciência histórica, mas uma condição da própria consciência histórica, ou seja, não é algo que poderia também não ter sido produzido, ou que poderia ser apagado por uma nova experiência. Ao contrário, é só porque a história universal trilhou esse caminho que a consciência histórico-universal pode colocar a pergunta pelo sentido da história, tendo em mente a unidade de sua constância.

[213]

Para isso pode-se apelar para o próprio Ranke. Segundo ele, o que distingue fundamentalmente o sistema oriental do ocidental é que no Ocidente a continuidade histórica constitui a forma de existência da cultura[65]. Assim, não é por acaso que a unidade da história do mundo repousa sobre a unidade do mundo da cultura ocidental, à qual pertence a ciência ocidental em geral e a história como ciência em particular. Também não é por acaso que essa cultura ocidental tenha sido marcada pelo cristianismo, que tem seu momento absoluto no caráter singular do acontecer salvífico. Ranke percebeu isso ao ver que a religião cristã poderia restaurar o homem na sua "imediatez para com Deus", imediatez que ele situa romanticamente no começo originário de toda história[66]. Entretanto

---

64. RANKE. *Weltgeschichte*, IX, 2 XIII.
65. RANKE. *Weltgeschichte*, IX, 1, p. 270s.
66. Cf. HINRICHS. *Ranke und die Geschichtstheologie der Goethezeit*, p. 239s.

ainda veremos que o significado fundamental desse fato não conseguiu se impor plenamente na reflexão filosófica da concepção histórica do mundo.

Mesmo a mentalidade empírica da escola histórica não está livre de pressuposições filosóficas. Continua sendo mérito do arguto metodólogo Droysen havê-las despojado de seus revestimentos empiristas, reconhecendo sua significação fundamental. Seu ponto de vista fundamental é o seguinte: a continuidade é a essência da história, porque, diferentemente da natureza, a história inclui o momento do tempo. Para isso, Droysen cita sempre de novo a frase aristotélica de que a alma é um acréscimo para si mesma (*epidosis eis auto*). Em oposição às meras formas de repetição da natureza, a história se caracteriza por esse crescimento em si mesma. Mas isso significa que ela se caracteriza por um conservar e superar o conservado ultrapassando-o. Uma e outra coisa implicam um saber sobre si mesmo. A própria história não é, portanto, somente um objeto do saber, mas está ontologicamente determinada pelo saber sobre si mesma. "O saber sobre ela é ela própria" (*Historik*, § 15). A admirável constância do desenvolvimento da história do mundo, de que fala Ranke, está fundamentada na consciência da continuidade, consciência graças à qual a história é história (*Historik*, § 48).

Seria completamente falso ver aqui tão somente um preconceito idealista. Esse *a priori* do pensamento histórico é, pelo contrário, ele mesmo uma realidade histórica. Jacob Burckhardt tem toda a razão, quando vê na continuidade da tradição da cultura ocidental a própria condição da existência dessa cultura[67]. A implosão dessa tradição, a errupção de uma nova barbárie, sobre a qual Jacob Burckhardt fez algumas profecias sombrias, seria, para a concepção histórica do mundo, não uma catástrofe dentro da história universal, mas o próprio fim dessa história – ao menos na medida em que esta procura compreender-se a si mesma como unidade histórica universal. É importante que tenhamos claro essa pressuposição de conteúdo do questionamento histórico universal da escola histórica, precisamente porque ela o rejeita por princípio.

[214]

---

67. Cf., por exemplo, LÖWITH. *Weltgeschichte und Heilsgeschehen*, cap. I.

Desse modo, a própria autocompreensão hermenêutica da escola histórica, que tivemos ocasião de demonstrar em Ranke e Droysen, encontra sua fundamentação última na ideia da história universal. Por outro lado, a escola histórica não podia aceitar a fundamentação hegeliana da unidade da história universal através do conceito do espírito. A ideia de que o caminho do espírito rumo a si mesmo se consuma na plena autoconsciência do presente histórico, espírito este que perfaz o sentido da história, não é mais do que uma autointerpretação escatológica que, no fundo, subsume a história no conceito especulativo. Em lugar disso, a escola histórica se viu forçada a adotar uma compreensão teológica de si mesma. Se não quisesse suspender a sua própria essência, a de pensar-se a si mesma como uma investigação progressiva, teria de referir seu próprio conhecimento finito e limitado a um espírito divino, para o qual as coisas seriam conhecidas em sua consumação. É o velho ideal da compreensão infinita, que aqui se aplica ainda ao conhecimento da história. É o que escreve Ranke: "Penso que a divindade – se me é permitido ousar essa observação – sobrevê toda a humanidade histórica em seu conjunto, considerando-a, toda ela, valiosa por igual, já que antes dela não há tempo algum"[68].

A ideia da compreensão infinita (*intellectus infinitus*), para a qual tudo é simultâneo (*omnia simul*), aparece aqui transformada em imagem original da justiça histórica. O historiador se lhe aproxima quando sabe que todas as épocas e todos os fenômenos históricos têm o mesmo direito perante Deus. Nesse sentido, a consciência do historiador representa a perfeição da autoconsciência humana. Quanto melhor conseguir reconhecer o valor próprio e indestrutível de cada fenômeno, isto é, pensar historicamente, tanto mais semelhante a Deus pensará[69]. É bem por isso que Ranke comparou o ofício do historiador com o do sacerdócio. Para o luterano Ranke, o verdadeiro conteúdo da mensagem cristã é "a imediatez para com Deus". A restauração dessa imediatez, que precedeu a [215] queda do pecado original, não se produz somente através dos meios da graça na Igreja; também o historiador participa dela ao fazer

---

68. RANKE. *Weltgeschichte*, IX, 2, p. 5 e 7.
69. "Porque isso é também uma parte do saber divino" (Ranke, org. Rothacker, p. 43, semelhantemente p. 52).

objeto de sua investigação a essa humanidade caída na história e ao reconhecer a imediatez rumo a Deus, nunca perdida de todo.

História universal, história do mundo – não são, na verdade, sumidades conceituais de natureza formal, nas quais se intenta o todo do acontecer, mas, no pensamento histórico, o universo, enquanto criação divina, é elevado à consciência de si mesmo. Evidentemente que não se trata de uma consciência conceitual: o resultado último da ciência histórica é "co-sentimento, co-saber do todo"[70]. Sobre esse pano de fundo panteísta, compreende-se bem a famosa frase de Ranke, segundo a qual ele mesmo desejaria acabar apagando-se. Obviamente que este autoapagamento, como objeta Dilthey[71], representa a ampliação do eu (*Selbst*) a um universo interior. Todavia, não é por acaso que Ranke não realiza essa reflexão que leva Dilthey à sua fundamentação psicológica das ciências do espírito. Para Ranke, o autoapagamento continua sendo uma forma de participação real. O conceito da participação não deve ser compreendido como psicológico-subjetivo, mas a partir do conceito da vida que lhe é subjacente. Uma vez que todos os fenômenos históricos são manifestações do todo da vida, participar deles é participar da vida.

A expressão da compreensão adquire, a partir daqui, seu tom quase religioso. Compreender é participar imediatamente da vida, sem a mediação intelectual do conceito. O que interessa ao historiador não é referir a realidade a conceitos, mas em toda parte alcançar um nível onde "a vida pensa e o pensamento vive". Os fenômenos da vida histórica são compreendidos na compreensão como manifestações do todo da vida, da divindade. Essa penetração dos mesmos pela compreensão significa, de fato, mais do que a produção do conhecimento humano de um universo interior, tal como a reformulação do ideal do historiador que Dilthey opôs a Ranke. Trata-se de um enunciado metafísico pelo qual Ranke se aproxima enormemente de Fichte e Hegel, quando diz: "A intuição clara, plena e vivida, tal é a marca do ser que se tornou transparente e que

---

70. Ranke (org. Rothacker), p. 52.
71. *Gesammelte Schriften*, V, 281.

enxerga através de si mesmo"[72]. Numa tal formulação é impossível não perceber como Ranke, no fundo, permanece próximo do idealismo alemão. A plena autotransparência do ser que Hegel pensou no saber absoluto da filosofia continua legitimando também a autoconsciência de Ranke como historiador, por mais que ele rejeite as pretensões da filosofia especulativa. É exatamente por isso que o modelo do poeta lhe é tão caro e não sente a menor necessidade [216] de se distinguir frente a ele, como historiador. Pois o que o historiador e o poeta têm em comum é que um e outro conseguem representar o elemento em que vivem todos "como algo que está fora deles"[73]. Esse puro abandono à contemplação das coisas, a atitude épica de quem busca a lenda da história do mundo[74], tem direito a chamar-se de poético na medida em que, para o historiador, Deus está presente em tudo sob a forma da "representação externa, mas não sob a forma do conceito". A melhor maneira de circunscrever a autocompreensão de Ranke é através desses conceitos de Hegel. Como o compreende Ranke, o historiador pertence à figura do espírito absoluto que Hegel descreveu com a figura da "religião da arte".

c) A relação entre historiografia e hermenêutica em J.G. Droysen

Para um historiador que pensa de modo mais rigoroso, salta aos olhos a problemática de tal autoconcepção. O significado filosófico da *historiografia de Droysen* encontra-se justamente no fato de procurar liberar o conceito da compreensão da indeterminação de uma comunhão estético-panteísta, que ele possui em Ranke, e em formular suas pressuposições conceituais. A primeira pressuposição é o conceito da expressão[75]. Compreender é compreender uma expressão. Na expressão algo interior se faz imediatamente presente. Mas o interior, "a essência interna", é a primeira e autêntica realidade. Droysen se movimenta aqui num solo inteiramente cartesiano, seguindo a Kant e a Wilhelm von Humboldt. O eu individual é como um ponto solitário no mundo dos fenômenos. Mas

---

72. *Lutherfragment* 13.
73. *Lutherfragment* 1.
74. *An Heirich Ranke*, nov. 1828 (*Zur eigenen Lebensgeschichte*, 162).
75. [Cf. tb. abaixo, p. 342s., 471s. (original) e vol. II, Exkurs VI.]

em suas exteriorizações, sobretudo na linguagem, e fundamentalmente em todas as formas em que consegue dar-se expressão, deixa de ser um tal ponto solitário. Pertence ao mundo do compreensível. Assim, a compreensão histórica não é fundamentalmente diferente da compreensão que se dá na linguagem. Como a linguagem, o mundo da história não possui o caráter de um ser puramente espiritual: "Querer compreender o mundo ético histórico significa sobretudo reconhecer que ele não é pura aparência (*doketisch*), nem pura transformação da matéria"[76]. Isso é dito em contraposição ao empirismo raso de Buckle, mas se aplica também, no sentido inverso, ao espiritualismo da filosofia da história de um Hegel. Droysen considera que a dupla natureza da história está fundamentada "no carisma peculiar de uma natureza humana, felizmente tão imperfeita que deve comportar-se eticamente tanto para com seu espírito quanto para com seu corpo"[77]. [217]

Com esses conceitos tomados emprestados a Wilhelm von Humboldt, Droysen certamente não procura dizer outra coisa do que a que tinha em mente Ranke ao dar destaque à noção de força. Ele também não considera a realidade da história como espírito puro. Comportar-se eticamente inclui, antes, que o mundo da história não conhece uma cunhagem pura da vontade sobre uma matéria maleável e que não oferece resistência. Sua realidade consiste numa concepção e configuração que o espírito deve gerar continuamente, das "finitudes constantemente mutáveis", às quais pertence todo aquele que atua. Dessa dupla natureza, Droysen consegue extrair consequências para o comportamento histórico num grau bem diferente.

O apelo ao comportamento do poeta, que ainda bastava a Ranke, não lhe é suficiente. O abandonar-se na contemplação ou na narrativa não aproxima da realidade histórica, pois os poetas "propõem uma interpretação psicológica para os acontecimentos. Nas realidades, no entanto, não operam somente as personalidades, mas também outros momentos" (*Historik*, § 41). Os poetas tratam a realidade histórica como se ela tivesse sido desejada e planejada, tal

---

76. Droysen (org. Rothaker), p. 65.
77. Ibid., p. 65.

como o é, pelas pessoas que atuam nela. Mas a realidade da história não se constitui por ter sido preconcebida (*gemeint*) dessa maneira. Por isso, o real querer e planejar dos homens não é o verdadeiro objeto da compreensão histórica. A interpretação psicológica dos indivíduos singulares não está em condições de alcançar a interpretação do sentido dos próprios acontecimentos históricos. "Nem o sujeito querente se esgota nessa conjuntura, nem o que chegou a ser chegou a isso apenas pela força de sua vontade, por sua inteligência; não é a expressão pura, nem a expressão completa dessa personalidade" (§ 41). A interpretação psicológica, portanto, representa apenas um momento subordinado na compreensão histórica, e isso não só porque não alcança realmente sua meta. Não é só que aqui se experimente uma barreira. A interioridade da pessoa, o santuário da consciência, não só é inacessível ao historiador, mas o refúgio onde só tem acesso a simpatia e o amor não é, de modo algum, a meta e o objeto de sua investigação. Ele não tem por que querer entrar nos segredos das pessoas individuais. O que ele investiga não são indivíduos como tais, mas o que eles significam como momentos no movimento dos poderes éticos.

[218] O conceito dos poderes éticos ocupa em Droysen uma posição central (§ 55s). Ele fundamenta tanto o modo de ser da história como a possibilidade de seu conhecimento histórico. As reflexões indeterminadas de Ranke sobre liberdade, força e necessidade adquirem agora uma justificação objetiva. Também o emprego ranquiano do conceito de fato histórico é corrigido por Droysen. O indivíduo singular no acaso de suas motivações e objetivos particulares não é um momento da história; somente o é quando se eleva até os aspectos éticos comuns e deles participa. O curso das coisas consiste no movimento desses poderes éticos operado pelo trabalho comum dos homens. E é plenamente verdadeiro que, com isso, o que é possível experimenta restrições. Mas, em função disso, querer falar de um antagonismo entre a liberdade e a necessidade seria querer fugir da própria finitude histórica pela reflexão. O homem que atua encontra-se sempre sob o postulado da liberdade. O curso das coisas não representa nenhuma barreira interposta a partir de fora à sua liberdade, pois não repousa sobre uma necessidade rígida mas sobre o movimento dos poderes éticos, com os quais já sem-

pre nos comportamos. Ele propõe a tarefa frente à qual a energia ética daquele que atua é posta à prova[78]. Por isso, Droysen determina bem melhor a relação entre liberdade e necessidade vigentes na história partindo exclusivamente do homem que atua historicamente. Atribui à necessidade o dever incondicional, e à liberdade o querer incondicional; ambas exteriorizações da força moral, em virtude da qual o indivíduo pertence à esfera ética (§ 76).

Também para Droysen, como se vê, é no conceito de força onde se torna visível o limite de toda metafísica especulativa da história. Nesse sentido critica o conceito hegeliano do desenvolvimento – tal como Ranke –, uma vez que no curso da história não se limita a desenvolver uma predisposição germinal, mas determina com maior nitidez o que significa "força" nesse contexto: "Com o trabalho crescem as forças". A força ética do indivíduo se converte num poder histórico, na medida em que ele trabalha em vista dos grandes objetivos comuns. Converte-se em um poder histórico, na medida em que a esfera ética assegura permanência e poder ao curso das coisas. A força já não é, pois, como em Ranke, uma manifestação originária e imediata do todo da vida, mas só existe nessa mediação e somente através dessas mediações chega a ser realidade histórica.

O mundo ético mediador se movimenta de tal modo que todos participem dele, embora de modo diverso: alguns suportando o estado vigente das coisas através do contínuo exercício do habitual, outros intuindo e manifestando novas ideias. Essa constante superação do que é, partindo da crítica de como deveria ser, constitui a continuidade do processo histórico (§ 77s). Por isso, Droysen não falaria de meras "cenas da liberdade". Liberdade é o pulso fundamental da vida histórica, e não atua somente em casos excepcionais. As grandes personalidades da história não passam de um momento no movimento contínuo do mundo ético, que é um mundo da liberdade tanto no seu todo como em suas particularidades. [219]

Contra o apriorismo histórico, ele concorda com a ideia de Ranke, segundo a qual não podemos conhecer a meta, mas apenas a orientação do movimento. O objetivo dos objetivos a que está refe-

---

78. Cf. a discussão de Droysen com Buckle (Rothackers Neudruck, p. 61).

rido o trabalho incansável da humanidade histórica não pode ser levado a cabo a partir do conhecimento histórico. Só pode ser objeto de nosso intuir e de nosso crer (§ 80-86).

Também a posição do conhecimento histórico corresponde a essa concepção da história. Esse conhecimento histórico não pode ser compreendido, como fez Ranke, como um autoesquecimento estético e um autoapagamento à maneira da grande poesia épica. O traço panteísta de Ranke propiciou aqui a pretensão de uma participação ao mesmo tempo universal e imediata, de um "co-saber" do todo. Ao contrário, Droysen pensa as mediações onde se movimenta a compreensão. Os poderes éticos não são somente a verdadeira realidade da história a que se eleva o indivíduo quando atua. Eles são ao mesmo tempo aquilo a que também aquele que pergunta e investiga historicamente se eleva para além de sua própria particularidade. O historiador está determinado e limitado por pertencer a determinadas esferas éticas, como a sua pátria, as suas convicções políticas e religiosas. Todavia, sua participação repousa precisamente sobre essa unilateralidade irrevogável. A justiça se coloca como a sua tarefa sob as condições concretas de sua própria existência histórica, e não flutuando por sobre as coisas. "Sua justiça é o fato de que ele tenta compreender" (§ 91).

A fórmula de Droysen para o conhecimento histórico é, pois, "compreender investigando" (§ 8). Nisso se oculta tanto uma mediação infinita como uma imediatez última. O conceito da investigação, que numa cunhagem tão significativa Droysen vincula com o conceito da compreensão, deve marcar a infinitude da tarefa que separa tão profundamente o historiador das realizações da criação artística como da perfeita sintonia que instauram a simpatia e o amor entre o eu e o tu. É só investigando a tradição até o fim e "sem descanso", descobrindo sempre novas fontes e reinterpretando-as sem cessar, que a investigação vai se aproximando pouco a pouco da "ideia". Isso soa como um apoiar-se no procedimento das ciências da natureza e como uma antecipação da interpretação neokantiana da "coisa em si", como "tarefa infinita". Mas olhando mais de perto descobrimos que nisso há algo mais. A fórmula de Droysen não delimita o fazer do historiador somente face à idealidade total da arte e face à comunhão íntima das almas, mas também, ao que parece, face ao procedimento das ciências da natureza.

Ao final de suas preleções de 1882[79] podemos ler a expressão de que, "como acontece com as ciências da natureza, não dispomos do instrumento da experimentação, não podemos mais que investigar e continuar investigando". Portanto, para Droysen, no conceito da investigação deve haver outro momento importante, não só a infinitude da tarefa que enquanto marca de um progresso infinito é comum tanto à investigação da história quanto à investigação da natureza, e que no século XIX ajudou na ascensão do conceito da investigação frente à "ciência" do século XVIII e à "doutrina dos séculos anteriores. Esse conceito de investigação, que toma pé no conceito do investigador itinerante que se arrisca em zonas desconhecidas, abrange tanto o conhecimento da natureza como o mundo histórico. Quanto mais empalidece o pano de fundo teológico e filosófico do conhecimento do mundo, tanto mais a ideia da ciência é pensada como avanço rumo ao desconhecido, e, por isso, chamada de investigação. [220]

Todavia, essas reflexões não bastam para explicar como Droysen pôde distinguir entre o método histórico, na forma exposta, é o método experimental das ciências da natureza, quando diz que a historiografia é "investigar e nada mais que investigar". O que aos olhos de Droysen caracteriza o conhecimento histórico como investigação deve ser uma infinitude diferente da do mundo desconhecido. Seu pensamento parece ser o seguinte: Quando o que é investigado não é visível por si mesmo, a investigação supõe uma infinitude de outra ordem, algo como uma infinitude qualitativa. Isso vale realmente para o passado histórico – em oposição ao caráter autônomo do dado apresentado pelo experimento na investigação da natureza. Para poder conhecer, a investigação histórica somente pode perguntar a outros, à tradição, a uma tradição sempre nova, e perguntar-lhe sempre de novo. Sua resposta não terá nunca, como o experimento, a univocidade do que é visto por si mesmo.

---

79. Johann Gustav Droysen, *Historik*, organizado por Hübner, 1935, p. 316, segundo um escrito póstumo de Friedrich Meinecke.

Se nos perguntarmos agora qual é a origem desse momento significativo no conceito da investigação, buscado por Droysen com sua surpreendente confrontação de investigação e experimento, tenho a impressão de que isso nos remete ao conceito da investigação da consciência. O mundo da história repousa sobre a liberdade, e em última instância esta é um mistério inescrutável da pessoa[80]. Somente a autoinvestigação da própria consciência pode se lhe aproximar e aqui somente Deus pode saber. Essa é a razão por que a investigação histórica nunca irá pretender conhecer leis, ou pelo menos nunca poderá invocar a decisão do experimento. Pois o historiador está separado do seu objeto pela mediação infinita da tradição.

[221]

Mas, por outro lado, essa distância é justamente proximinade. O historiador está unido com o seu "objeto", talvez não ao modo da constatação inequívoca de um experimento, evidente por si, mas a seu modo ele está ligado ao seu "objeto" através da compreensibilidade e familiaridade do mundo ético; é um modo completamente diferente do que o que une o investigador da natureza com seu objeto. O "ouvir dizer" não é aqui uma má credencial, mas a única possível.

"Cada eu fechado em si mesmo, cada qual abrindo-se ao outro em suas exteriorizações" (§ 91). Aquilo que será conhecido em ambos os casos será algo fundamentalmente diferente: o que as leis são para o conhecimento da natureza, os poderes éticos são para o historiador (§16). Neles ele encontra sua verdade.

Na investigação incansável da tradição sempre resulta, ao final, o compreender. Para Droysen, apesar de toda a mediação, o conceito da compreensão retém a marca de uma imediatez última. "A possibilidade de compreender reside no modo das exteriorizações, congenial conosco, e que se apresenta como material histórico." "Face aos homens, às exteriorizações e configurações humanas, encontramo-nos e sentimo-nos numa homogeneidade e reci-

---

80. [A incidência teológica no conceito da investigação não reside apenas em sua relação com o caráter insondável da *pessoa* e sua liberdade, mas também com o "sentido" oculto da história, com aquilo que é a "intenção" da providência divina, que nunca conseguimos decifrar totalmente. Nesse sentido, a historiografia não é aqui totalmente estrangeira à hermenêutica, tal como convém ao descobridor do helenismo. Cf. o vol. II e *Heideggers Wege, Die Marburger Theologie*, p. 35s., vol. III das Obras Completas.]

procidade essenciais" (§ 9). E assim como a compreensão vincula ao eu individual as comunidades éticas a que pertence, também essas mesmas comunidades, família, povo, estado, religião, podem ser compreendidas enquanto expressão.

Assim, através do conceito da *expressão*, a realidade histórica se eleva à esfera do que tem sentido, e com isso *também na autorreflexão metodológica de Droysen a hermenêutica se converte em senhora da historiografia*: "O individual se compreende no todo, e o todo se compreende a partir do individual" (§ 10). Essa é a velha regra retórico-hermenêutica fundamental, que agora se aplica ao interior: "Aquele que compreende, porque é um eu, uma totalidade em si, tal qual aquele a quem ele deve compreender, completa sua totalidade a partir da exteriorização individual, e esta a partir de sua totalidade". É a fórmula de Schleiermacher. Ao aplicá-la, Droysen está compartilhando de sua pressuposição, isto é, a história, que ele considera como ações da liberdade, é tão profundamente compreensível e carregada de sentido como um texto. Tanto o pleno cumprimento da compreensão da história, quanto a compreensão de um texto, são "atualidade espiritual". Droysen determina com mais rigor que Ranke quais as mediações contidas na investigação e na compreensão, mas afinal ele também só consegue pensar a tarefa da historiografia com o auxílio das categorias estético-hermenêuticas. Segundo Droysen, a historiografia pretende reconstruir o grande texto da história a partir dos fragmentos da tradição. [222]

1.2. O enredamento de Dilthey nas aporias do historicismo[81]

1.2.1. Do problema epistemológico da história à fundamentação hermenêutica das ciências do espírito[82]

A tensão entre o tema estético-hermenêutico e o tema da filosofia da história na escola histórica alcançou seu ponto mais eleva-

---

81. [Cf., para isso, um dos meus primeiros escritos, "Das Problem der Geschichte in der neueren dt. Philosophie", 1943, in: *Kleine Schriften*, I, p. 1-10, vol. II das Obras Completas, p. 27s.]

82. [Cf., para isso, "Das Problem des historischen Bewusstseins", in: *Kleine Schriften*, IV, p. 142-147, e as mais recentes contribuições por ocasição do jubileu de Dilthey, 1983, vol. IV das Obras Completas. A pesquisa sobre Dilthey recebeu um novo impulso através da edição dos trabalhos preliminares que deram continuação à *Einleitung in die Geisteswissenschaften*, vol. XVIII e XIX.]

do em Wilhelm Dilthey. Seu *status* se deve a que reconhece realmente o problema epistemológico que implica a concepção histórica do mundo face ao idealismo. É verdade que como biógrafo de Schleiermacher, como historiador que, frente à teoria romântica da compreensão, coloca a pergunta histórica sobre gênese e a essência da hermenêutica e que escreve a história da metafísica ocidental, Dilthey se movimenta no horizonte de problemas do idealismo alemão, mas como aluno de Ranke e da nova filosofia experimental de seu século, encontra-se ao mesmo tempo num solo tão diferente que já não pode aceitar a validez da filosofia da identidade estético-panteísta de Schleiermacher, nem da metafísica hegeliana integrada a uma filosofia da história. Não há dúvidas de que também em Ranke e Droysen encontramos uma discrepância análoga de sua atitude entre idealismo e pensamento empírico, mas em Dilthey essa discrepância tornou-se particularmente aguda. Pois nele já não se trata de uma mera continuação do espírito clássico-romântico dentro de uma reflexão de investigação empírica, mas essa tradição continuada é superada por uma retomada consciente dos pensamentos primeiro de Schleiermacher e depois de Hegel.

Por isso, ainda que se faça abstração da enorme influência que, a princípio, o empirismo inglês e a teoria do conhecimento das ciências da natureza exercem sobre Dilthey, contribuindo para deformar suas verdadeiras intenções, não é fácil apreender essas intenções de modo unitário. Devemos a Georg Misch um passo importante nessa direção[83]. Mas como o propósito de Misch era confrontar a posição de Dilthey com a orientação filosófica da *Fenomenologia* de Husserl e da ontologia fundamental de Heidegger, essas contraposições contemporâneas servem de pondo de partida para descrever a discrepância interna da orientação de Dilthey de uma "filosofia da vida". E a mesma coisa pode-se dizer da meritória exposição de Dilthey, feita por O.F. Bollnow[84].

A raiz da discrepância que demonstraremos em Dilthey situa-se na já caracterizada posição da escola histórica, a meio caminho en-

---

[83]. Tanto por sua extensa introdução ao volume V das Obras Completas de Dilthey, como por sua exposição desse autor, no livro *Lebensphilosophie und Phänomenologie*, 1930.
[84]. BOLLNOW, O.F. *Dilthey*, 1936.

tre filosofia e experiência. A tentativa de Dilthey de fundamentá-la epistemologicamente não resolve essa discrepância, antes leva-a à sua formulação mais extremada. Em seu esforço para fundamentar filosoficamente as ciências do espírito, Dilthey procurará extrair as consequências epistemológicas do que Ranke e Droysen haviam feito valer face ao idealismo alemão. O próprio Dilthey estava perfeitamente consciente disso. Para ele, a debilidade da escola histórica residia na inconsequência de suas reflexões: "Em vez de remontar às pressuposições epistemológicas da escola histórica e às do idealismo, desde Kant até Hegel, reconhecendo assim a incompatibilidade dessas premissas, uniram esses pontos de vista sem criticá-los"[85]. Assim, ele pôde estabelecer como meta construir um novo fundamento epistemológico sólido, entre a experiência histórica e a herança idealista da escola histórica. O sentido de seu propósito é completar a crítica da razão pura kantiana com uma crítica da razão histórica.

Já a fixação dessa tarefa denuncia sua recusa ao idealismo especulativo. Apresenta uma analogia que deve ser entendida em sentido plenamente literal. Dilthey quer dizer que a razão histórica precisa de uma justificação igual à da razão pura. Se a crítica da razão pura fez época, não foi só por ter destruído a metafísica como pura ciência racional do mundo, da alma e de Deus, mas porque, ao mesmo tempo, demonstrava a existência de um domínio no qual o emprego de conceitos aprioríscos estava justificado, possibilitando o conhecimento. Essa crítica da razão pura não somente destruía os sonhos de um visionário, mas também respondia à pergunta de como é possível uma ciência natural pura. Ora, nesse entremeio, o idealismo especulativo havia incorporado o mundo da história à autoexplicação da razão, e sobretuvo através de Hegel conseguiu resultados geniais precisamente no terreno histórico. Foi o que permitiu, em princípio, que a ciência racional pura estendesse suas pretensões ao conhecimento histórico. Este fazia parte da enciclopédia do espírito. [224]

Mas, aos olhos da escola histórica, a filosofia especulativa da história representava um dogmatismo tão crasso como havia sido a

---

85. *Ges. Schriften*, VII, 281.

metafísica racional. Assim, a escola devia exigir de uma fundamentação filosófica do conhecimento histórico o mesmo que Kant exigira para o conhecimento da natureza.

Essa exigência não podia ser satisfeita por um mero retorno a Kant, que era o caminho que se oferecia face às divagações da filosofia da natureza. Kant leva à sua conclusão os esforços em torno ao problema do conhecimento que surgiu com a aparição da nova ciência do século XVII. A construção da ciência natural e matemática, de que se servia a nova ciência, encontrou nele a justificação de seu valor cognitivo; a nova ciência precisava dessa justificação, uma vez que a única pretensão ontológica de seus conceitos era a de ser *entia rationis*. A velha teoria da *copia* já não bastava para sua legitimação[86]. Assim, a incomensurabilidade do pensamento e do ser colocou o problema do conhecimento de uma maneira completamente nova. Isso era claro para Dilthey, e já em sua correspondência com o conde Yorck fala do pano de fundo nominalista dos questionamentos epistemológicos do século XVII, brilhantemente constatados pela nova investigação desde Duhem[87].

Agora as ciências históricas conferem uma nova atualidade ao problema da teoria do conhecimento. Isso já se pode comprovar na história da palavra, uma vez que a expressão "teoria do conhecimento" só aparece na época pós-hegeliana. Começou a ser usada quando a investigação empírica desacreditou o sistema hegeliano. O século XIX se converteu no século da teoria do conhecimento, pois somente com a dissolução da filosofia hegeliana ficou definitivamente destruída a correspondência óbvia entre logos e ser[88].

---

86. A antiga forma do problema do conhecimento, tal como se encontra, por exemplo, em Demócrito, e que a historiografia neokantiana pretende ler também em Platão, apoiava-se sobre uma base diversa. A discussão do problema do conhecimento, que poderia ter-se guiado partindo de Demócrito, desembocou, na realidade, no ceticismo antigo. Cf. NATORP, P. *Studien zur Erkenntnisproblem im Altertum* [1892], e meu estudo no *Um die Begriffswelt der Vorsokratiker*, 1968, p. 512-533. [Agora no vol. V das Obras Completas, p. 263-282.]
87. DUHEM, P. *Etudes sur Léonard de Vinci*, 3 vols., Paris, 1955; *Le systéme du monde*, vol. X, Paris, 1959 [cf. nota 4 da parte I].
88. [Cf., no caso, a dissertação de ZELLER, E. *Über Bedeutung und Aufgabe der Erkenntnistheorie*, 1862, no vol. II de suas *Vorträge und Abhandlungen*, Leipzig, 1875-84, p. 446-478 e meu trabalho "ZELLER, E. Der Weg eines Liberalen von der Theologie zur Philosophie". DOERR, W. et al. *Semper Apertus – 600 Jahre Ruprecht-Karls-Universität Heidelberg 1836-1986* FS, em 6 vols., 1985, aí, no vol. II.]

Na medida em que mostrava que a razão se encontrava em tudo, inclusive na história, Hegel foi o último e mais universal representante da antiga filosofia do logos. Então, frente à crítica da filosofia apriorista da história, voltava-se a ingressar num campo de forças da crítica kantiana, cujo problema se colocava agora também para o mundo histórico, uma vez rejeitada a pretensão de uma pura construção racional da história do mundo e que o próprio conhecimento histórico estava limitado à experiência. Se nem a natureza e nem a história são pensadas como formas de manifestação do espírito, então o modo como o espírito humano deve conhecer a história torna-se tão problemático como o conhecimento da natureza, baseado nas construções do método matemático, foi problemático para o espírito humano. Assim, junto à resposta kantiana sobre o modo como é possível uma ciência pura da natureza, Dilthey deve procurar também uma resposta à questão de como a experiência histórica pode se converter em ciência? Em clara analogia com o questionamento kantiano, ele também irá perguntar pelas categorias do mundo histórico que possam servir de base às ciências do espírito. [225]

Aqui existe algo que o caracteriza e o distingue do neokantismo, que, por seu turno, procurava integrar as ciências do espírito na renovação da filosofia crítica. Ele não esquece que, nesse terreno, a experiência é fundamentalmente diferente do que no âmbito do conhecimento da natureza. No âmbito do conhecimento da natureza só têm importância as constatações verificáveis que se dão pela experiência, ou seja, que se desvinculam da experiência do indivíduo constituindo um acervo permanente e confiável do conhecimento empírico. Aos olhos do neokantismo, o resultado positivo da filosofia transcendental tinha sido justamente a análise categorial desse "objeto do conhecimento"[89].

Mas o que não pôde satisfazer a Dilthey foi a mera remodelação dessa construção e sua transposição ao terreno do conhecimento histórico, empreendida pelo neokantismo por exemplo sob a forma da filosofia dos valores. O próprio criticismo neokantiano

---

[89]. Cf. o livro de H. Rickert, de mesmo título: *Der Gegenstand der Erkenntnis*, Freiburg, 1892.

lhe parecia dogmático, e nisso não tinha menos razão do que quando chamou o empirismo inglês de dogmático. Pois o que sustenta a construção do mundo histórico não são fatos extraídos da experiência e em seguida incluídos numa referência axiomática, mas o fato de que a sua base é, antes, a historicidade interna, própria da mesma experiência. Trata-se de um processo de uma história de vida, e cujo modelo não está na constatação de fatos, mas na peculiar fusão de recordação e expectativa num todo que chamamos experiência e que adquirimos na medida em que fazemos experiências. O que prefigura o modo de conhecimento das ciências históricas é sobretudo o sofrimento e a lição que resulta da dolorosa experiência da realidade para aquele que amadurece rumo à compreensão. As ciências históricas tão somente continuam o pensamento começado na experiência da vida[90].

Nesse sentido, o questionamento epistemológico parte de um princípio bem diferente. De algum modo sua tarefa é mais fácil. Não precisa perguntar pelo fundamento da possibilidade pelo qual nossos conceitos coincidem com o "mundo exterior". Pois o mundo histórico cujo conhecimento está em questão aqui sempre foi um mundo formado e conformado pelo espírito humano. É por essa razão que Dilthey acha que os juízos sintéticos e universalmente válidos da história não representam nenhum problema aqui[91], e para isso reporta-se a Vico. Recordamos aqui que, em oposição à dúvida cartesiana e à certeza do conhecimento matemático da natureza fundado sobre aquela, Vico afirmara o primado epistemológico do mundo da história feito pelo homem. Dilthey irá repetir o mesmo argumento: "A primeira condição de possibilidade da ciência da história consiste em que eu mesmo sou um ser histórico, e que aquele que investiga a história é o mesmo que a faz"[92]. O que torna possível o conhecimento histórico é a homogeneidade de sujeito e objeto.

Mesmo assim, esta constatação ainda não apresenta uma solução para o problema epistemológico, como era proposto por Dilthey.

---

90. Cf. abaixo a análise da historicidade da experiência, p. 352s. (original).
91. *Gesammelte Schriften*, VII, 278.
92. Ibid. [mas, afinal, quem *faz* realmente a história?]

Antes, nessa condição de homogeneidade, o verdadeiro problema epistemológico da história permanece ainda oculto. A questão é propriamente como se eleva a experiência do indivíduo e seu conhecimento à experiência histórica. Na história não se trata já de nexos que são vividos, como tais, pelo indivíduo ou que podem ser revividos por outros. A argumentação de Dilthey só vale de imediato para o viver e reviver do indivíduo. Por isso, é nele que se inicia a reflexão epistemológica. Dilthey desenvolve o modo como o indivíduo adquire um contexto vital e, a partir daí, procura ganhar os conceitos constitutivos capazes de sustentar também o contexto histórico e seu conhecimento.

Esses conceitos, diferentemente das categorias do conhecimento da natureza, são conceitos vitais. Pois a última pressuposição para o conhecimento do mundo histórico, no qual a identidade de consciência e objeto – esse postulado especulativo do idealismo – ainda representa uma realidade demonstrável, é para Dilthey a vivência. Aqui existe certeza imediata. Pois o que é vivência já não se distingue num ato, por exemplo, o dar-se conta de algo, e num conteúdo, aquilo de que alguém se dá conta[93]. Pelo contrário, trata-se de uma tomada de consciência (*Innesein*) que já não pode mais ser analisada. Mesmo a versão de que na vivência se possui algo, ainda distingue demais. Dilthey persegue agora como se configura um nexo a partir desse elemento do mundo espiritual, que é imediatamente certo, e como é possível um conhecimento desse nexo.

[227]

Já em suas ideias "para uma psicologia descritiva e analítica" Dilthey distinguia entre a tarefa de deduzir "o adquirido nexo da vida da alma" e as formas de explicação próprias do conhecimento da natureza[94]. Havia empregado o conceito de estrutura para, com ele, destacar o caráter vivencial dos nexos da alma com relação aos nexos causais dos acontecimentos da natureza. O que caracterizava logicamente essa "estrutura" era que aqui intentava-se a um todo de relações que não repousava sobre a sucessão temporal do ser efetivado, mas sobre relações internas.

---

93. *Gesammelte Schriften*, VII, 230.
94. VII, 13a.

Sobre essa base, Dilthey pensava ter ganho um ponto de partida autônomo e sólido, superando assim os desequilíbrios que perturbavam as reflexões metodológicas de Ranke e Droysen. Dava razão à escola histórica em que não existe um sujeito geral, mas somente indivíduos históricos. A idealidade do significado não pode ser atribuída a um sujeito transcendental, mas surge da realidade histórica da vida. É a vida mesma que se desenvolve e se configura em unidades compreensíveis, e é o indivíduo singular que compreende essas unidades como tais. Este é o ponto de partida autoevidente para a análise de Dilthey. O nexo da vida tal como se oferece ao indivíduo (e como é revivido e compreendido por outros indivíduos no conhecimento biográfico) se estabelece graças ao caráter significativo de determinadas vivências. A partir delas, como a partir de um centro organizador, constitui-se a unidade do percurso de uma vida, da mesma forma que uma melodia, cuja configuração significativa não se dá a partir da mera sucessão de tons passageiros mas a partir dos motivos musicais que determinam a unidade de sua forma.

Como em Droysen, aqui também se percebe que o modo de proceder da hermenêutica romântica está subentendido, experimentando agora uma expansão universal. O nexo estrutural da vida, tal qual o nexo de um texto, é determinado por uma certa relação entre o todo e as partes. Cada parte expressa algo do todo da vida e tem, portanto, uma significação para o todo, como seu próprio significado é determinado por esse todo. É o velho princípio hermenêutico da interpretação dos textos que vale também para o nexo da vida porque nele se pressupõe do mesmo modo a unidade de um significado que se expressa em todas as suas partes.

[228]

O passo decisivo que Dilthey terá de dar com sua fundamentação epistemológica das ciências do espírito consiste em encontrar uma passagem que leve da construção do nexo na experiência vital do indivíduo para o *nexo histórico que já não é vivido nem experimentado por indivíduo algum*. Apesar de toda a crítica à especulação, aqui é preciso colocar "sujeitos lógicos" em lugar de sujeitos reais. Dilthey vê claramente essa aporia. Mas responde a si mesmo que isso não pode ser inadmissível em si, uma vez que a pertença mútua dos indivíduos – por exemplo, na unidade de uma geração ou de uma nação – representa uma realidade espiritual que deveria ser reconhecida como tal precisamente porque não se pode transcendê-la em suas explicações. É verdade que aqui não se trataria de sujeitos reais. A fluidez de suas fronteiras já seria a demonstração disso; e também os indivíduos singulares participariam disso apenas com uma parte de seu ser. Não obstante, para Dilthey o fato de se poder fazer afirmações sobre tais sujeitos não representa nenhum problema. O historiador o faz continuamente quando fala dos fatos e destinos dos povos[95]. O único problema é como se justificam epistemologicamente essas afirmações.

Não se pode afirmar que o pensamento de Dilthey sobre esse ponto onde ele detecta o problema decisivo tenha alcançado completa clareza. O que representa o ponto decisivo, aqui, é o problema da transição de uma fundamentação *psicológica* para uma fundamentação *hermenêutica* das ciências do espírito. Nisso Dilthey jamais ultrapassou o estágio de simples esboços. Assim, na mencionada passagem do *Aufbau*[96], a autobiografia e a biografia – dois casos especiais de experiência e conhecimento históricos – detêm um peso excessivo não inteiramente fundamentado. Pois já vimos que o problema da história não é saber como pode ser vivido e conhecido o nexo geral, mas como podem ser conhecidos também aqueles nexos que nenhum indivíduo viveu como tal. Seja como for, não há muitas dúvidas sobre o modo como Dilthey imaginava o esclarecimento desse problema, partindo do fenômeno da compreensão. Compreender é compreender uma expressão. Na expressão o que é expressado está presente de uma maneira distinta do que a causa no efeito. Ele está presente na própria expressão e é compreendido quando se compreende esta.

[229]

Desde o início, Dilthey procura diferenciar as relações do mundo espiritual das relações causais no nexo da natureza, e essa é a razão pela qual o conceito da expressão e da compreensão da expressão ocupam desde o início uma posição central para ele. O que

---

95. DILTHEY. *Gesammelte Schriften*, VII, 282s. G. Simmel procura resolver esse mesmo problema através da dialética da subjetividade vivencial e do nexo objetivo, em última instância, portanto, psicologicamente. Cf. *Brücke und Tür*, p. 82s.
96. "Der Aufbau der geschichtlichen Welt in den Geisteswissenschaften". *Gesammelte Schriften*, VII.

caracteriza a nova clareza metodológica que ganhou apoiando-se em Husserl é o fato de que ele acaba integrando às *Investigações lógicas* de Husserl o conceito de significado que emerge do nexo de atuação. Nesse sentido, o conceito diltheano do caráter estrutural da vida da alma corresponde à teoria da intencionalidade da consciência, uma vez que essa não descreve fenomenologicamente apenas um fato psicológico mas uma determinação essencial da consciência. Toda consciência é consciência de algo; todo comportamento é comportamento para com algo. O para que (*Wozu*) dessa intencionalidade, o objeto intencional, não é para Husserl um componente psíquico real mas uma unidade ideal, o que é visado (*Gemeintes*) como tal. Nesse sentido, Husserl tinha defendido na primeira investigação lógica o conceito de um significado ideal-unitário frente aos preconceitos do psicologismo lógico. Para Dilthey, essa indicação teve uma importância decisiva, pois só a partir da análise de Husserl é que ele definiu verdadeiramente o que distingue a "estrutura" do nexo causal.

Um exemplo tornará a coisa mais clara: uma estrutura psíquica, um indivíduo por exemplo, forma sua individualidade na medida em que desenvolve sua disposição potencial experimentando ao mesmo tempo o efeito condicionador das circunstâncias. O que resultará daí, a verdadeira "individualidade", isto é, o caráter do indivíduo, não é uma mera consequência dos fatores causais, nem pode ser entendida meramente a partir dessa causalidade, mas representa uma unidade compreensível em si mesma, uma unidade vital que se expressa em cada uma de suas exteriorizações, podendo assim ser compreendida em cada uma delas. Independentemente da ordem dos efeitos, algo se congrega aqui em uma configuração autônoma. É o que queria dizer Dilthey com seu nexo estrutural e que agora, apoiando-se em Husserl, chamará "significado".

Agora Dilthey pode dizer também até que ponto esse nexo estrutural está *dado* – seu principal ponto de atrito com Ebbinghaus. Não está dado na imediatez de uma vivência, mas tampouco se constrói simplesmente como resultante de fatores operativos sobre a base do "mecanismo" da vida da alma. A teoria da intencionalidade da consciência permite agora uma nova fundamentação do conceito do dado. A partir daqui a tarefa já não poderá ser a de inferir nexos a partir de átomos de vivências e explicá-los desse modo. Ao contrário, a consciência já se encontra sempre nesses nexos e tem seu próprio ser na medida em que os visa. Dilthey entendia que as investigações lógicas de Husserl fizeram época[97] porque legitimaram conceitos como estrutura e significado, embora não pudessem ser derivadas de elementos. Foi demonstrado que eram mais originários do que esses supostos elementos a partir dos quais e sobre os quais devem construir.

[230]

É claro que a demonstração husserliana da idealidade do significado era o resultado de investigações puramente *lógicas*. O que Dilthey faz disso é algo completamente diferente. Para ele o significado não é um conceito lógico, mas é entendido como expressão da *vida*. A própria vida, essa temporalidade em constante fluxo, está voltada à configuração de unidades de significado duradouras. A própria vida se autointerpreta. Tem estrutura hermenêutica. É dessa forma que a vida constitui a verdadeira base das ciências do espírito. No pensamento de Dilthey a hermenêutica não é uma herança romântica, mas surge consequentemente a partir da fundamentação da filosofia na "vida". Com isso, Dilthey pensa ter superado fundamentalmente o "intelectualismo" de Hegel. Igualmente não podia satisfazer-lhe o conceito de individualidade romântico-panteísta de origem leibniziana. A fundamentação da filosofia na vida se esquiva também de uma metafísica da individualidade e acredita estar muito distante da concepção lebniziana da mônada sem janelas que desenvolve sua própria lei. Para ela a individualidade não é uma ideia originária enraizada no fenômeno. Antes, Dilthey insiste em que toda "vitalidade da alma" encontra-se "submetida a circunstâncias"[98]. Não há uma força originária da individualidade. Esta é o que é na medida em que se impõe. A limitação pelo decurso dos efeitos pertence à essência da individualidade – como é próprio de todos os conceitos históricos. Também conceitos como *finalidade* e *significado* não fazem referência, em Dilthey, a ideias no sentido do platonismo ou da escolástica. Também eles são conceitos históricos, na medida em que estão referidos a uma limita-

---

97. VII, 13a.
98. *Gesammelte Schriften*, V, 266.

ção pelo decurso dos efeitos. Devem ser conceitos de energia. Para isso, Dilthey se reporta a Fichte[99], que havia exercido uma influência determinante também sobre Ranke. Nesse sentido, sua hermenêutica da vida procura permanecer fundamentada sobre o solo da concepção histórica do mundo[100]. A filosofia lhe proporciona unicamente as possibilidades conceituais de expressar a verdade daquela.

Não obstante, com essas delimitações explicativas ainda não está decidido se a fundamentação da hermenêutica de Dilthey na "vida" conseguiu realmente subtrair-se também às consequências *implícitas* da metafísica idealista[101]. Para ele, a questão se coloca nos seguintes termos: "Como se vincula a força do indivíduo com aquilo que está para além dele e que lhe é anterior, a saber, o espírito objetivo? Como se deve pensar a relação entre força e significado, entre poderios e ideias, entre facticidade e idealidade da vida? Com esta questão se decidirá, em última análise, também como é possível o conhecimento da história. Pois o homem na história está determinado fundamentalmente também pela relação entre individualidade e espírito objetivo.

Só que essa relação não é unívoca. Em primeiro lugar, é através da experiência do limite, da pressão, da resistência, que o indivíduo se dá conta de sua própria força. Porém, o que experimenta não são somente as duras paredes da facticidade. Como ser histórico, experimenta, antes, realidades históricas, e essas são sempre também algo que sustenta o indivíduo, algo onde ele dá expressão a si mesmo e se reencontra. Nesse sentido, não são "duras paredes" mas objetivações da vida (Droysen havia falado de "poderes éticos").

Isso reveste-se de importância metodológica essencial para o modo próprio das ciências do espírito. O conceito do dado tem aqui uma estrutura completamente diferente. O que distingue o caráter dos dados das ciências do espírito face aos das ciências da natureza

---

99. VII, 157; 280; 333.
100. VII, 280.
101. BOLLNOW, O.F. *Dilthey*, p. 168s., percebeu corretamente que em Dilthey o conceito de força permanece excessivamente relegado a segundo plano. Isso mostra o triunfo da hermenêutica romântica sobre o pensamento de Dilthey.

é o fato de que, nesse terreno, "o pensamento deve separar do conceito do dado tudo o que é fixo, tudo o que é estranho, como é próprio das imagens do mundo psíquico"[102]. Todo o dado é produzido aqui. A velha vantagem atribuída já por Vico aos objetos históricos é o que fundamenta, segundo Dilthey, a universalidade com que a compreensão se apropria do mundo histórico.

Mas a questão é saber se a partir dessa base Dilthey consegue realmente fazer a passagem do ponto de vista psicológico para o hermenêutico ou se permanece enredado no conjunto de problemas que o levam sem querer e sem saber a uma proximidade com respeito ao idealismo especulativo.

A passagem citada soa não somente a Fichte, mas, até nas palavras, ao próprio Hegel. Sua crítica à "positividade"[103], o conceito da autoalienação, a determinação do espírito como conhecimento de si mesmo no ser diverso, tudo isso pode ser facilmente deduzido dessa frase de Dilthey, e nos leva a indagar pela real diferença que a concepção histórica do mundo asseverava frente ao idealismo, e que Dilthey procurou legitimar epistemologicamente.

Essa questão se intensifica se ponderarmos a cunhagem central com a qual Dilthey caracteriza a vida, esse fato básico da história. Como se sabe, ele fala do "trabalho próprio da vida que é formar pensamentos"[104]. Não é fácil precisar em que se distingue isso, de Hegel. Por mais "insondável" que seja a fisionomia da vida[105], por mais que Dilthey faça troça dessa concepção demasiado amável da vida, que vê nela somente progresso da cultura – no entanto, na medida em que é compreendida na perspectiva dos pensamentos que ela forma, a vida é submetida a um esquema de interpretação teleológica e é pensada como *espírito*. Concorda com isso o fato de que, em seus últimos anos, Dilthey se apoia cada vez mais em Hegel e começa a falar de *espírito* onde antes dizia "vida". Com isso ele não faz mais do que repetir um desenvolvimento conceitual que

[232]

---

102. VII, 148.
103. *Hegels theologische Jugendschriften*, p. 139s. [NOHL (org.)].
104. *Gesammelte Schriften*, VII, 136.
105. *Gesammelte Schriften*, VIII, 224.

o próprio Hegel realizara. E, à luz desse fato, parece digno de nota o fato de que devamos a Dilthey o conhecimento dos chamados escritos teológicos da juventude de Hegel. Nesses materiais para a história do desenvolvimento do pensamento de Hegel aparece muito claramente que na base do conceito hegeliano de espírito subjaz um conceito pneumático da vida[106].

O próprio Dilthey procurou prestar conta do que o ligava a Hegel e do que o separava dele[107]. Mas o que pode significar sua crítica à fé hegeliana na razão, à sua construção especulativa da história do mundo, à sua dedução apriorística de todos os conceitos a partir do autodesenvolvimento dialético do absoluto, quando ele próprio confere uma posição tão central ao conceito do "espírito objetivo"? É verdade que Dilthey se opõe à construção ideal desse conceito hegeliano. "Hoje, precisamos partir da realidade da vida". Ele escreve:

[233]
> "Procuramos compreender essa realidade e apresentá-la em conceitos adequados. Na medida em que o espírito objetivo for libertado de uma fundamentação unilateral na razão universal que expressa a essência do espírito do mundo, libertado também de uma construção ideal, torna-se possível um novo conceito do mesmo: ele abarca tanto a linguagem, os costumes, todas as formas e estilos de vida, quanto a família, a sociedade civil, o Estado e o direito. Finalmente, encontra-se também sob esse conceito o que em Hegel distinguia o espírito absoluto do espírito objetivo: arte, religião e filosofia..."

---

106. O trabalho fundamental de Dilthey, *Die Jugendgeschichte Hegels*, publicado pela primeira vez em 1906 e ampliado no quarto volume de suas obras completas (1921) com os manuscritos póstumos, abriu uma nova época nos estudos sobre Hegel, menos pelos seus resultados do que pelo seu modo de colocar a tarefa. Paralelamente a isso, surgiu de imediato (1911) a edição dos *Theologischen Jugendschriften*, por H. Nohl, introduzida pelos penetrantes comentários de Th. Haering (*Hegel*, I, 1928). Cf. H.-G. Gadamer, "Hegel und der geschichtliche Geist", e "Hegels Dialektik" (Obras Completas, vol. III) e Herbert Marcuse, *Hegelsontologie und die Grundlegung einer Theorie der Geschichtlichkeit*, 1932, que mostra a função modelar do conceito da vida na construção da *Fenomenologia do Espírito*.

107. Por extenso, nas anotações póstumas à "Jugendgeschichte Hegels". *Gesammelte Schriften*, IV, 217-258, e com mais profundidade no terceiro capítulo do *Aufbau*, 146s.

Não há dúvida de que isso é uma reformulação do conceito hegeliano. Mas o que significa? Até que ponto leva em conta a "realidade da vida"? O mais significativo é evidentemente a extensão do conceito do espírito objetivo à arte, à religião e à filosofia. Isso significa que Dilthey vê também neles não uma verdade imediata, mas formas de expressão da vida. Equiparando a arte e a religião com a filosofia, rejeita simultaneamente as pretensões do conceito especulativo. Dilthey não nega, em absoluto, que essas formas tenham primazia ante as outras formas do espírito objetivo, na medida em que é "justamente nas suas poderosas formas" que o espírito se objetiva e é conhecido. De outra parte, foi essa primazia do pleno autoconhecimento do espírito que permitiu a Hegel compreender essas formas como formas do espírito absoluto. Nelas já não havia nada de estranho e, por isso, o espírito estaria inteiramente em casa. Como vimos, também para Dilthey as objetivações da arte representavam o verdadeiro triunfo da hermenêutica. Assim, a oposição a Hegel se reduz a um único ponto, a saber, para Hegel o retorno do espírito se realiza no conceito filosófico, enquanto que para Dilthey o conceito filosófico não tem significado cognitivo, mas meramente expressivo.

Precisamos questionar se não haverá também para Dilthey uma forma do espírito que seja verdadeiro "espírito absoluto", isto é, plena autotransparência, supressão total de toda estranheza e de toda diversidade. Para Dilthey, não há dúvida de que isso existe e que é a consciência histórica que corresponde a esse ideal, e não a filosofia especulativa. Essa consciência vê todos os fenômenos do mundo humano-histórico apenas como objetos onde o espírito se conhece mais profundamente a si mesmo. E, na medida em que os compreende como objetivações do espírito, ela os traduz "na vitalidade espiritual de onde procedem"[108]. As configurações do espírito objetivo são para a consciência histórica, portanto, objetos do autoconhecimento desse espírito. A consciência histórica se estende ao universal, na medida em que compreende todos os dados da história como manifestações da vida, da qual procedem; "aqui a vida

---

108. *Gesammelte Schriften*, V, 265.

compreende a vida"[109]. Nesse sentido, toda a tradição se converte, para a consciência histórica, num encontro do espírito humano consigo mesmo. Com isso, atrai para si o que parecia reservado às criações específicas da arte, da religião e da filosofia. *Não é no saber especulativo do conceito, mas na consciência histórica que se dá o saber de si mesmo do espírito.* Esta descobre o espírito [234] histórico em tudo. A própria filosofia serve apenas para exprimir a vida. E, na medida em que toma consciência disso, ela renuncia à sua antiga pretensão de ser conhecimento por conceitos. Volta a ser filosofia da filosofia, uma fundamentação filosófica do fato de que, na vida – ao lado da ciência – há filosofia. Em seus últimos trabalhos, Dilthey esboça uma tal filosofia da filosofia na qual ele reconduz os diversos tipos de concepção de mundo à pluralidade de facetas da vida que se interpreta neles[110].

Paralelamente a essa superação histórica da metafísica aparece a interpretação espiritual-científica da grande poesia, na qual Dilthey vê o triunfo da hermenêutica. Com relação à consciência que compreende historicamente, a filosofia e a arte possuem uma primazia relativa. Enquanto tais, essas detêm uma vantagem especial, uma vez que nelas não é preciso decifrar o espírito porque são "expressão pura" e não querem ser outra coisa. Mas nem assim são uma verdade imediata; são apenas um órgão que serve à compreensão da vida. Assim como certas épocas de esplendor de uma cultura são propícias para o conhecimento de seu "espírito", ou que nos planos e feitos das grandes personalidades fica mais fácil dissipar as verdadeiras decisões históricas, do mesmo modo a filosofia e a arte tornam-se particularmente acessíveis à compreensão interpretadora. Aqui a história do espírito segue a preferência da *forma* (*Gestalt*), da pura formação de totalidades significativas que se destacaram do devir. Em sua introdução à biografia de Schleiermacher, Dilthey escreve: "A história dos movimentos espirituais tem a vantagem de monumentos que são verdadeiros. Poderemos nos equivocar com respeito às suas intenções, mas não com respeito ao

---

109. *Gesammelte Schriften*, VII, 136.
110. *Gesammelte Schriften*, V, 339s. e VIII.

conteúdo da própria interioridade que está expresso em obras"[111].
Não é por acaso que Dilthey nos forneceu essa anotação de Schleiermacher: "A flor é a verdadeira maturidade. O fruto não é mais que a caótica casca do que já não pertence à planta orgânica"[112]. Dilthey compartilha, evidentemente, com essa tese de uma metafísica estética. Ela serve de base para sua relação com a história.

A ela corresponde também a transformação do conceito do espírito objetivo, que coloca a consciência histórica no lugar da metafísica. Mas aqui é preciso saber se a consciência histórica está realmente em condições de ocupar este posto que em Hegel estava ocupado pelo saber absoluto do espírito que se concebe a si mesmo no conceito especulativo. O próprio Dilthey assinala que somente conhecemos historicamente porque nós mesmos somos históricos. Isso deveria representar uma facilitação epistemológica. Mas poderá sê-lo? Será realmente correta a fórmula de Vico, tantas vezes citada? Ela não transpõe uma experiência do espírito artístico do homem para o mundo histórico, onde face ao decurso das coisas já não se pode falar de "fazer", isto é, de planos e execuções? Aonde entra aqui a facilitação epistemológica? Não se torna, com isso, mais difícil? O condicionamento histórico da consciência não deveria representar, antes, uma barreira intransponível para a realização do saber histórico? Pode ser que Hegel imaginasse ter superado essa barreira com sua subsunção da história no saber absoluto. Mas se a vida é realmente criadora e inesgotável, tal como pensa Dilthey, a constante transformação do nexo de significado da história não terá que excluir um saber que alcance a objetividade? Em última instância, a consciência histórica não será um ideal utópico que se contradiz a si mesmo? [235]

1.2.2. A discrepância entre a ciência e a filosofia da vida na análise da consciência histórica de Dilthey

Dilthey refletiu incansavelmente sobre esse problema. Sua reflexão tinha sempre como meta legitimar o conhecimento do que é

---

111. *Leben Schleiermachers.* p. XXXI [MULERT (org.)].
112. *Leben Schleiermachers.* 1. ed., 1870; *Denkmale der inneren Entwicklung Schleiermachers*, p. 118. Cf. *Monologen*, p. 417.

condicionado historicamente como desempenho da ciência objetiva, apesar do próprio condicionamento. A isso devia servir a teoria da estrutura, que constrói sua unidade a partir de seu próprio centro. O fato de que se compreenda um nexo estrutural a partir do próprio centro correspondia ao velho princípio da hermenêutica e da exigência do pensamento histórico, segundo o qual deve-se compreender cada época a partir de si própria e não medi-la com critérios de um presente estranho a ela. De acordo com Dilthey[113], seguindo esse esquema seria possível pensar-se o conhecimento de nexos históricos cada vez mais amplos e estendê-lo até um conhecimento histórico universal, do mesmo modo que uma palavra só pode ser compreendida plenamente a partir da frase inteira e esta somente a partir do contexto do texto inteiro e até da totalidade da literatura transmitida.

É claro que a aplicação desse esquema pressupõe que seja possível superar a vinculação que liga o observador histórico a um determinado lugar. Mas a pretensão da consciência histórica é exatamente essa: possuir um ponto de vista verdadeiramente histórico para tudo. É nisso que vê a sua perfeição. Por isso, concentra seus esforços em desenvolver o "sentido histórico" a fim de aprender a elevar-se para além dos preconceitos do próprio presente. É assim que Dilthey se considerou o autêntico realizador da concepção histórica do mundo, porque procurou legitimar a elevação da consciência à consciência histórica. O que a sua reflexão epistemológica pretendia justificar não era, no fundo, mais do que o grandioso autoesquecimento épico de um Ranke. Somente que em lugar do autoconhecimento estético aparece aqui a soberania de uma compreensão integral e infinita. A fundamentação da historiografia em uma psicologia da compreensão, tal como Dilthey a tinha em mente, desloca o historiador exatamente para aquela simultaneidade ideal com seu objeto que chamamos de estética e da qual nos admiramos em Ranke.

Claro que a questão decisiva continua sendo a de como é possível tal compreensão infinita para a natureza humana limitada. Isso

---

113. *Gesammelte Schriften*, VII, 291: "A vida e a história têm sentido como as letras de uma palavra".

pode representar realmente a opinião de Dilthey? Não é Dilthey exatamente quem afirma face a Hegel a necessidade de manter a consciência da própria *finitude*?

Só que aqui convirá observar mais de perto. Sua crítica ao idealismo racional de Hegel se referia meramente ao apriorismo de sua especulação conceitual – a infinitude interna do espírito não apresentava nenhum problema fundamental, antes realizava-se positivamente no ideal de uma razão historicamente esclarecida, que teria adquirido a maturidade do gênio que compreende tudo. Para Dilthey a consciência da finitude não significava uma finalização da consciência nem uma limitação. Antes, testemunha a capacidade da vida de elevar-se com sua energia e atividade para além de toda barreira. Nesse sentido, ela testemunha a infinitude potencial do espírito. É claro que não é a especulação, mas a razão histórica, o modo como se atualiza essa infinitude. A compreensão histórica estende-se sobre todo dado histórico e é verdadeiramente universal, porque tem seu sólido fundamento na totalidade e infinitude do espírito. Dilthey apoia essa concepção na velha doutrina que deriva a possibilidade de compreensão da homogeneidade da natureza humana. Entende o próprio mundo das vivências como mero ponto de partida de uma ampliação que, em viva transposição, completa a estreiteza e casualidade da própria vivência através da infinitude daquilo que lhe é acessível revivendo o mundo histórico.

Para Dilthey, as barreiras impostas à universalidade da compreensão pela infinitude histórica do nosso ser são de natureza puramente subjetiva. Claro que, apesar disso, ele pode reconhecer nelas algo de positivo, que pode tornar-se fecundo para o conhecimento; é nesse sentido que ele assegura que somente a simpatia torna possível uma verdadeira compreensão[114]. Mas seria preciso perguntar se isso reveste uma significação fundamental. Em primeiro lugar é preciso constatar que Dilthey considera a simpatia como uma condição de conhecimento. Podemos perguntar, com Droysen, se a simpatia (que é uma forma de amor) não representa algo bem diferente do que uma condição afetiva para o conhecimento

---

114. *Gesammelte Schriften*, V, 277.

[237] do que uma condição afetiva para o conhecimento. A simpatia faz parte das formas de relação entre o eu e o tu. É evidente que nessa classe de relações éticas reais opera também o conhecimento, e nesse sentido demonstra-se de fato que o amor ajuda a ver[115]. Mas, a simpatia é, em todo caso, muito mais que uma simples condição do conhecimento. Por ela o tu encontra-se ao mesmo tempo transformado. Em Droysen podemos ler a frase profunda que diz que "assim tens de ser, porque assim te amo: o segredo de toda educação"[116].

Quando Dilthey fala de simpatia universal, pensando na clarividência madura da idade avançada, não se refere, certamente, a esse fenômeno ético da simpatia, mas ao ideal da consciência histórica consumada que supera fundamentalmente os limites impostos à compreensão pela casualidade subjetiva das preferências e das afinidades com respeito a algum objeto. Objetivamente falando, Dilthey acompanha aqui a Ranke, que via a dignidade do historiador em sua compaixão para com o todo[117]. É verdade que ao destacar as condições em que se dá "um condicionamento duradouro da própria vitalidade através do grande objeto" como as condições preferenciais da compreensão, vendo nelas a suma possibilidade da compreensão, Dilthey parece limitar o historiador[118]. Entretanto, seria falso compreender sob esse condicionamento da própria vitalidade outra coisa que não uma condição subjetiva de conhecimento.

Alguns exemplos podem ilustrar isso. Quando Dilthey menciona a relação de Tucídides com Péricles ou a de Ranke com Lutero, tem em mente com isso uma vinculação congenial e intuitiva que possibilita espontaneamente ao historiador uma compreensão que, de outro modo, seria difícil de alcançar. No fundo, ele sustenta

---

115. Cf. sobretudo as indicações correspondentes de Max Scheler, *Zur Phänomenologie und Theorie der Sympathiegefühle und von Liebe und Hass*, 1913.
116. *Historik*, § 41.
117. Mas também Schleiermacher, que só admite a validez da velhice como modelo, com certas reservas. Cf. a seguinte nota de Schleiermacher (extraída de DILTHEY, W. *Leben Schleiermachers*, 417): "O mau humor da velhice, sobretudo face ao mundo real, representa uma incompreensão da juventude e de sua alegria, que também não trilhou os caminhos do mundo real. A repulsa da velhice pelas novas épocas faz parte da elegia. Por isso, o sentido histórico é muito necessário para alcançar a eterna juventude, que não deve ser um dom da natureza mas uma conquista da liberdade".
118. *Gesammelte Schriften*, V, 278.

que uma relação desse tipo, que em casos excepcionais consegue-se de uma maneira genial, é sempre acessível através da metodologia da ciência. O fato de as ciências do espírito se utilizarem dos métodos comparativos, ele fundamenta explicitamente com a tarefa da própria ciência, ou seja, superar as barreiras contingentes que o próprio círculo das experiências apresenta e "elevar-se assim a verdades de maior generalidade"[119].

Esse é um dos pontos mais problemáticos de sua teoria. A essência da comparação já pressupõe a não vinculação da subjetividade cognitiva, que dispõe tanto sobre um como sobre o outro ponto de vista. Pela via do esclarecimento, a comparação torna as coisas simultâneas. Por isso, fica a dúvida se o método comparativo faz realmente jus à ideia do conhecimento histórico. Esse procedimento – habitual em certos âmbitos da ciência da natureza e que já festeja triunfos em alguns âmbitos das ciências do espírito, como a linguística, o direito e a ciência da arte[120] – não acaba sendo promovido do posto de um instrumento auxiliar secundário para um posto de significação central para a essência do conhecimento histórico? E esta significação não proporciona uma legitimação falsa a uma reflexão superficial e desvinculada? Nisso só podemos concordar com Conde Yorck quando escreve: "A comparação é sempre estética, prende-se sempre à forma"[121], e devemos nos lembrar que, antes dele, Hegel já desenvolvera uma crítica genial ao método comparativo[122]. [238]

Seja como for, parece claro que o fato de o homem finito e histórico estar vinculado ao seu ponto de partida não representava para Dilthey um empecilho fundamental para a possibilidade do conhecimento espiritual-científico. A consciência histórica teria de realizar em si mesma essa superação da própria relatividade, possibilitando assim a objetividade do conhecimento espiritual-científico. Precisamos perguntar como se deve justificar essa pretensão, sem pressupor o conceito de um saber filosófico absoluto para

---

119. VII, 99.
120. Um advogado eloquente deste "método" é E. Rothacker, cujas contribuições próprias à questão testemunham, preferentemente, o contrário: a falta de método das intuições engenhosas e das sínteses audaciosas.
121. *Briefwechsel*, 1923, p. 193.
122. *Wissenschaft der Logik* II. 1934, p. 36s. [LASSON (org.)].

além de toda a consciência histórica. Qual é a característica da consciência histórica em virtude da qual, frente a todas as demais formas de consciência da história, seus próprios condicionamentos não devam suspender a sua pretensão fundamental de alcançar um conhecimento objetivo?

A marca distintiva da consciência histórica não pode consistir em ser realmente "o saber absoluto", no sentido hegeliano, ou seja, reunir numa autoconsciência presente a totalidade daquilo que o espírito veio a ser. A concepção histórica do mundo contesta precisamente a pretensão da consciência filosófica de conter em si toda a verdade da história do espírito. A razão pela qual a experiência histórica fazia falta é que a consciência humana não é um intelecto infinito para o qual tudo seja simultâneo e igualmente presente. A identidade absoluta de consciência e objeto é, por princípio, inacessível à consciência histórica e finita. Ela permanece enredada no nexo de efeitos da história. Mas, então, em que se apoia sua marca distintiva em elevar-se, apesar disso, sobre si mesma, tornando-se assim capaz de um conhecimento histórico objetivo?

Em Dilthey não se encontra resposta explícita a essa pergunta. Todavia, toda sua obra científica responde indiretamente a ela. Talvez pudéssemos dizer que a consciência histórica não é tanto um apagar-se a si mesmo, mas uma posse de si mesmo mais elevada, e é isso o que distingue a consciência histórica de todas as demais formas do espírito. Por mais indissociável que seja o fundamento da vida histórica do qual emerge, a consciência histórica é capaz de compreender historicamente sua própria possibilidade de comportar-se historicamente. Por isso, ela não é a expressão imediata de uma realidade vital como era a consciência antes de elevar-se vitoriosamente a uma consciência histórica. Ela já não aplica simplesmente seus próprios critérios de compreensão à tradição na qual se encontra, nem se limita a continuar, em ingênua apropriação da tradição, essa mesma tradição. Pelo contrário, se reconhece em uma relação reflexiva consigo mesma e com a tradição na qual se encontra. Compreende-se a si mesma a partir de sua história. *A consciência histórica é uma forma do autoconhecimento.*

Uma resposta como esta poderia indicar a necessidade de determinar mais profundamente a essência do autoconhecimento. E, de fato – como veremos –, as fracassadas tentativas de Dilthey acabam tentando explicar "a partir da vida" o modo como a consciência científica é gerada a partir do autoconhecimento.

Dilthey parte da vida. A própria vida está referida à reflexão. Devemos a Georg Misch uma enérgica elaboração da tendência da filosofia da vida no filosofar de Dilthey. Seu fundamento repousa no fato de que a vida mesma contém saber. Já o ter consciência (*Innesein*), que caracteriza a vivência, contém uma espécie de retorno da vida sobre si mesma. "O saber está aí, unido à vivência sem intervenção da reflexão" (VII, 18). Segundo Dilthey, essa mesma reflexividade imanente da vida determina também o modo como o significado surge no nexo vital. Somente se experimenta o significado quando renunciamos à "caça das metas". O que torna possível essa reflexão é um distanciamento, um afastamento do contexto do nosso próprio fazer. Dilthey destaca com razão que antes de toda objetivação científica o que se forma é uma visão natural da vida sobre si mesma. Ela se objetiva na sabedoria dos provérbios e sagas, mas sobretudo nas grandes obras da arte, nas quais "algo espiritual se desprende de seu criador"[123]. Por isso a arte é um órgão especial da compreensão da vida, porque em seus "confins entre o saber e a ação" a vida se abre com uma profundidade que não é acessível à observação, à reflexão e nem à teoria.

E se a própria vida está referida à reflexão, então a pura expressão vivencial da grande arte possui um *status* especial. Mas isso não exclui que em toda expressão da vida já opere um saber e, por consequência, se possa reconhecer uma verdade. Pois as formas de expressão que dominam a vida humana são, em seu conjunto, figuras do espírito objetivo. Na linguagem, nos costumes, nas formas jurídicas, o indivíduo já se elevou sempre acima de sua particularidade. As grandes comunidades éticas em que vive representam um ponto sólido que lhe permite compreender a si mesmo face à fluida casualidade de seus movimentos subjetivos. Precisamente a dedicação a objetivos comuns, o entregar-se plenamente a uma [240]

---

[123]. VII, 207.

atividade para a comunidade, "liberta o homem da particularidade e do efêmero".

Algo assim poderia também ser encontrado em Droysen, mas em Dilthey possui um matiz próprio. Segundo Dilthey, tanto na direção da contemplação como na da reflexão prática surge a mesma tendência da vida: a "aspiração à estabilidade"[124]. A partir disso compreende-se que Dilthey pudesse considerar a objetividade do conhecimento científico e da autorreflexão filosófica como a realização suprema da tendência natural da vida. O que guia a reflexão de Dilthey não é uma adaptação externa da metodologia das ciências do espírito aos procedimentos das ciências da natureza, mas o fato de que detecta em ambas uma verdadeira comunidade. A essência do método experimental é a elevação acima da casualidade subjetiva da observação, e é com sua ajuda que surge o conhecimento da regularidade da natureza. Assim, as ciências do espírito também procuram elevar-se metodologicamente acima da casualidade subjetiva do próprio ponto de partida graças à tradição que lhes é acessível, alcançando assim a objetividade do conhecimento histórico. A própria autorreflexão filosófica encaminha-se na mesma direção, na medida em que "ela mesma se torna objetiva como fato humano e histórico" e renuncia à pretensão de alcançar um conhecimento puro a partir de conceitos.

O nexo de vida e saber é, pois, para Dilthey, um dado originário. É isso o que torna invulnerável a posição de Dilthey ante toda objeção que se possa fazer ao "relativismo" histórico, a partir da filosofia e sobretudo com os argumentos da filosofia idealista da reflexão. Sua fundamentação da filosofia no fato originário da vida não busca um nexo de proposições, livre de contradições, que quisessem substituir os sistemas de pensamentos da filosofia precedente. Para a autorreflexão filosófica vale, antes, o mesmo que Dilthey indicou para o papel da reflexão na vida. A autorreflexão pensa a própria vida até o fim, compreendendo a própria filosofia como uma objetivação da vida. Ela se torna a filosofia da filoso-

---

124. *Gesammelte Schriften*, VII, 347.

fia, mas não no sentido nem com a pretensão do idealismo. Não procura fundamentar a única filosofia possível a partir da unidade de um princípio especulativo, mas continua simplesmente o caminho da autorreflexão histórica. E dessa maneira subtrai-se à objeção de estar comprometida com o relativismo.

É verdade que o próprio Dilthey sempre levou em consideração essa objeção e procurou uma solução para a questão pelo modo como é possível a objetividade dentro da relatividade e como pode-se pensar a relação do finito com o absoluto. "A tarefa é expor como esses conceitos de valor relativos às épocas se ampliaram a algo absoluto"[125]. Em Dilthey, porém, será vã a procura de uma resposta real a esse problema do relativismo, e isto não porque ele jamais tenha encontrado a resposta certa, mas porque essa não era sua própria e verdadeira questão. Ao contrário, no desenvolvimento da autorreflexão histórica que o levava de relatividade a relatividade, ele se soube sempre no caminho rumo ao absoluto. Nesse sentido, Ernst Troeltsch resumiu perfeitamente o trabalho de toda a vida de Dilthey na formulação: "da relatividade à totalidade". A fórmula que Dilthey emprega para isso diz o seguinte: "Ser conscientemente um ser condicionado"[126] – uma fórmula que se dirige abertamente contra a pretensão da filosofia da reflexão, pretensão de deixar para trás todas as barreiras da finitude, ascendendo para o absoluto e para o infinito do espírito, para a consumação e a verdade da autoconsciência. No entanto, sua incansável reflexão sobre a objeção do "relativismo" mostra que ele não pôde manter realmente a coerência de seu ponto de partida na filosofia da vida contra a filosofia da reflexão do idealismo. Não fosse assim, ele teria de reconhecer, na objeção do relativismo, o "intelectualismo". E seu próprio ponto de partida, segundo o qual o saber é imanente à vida, pretendia minar pela base esse intelectualismo.

Essa ambiguidade tem seu fundamento último na falta de unidade interna de seu pensamento, no resíduo do cartesianismo, don-

---

[125]. *Gesammelte Schriften*, VII, 290.
[126]. *Gesammelte Schriften*, V, 364.

de ele parte. Suas reflexões epistemológicas sobre a fundamentação das ciências do espírito não se coadunam bem com seu ponto de partida na filosofia da vida. Nas suas anotações mais tardias encontra-se um testemunho eloquente. Ali, Dilthey exigirá de uma fundamentação filosófica que se estenda a todo e qualquer campo em que "a consciência já tenha sacudido toda autoridade e procure chegar a um saber válido a partir da reflexão e da dúvida"[127]. Essa frase parece uma afirmação inofensiva sobre a essência da ciência e da filosofia da época moderna em geral. Não há como não perceber uma ressonância cartesiana. Mas, na verdade essa frase encontra sua aplicação em um sentido totalmente diferente, quando Dilthey continua: "Por toda parte a vida conduz a reflexões sobre o que se coloca nela, a reflexão sobre a dúvida, e é só quando a vida vier a se firmar frente a esta que o pensamento pode acabar sendo um saber válido"[128]. Aqui já não se trata de preconceitos filosóficos que têm de ser superados por uma fundamentação epistemológica ao estilo de Descartes, mas de realidades da vida, da tradição dos costumes, da religião e do direito positivo, que são desintegrados pela reflexão e necessitam de uma nova ordem. Quando Dilthey fala aqui do saber e da reflexão, não está se referindo à imanência geral do saber na vida, mas a *um movimento dirigido contra a vida*. Ao contrário, a tradição dos costumes, da religião e do direito repousa, de sua parte, sobre um saber da vida a partir de si mesma. Já vimos inclusive que na entrega à tradição, na qual certamente está envolvido algum saber, o indivíduo ascende ao espírito objetivo. Devemos concordar de boa vontade com Dilthey que a influência do pensamento sobre a vida "procede da necessidade interna de estabelecer algo fixo em meio à mudança incessante das percepções sensoriais, dos desejos e sentimentos, algo fixo e estável que torne possível um modo de vida continuado e unitário"[128]. Mas esse desempenho do pensamento é imanente à própria vida e se realiza nas objetivações do espírito que, como costumes, direito e religião sustentam o indivíduo, na medida em que este se entrega à objetividade da so-

---

127. VII, 6.
128. *Gesammelte Schriften*, VII, 3.

ciedade. O fato de que, para isso, tenha-se de adotar "o ponto de vista da reflexão e da dúvida" e que esse trabalho se realize "em todas as formas de reflexão científica (e não fora disso), não se coaduna, em absoluto, com as ideias da filosofia da vida de Dilthey[129]. Ao contrário, aqui se descreve o ideal específico do *Aufklärung* científico, que bem pouco concorda com a reflexão imanente da vida, quando na verdade foi justamente contra o "intelectualismo" do *Aufklärung* que se orientou a fundamentação de Dilthey na filosofia da vida. [243]

Na verdade, há muitas formas de se ter certeza. O modo de certeza proporcionada por uma certificação alcançada por meio da dúvida é diferente dessa certeza vital imediata de que se revestem todos os objetivos e valores da consciência humana, quando se elevam a uma pretensão de incondicionalidade. Mas, com mais direito a certeza alcançada na própria vida distingue-se da certeza da ciência. A certeza científica sempre tem uma feição cartesiana. É o resultado de uma metodologia crítica, que procura deixar valer somente o que for indubitável. Essa certeza portanto não surge da dúvida e de sua superação, mas já se subtrai de antemão à possibilidade de sucumbir à dúvida. Assim como na famosa meditação sobre a dúvida, Descartes se propõe uma dúvida artificial e hiperbólica – como um experimento – que conduz ao *fundamentum inconcussum* da autoconsciência, a ciência metodológica põe em dúvida, fundamentalmente, tudo aquilo sobre o que é possível duvidar, com o fim de chegar, deste modo, a resultados seguros.

Uma característica da problemática diltheana com respeito à fundamentação das ciências do espírito é que ele não distingue entre essa dúvida metódica e as dúvidas que aparecem "por si mesmas". Para ele, a certeza das ciências significa a consumação da cer-

---

129. Também sobre isso, G. Misch já chamara a atenção, *Lebensphilosophie und Phänomenologie*, p. 295 e sobretudo 312s. Misch distingue entre o tornar-se consciente e o tornar consciente. A reflexão filosófica seria ambas as coisas simultaneamente, mas Dilthey iria procurar, erroneamente, uma transição continuada de um ao outro. "A orientação essencialmente *teórica* voltada à objetividade não pode ser extraída unicamente do conceito da objetivação da vida" (298). A presente investigação apresenta um perfil algo diferente dessa crítica de Misch, descobrindo, já na hermenêutica romântica, o cartesianismo que, aqui, torna ambíguo o raciocínio de Dilthey.

teza da vida. Mas isso não significa que ele não tenha percebido a incerteza da vida na plena pujança da concreção histórica. Ao contrário, quanto mais se inteirava da ciência moderna, com tanto mais força percebia a tensão entre a sua procedência da tradição cristã e os poderes históricos liberados pela vida moderna. Em Dilthey, a necessidade de algo sólido tem o caráter de uma necessidade expressa de proteção frente às realidades assustadoras da vida. Mas ele espera alcançar a vitória sobre a incerteza e insegurança da vida muito mais através da ciência do que através da estabilização proporcionada pela inserção na sociedade e a experiência de vida.

Para Dilthey, a forma cartesiana de se alcançar a certeza através da dúvida é de uma evidência imediata, uma vez que ele é um filho do *Aufklärung*. Esse desfazer-se de tudo que é autoritativo, de que fala, não corresponde somente à necessidade epistemológica de fundamentar as ciências da natureza, mas diz respeito também ao saber de valores e objetivos. Para ele, tampouco esses representam um todo indubitável extraído da tradição, dos costumes, da religião, do direito, mas "também aqui o espírito precisa produzir por si mesmo um saber válido"[130].

[244]   O processo privado de secularização que levou Dilthey, estudante de teologia, à filosofia coincide com o processo mundial-histórico da gênese das ciências modernas. Assim como a investigação moderna da natureza não considera a natureza como um todo compreensível mas como um acontecimento estranho ao eu, em cujo decurso ela introduz uma luz limitada, mas confiável, possibilitando assim sua dominação, da mesma forma o espírito humano, que procura proteção e certeza, deve opor à "insondabilidade" da vida, a esse "semblante terrível", a capacidade da compreensão formada pela ciência. Esta deve revelar a vida em sua realidade sócio-histórica de uma forma tão ampla que, apesar da insondabilidade da vida, o saber garanta proteção e certeza. *O Aufklärung consuma-se como Aufklärung histórico.*

---

130. VII, 6.

A partir disso pode-se compreender o que Dilthey vincula à hermenêutica romântica[131]. Com a sua ajuda consegue suprimir a diferença entre a essência histórica da experiência e a forma de conhecimento da ciência, ou melhor, harmonizar a forma de conhecimento das ciências do espírito com os padrões metodológicos das ciências da natureza. Já vimos acima[132] que o que o levou a isso não foi uma adaptação exterior. Reconhecemos agora que não o conseguiu sem negligenciar a própria historicidade essencial das ciências do espírito. Isso se torna claro no conceito de objetividade que ele mantém para elas. Enquanto ciência, deve caminhar a par com a objetividade válida para as ciências da natureza. É por isso que Dilthey gosta de empregar a palavra "resultados"[133] e de demonstrar pela descrição da metodologia das ciências do espírito sua igualdade de direitos com as ciências da natureza. Para isso a hermenêutica romântica veio-lhe ao encontro, na medida em que, como já vimos, esta própria não levava em consideração a essência histórica da experiência. Pressupunha que o objeto da compreensão é o texto a ser decifrado e compreendido em seu sentido. Assim, todo encontro com um texto é, para ela, um encontro do espírito consigo mesmo. Todo texto é suficientemente estranho para representar uma tarefa, e, no entanto, suficientemente familiar para manter sua essencial possibilidade de resolução, mesmo quando se sabe apenas que é texto, escrito ou espírito.

Como vimos em Schleiermacher, o modelo de sua hermenêutica é a compreensão congenial possível de ser alcançada na relação entre o eu e o tu. A compreensão de textos tem a mesma possibilidade de adequação total que a compreensão do tu. Pode-se ver diretamente no texto a opinião do autor. O intérprete é absolutamente coetâneo com seu autor. Este é o triunfo do método filológico: [245]

---

131. Nos materiais que Dilthey deixou, relativos ao *Aufbau* (vol. VII), pôde introduzir-se subrepticiamente um texto original de Schleiermacher, na p. 225 de *Hermenêutica*, que Dilthey havia publicado já no apêndice à sua biografia de Schleiermacher; é um testemunho indireto de que Dilthey não chegou a superar realmente o seu enfoque romântico. Em geral é difícil distinguir nele o que são as notas de outros e o que é exposição própria.
132. Cf. p. 240s.
133. Cf. acima o belo erro de impressão, nota 122 da Primeira Parte.

conceber o espírito passado com o presente, o espírito estranho como familiar. Dilthey está impregnado desse triunfo. Sobre isso fundamenta sua afirmação de que as ciências do espírito possuem igualdade de direitos. Assim como o conhecimento natural-científico interroga algo presente sempre em relação a uma explicação que deve encontrar-se nele, assim o investigador do espírito interroga os textos.

Com isso Dilthey acredita ter realizado o que considerava sua tarefa, a saber, justificar epistemologicamente as ciências do espírito pensando o mundo histórico como um texto que se deve decifrar. Como vimos, com isso ele tirou uma consequência que a escola histórica nunca quis admitir por completo. É verdade que Ranke designa o deciframento dos hieróglifos da história como a tarefa sagrada do historiador. Mas que a realidade histórica deixe um rastro de sentido tão puro que basta decifrá-lo como se fosse um texto, isso não correspondia realmente às tendências mais profundas da escola histórica. Todavia, Dilthey, o intérprete dessa concepção histórica do mundo, viu-se obrigado a tirar essa consequência (como, em algum momento, também Ranke e Droysen), na medida em que a hermenêutica lhe estava servindo de modelo. O resultado foi que a história acabou sendo reduzida à história do espírito, redução que Dilthey admite, de fato, na sua meia negação e meia afirmação da filosofia hegeliana do espírito. Enquanto a hermenêutica de Schleiermacher repousava sobre uma abstração metodológica artificial, que procurava produzir um instrumento universal para o espírito, mas que com esse instrumento se propunha trazer à fala a força salvífica da fé cristã, para a fundamentação diltheana das ciências do espírito, a hermenêutica representava bem mais que um instrumento. Ela é o *medium* universal da consciência histórica, para a qual não existe nenhum outro conhecimento da verdade a não ser compreender a expressão e na expressão, a vida. Na história tudo é compreensível. E isso porque tudo é texto. "Tal qual as letras de uma palavra, a vida e a história têm um sentido"[134]. Assim a investigação de

---

134. VII, 291.

Dilthey sobre o passado histórico acaba sendo pensada *como um deciframento e não como uma experiência histórica*.

É claro que isso não satisfez ao objetivo da escola histórica. A hermenêutica romântica e o método filológico sobre o qual ela se ergue não são base suficiente para a história; da mesma forma, o conceito do procedimento indutivo que Dilthey pede emprestado [246] às ciências da natureza não é satisfatório. A experiência histórica, tal como ele fundamentalmente a entende, não é um procedimento e não possui a anonimidade de um método. De certo que dela podem ser deduzidas regras gerais da experiência, mas o seu valor metodológico não é o do conhecimento de leis sob as quais se possa subsumir univocamente os casos que apareçam. Ao contrário, as regras da experiência exigem um uso já experimentado e são, no fundo, o que são apenas nesse uso. Frente a essa situação é preciso admitir que o conhecimento das ciências do espírito não possui "objetividade e deve ser adquirido de uma maneira totalmente diversa. A fundamentação diltheana das ciências do espírito na filosofia da vida e sua crítica a todo dogmatismo, inclusive ao dogmatismo dos empiristas, procuram tornar válido exatamente isso. Mas o cartesianismo epistemológico que o fascina acabou sendo mais forte, de modo que, para Dilthey, a historicidade da experiência histórica não chegou a se tornar verdadeiramente determinante. É verdade que Dilthey não menosprezou a significação que a experiência individual e universal da vida tem para o conhecimento das ciências do espírito; mas para ele ambas são determinadas de maneira meramente privativa. Trata-se de uma indução não metodológica, carente de verificação, que já aponta para a indução metodológica da ciência.

Se nos lembrarmos agora do estado da autorreflexão das ciências do espírito, que nos serviu de ponto de partida, iremos reconhecer que a contribuição de Dilthey é particularmente característica para isso. A discrepância que domina seus esforços deixa claro o grau de coação que procede do pensamento metodológico da ciência moderna, e que o que importa é descrever mais adequadamente a experiência operada nas ciências do espírito e a objetividade que se pode alcançar nelas.

1.3. A superação do questionamento epistemológico pela investigação fenomenológica

1.3.1. O conceito de vida em Husserl e no Conde Yorck

Para cumprir a tarefa que se nos propõe, é natural que o idealismo especulativo nos ofereça melhores possibilidades das que perceberam Schleiermacher e a hermenêutica que a ele se vincula. É que no idealismo especulativo o conceito do dado, da positividade, havia sido submetido a uma profunda crítica. E foi justamente a ela que Dilthey tentou apelar para a sua filosofia da vida. Ele escreve[135]: "Através de que designa Fichte o início de algo novo? Pelo fato de partir da intuição intelectual do eu, porém concebendo-o não como uma substância, um ser, um dado, mas justamente por meio dessa intuição, isto é, desse difícil aprofundamento do eu em si próprio, o concebe como vida, atividade, energia, e, por consequência, mostra nele a realização de conceitos de energia como oposição e outros". Da mesma forma, Dilthey acabou reconhecendo no conceito hegeliano do espírito a vitalidade de um genuíno conceito histórico[136]. Nessa mesma direção atuaram alguns de seus contemporâneos, como já destacamos na análise do conceito da vivência: Nietzsche, Bergson, este já um tardio seguidor da crítica romântica contra a forma de pensar da mecânica, e Georg Simmel. Mas, de modo geral, foi somente *Heidegger* quem tornou consciente a radical exigência que se coloca ao pensamento em virtude da inadequação do conceito de substância para o ser e para o conhecimento histórico[137]. É só através dele que se libertou a intenção filosófica de Dilthey. O trabalho de Heidegger engata na investigação

---

135. VII, 333.
136. *Gesammelte Schriften*, VII, 148.
137. Heidegger comentou comigo, já em 1923, com admiração, sobre os escritos tardios de Georg Simmel. Isso não é só um reconhecimento geral da personalidade filosófica de Simmel, mas alude também a questões de conteúdo, nas quais Heidegger tomou impulso. É o que fica claro para qualquer pessoa que leia hoje em dia o primeiro dos quatro *Metaphysische Kapitel*, que reúnem, sob o título *Lebensanschauug*, a tarefa filosófica que G. Simmel tinha em vista quando já estava à beira da morte. Lê-se por exemplo: "A vida é realmente passado e futuro"; ali qualifica-se a "transcendência da vida como o realmente absoluto", e o artigo conclui: "Sei muito bem quais são as dificuldades lógicas que se opõem à expressão conceitual desse modo de ver a vida. Procurei formulá-lo com plena consciência do perigo lógico, já que *provavelmente* se alcança aqui o estrato em que as dificuldades lógicas não recomendam um simples silêncio; é o estrato de que se nutre a raiz metafísica da própria lógica".

da intencionalidade da *Fenomenologia de Husserl*, que representa uma ruptura decisiva, na medida em que não se constituía no platonismo extremo que Dilthey via ali[138].

Ao contrário, graças à evolução da grande edição das obras de Husserl que nos permite ter uma ideia melhor da lenta maturação do pensamento, fica cada vez mais claro que, com o tema da intencionalidade, institui-se uma crítica cada vez mais radical ao "objetivismo" da filosofia tradicional – incluindo Dilthey[139] –, que deveria culminar na pretensão de "que a fenomenologia intencional, pela primeira vez, fez do espírito enquanto espírito um campo de experiência sistemática e uma ciência, dando assim uma reviravolta total à tarefa do conhecimento. A universalidade do espírito absoluto abarca todo o ente numa historicidade absoluta, na qual se inclui a natureza como uma construção do espírito"[140]. [248] Não é por acaso que, aqui, o espírito como o único absoluto, isto é, não relativo, se oponha à relatividade de tudo que se lhe manifesta; sim, o próprio Husserl reconhece a continuidade entre sua fenomenologia e o questionamento transcendental de Kant e de Fichte: "Mas para ser mais correto é preciso que se acrescente que o idealismo alemão que parte de Kant já estava apaixonadamente preocupado em superar a ingenuidade que já era bem visível (sc. do objetivismo)[141].

Essas declarações do Husserl tardio já podem ter sido motivadas pela confrontação com *Ser e tempo*, mas a elas precedem inumeráveis tentativas de Husserl, demonstrando que ele tinha sempre em vista a aplicação de suas ideias aos problemas das ciências históricas do espírito. Aqui, portanto, não se trata de um ponto de conexão periférico com o trabalho de Dilthey ou, mais tarde, com o de Heidegger. Representa, antes, a consequência de sua própria crítica à psicologia objetivista e ao pseudoplatonismo da filosofia da

---

138. Compare-se a crítica de Natorp às *Ideen* (1914), de Husserl, em *Logos*, 1917, assim como o seguinte texto do próprio Husserl em uma carta privada a Natorp, de 29.06.1918; "pelo que eu posso ainda observar, que já faz mais de um decênio que superei a etapa do platonismo estático e coloquei como tema básico da fenomenologia a ideia da gênese transcendental". Nessa mesma direção aponta a nota de O. Becker na homenagem a Husserl, p. 39.
139. *Husserliana*, VI, 344.
140. *Husserliana*, VI, 346.
141. *Husserliana*, VI, 339 e VI, 271.

consciência. É o que fica perfeitamente claro após a publicação das *Ideen II*[142].

Em face dessas questões, convém abrirmos espaço em nossas considerações para a fenomenologia de Husserl[143].

O engate de Dilthey nas *Investigações lógicas* de Husserl atinge em cheio o cerne da questão. Segundo declara o próprio Husserl[144], o trabalho de toda sua vida encontra-se dominado, desde as *Investigações lógicas*, pelo *a priori* da correlação entre o objeto da experiência e a forma dos dados. Já na quinta investigação lógica ele tinha elaborado o modo de ser próprio das vivências intencionais, distinguindo entre consciência, tal como a convertera em tema de investigação, "enquanto vivência intencional" (este é o título do segundo capítulo), e unidade real das vivências na consciência e sua percepção interna. Nesse sentido e já nessa época, para ele, a consciência não é um "objeto" mas uma coordenação (*Zuordnung*) essencial – esse foi o ponto que se tornou tão elucidativo para Dilthey. Na investigação dessa coordenação mostrou-se uma primeira superação do "objetivismo", uma vez que o significado das palavras, por exemplo, não pode continuar sendo confundido com o conteúdo psíquico real da consciência, com as representações associativas que uma palavra desperta. A intenção e o cumprimento do significado pertencem essencialmente à unidade do significado, e, assim como os significados das palavras que usamos, todo ente que possui validez para mim possui, correlativamente e com necessidade essencial, uma "universalidade ideal dos modos reais e possíveis de as coisas dadas serem experimentadas"[145].

[249]

Com isso conquista-se a ideia da "fenomenologia", ou seja, a desvinculação de toda posição do ser e a investigação dos modos

---

142. *Husserliana*, IV, 1952.
143. [Quanto ao que se segue, compare-se, entrementes, os meus trabalhos "Die phänomenologische Bewegung". *Kleine Schriften*, III, p. 150-189 das Obras Completas, e "Die Wissenschaft von der Lebenswelt". *Kleine Schriften*, III, p. 190-201, no vol. III das Obras Completas.]
144. *Husserliana*, VI, 169.
145. VI, 169.

subjetivos de as coisas se darem, transformando-a num programa universal de trabalho que deveria permitir a compreensão de toda objetividade, de todo sentido do ser. Agora, também a subjetividade humana possui validez ontológica. Também ela deve ser vista como "fenômeno", ou seja, deve ser examinada em toda a variedade de seus modos de doação. Essa investigação do eu como fenômeno não é "percepção interior" de um eu real. Mas tampouco é mera reconstrução da "consciencialidade", isto é, a relação dos conteúdos da consciência com um polo transcendental do eu (Natorp)[146]; é antes um tema altamente diferenciado, próprio da reflexão transcendental. Frente a um mero dar-se dos fenômenos da consciência objetiva, um dar-se das vivências intencionais, essa reflexão representa o acréscimo de uma nova dimensão da pesquisa, pois existem também dados que, de sua parte, não são objeto de atos intencionais. Toda vivência implica os horizontes do anterior e do posterior e se funde, em última análise, com o *continuum* das vivências presentes no anterior e no posterior para formar a unidade do fluxo da vida.

As investigações de Husserl sobre a constituição da consciência do tempo procedem da necessidade de compreender o modo de ser desse fluxo e integrar assim a subjetividade na investigação da correlação intencional. A partir daí toda e qualquer investigação fenomenológica compreende-se como investigação da constituição de unidades da e na consciência do tempo, as quais pressupõem, por sua vez, a constituição dessa consciência temporal. Com isso se torna claro que, por mais que mantenha seu significado metodológico como correlato intencional de uma validez de sentido constituída, o caráter único da vivência já não representa um dado fenomenológico último. Antes, cada uma dessas vivências intencionais implica sempre um duplo horizonte vazio daquilo que nela não é propriamente visado, mas ao que a qualquer momento uma intenção atual pode se orientar essencialmente; em último caso, tor-

---

146. *Einleitung in die Psychologie nach kritischer Methode*, 1888; *Allgemeine Psychologie nach kritischer Methode*, 1912.

na-se evidente que a unidade do fluxo vivencial abrange o conjunto total dessas vivências tematizáveis.

[250] Por isso a constituição da temporalidade da consciência encontra-se na base e suporta toda a problemática de constituição. O fluxo vivencial possui o caráter de uma consciência universal do horizonte, do qual só se dão realmente momentos individuais, como vivências.

Sem dúvida, o conceito e o fenômeno de *horizonte* contêm um significado importante para a investigação fenomenológica de Husserl. Através desse conceito, que também nós teremos ocasião de empregar, Husserl procura evidentemente fazer a transição de toda intencionalidade restrita da intenção à continuidade sustentadora do todo. Um horizonte não é uma fronteira rígida, mas algo que se desloca com a pessoa e que convida a que se continue a caminhar. Desse modo, à intencionalidade-horizonte que constitui a unidade do nexo vivencial corresponde uma intencionalidade-horizonte igualmente abrangente por parte dos objetos. Pois tudo o que está dado como ente está dado como mundo e leva consigo o horizonte do mundo. Em suas retratações com relação a *Ideen I*, Husserl ressaltou, numa expressa autocrítica, que naquela época (1923) ainda não tinha compreendido suficientemente o significado do fenômeno do mundo[147]. A teoria da redução transcendental que ele havia publicado em *Ideen* acabaria se tornando cada vez mais complexa. Já não podia bastar a mera suspensão de validade das ciências objetivas, porque mesmo na realização da *epoche*, na suspensão da posição ontológica do conhecimento científico, o mundo mantém sua validez como algo dado previamente. Nesse sentido, a autorreflexão epistemológica que indaga pelo *a priori*, pelas verdades eidéticas das ciências, não é suficientemente radical.

---

147. III, 390: "O grande erro de partir do mundo natural (sem caracterizá-lo como mundo)" (1922), e a autocrítica mais extensa, em III, 399 (1929). O conceito de "horizonte" e da consciência horizôntica obedece também, segundo a *Husserliana*, VI, 267, ao estímulo do conceito de *fringes* de W. James. [Quanto ao significado que R. Avenarius (*Der menschliche Weltbegrif*. Leipzig, 1912) dá à virada crítica de Husserl contra o "mundo científico", quem por último chamou a atenção foi J. Lübbe na *FS para W. Szilasi* (Munique, 1960). (Cf. H. Lübbe, *Positivismus und Phänomenologie* (Mach e Husserl), FS W. Szilasi, p. 161-184, sobretudo p. 171s.]

Este é o ponto em que Husserl podia julgar-se, de certa forma, em consonância com as intenções de Dilthey. De uma forma semelhante, Dilthey combateu o criticismo dos neokantianos porque o retorno ao sujeito epistemológico não lhe parecia suficiente. "Nas veias do sujeito conhecedor construídas por Locke, Hume e Kant não corre sangue verdadeiro"[148]. O próprio Dilthey remonta à unidade da vida, ao "ponto de vista da vida", e de modo semelhante a "vida da consciência" de Husserl – palavra que parece ter sido tomada de Natorp – já é a indicação de uma tendência que se impôs amplamente, a saber, estudar não somente vivências individuais da consciência mas também as intencionalidades ocultas, anônimas e implícitas da consciência, tornando assim compreensível o todo de qualquer validez ontológica objetiva. Mais tarde se dará a isso a [251] denominação de esclarecimento dos desempenhos da "vida produtiva" (*leistenden Lebens*).

O fato de que, em tudo, Husserl tenha em vista o "desempenho" da subjetividade transcendental corresponde simplesmente à tarefa da investigação fenomenológica da constituição. Mas o que caracteriza seu verdadeiro propósito é que ele não fala mais de consciência nem de subjetividade, mas de "vida". Ele quer posicionar-se além da atualidade da consciência intencional, e mesmo além da potencialidade da cointenção, retrocedendo até a universalidade do produzir, a única capaz de medir a universalidade do produzido, isto é, do que ela constitui em sua validade. É uma intencionalidade fundamentalmente *anônima*, ou seja, que ninguém pode produzir nominalmente, através da qual constitui-se o horizonte do mundo que engloba tudo. Forjando um conceito que faz aparecer o contraste com o conceito de mundo que pode ser objetivado pelas ciências, Husserl chama a esse conceito fenomenológico do mundo de "mundo da vida", ou seja, o mundo em que nos introduzimos por mero viver nossa atitude natural, que, como tal, jamais poderá tornar-se objetivo para nós, mas que representa o solo prévio de toda experiência. Esse horizonte do mundo é pressuposto também em todas as ciências, sendo assim mais originário do que elas. Como fenômeno de horizonte, este "mundo" está essen-

---

148. *Gesammelte Schriften*, vol. I, p. XVIII.

cialmente referido à subjetividade, e essa referência significa, ao mesmo tempo, que "tem seu ser no fluxo do cada vez em cada caso" (*Jeweiligkeit*)[149]. O mundo da vida se encontra num movimento de constante relatividade da validez.

Como vemos, o conceito de *mundo da vida*[150] se opõe a todo objetivismo. Trata-se de um conceito essencialmente histórico, que não tem em mente um universo do ser, um "mundo que é". Nem mesmo a ideia infinita de um mundo verdadeiro, a partir da progressão infinita dos mundos humanos e históricos, pode ser formulada com sentido na experiência histórica. É verdade que se pode indagar pela estrutura do que abrange a todos os entornos já experimentados pelos homens, o que representa a possível experiência do mundo por excelência e, nesse sentido, pode-se perfeitamente falar de uma ontologia do mundo. Uma tal ontologia do mundo continuaria sendo algo bastante diferente do que poderiam produzir as ciências da natureza, pensadas em seu estado de perfeição. Ela representaria uma tarefa filosófica que tomaria como objeto a estrutura essencial do mundo. Mas *mundo da vida* quer dizer outra coisa; significa o todo em que estamos vivendo enquanto seres históricos. E aqui já não se pode mais evitar a conclusão de que, diante da historicidade da experiência implicada nela, a ideia de um universo de possíveis mundos históricos da vida é fundamentalmente irrealizável. A infinitude do passado, mas sobretudo o caráter aberto do futuro histórico, não são conciliáveis com essa ideia do universo histórico. Husserl extraiu explicitamente essa conclusão, sem retroceder ante o "fantasma" do relativismo[151].

[252]

É claro que o mundo da vida será sempre, ao mesmo tempo, um mundo comunitário que contém a copresença de outros. Ele é mundo pessoal, e um tal mundo pessoal está sempre pressuposto como válido na atitude natural. Mas como se fundamenta essa vali-

---

149. VI, 148.
150. [No que diz respeito ao problema do mundo da vida, além dos meus próprios trabalhos, vol. III das Obras Completas (*Die phänomenologische Bewegung* e *Die Wissenschaft von der Lebenswelt*), e dos escritos de L. Landgrebe, que seguem a mesma linha, foram publicadas muitas outras novidades: A. Schütz, G. Brand, U. Claesgens, K. Düsing, P. Janssen, entre outros.]
151. *Husserliana*, VI, 501.

dez partindo de um desempenho da subjetividade? Essa é a tarefa mais difícil que se coloca à análise fenomenológica da constituição, e Husserl esteve incansavelmente refletindo sobre os seus paradoxos. Como pode surgir no "eu puro" algo que não possua validade objetiva, mas que quer ser ele mesmo "eu"?

É claro que o postulado básico do idealismo "radical" de sempre retroceder aos atos constituintes da subjetividade transcendental precisa esclarecer a consciência universal do horizonte "mundo" e sobretudo a intersubjetividade desse mundo – embora o que está assim constituído, o mundo enquanto comum a muitos indivíduos, englobe, por sua vez, a subjetividade. A reflexão transcendental, que deve suspender toda validez de mundo e toda alteridade dada de antemão, deve pensar-se a si mesma como abarcada pelo mundo da vida. O eu que reflete sabe que vive sob determinações teleológicas fundamentadas sobre o mundo da vida. Nesse sentido, a tarefa de uma constituição do mundo da vida (assim como a da intersubjetividade) é paradoxal. Mas Husserl considera que todos esses paradoxos são aparentes. Está convencido de que para desfazê-los basta manter de forma verdadeiramente consequente o sentido transcendental da redução fenomenológica e não ser tomado por um medo infantil ante um solipsismo transcendental. Em vista dessa clara tendência da formulação do pensamento de Husserl, parece-me não fazer sentido querer imputar qualquer ambigüidade no conceito da constituição, atribuindo-lhe uma posição intermediária entre determinação de sentido e criação[152]. No curso de seu pensamento, ele mesmo assegura haver superado por completo o medo de qualquer idealismo generativo. Sua teoria da redução fenomenológica pretende, antes, realizar pela primeira vez o verdadeiro sentido desse idealismo. A subjetividade transcendental é o "eu originário" e não "um eu". Para ela, o solo do mundo dado de antemão já foi suspenso. Ela é o não relativo por excelência, aquilo a que está referida toda relatividade, inclusive a do eu investigador.

Entretanto, em Husserl já podemos constatar um momento que de fato ameaça constantemente despedaçar esse quadro. Na [253]

---

152. Como E. Fink, em sua conferência "L'analyse intentionnelle et le problème de la pensée spéculative". *Problèmes actuels de la phénoménologie*, 1952.

verdade, sua posição é bem mais que uma radicalização do idealismo transcendental, e, para esse "mais", a função que o conceito "vida" recebe nele é decisiva. "Vida" não é meramente o "ir vivendo" da atitude natural. "Vida" é também e não menos a subjetividade transcendentalmente reduzida, que é a fonte de todas as objetivações. Assim, sob o título "vida", encontra-se o que Husserl destaca como sua contribuição própria à crítica da ingenuidade objetivista de toda a filosofia tradicional. A seus olhos, ela consiste em haver desvendado o caráter de aparência que marca a controvérsia epistemológica habitual entre idealismo e realismo e em haver tematizado em seu lugar a coordenação última entre subjetividade e objetividade[153]. É assim que se esclarece a formulação: "vida produtiva". "A consideração radical do mundo é pura e sistemática consideração interior da subjetividade que se exterioriza a si mesma no 'exterior'[154]. É como a unidade de um organismo vivo, que pode ser observado e analisado de fora, mas que só pode ser compreendido quando se remonta às suas raízes ocultas..."[155] Desse modo, também o comportamento do sujeito frente ao mundo não é compreensível nas vivências conscientes e em sua intencionalidade, mas nos "desempenhos" anônimos da vida. A comparação do organismo utilizada aqui por Husserl é mais do que uma comparação. Como ele diz expressamente, deve ser tomada ao pé da letra.

Se acompanharmos essas e outras indicações provindas da linguagem e dos conceitos que encontramos às vezes em Husserl, seremos conduzidos para a proximidade com o conceito especulativo de vida do idealismo alemão. Sem dúvida, o que Husserl quer dizer é que não se deve pensar a subjetividade como oposta à objetividade, porque nesse caso esse conceito de subjetividade estaria sendo pensado de maneira objetivista. Sua fenomenologia transcendental pretende ser, ao contrário, uma "investigação de correlações". Mas isso quer dizer que o elemento primeiro é a relação e que ela engloba os "polos" onde se desenvolve, assim como o ser vivo en-

---

153. *Husserliana*, VI, p. 165s.
154. *Husserliana*, VI, p. 116.
155. Frente a esse veredicto de intenção *metodológica*, não se entende como pretendem manter-se as recentes tentativas de querer jogar o ser da "natureza" contra a historicidade.

globa todas as suas manifestações vitais na unidade do seu ser orgânico[156].

O que Husserl escreve com relação a Hume é o seguinte[157]:

> "A ingenuidade do discurso que fala de 'objetividade', que deixa totalmente fora de questão a subjetividade e que experimenta, conhece e que produz de uma maneira verdadeiramente concreta... a ingenuidade do cientista da natureza e do mundo em geral, que é cego para o fato de que todas as verdades que ele conquista como objetivas e o próprio mundo objetivo enquanto o substrato de suas fórmulas são a sua própria *configuração de vida*, que deveio nele mesmo... essa ingenuidade já não é possível uma vez que se coloque a *vida* como o centro da perspectiva".

[254]

O papel que o conceito da vida desempenha aqui tem uma clara correspondência com as investigações de Dilthey sobre o nexo vivencial. Da mesma forma que Dilthey só partia da vivência para alcançar o conceito de nexo psíquico, Husserl mostra que a unidade do nexo vivencial é prévia e essencialmente necessária frente à individualidade das vivências. A investigação temática da vida da consciência está obrigada a superar, assim como em Dilthey, o ponto de partida da vivência individual. Nessa perspectiva, existe entre os dois pensadores uma genuína comunidade. Ambos remontam à concreção da vida.

Não obstante, permanece a indagação de se saber se ambos dão conta das exigências especulativas contidas no conceito de vida. Dilthey quer derivar a construção do mundo histórico da reflexividade inerente à vida, enquanto Husserl procura derivar a constituição do mundo histórico a partir da "vida da consciência". E a pergunta a ser feita é se em ambos os casos o autêntico conteúdo do conceito de vida não acaba sendo despatriado em virtude do esquema epistemológico de uma tal derivação a partir dos dados últimos da consciência. O que levanta essa questão são, sobretudo, as difi-

---

156. [Compare-se C. Wolzogen, *Die autonome Relation. Zum Problem der Beziehung im Spätwerk Paul Natorps. Ein Beitrag zur Geschichte der Theorie der Relation*, 1984, e o meu parecer em *Philos. Rundschau*, 32 (1985), p. 160.]

157. *Husserliana*, VI, p. 99.

culdades que nos coloca o problema da intersubjetividade e a compreensão do eu estranho. Nisso a dificuldade parece ser a mesma, tanto em Husserl como em Dilthey. Os dados imanentes da consciência examinada reflexivamente não contêm o tu de maneira imediata e originária. Husserl tem toda a razão quando destaca que o tu não possui essa espécie de transcendência imanente própria dos objetos do mundo da experiência externa. Pois todo tu é um *alter ego*, isto é, é compreendido a partir do "ego" e, não obstante, é compreendido também como separado dele, e assim como o próprio ego, como autônomo. Em suas laboriosas investigações, Husserl procurou esclarecer a analogia do eu e do tu – que Dilthey interpreta de uma maneira puramente psicológica, através da conclusão analógica da empatia – pelo caminho da intersubjetividade do mundo comum. Foi suficientemente consequente para não restringir, o mínimo que fosse, a primazia epistemológica da subjetividade transcendental. Todavia, tanto nele quanto em Dilthey o recurso ontológico é o mesmo. O "outro" aparece inicialmente como uma coisa da percepção, que mais tarde "se converte", por empatia, num tu. É verdade que em Husserl esse conceito da empatia é pensado de um modo puramente transcendental[158], no entanto está orientado para a interioridade (*Innesein*) da autoconsciência [255] e fica devendo a orientação segundo o âmbito funcional da vida[159], que ultrapassa em muito a consciência, e ao qual ele pretende retroceder.

Na realidade, o conteúdo especulativo do conceito de vida, em ambos os autores, fica sem ser desenvolvido. Dilthey busca somente opor polemicamente o ponto de vista da vida ao pensamento metafísico, e Husserl não possui a mínima noção da conexão

---

158. É mérito da tese doutoral de D. Sinn, *Die transzendentale Intersubjektivität mit ihren Seinshorizonten bei E. Husserl*, Heidelberg, 1958, ter reconhecido o sentido metodológico transcendental do conceito de *Einfühlung* (empatia), que sustenta a constituição da intersubjetividade, coisa que havia escapado a A. Schuetz, "Das Problem der transzendentalen Intersubjektivität bei Husserl. *Philos. Rundschau*, V (1957), cad. 2. [Também a descrição de Heidegger, apresentada no *Philos. Rundschau*, 14 1967, p. 81-182, por D. Sinn, pode valer como um extraordinário resumo das intenções do Heidegger tardio.]
159. Refiro-me aqui à ampla perspectiva que foi aberta pelo conceito de *Gestaltkreis* (círculo da configuração), de Viktor von Weizäcker.

desse conceito com a tradição metafísica, em particular com o idealismo especulativo.

Nesse ponto, apesar de muito fragmentários, os escritos póstumos do *Conde Yorck* publicados recentemente, mas lamentavelmente muito fragmentários, ganham uma importância surpreendentemente atual[160]. Embora Heidegger se tenha referido explicitamente às geniais indicações desse homem memorável e tenha reconhecido nas suas ideias uma certa primazia em relação aos trabalhos de Dilthey, pode-se opor-lhe sempre o fato de que Dilthey realizou uma gigantesca obra, enquanto que as declarações epistolares do conde não chegam jamais a desenvolver um nexo realmente sistemático. Entretanto, essa obra póstuma, procedente de seus últimos anos de vida e agora publicada, muda inteiramente essa situação. Embora não passe de um fragmento, sua intenção sistemática encontra-se desenvolvida com suficiente consequência para que não nos enganemos sobre o *topos* teórico dessa tentativa.

Aqui se oferece exatamente o que acima sentimos fazer falta em Dilthey e Husserl. Entre o idealismo especulativo e o novo ponto de vista da experiência de seu século estende-se uma ponte, na medida em que o conceito de vida é apresentado como o que abrange ambas as direções. Por mais especulativo que soe, a análise da vitalidade, que constitui o ponto de partida do Conde Yorck, inclui o modo de pensar das ciências da natureza em seu século e, explicitamente, o conceito de vida darwiniano. Vida é autoafirmação. Essa é a base. A estrutura da vitalidade consiste em ser cisão originária (*Urteilung*)[161], ou seja, afirmar-se a si mesmo como unidade na cisão e articulação de si mesmo. Mas a cisão originária mostra-se também como a essência da autoconsciência, pois, mesmo quando ela se divide constantemente no si-próprio e no outro, sua consistência – enquanto ser vivo – se mantém no jogo alternado desses seus fatores constitutivos. Pode-se dizer dela o que se afirma de toda vida, que é prova, i. é, experimento. "Espontaneidade e dependência são os caracteres básicos da consciência; são constitu- [256]

---

160. *Bewusstseinsstellung und Geschichte*, Tübingen, 1956.
161. NdT: O termo *Urteilung* (cisão originária) significa, na linguagem habitual, julgamento. Aqui quer referir a participação da vida na origem do ser, que deriva também os conceitos de *Teilung* = partição, cisão, participação e *Gliederung* = articulação.

tivos tanto no âmbito da articulação somática como da psíquica, do mesmo modo que sem o mundo dos objetos não existiria visão, sensação corporal, representação, vontade e nem sentimento"[162]. Também a consciência deve ser entendida como um comportamento vital. Essa é a exigência metodológica fundamental que Yorck coloca à filosofia e na qual sente-se solidário com Dilthey. É preciso reconduzir o pensamento a esse alicerce oculto (Husserl diria: a esse desempenho oculto). Para isso torna-se necessário o esforço da reflexão filosófica. Pois a filosofia age indo ao encontro da tendência da vida. O Conde Yorck escreve: "O fato é que o nosso pensamento se move nos resultados da consciência" (ou seja, o pensamento não tem consciência da relação real que esses "resultados" têm com o comportamento vital, sobre o qual repousam). "A separação realizada é sua pressuposição"[163]. O Conde Yorck quer dizer com isso que os resultados do pensamento somente são resultados pelo fato de terem se separado e por se deixarem separar do comportamento vital. A partir daí o Conde Yorck conclui que a filosofia precisa reverter essa divisão, precisa repetir o experimento da vida na direção inversa, "com o fim de reconhecer as relações que condicionam os resultados da vida"[164]. Isso pode estar formulado de uma maneira muito objetivista e nos moldes da ciência da natureza, e diante disso a teoria husserliana da redução poderia apelar para a sua forma de pensar estritamente transcendental. Mas, na verdade, as reflexões de Yorck, ousadas e conscientes de seus objetivos, não só mostram claramente a tendência comum a Dilthey e a Husserl como também que nelas ele aparece como nitidamente superior a estes. Pois ali o pensamento prossegue realmente o nível da filosofia da identidade do idealismo especulativo, evidenciando assim a gênese oculta do conceito de vida que buscam Dilthey e Husserl.

Se continuarmos a perseguir essa ideia de Yorck, tornar-se-á ainda mais nítida a persistência dos motivos idealistas. O Conde Yorck expõe aqui a *correspondência estrutural de vida e autoconsciência*, que Hegel já desenvolvera em sua "Fenomenologia". Os

---

162. Op. cit., p. 39.
163. Ibid.
164. Ibid.

restos de manuscritos conservados dos últimos anos de Hegel em Frankfurt demonstram a importância central do conceito de vida para sua filosofia. Em sua *Fenomenologia* é o fenômeno da vida que proporciona a transição decisiva da consciência para a autoconsciência – e certamente esse não é um nexo artificial. Pois vida e autoconsciência têm realmente uma certa analogia.

A vida se determina pelo fato de o ser vivo distinguir-se do mundo em que vive e ao qual permanece unido, e manter-se nessa sua autodistinção. A autoconservação do ser vivo se produz de tal modo que integra em si o ente que está fora dele. Todo ser vivo se nutre do que lhe é estranho. A situação fundamental do ser vivo é a assimilação. A distinção portanto torna-se ao mesmo tempo uma não distinção. O estranho é apropriado. [257]

Como já havia sido mostrado por Hegel e confirmado por Yorck, essa estrutura do ser vivo tem seu correlato na essência da autoconsciência. Seu ser consiste no fato de saber converter tudo e cada coisa em objeto de seu saber e, no entanto, em tudo e em cada coisa que sabe, sabe-se a si mesmo. Enquanto saber, ela é pois o ato de distinguir-se de si mesmo e, enquanto autoconsciência, é ao mesmo tempo o ato de transcender (*Übergreifen*), alcançando a unidade consigo mesma.

É claro que se trata de algo mais que uma mera correspondência estrutural entre vida e autoconsciência. Hegel tem toda razão quando deriva dialeticamente a autoconsciência a partir da vida. A consciência objetiva, o esforço do entendimento que busca penetrar na lei dos fenômenos, jamais poderá conhecer verdadeiramente o que está vivo. O vivo não é algo a que se possa alcançar de fora e contemplá-lo na sua vitalidade. A única maneira pela qual se pode conceber a vitalidade é dar-se conta (*innewerden*) dela. Hegel faz alusão à história da imagem oculta de Saís, quando descreve a auto-objetivação interna da vida e da autoconsciência: aqui, o interior vê o interior[165]. É só pelo sentimento de si, esse dar-se conta da própria vitalidade, que se pode experimentar a vida. Hegel mostra

---

165. *Phänomenologie des Geistes*, p. 128 [HOFFMEISTER, (org.)].

como essa experiência se acende e se apaga sob a forma de desejo e satisfação do desejo. Esse autossentimento da vitalidade, no qual esta se torna consciente de si mesma, é, digamos, uma forma preliminar não verdadeira, uma forma ínfima da autoconsciência, na medida em que esse tornar-se consciente de si mesmo no desejo se anula na satisfação do desejo. Todavia, por menos verdadeira que seja essa forma preliminar, frente à verdade objetiva, frente à consciência de algo estranho, esse sentimento vital continua sendo a primeira verdade da autoconsciência.

Parece-me que esse é o ponto onde a investigação de Yorck engata de maneira particularmente fecunda. Da correspondência entre vida e autoconsciência, a investigação obtém uma diretriz metodológica a partir da qual determina a essência e a tarefa da filosofia. Projeção e abstração são os seus conceitos básicos.

[258]   Projeção e abstração perfazem o comportamento original da vida. Mas valem também para o comportamento histórico recorrente. E a reflexão filosófica somente alcança a sua própria legitimação na medida em que também ela corresponde a essa estrutura da vitalidade e só na medida em que faz isso. Sua tarefa é compreender os resultados da consciência a partir da sua origem, compreendendo-os como resultado, isto é, como projeção da vitalidade originária e de sua cisão originária.

Com isso, o Conde Yorck eleva à categoria de um princípio metodológico o que Husserl, mais tarde, irá desenvolver amplamente em sua fenomenologia. Compreende-se assim como foi possível que dois pensadores tão diversos como Husserl e Dilthey possam ter se encontrado. O retorno a posições anteriores à abstração do neokantismo torna-se comum a ambos. Yorck concorda com ambos, e, no entanto, ele tem mais a oferecer que eles, uma vez que não remonta à vida apenas com intuito epistemológico, mas conserva também a conexão metafísica entre vida e autoconsciência, como fora elaborada por Hegel. E é nisso que Yorck se mostra superior a Husserl e a Dilthey.

Como vimos, as reflexões epistemológicas de Dilthey acabaram errando o alvo no momento em que derivou a objetividade da ciência, num raciocínio excessivamente curto, a partir do comportamento vital e sua busca do estável. A Husserl faltou em última instância determinar mais precisamente o que é a vida, embora o núcleo da fenomenologia, a investigação das correlações, siga objetivamente o modelo estrutural da relação vital. *O Conde Yorck, porém, estende a ponte que sempre fez falta entre a "Fenomenologia do espírito" de Hegel e a Fenomenologia da subjetividade transcendental de Husserl*[166]. Não obstante, os fragmentos que nos legou não mostram como pensava evitar a metafisização dialética da vida, que ele mesmo reprova em Hegel.

1.3.2. O projeto de Heidegger de uma fenomenologia hermenêutica[167]

Também Heidegger está determinado, inicialmente, por aquela tendência comum a Dilthey e a Yorck, formulada por ambos como "conceber a partir da vida", tendência que Husserl expressou como retorno ao mundo da vida, a saber, uma posição anterior à objetividade da ciência. Entretanto, ele não ficou refém das implicações epistemológicas segundo as quais o retorno à vida (Dilthey) ou a redução transcendental (o caminho de Husserl do dar-se a partir de si mesmo absolutamente radical), encontram seu fundamento metodológico no fato de as vivências darem-se por si mesmas. [259] Antes, tudo isso torna-se o objeto de sua crítica. Sob a expressão "hermenêutica da facticidade", Heidegger opõe uma exigência paradoxal à fenomenologia eidética de Husserl e à distinção entre fato e essência, sobre que ela repousa. A facticidade da pre-sença, a existência, que não pode ser fundamentada nem deduzida, deveria representar a base ontológica do questionamento fenomenológico, e não o puro "cogito", como estruturação essencial de uma generalidade típica: uma ideia tanto audaz como difícil de ser cumprida.

É claro que o aspecto crítico desse pensamento não era totalmente novo. Esse aspecto já havia sido pensado pelos neo-hegelia-

---

166. Com respeito a esse nexo objetivo, cf. as excelentes observações de WAELHENS, A. de. *Existence et signification.* Louvain, 1957, p. 7-59.
167. [Com respeito ao que segue, cf. também o meu livro *Heideggers Wege. Studien zum Spätwerk.* Tübingen, 1983, vol. III das Obras Completas.]

nos sob a forma de uma crítica ao idealismo e, nesse sentido, não é por acaso que tanto os demais críticos do idealismo neokantiano como o próprio Heidegger adotam nesse momento um Kierkegaard, procedente da crise espiritual do hegelianismo. Mas, por outro lado, essa crítica ao idealismo, tanto naquele tempo como agora, vê-se confrontada com a ampla pretensão do questionamento transcendental. Na medida em que não queria deixar impensado nenhum dos possíveis motivos do pensamento no desenvolvimento do conteúdo do espírito – e desde Fichte, essa foi a pretensão da filosofia transcendental – a reflexão transcendental já inclui sempre toda objeção possível na reflexão total do espírito. Isso vale igualmente para o questionamento transcendental sob o qual Husserl assignou à fenomenologia a tarefa universal de constituir toda validez ontológica. É evidente que essa tarefa deve integrar também a facticidade validada por Heidegger. Husserl pode, assim, reconhecer o ser-no-mundo como um problema da intencionalidade de horizonte da consciência transcendental, e a historicidade absoluta da subjetividade transcendental deveria poder mostrar também o sentido da facticidade. É por isso que, em seguida, Husserl, mantendo-se coerente com sua ideia central do eu-originário, pôde objetar contra Heidegger que o próprio sentido da facticidade não passa de um *eidos*, pertencendo, portanto, essencialmente à esfera eidética das universalidades essenciais. Se examinarmos nessa mesma linha os esboços contidos nos últimos trabalhos de Husserl, sobretudo os trabalhos a respeito da "Crise", presentes no volume VII de suas obras, encontraremos realmente numerosas análises da "historicidade absoluta", onde ele continua a desenvolver de modo consequente a problemática de *Ideen*, que marca o novo, revolucionário e polêmico ponto de partida de Heidegger[168].

[260]   Gostaria de relembrar que o próprio Husserl já havia colocado a problemática dos paradoxos que surgem do desenvolvimento de

---

168. É significativo que em todos os volumes da *Husserliana* aparecidos até o momento não haja qualquer confrontação expressa com Heidegger. De certo que os motivos não são apenas de ordem biográfica. Parece que Husserl sempre se viu mais enredado na ambiguidade que fazia com que ele considerasse o ponto de partida heideggeriano do *Ser e tempo* ora como fenomenologia transcendental, ora como crítica da mesma. Ali ele podia reconhecer seus próprios pensamentos e, não obstante, a seus olhos esses apareciam num fronte completamente distinto, numa distorção polêmica.

seu solipsismo transcendental. Por isso não é fácil assinalar objetivamente o ponto a partir do qual Heidegger pôde colocar sua ofensiva ao idealismo fenomenológico de Husserl. Deve-se admitir, inclusive, que o projeto heideggeriano de *Ser e tempo* não escapa por completo ao âmbito da problemática da reflexão transcendental. A ideia da ontologia fundamental, sua fundamentação sobre a pre-sença, que trata da questão do ser, assim como a analítica dessa pre-sença, pareciam de fato tão somente colocar as medidas a uma nova dimensão de questionamento dentro da fenomenologia transcendental[169]. O fato de que todo sentido do ser e da objetividade só se torne compreensível e demonstrável a partir da temporalidade e historicidade da pre-sença – uma fórmula perfeitamente possível para a tendência de *Ser e tempo* –, eis algo que também Husserl teria reivindicado em seu sentido, ou seja, a partir da base da historicidade absoluta do eu originário. E se o programa metodológico de Heidegger se orienta criticamente contra o conceito da subjetividade transcendental a que Husserl reportava toda fundamentação última, Husserl podia ter qualificado isso de ignorância da radicalidade da redução transcendental. Certamente ele teria afirmado que a própria subjetividade transcendental já teria superado e excluído todas as implicações de uma ontologia da substância e, com isso, também o objetivismo da tradição. *Também Husserl se sentia em oposição ao todo da metafísica.*

Seja como for, é interessante observar que, para Husserl, essa oposição alcançava o seu ponto menos agudo aí onde se trata do questionamento transcendental inaugurado por Kant, por seus precursores e sucessores. Aqui Husserl reconheceu seus verdadeiros precursores, os que lhe prepararam o caminho. A autorreflexão radical, que constituiu seu mais profundo impulso e que ele considerava como a essência da filosofia moderna, permitiu-lhe apelar a Descartes e aos ingleses e seguir o modelo metodológico da crítica kantiana. Sua fenomenologia "constitutiva" caracterizava-se por uma universalidade na colocação de suas tarefas que era estranha a Kant e que tampouco o neokantismo alcançou, uma vez que deixou inquestionado o "factum da ciência".

---

169. Como o enfatizou de imediato O. Becker, no *Husserlfestschrift*, p. 39.

Todavia, justamente nesse apelo de Husserl aos seus precursores torna-se patente sua diferença com respeito a Heidegger. A crítica de Husserl ao objetivismo da filosofia tradicional representava uma continuação metodológica das tendências modernas e se entendia como tal. A pretensão de Heidegger, pelo contrário, era, desde o princípio, a de uma teleologia em sentido inverso. Ele considera seu próprio ponto de partida menos como o cumprimento de uma tendência preparada e latente há muito tempo do que uma retomada do primeiro começo da filosofia ocidental, um reacender da velha e esquecida polêmica grega em torno do "ser". Quando apareceu *Ser e tempo* era natural admitir-se que essa retomada do mais antigo representava um progresso com respeito à posição da filosofia contemporânea, e o fato de que Heidegger assuma as investigações de Dilthey e as ideias do Conde Yorck na continuação da filosofia fenomenológica não representou um engate arbitrário[170]. O problema da facticidade era, de fato, também o problema central do historicismo, pelo menos sob a forma da crítica às pressuposições dialéticas de Hegel sobre a "razão na história".

Era claro, portanto, que o projeto heideggeriano de uma ontologia fundamental colocava em primeiro plano o problema da história. No entanto, logo ficou claro que o que constituía o sentido dessa ontologia fundamental não era a solução do problema do historicismo, nem uma fundamentação mais originária das ciências, e nem mesmo como em Husserl uma autofundamentação ultrarradical da filosofia, mas *a própria ideia da fundamentação experimenta agora uma inversão total*. Quando Heidegger interpreta o ser, a verdade e a história a partir da temporalidade absoluta, o questionamento já não é mais igual ao de Husserl. Pois essa temporalidade já não era mais a da "consciência" ou a do eu originário transcendental. É verdade que na linha de pensar de *Ser e tempo*, quando o tempo se revela como o horizonte do ser, isso soa como uma intensificação da reflexão transcendental, como a conquista de uma etapa mais elevada da reflexão. O que parece ficar superado no redespertar da questão do ser é, pois, a carência de uma base ontológica da subjetividade transcendental, que já Heidegger ha-

---

170. *Sein und Zeit*, § 77.

via reprovado na fenomenologia de Husserl. O que significa o ser deverá ser determinado a partir do horizonte do tempo. A estrutura da temporalidade aparece assim como a determinação ontológica da subjetividade. Mas ela era mais que isso. A tese de Heidegger era: o próprio ser é tempo. Com isso se desfaz todo o subjetivismo da filosofia moderna e até mesmo, como logo se verá, todo o horizonte das questões da metafísica que compreende o ser como o presente (*Anwesende*). O fato de a pre-sença estar às voltas com seu ser e de distinguir-se de todo outro ente por sua compreensão do ser não representa, como parece ser o caso em *Ser e tempo*, o fundamento último de que deve partir um questionamento transcendental. O que está em questão é um fundamento completamente diferente, o único a possibilitar toda compreensão do ser; é o próprio fato de que exista um "pré" ("*dá*"), uma clareira no ser, isto é, a diferença entre ente e ser. A indagação que se orienta para esse [262] fato básico de que "há" tal coisa, pergunta na verdade pelo ser, mas numa direção que ficou necessariamente impensada em todos os questionamentos anteriores sobre o ser dos entes, e que inclusive foi encoberta e velada pela própria indagação metafísica pelo ser. Sabe-se que Heidegger manifesta esse esquecimento essencial do ser que domina o pensamento ocidental desde a metafísica grega, indicando a confusão ontológica que o problema do nada provoca nesse pensamento. E, mostrando que essa indagação pelo ser é ao mesmo tempo a indagação pelo nada, ele reúne o começo e o final da metafísica. O fato de a indagação pelo ser poder ser colocada a partir da indagação pelo nada já pressupõe o pensamento do nada, ante o qual havia fracassado a metafísica.

    Essa é a razão pela qual os verdadeiros precursores da posição heideggeriana na indagação pelo ser e no seu remar contra a corrente dos questionamentos metafísicos ocidentais não poderiam ser nem Dilthey nem Husserl, mas *Nietzsche*. Pode ser que o próprio Heidegger só tenha compreendido isso bem mais tarde. Mas, retrospectivamente, pode-se dizer: elevar a radical crítica de Nietzsche ao "platonismo" até a altura da tradição criticada por ele, confrontar-se com a metafísica ocidental à sua própria altura e reconhecer e superar o questionamento transcendental como uma consequência do subjetivismo moderno eram tarefas que já estavam esboçadas desde o início em *Ser e tempo*.

O que Heidegger acaba chamando de "guinada" (*Kehre*) não é um novo rumo no movimento da reflexão transcendental, mas a liberação e a realização justo dessa tarefa. Embora *Ser e tempo* ponha criticamente a descoberto a deficiente determinação ontológica do conceito husserliano da subjetividade transcendental, a sua própria exposição da questão do ser encontra-se formulada com os instrumentos da filosofia transcendental. Na verdade, a renovação da questão do ser, que Heidegger tomou como tarefa, significa que, em meio ao "positivismo" da fenomenologia, ele reconheceu *o problema fundamental da metafísica ainda não resolvido*, problema que, na sua culminação extrema, ocultou-se no conceito do *espírito* tal como foi pensado pelo idealismo especulativo. Por isso, a tendência de Heidegger é orientar sua crítica ontológica contra o idealismo especulativo, passando pela crítica a Husserl. Em sua fundamentação da hermenêutica da "facticidade", ele ultrapassa tanto o conceito de espírito, desenvolvido pelo idealismo clássico, como o campo temático da consciência transcendental, purificado pela redução fenomenológica.

[263] A fenomenologia hermenêutica de Heidegger e a análise da historicidade da pre-sença buscavam uma renovação geral da questão do ser e não uma teoria das ciências do espírito ou uma superação das aporias do historicismo. Esses eram meros problemas atuais que permitiam demonstrar as consequências de sua renovação radical da questão do ser. Mas graças precisamente à radicalidade de seu questionamento pôde sair do labirinto em que se haviam deixado apanhar Dilthey e Husserl com suas investigações sobre os conceitos fundamentais das ciências do espírito.

Como demonstramos, o esforço de Dilthey para tornar compreensíveis as ciências do espírito a partir da vida e para tomar como ponto de partida a experiência vital jamais conseguiu equiparar-se realmente com o conceito cartesiano de ciência, a que se mantinha apegado. Por mais que ele acentuasse a tendência contemplativa da vida e o "impulso à estabilidade" que lhe é inerente, a objetividade da ciência, ao modo como ele a entendia, como uma objetividade dos resultados, provinha de uma origem diferente. Foi por isso que Dilthey não conseguiu superar as tarefas que ele mesmo havia escolhido e que consistiam em justificar epistemologicamente a peculiaridade metodológica das ciências do espírito, equiparando-as assim em dignidade com as ciências da natureza.

Frente a isso, Heidegger pôde empreender um caminho completamente diferente, porquanto Husserl, como já se viu, já tinha convertido o retorno à vida num tema de trabalho praticamente universal, deixando para trás, com isso, a redução à questão do método das ciências do espírito. Sua análise do mundo da vida e da fundação anônima de sentido, que constitui o terreno de toda experiência, criou um pano de fundo completamente novo para o problema da objetividade das ciências do espírito. Fez com que o conceito de objetividade da ciência aparecesse como um caso excepcional. A ciência pode ser tudo, menos um *factum* de onde se devesse partir. Ao contrário, a constituição do mundo científico propõe uma tarefa própria, a saber, a tarefa de esclarecer a idealização que se dá com a ciência. Mas essa não é a primeira tarefa. Com o retorno à "vida produtiva", a oposição entre natureza e espírito não se mostra mais dotada de uma validade última. Tanto as ciências do espírito como as da natureza deverão derivar-se dos desempenhos da intencionalidade da vida universal, portanto, de uma historicidade absoluta. Essa é a única forma de compreender que pode satisfazer a autorreflexão da filosofia.

Por ter redespertado a questão do ser, Heidegger deu uma direção nova e radical a tudo isso. Segue a Husserl no fato de que, para legitimar epistemologicamente a peculiaridade metodológica das ciências históricas, o ser histórico não precisa destacar-se, como em Dilthey, face ao ser da natureza. Ao contrário, a forma de conhecer das ciências da natureza evidencia-se como uma forma bastarda de compreensão, "que na tarefa apropriada de conceber o que é simplesmente dado decaiu em sua incompreensibilidade essencial"[171].

Compreender não é um ideal resignado da experiência de [264] vida humana na idade avançada do espírito, como em Dilthey; mas tampouco é, como em Husserl, um ideal metodológico último da filosofia frente à ingenuidade do ir vivendo. É, ao contrário, a *forma originária de realização da pre-sença*, que é ser-no-mundo. Antes de toda diferenciação da compreensão nas diversas direções do interesse pragmático ou teórico, a compreensão é o modo de ser da pre-sença, na medida em que é poder-ser e "possibilidade".

---

171. *Sein und Zeit*, p. 153.

Diante do pano de fundo dessa análise existencial da pre-sença, com todas as amplas e inexploradas consequências para os interesses da metafísica geral, de repente o círculo de problemas da hermenêutica das ciências do espírito apresenta-se totalmente diferente. Nosso trabalho dedica-se a desenvolver esse novo aspecto do problema hermenêutico. Na medida em que Heidegger redesperta a questão do ser, ultrapassando assim toda a metafísica tradicional – e não somente o seu ponto mais alto no cartesianismo da ciência moderna e da filosofia transcendental –, ele alcança uma posição fundamentalmente nova frente às aporias do historicismo. O conceito da compreensão já não é mais um conceito metodológico como em Droysen. A compreensão não é, tampouco, como na tentativa de Dilthey de fundamentar hermeneuticamente as ciências do espírito, uma operação posterior e na direção inversa, que segue o impulso da vida rumo à idealidade. Compreender é o caráter ontológico original da própria vida humana. Se, a partir de Dilthey, Misch tinha reconhecido no "livre distanciamento de si mesmo" uma estrutura fundamental da vida humana sobre a qual repousa toda a compreensão, a reflexão ontológica radical de Heidegger procura cumprir a tarefa de esclarecer essa estrutura da pre-sença mediante uma "analítica transcendental da pre-sença". Revelou o caráter de projeto que reveste toda compreensão e pensou a própria compreensão como o movimento da transcendência, da ascensão acima do ente.

Isso representa uma exigência exagerada para a hermenêutica tradicional[172]. É verdade que, em língua alemã, *compreensão* (*Verstehen*) designa também um saber fazer prático ("*er versteht nicht zu lesen*" "ele não sabe ler", o que significa: "ele não entende de leitura", ou seja, não sabe ler). Mas isso parece essencialmente diferente do compreender praticado pela ciência e que se volta para o conhecimento. É claro que, se olharmos mais detidamente, irão surgir traços comuns. Nos dois significados aparece a ideia de conhecer, entender do assunto. E mesmo quem "compreende" um texto (ou mesmo uma lei) não somente projetou-se num sentido, compreendendo – no esforço do compreender – mas a compreensão alcançada representa o estado de uma nova liberdade espiritual.

[265]

---

172. Compare-se a polêmica quase indignada de Betti, em seu tratado erudito e inteligente *Zur Grundlegung einer allgemeinen Auslegungslehre*, p. 91, nota 14b.

Implica a possibilidade de interpretar, detectar relações, extrair conclusões em todas as direções etc., que é o que constitui o entender do assunto dentro do terreno da compreensão dos textos. E isso vale também para aquele que entende de uma máquina, isto é, aquele que entende de como se deve lidar com ela, ou aquele que entende de um ofício – admitindo-se que a compreensão racional-finalista esteja sujeita a normas diferentes do que, p. ex., a compreensão de expressões da vida ou de textos –, mas a verdade é que *todo compreender acaba sendo um compreender-se*. Enfim, também a compreensão de expressões não se refere somente à captação imediata do que contém a expressão, mas também ao descobrimento do que há para além da interioridade oculta, de maneira que se chega a conhecer esse oculto. Mas isso significa que precisamos conhecê-lo bem. Nesse sentido vale para todos os casos que aquele que compreende projeta-se rumo a possibilidades de si mesmo[173]. A hermenêutica tradicional havia estreitado inadequadamente o horizonte de problemas a que pertence a compreensão. A ampliação empreendida por Heidegger, ultrapassando a Dilthey, irá mostrar-se fecunda também para o problema da hermenêutica. É verdade que já Dilthey havia recusado aplicar às ciências do espírito os métodos das ciências da natureza, e Husserl havia qualificado de "absurda" a aplicação às ciências do espírito o conceito de objetividade das ciências da natureza, relativizando assim essencialmente todo mundo e todo conhecimento históricos[174]. Mas agora, sobre a base da futuridade existencial da pre-sença humana, tor-

---

173. Afinal de contas, a história do significado do termo "compreender" também aponta nessa mesma direção. O sentido jurídico de *Verstehen*, ou seja, representar uma causa diante de um tribunal, parece ser o significado original da palavra. Que, a partir disso, o termo passasse a ser aplicado também no âmbito espiritual se explica evidentemente, porque a representação de uma causa num julgamento implica que seja compreendida, isto é, que seja dominada a tal ponto que possamos fazer frente a toda possível objeção da parte contrária fazendo valer o próprio direito. [O fato de esse significado de "compreender", introduzido por Heidegger no sentido de "tomar posição a favor de...", ser válido também com relação ao *outro*, tornando-o capaz de resposta para se orientar *junto com* ele ao "julgamento" – esses são os momentos do "litígio" que conduzem ao verdadeiro "diálogo" – salientado na terceira parte dessa pesquisa que se defronta e destaca da dialética de Hegel. Cf. também meu trabalho "Zur Problematik des Selbstverständnisses", no vol. II.]

174. [HUSSERL, E. "Die Krisis der europäischen Wissenschaften und transzendente Phänomenologie". *Husserliana*, VI, p. 91 (219).]

na-se visível pela primeira vez a estrutura da compreensão histórica em toda sua fundamentação ontológica.

Por isso, dado que o conhecimento histórico recebe sua legitimação a partir da estrutura prévia da pre-sença, ninguém há de querer atacar os critérios imanentes daquilo que quer dizer *conhecimento*. Nem mesmo para Heidegger o conhecimento histórico é um projetar planejador, não é uma extrapolação de metas da vontade, nem um acomodamento das coisas de acordo com desejos, [266] preconceitos ou sugestões dos poderosos, mas é e continua sendo uma adequação à coisa, uma *mesuratio ad rem*. Só que a coisa, aqui, não é um *factum brutum*, algo simplesmente dado constatável e mensurável, mas, em última instância, algo que possui o modo de ser da pre-sença.

Mas o que importa agora, naturalmente, é compreender corretamente essa reiterada constatação. Essa constatação não significa uma mera "homogeneidade" entre conhecedor e conhecido, sobre a qual poderíamos alicerçar a especificidade da transposição psíquica como "método" das ciências do espírito. Nesse caso a hermenêutica histórica tornar-se-ia uma parte da psicologia (como pensava de fato Dilthey). Na verdade, a adequação de todo conhecedor ao conhecido não se baseia no fato de que ambos possuam o mesmo modo de ser, mas que recebam seu sentido da *especificidade* do modo de ser que é comum a ambos. E esta característica consiste em que nem o conhecedor nem o conhecido estão simplesmente dados "onticamente". Eles se dão "historicamente", isto é, possuem o modo de ser da historicidade. Nesse sentido, como dizia o Conde Yorck, tudo depende da "diferença genérica entre o ôntico e o histórico"[175]. No fato de o Conde Yorck combater o conceito da "homogeneidade" com o conceito da "pertença" evidencia-se o problema[176] que somente Heidegger desenvolveu em toda a sua radicalidade: só fazemos história na medida em que nós mesmos somos "históricos"; significa que a historicidade da pre-sença humana em

---

175. *Briefwechsel mit Dilthey*, p. 191.
176. Cf. Kaufmann, F. "Die Philosophie des Grafen Paul Yorck von Wartenburg. *Jb. für Philos. u. phänomenol. Forschung*, vol. IX, Halle, 1928, p. 50s. [Entrementes, em 1982, no ano comemorativo de Dilthey, o significado de Dilthey foi reconhecido de diversas partes. Cf., aqui, a minha própria contribuição no vol. IV das Obras Completas.]

toda a sua mobilidade do relembrar e do esquecer é a condição de possibilidade de atualização do passado em geral. O que a princípio parecia apenas uma barreira que atrapalhava o conceito tradicional de ciência e método, ou uma condição subjetiva de acesso ao conhecimento histórico, passa agora a ocupar o lugar central de um questionamento fundamental. A pertença é uma condição para o sentido originário do interesse histórico não porque a eleição de temas e o questionamento estejam submetidos a motivações subjetivas e extracientíficas (nesse caso a pertença não seria mais que um caso especial de dependência emocional do tipo da simpatia), mas porque a pertença a tradições faz parte da finitude histórica da pre-sença tão originária e essencialmente como seu estar-projetado para possibilidades futuras de si mesma. Foi com razão que Heidegger insistiu na afirmação de que aquilo que ele chama de estar-lançado (*Geworfenheit*) e o que é projeto encontram-se numa pertença mútua[177]. Assim, não há compreensão ou interpretação que não implique a totalidade dessa estrutura existencial, mesmo que a intenção do conhecedor seja apenas ler "o que está aí" e extrair das fontes "como realmente foi"[178].

[267]

Por isso, perguntamo-nos aqui se podemos ganhar algo para a construção de uma hermenêutica histórica partindo da radicalização ontológica de Heidegger. Certamente que a intenção de Heidegger era outra, e não seria correto extrair consequências precipitadas de sua analítica existencial da historicidade da pre-sença. Segundo Heidegger, a analítica existencial da pre-sença não inclui nenhum ideal existencial histórico determinado. Nesse sentido ela própria reivindica uma validez *a priori* e neutra, inclusive para uma proposição teológica sobre o homem e sua existência na fé. O que pode representar um problema para a autocompreensão da fé, como mostra, por exemplo, a polêmica em torno a Bultmann[179]. E, inversamente, com isso não se exclui, de modo algum, que tanto para a teologia cristã como para as ciências do espírito históricas haja premissas

---

177. *Sein und Zeit*, p. 181, 192 e *passim*.
178. O. Vossler (*Rankes historisches Problem*) demonstrou que essa virada de Ranke não é tão ingênua quanto parece, já que se volta contra a petulância da historiografia moralista. [Cf. para isso "Die Universalität des hermeneutischen Problems", no vol. II.]
179. Cf. abaixo p. 355s. (original).

(existenciais), determinadas quanto ao seu conteúdo, e às quais estejam submetidas. Mas, exatamente por isso, devemos admitir o fato de que a analítica existencial, ela mesma, segundo seu próprio propósito, não contém nenhum ideal "existencial", não podendo portanto ser criticada nesse sentido (por mais que se tenha tentado).

Não passa de um mal-entendido querer ver na estrutura da temporalidade da cura (*Sorge*) um determinado ideal existencial a que se pudesse opor humores mais agradáveis (Bollnow)[180], como, por exemplo, o ideal da despreocupação (*Sorglosigkeit*) ou, no sentido de Nietzsche, a inocência natural dos animais e das crianças. E no entanto não se pode negar que também este seja um ideal existencial. Mas com isso precisamos afirmar que sua estrutura é existencial, tal como mostrou Heidegger.

Bem outra questão representa o fato de que mesmo o ser das crianças e dos animais – em oposição àquele ideal da "inocência" – continua sendo um problema ontológico[181]. Em todo caso, seu modo de ser não é "existência" e historicidade no mesmo sentido que Heidegger reivindica para a pre-sença humana. Caberia indagar também o que significa que a existência humana seja sustentada, por sua vez, por algo extra-histórico, natural.

[268] Se quisermos realmente romper o cerco da especulação idealista, é claro que não podemos pensar o modo de ser da "vida" a partir da autoconsciência. Quando Heidegger empreendeu a revisão de sua autoconcepção filosófico-transcendental de *Ser e tempo*, defrontou-se novamente e de modo consequente com o problema da *vida*. Assim, na *Carta sobre o humanismo* fala do abismo que se abre entre o homem e o animal[182]. Não há dúvida de que a fundamentação transcendental da ontologia fundamental realizada por Heidegger na analítica da pre-sença ainda não permitia o desenvolvimento positivo do modo de ser da vida. Aqui ficaram questões abertas. Todavia, tudo isso não muda nada no fato de que, quando se crê poder opor ao existencial da "cura" um determinado ideal de existência, seja qual for, perde-se completamente o sentido do que Heidegger chama de "existencial". Fazendo-se isso, per-

---

180. BOLLNOW, O.F. *Das Wesen der Stimmungen*. Freiburg: [s.e.], 1943.
181. [Esta era a indagação feita por O. Becker (cf. *Dasein und Dawesen*. Pfullingen, 1963, p. 67s.]
182. *Über den Humanismus*. Berna: [s.e.], 1947, p. 69.

de-se a dimensão do questionamento que *Ser e tempo* abre desde o princípio. Frente a essas polêmicas míopes, a proposta de Heidegger poderia apelar com razão à sua intenção transcendental, no mesmo sentido em que era transcendental o questionamento kantiano. O seu questionamento ultrapassava desde o princípio toda distinção empírica e, com isso, também toda construção de um ideal com um conteúdo determinado. [Se esse questionamento conseguiu satisfazer suas intenções de reacender a questão pelo "ser", isso já é outra questão.]

Nesse sentido, também nós nos reportamos ao sentido *transcendental* do questionamento heideggeriano[183]. Através da interpretação transcendental da compreensão feita por Heidegger, o problema da hermenêutica ganha uma abrangência universal, e até se enriquece com o surgimento de uma nova dimensão. A pertença do intérprete ao seu objeto, que não conseguia encontrar uma legitimação correta na reflexão da escola histórica, obtém agora um sentido que pode ser demonstrado concretamente. Demonstrar esse sentido é a tarefa da hermenêutica. Também para a realização da compreensão que se dá nas ciências do espírito vale a ideia de que a estrutura da pre-sença é um projeto lançado e que a pre-sença se realiza segundo o modo de ser próprio da compreensão. A estrutura universal da compreensão atinge a sua concreção na compreensão histórica, uma vez que os vínculos concretos de costume e tradição e suas correspondentes possibilidades de futuro tornam-se operantes na própria compreensão. A pre-sença, que se projeta para seu poder-ser, já é sempre "sido". Este é o sentido do existencial do estar-lançado. O fato de que todo comportar-se livremente com relação ao seu ser não possa remontar para além da facticidade desse ser constitui o núcleo central da hermenêutica da facticidade e sua oposição à investigação transcendental constitutiva da fenomenologia de Husserl.

A pre-sença já encontra, como uma premissa insuperável, o que torna possível e limita todo seu projetar. Essa estrutura existencial da pre-sença precisa encontrar sua formulação também na compreensão da tradição histórica. É por isso que seguiremos em primeiro lugar a Heidegger[184]. [269]

---

183. [Cf. a discussão com BETTI, E. "Hermeneutik und Historismus", no vol. II.]
184. Cf. "Excurso III", vol. II.

[270] **2. Os traços fundamentais de uma teoria da experiência hermenêutica**

2.1. A elevação da historicidade da compreensão a um princípio hermenêutico

2.1.1. O círculo hermenêutico e o problema dos preconceitos

a) A descoberta de Heidegger da estrutura prévia da compreensão

Heidegger só se interessa pela problemática da hermenêutica histórica e da crítica histórica com a finalidade ontológica de desenvolver, a partir delas, a estrutura prévia da compreensão[185]. Nós, ao contrário, uma vez tendo liberado a ciência das inibições ontológicas do conceito de objetividade, buscamos compreender como a hermenêutica pôde fazer jus à historicidade da compreensão. A autocompreensão tradicional da hermenêutica repousava sobre seu caráter de ser uma disciplina técnica[186]. Isso vale inclusive para a ampliação diltheyana da hermenêutica à dimensão de *organon* das ciências do espírito. Pode até parecer duvidoso que exista uma tal disciplina técnica da compreensão; sobre isso voltaremos mais adiante. Em todo caso, precisamos compreender quais as consequências para a hermenêutica das ciências do espírito são provocadas pelo fato de Heidegger derivar fundamentalmente a estrutura circular da compreensão a partir da temporalidade da pre-sença. Essas consequências não precisam ser as de uma teoria que se aplica à práxis. Muito menos a práxis precisa ser exercida de maneira diferente, de acordo com sua arte. Pode ser que a consequência disso seja a necessidade de *corrigir a autocompreensão que se exerce constantemente na compreensão,* livrando-a de adaptações inadequadas. Esse processo iria beneficiar a arte do compreender apenas de modo indireto.

---

185. HEIDEGGER. *Sein und Zeit*, p. 312s.
186. Cf. Schleiermacher, *Hermeneutik* (ed. Kimmerle, Abh. der Heidelberger Akademie, 1959, 2. Abh.), que declara expressamente sua adesão ao velho ideal da teoria da arte (cf. p. 127 original), nota: "...detesto o fato de que a teoria fique simplesmente na natureza e nos fundamentos da arte, de que ela é objeto". [Cf. acima p. 182s. (original).]

É por isso que retomamos a descrição heideggeriana do círculo hermenêutico a fim de que o novo e fundamental significado que adquire aqui a estrutura circular possa se tornar fecundo para nosso propósito. Heidegger escreve: "Embora possa ser tolerado, o círculo não deve ser degradado a círculo vicioso. Ele esconde uma possibilidade positiva do conhecimento mais originário, que, evidentemente, só será compreendida de modo adequado quando ficar claro que a tarefa primordial, constante e definitiva da interpretação continua sendo não permitir que a posição prévia, a visão prévia e a concepção prévia (*Vorhabe, Vorsicht, Vorbegriff*) lhe sejam impostas por intuições ou noções populares. Sua tarefa é, antes, assegurar o tema científico, elaborando esses conceitos a partir da coisa, ela mesma". [271]

O que Heidegger diz aqui não é em primeiro lugar uma exigência à praxis da compreensão, mas descreve a forma de realização da própria interpretação compreensiva. A reflexão hermenêutica de Heidegger tem o seu ponto alto não no fato de demonstrar que aqui prejaz um círculo, mas que este círculo tem um sentido ontológico positivo. A descrição como tal será evidente para qualquer intérprete que saiba o que faz[187]. Toda interpretação correta tem que proteger-se da arbitrariedade de intuições repentinas e da estreiteza dos hábitos de pensar imperceptíveis, e voltar seu olhar para "as coisas elas mesmas" (que para os filólogos são textos com sentido, que tratam, por sua vez, de coisas). Esse deixar-se determinar assim pela própria coisa, evidentemente, não é para o intérprete uma decisão "heroica", tomada de uma vez por todas, mas verdadeiramente "a tarefa primeira, constante e última". Pois o que importa é manter a vista atenta à coisa através de todos os desvios a

---

187. [Cf., por exemplo, a descrição de E. Staiger, em *Die Kunst der Interpretation*, p. 11s., que concorda com isso. No entanto, não poderia estar de acordo com sua formulação de que o trabalho da ciência da literatura somente começa "quando nós já estivermos deslocados à situação de um leitor contemporâneo". Nessa situação jamais estaremos e, não obstante, poderemos sempre compreender, embora jamais possamos extrair uma "equiparação pessoal ou temporal" firme. Cf. tb. "Excurso IV", vol. II (bem como minha dissertação "Vom Zirkel des Verstehens", vol. II). Sobre isso, cf. também a crítica de STEGMÜLLER, W. *Der sogenannte Zirkel des Verstehens*, Darmstadt. 1974. A objeção dos lógicos contra o discurso do "círculo hermenêutico" desconhece que aqui não está em questão uma exigência de demonstração científica, mas se trata de uma metáfora lógica, conhecida no âmbito da retórica desde Schleiermacher. Correto, ao contrário, é o apelo de K.-O. *Transformationen der Philosophie*, vol. II, Frankfurt, 1973, vol. II, p. 83, 89, 216 e outras.]

que se vê constantemente submetido o intérprete em virtude das ideias que lhe ocorrem. Quem quiser compreender um texto, realiza sempre um projetar. Tão logo apareça um primeiro sentido no texto, o intérprete prelineia um sentido do todo. Naturalmente que o sentido somente se manifesta porque quem lê o texto lê a partir de determinadas expectativas e na perspectiva de um sentido determinado. A compreensão do que está posto no texto consiste precisamente na elaboração desse projeto prévio, que, obviamente, tem que ir sendo constantemente revisado com base no que se dá conforme se avança na penetração do sentido.

Essa descrição é, naturalmente, uma abreviação rudimentar. O fato de toda revisão do projeto prévio estar na possibilidade de antecipar um novo projeto de sentido; que projetos rivais possam se colocar lado a lado na elaboração, até que se estabeleça univocamente a unidade do sentido; que a interpretação comece com conceitos prévios que serão substituídos por outros mais adequados; justamente todo esse constante reprojetar que perfaz o movimento de sentido do compreender e do interpretar é o processo descrito por Heidegger. Quem busca compreender está exposto a erros de opiniões prévias que não se confirmam nas próprias coisas. Elaborar os projetos corretos e adequados às coisas, que como projetos são antecipações que só podem ser confirmadas "nas coisas", tal é a tarefa constante da compreensão. Aqui não existe outra "objetividade" a não ser a confirmação que uma opinião prévia obtém através de sua elaboração. Pois o que é que caracteriza a arbitrariedade das opiniões prévias inadequadas senão o fato de que no processo de sua execução acabam sendo aniquiladas? A compreensão só alcança sua verdadeira possibilidade quando as opiniões prévias com as quais inicia não forem arbitrárias. Por isso, faz sentido que o intérprete não se dirija diretamente aos textos a partir da opinião prévia que lhe é própria, mas examine expressamente essas opiniões quanto à sua legitimação, ou seja, quanto à sua origem e validez.

Essa exigência fundamental deve ser pensada como a radicalização de um procedimento que na realidade exercemos sempre que compreendemos algo. Diante de qualquer texto, nossa tarefa é não introduzir, direta e acriticamente, nossos próprios hábitos extraídos da linguagem – ou, no caso de uma língua estrangeira, o hábito que nos é familiar por meio de autores ou de nosso trato cotidiano com a linguagem. Ao contrário, reconhecemos que a nossa tarefa é alcançar a compreensão do texto somente a partir do hábito da linguagem da época e de seu autor. Naturalmente, o problema é saber como se pode satisfazer essa exigência geral. Sobretudo no campo da teoria do significado, o caráter inconsciente dos próprios hábitos de linguagem opõe-se a isso. Como é possível conscientizar-nos das diferenças existentes entre o uso costumeiro da linguagem e o uso do texto?

Em geral é preciso dizer que o que nos faz parar e perceber uma possível diferença do uso da linguagem é só a experiência do choque que um texto nos causa – seja porque ele não faz nenhum sentido, seja porque seu sentido não concorda com nossas expectativas. Existe uma pressuposição geral de que alguém que fala a mesma língua que eu toma as palavras que emprega no sentido que me é familiar; essa pressuposição somente se torna questionável em casos excepcionais. O mesmo ocorre no caso de uma língua estrangeira que supomos conhecer medianamente; e também na compreensão de um texto pressupomos esse uso mediano da língua.

O que afirmamos a respeito da opinião prévia nos hábitos da linguagem vale também para as opiniões prévias de conteúdo que constituem nossa pré-compreensão, com as quais lemos os textos.

Também aqui se coloca o problema de como escapar ao circuito fechado das próprias opiniões prévias. De modo algum podemos pressupor como dado geral que o que nos é dito em um texto se encaixe sem quebras nas próprias opiniões e expectativas. Ao contrário, o que me é dito por alguém, numa conversa, por carta, num livro ou de outro modo, encontra-se por princípio sob a pressuposição de que o que é exposto é sua opinião e não a minha, da qual eu devo tomar conhecimento sem precisar partilhá-la. Todavia, essa pressuposição não representa uma condição que facilite a compreensão; antes, representa uma nova dificuldade, na medida em que as opiniões prévias que determinam minha compreensão podem continuar completamente desapercebidas. Se elas motivam mal-entendidos, como seria possível percebê-las, por exemplo, frente a um texto, onde não há contraobjeções da parte do outro? Como se pode proteger um texto previamente frente a mal-entendidos? [273]

Mas, examinando-o mais de perto, reconhecemos que também as opiniões não podem ser entendidas de maneira arbitrária. Da mesma forma que não é possível manter por muito tempo uma compreensão incorreta de um hábito da linguagem, sem que se destrua o sentido do todo, tampouco se podem manter, às cegas, as próprias opiniões prévias sobre as coisas, quando se busca compreender a opinião de um outro. Quando se ouve alguém ou quando se empreende uma leitura, não é necessário que se esqueçam todas as opiniões prévias sobre seu conteúdo e todas as opiniões próprias. O que se exige é simplesmente a abertura para a opinião do outro ou para a opinião do texto. Mas essa abertura implica sempre colocar a opinião do outro em alguma relação com o conjunto das opiniões próprias, ou que a gente se ponha em certa relação com elas. Claro que as opiniões representam uma infinidade de possibilidades mutáveis (em comparação com a univocidade de uma linguagem ou de um vocabulário), mas dentro dessa multiplicidade do "opinável", isto é, daquilo em que um leitor pode encontrar sentido ou pode esperar encontrar, nem tudo é possível, e quem não ouve direito o que o outro realmente está dizendo acabará por não conseguir integrar o mal-entendido em suas próprias e variadas expectativas de sentido. Por isso, também aqui existe um critério. *A tarefa hermenêutica se converte por si mesma num questionamento pautado na coisa em questão*, e já se encontra sempre codeterminada por esta. Assim, o empreendimento hermenêutico ganha um solo firme sob seus pés. Aquele que quer compreender não pode se entregar de antemão ao arbítrio de suas próprias opiniões prévias, ignorando a opinião do texto da maneira mais obstinada e consequente possível – até que este acabe por não poder ser ignorado e derrube a suposta compreensão. Em princípio, quem quer compreender um texto deve estar disposto a deixar que este lhe diga alguma coisa. Por isso, uma consciência formada hermeneuticamente deve, desde o princípio, mostrar-se receptiva à alteridade do texto. Mas essa receptividade não pressupõe nem uma "neutralidade" com

[274] relação à coisa nem tampouco um anulamento de si mesma; implica antes uma destacada apropriação das opiniões prévias e preconceitos pessoais. O que importa é dar-se conta dos próprios pressupostos, a fim de que o próprio texto possa apresentar-se em sua alteridade, podendo assim confrontar sua verdade com as opiniões prévias pessoais.

Heidegger fez uma descrição fenomenológica perfeita ao descobrir a pré-estrutura da compreensão no suposto "ler" o que "está lá". Demonstra também por um exemplo que essa descrição impõe uma tarefa. *Ser e tempo* concretiza a proposição universal, que ele converte em problema hermenêutico, na questão do ser[188]. Para explicitar a situação hermenêutica da questão do ser, segundo a posição prévia, a visão prévia e a concepção prévia, Heidegger examina criticamente a questão que ele põe à metafísica, detendo-se em momentos essenciais e decisivos da história da metafísica. No fundo, com isso não faz senão o que requer a consciência histórico-hermenêutica em qualquer caso. Uma compreensão guiada por uma consciência metodológica procurará não simplesmente realizar suas antecipações, mas, antes, torná-las conscientes para poder controlá-las e ganhar assim uma compreensão correta a partir das próprias coisas. É isso o que Heidegger quer dizer quando exige que se "assegure" o tema científico na elaboração de posição prévia, visão prévia e concepção prévia, a partir das coisas, elas mesmas.

A questão portanto não está em assegurar-se frente à tradição que faz ouvir sua voz a partir do texto, mas, ao contrário, trata-se de manter afastado tudo que possa impedir alguém de compreendê-la a partir da própria coisa em questão. São os preconceitos não percebidos os que, com seu domínio, nos tornam surdos para a coisa de que nos fala a tradição. É claro que a demonstração heideggeriana de que o conceito de consciência de Descartes e o conceito de espírito de Hegel continuam sendo regidos pela ontologia grega da substância, que interpreta o ser como ser atual e ser presente, ultrapassa em muito a autocompreensão da metafísica moderna, porém não de modo arbitrário e aleatório mas a partir de uma "posição" prévia que realmente permite compreender essa tradição ao pôr a descoberto as premissas ontológicas do conceito de subjetividade. Ao contrário disso, na crítica kantiana à metafísica "dogmática" Heidegger descobre a ideia de uma metafísica da finitude onde deve credenciar-se seu próprio projeto ontológico. Desse modo, "assegura" o tema científico introduzindo-o e pondo-o em jogo na

---

188. *Sein und Zeit*, p. 312s.

compreensão da tradição. É assim que se mostra a concreção da consciência histórica que está em questão no compreender.

É só o reconhecimento do caráter essencialmente preconceituoso de toda compreensão que pode levar o problema hermenêutico à sua real agudeza.

[275] Medido por essa clareza, torna-se evidente *que o historicismo, apesar de toda sua crítica ao racionalismo e à teoria do direito natural, encontra-se ele mesmo sobre o solo da* Aufklärung *moderna, compartilhando, inadvertidamente, de seus preconceitos.* Há com efeito também um preconceito da *Aufklärung* que suporta e determina sua essência: é o preconceito contra os preconceitos em geral e, com isso, a despotenciação da tradição.

Uma análise da história do conceito mostra que é somente na *Aufklärung* que *o conceito do preconceito* recebeu o matiz negativo que agora possui. Em si mesmo, "preconceito" (*Vorurteil*) quer dizer um juízo (*Urteil*) que se forma antes do exame definitivo de todos os momentos determinantes segundo a coisa em questão. No procedimento da jurisprudência um preconceito[189] é uma pré-decisão jurídica, antes de ser baixada uma sentença definitiva. Para aquele que participa da disputa judicial, um preconceito desse tipo representa evidentemente uma redução de suas chances. Por isso, *préjudice*, em francês, tal como *praeiudicium*, significa também simplesmente prejuízo, desvantagem, dano. Não obstante, essa negatividade é apenas secundária. A consequência negativa repousa justamente na validez positiva, no valor prejudicial de uma pré-decisão, tal qual o de qualquer precedente.

"Preconceito" não significa pois, de modo algum, falso juízo, uma vez que seu conceito permite que ele possa ser valorizado positiva ou negativamente. É claro que ali está operando o parentesco com o *praeiudicium* latino, fazendo com que junto ao matiz negativo da palavra possa haver também um matiz positivo. Existem *préjugés légitimes*. Evidentemente isso passa muito distante dos

---

189. *Vorurteil*, que traduzimos como *preconceito*, significa literalmente *juízo prévio* (Vor-Urteil). Daí, as conotações jurídicas e conceituais que o texto toma aqui: *Urteil* = juízo, *préjudice, praeiudicium, Vorentscheidung* [NdR].

sensores de nossa linguagem atual. O termo alemão *Vorurteil* (preconceito) – assim como o termo francês *préjugé* mas de modo ainda mais pregnante – parece ter sido restringido, pela *Aufklärung* e sua crítica religiosa, ao significado de "juízo não fundamentado"[190]. É só a fundamentação, a garantia do método (e não o encontro com a coisa como tal), que confere ao juízo sua dignidade. Aos olhos do *Aufklärung*, a falta de fundamentação não deixa espaço a outros modos de validade, pois significa que o juízo não tem um fundamento na coisa em questão, que é um juízo "sem fundamento". Essa é uma conclusão típica do espírito do racionalismo. Sobre ele funda-se o descrédito dos preconceitos em geral e a pretensão do conhecimento científico de excluí-los totalmente.

Na medida em que escolheu esse lema, a ciência moderna seguiu o princípio da dúvida cartesiana de não aceitar por certo nada sobre o que exista alguma dúvida, junto com a concepção do método que corresponde a essa exigência. Já em nossas considerações iniciais tínhamos apontado para a dificuldade de se harmonizar o conhecimento histórico, que contribui para a formação de nossa [276] consciência histórica, com esse ideal, e da dificuldade de compreendê-lo em sua verdadeira essência a partir do moderno conceito do método. Chegou o momento de tornar positivas aquelas considerações negativas. Nesse sentido, o conceito de preconceito nos oferece um primeiro ponto de partida.

b) O descrédito sofrido pelo preconceito através da *Aufklärung*

Seguindo a teoria dos preconceitos desenvolvida na *Aufklärung*, podemos encontrar a seguinte divisão básica: é preciso distinguir entre os preconceitos da estima humana e os preconceitos por precipitação[191]. Essa divisão tem seu fundamento na origem dos preconceitos, na perspectiva das pessoas que os nutrem. O que

---

190. Cf. STRAUSS, Leo. *Die Religionskritik Spinozas*, p. 163: "O termo 'preconceito' é a expressão mais adequada para o grande desejo do *Aufklärung*, a vontade de um exame livre e imparcial. Preconceito é o correlato polêmico unívoco desse termo tão excessivamente ambíguo que é 'liberdade'".
191. *Praeiudicium auctoritatis et precipitantiae*: Assim já escrevia Christian Thomasius nas suas *Lectiones de praeiudiciis* (1689-1690) e em sua *Einleitung der Vernunftlehre*, cap. 13, § 39-40. Cf. o artigo em WALCH. *Philosophisches Lexikon*, 1726, 2794s.

nos induz a erros é a estima pelos outros, por sua autoridade, ou a precipitação que existe em nós mesmos. O fato de que a autoridade seja uma fonte de preconceitos coincide com o conhecido princípio fundamental da *Aufklärung* formulado por Kant: tem coragem de te servir de teu *próprio* entendimento[192]. Embora se estenda para além do papel que os preconceitos desempenham na compreensão dos textos, a divisa citada acima encontra sua aplicação preferencial no âmbito da hermenêutica. Com efeito, a crítica da *Aufklärung* se dirige, em primeiro lugar, contra a tradição religiosa do cristianismo, portanto, a Sagrada Escritura. Compreendendo a Escritura como um documento histórico, a crítica bíblica põe em dúvida sua pretensão dogmática. O que distingue a radicalidade da *Aufklärung* moderna frente a todos os outros movimentos da *Aufklärung* é que ela deve se impor frente à Sagrada Escritura e sua interpretação dogmática[193]. Por isso, lhe é particularmente central o problema hermenêutico. Ela procura compreender a tradição corretamente, isto é, isenta de todo preconceito e racionalmente. Mas isso traz uma dificuldade muito especial, na medida em que o mero fato da fixação por escrito contém em si própria um momento autoritativo de particular importância. Não é fácil levar a efeito a possibilidade de o escrito não ser verdade. O escrito tem a palpabilidade do que é demonstrável, é como uma peça comprobatória. Torna-se necessário um esforço crítico especial para nos libertarmos do preconceito cultivado a favor do escrito e distinguir, também aqui, como em qualquer afirmação oral, entre opinião e verdade[194]. Seja como for, a tendência geral da *Aufklärung* é não deixar valer autoridade alguma e decidir tudo diante do tribunal da razão.

---

192. No início do seu artigo *Beantwortung der Frage: Was ist Aufklärung?*, 1784 ("Resposta à pergunta: O que é esclarecimento [*Aufklärung*]?").

193. A *Aufklärung* antiga, cujo fruto foi a filosofia grega e cuja manifestação mais extremada foi a sofística, tinha um modo de ser essencialmente distinto, permitindo assim a um pensador como Platão mediar a tradição religiosa e o caminho dialético do filosofar com os mitos filosóficos. Cf. FRANK, Erich. *Philosophische Erkenntnis und religiöse Wahrheit*, p. 31s., bem como a minha crítica em *Theologische Rundschau*, 1950, p. 260-266, e sobretudo KRÜGER, Gerhard. *Einsicht und Leidenschaft*, 1951.

194. Um bom exemplo disso é a lentidão com que se desmontou a autoridade da historiografia antiga na investigação histórica e a prudência com que a investigação de arquivos e a crítica das fontes se impuseram (cf., p. ex., R.G. Collingwood, *Denken. Eine Autobiographie*, cap. XI, que traça um paralelo entre a virada rumo à crítica das fontes e a revolução que Bacon impôs à investigação da natureza.

Assim, a tradição escrita, a Sagrada Escritura, como qualquer outra informação histórica, não podem valer por si mesmas. Antes, a possibilidade de que a tradição seja verdade depende da credibilidade que a razão lhe concede. A fonte última de toda autoridade já não é a tradição mas a razão. O que está escrito não precisa ser verdade. Nós podemos sabê-lo melhor. Essa é a máxima geral com a qual a *Aufklärung* moderna enfrenta a tradição, e em virtude da qual acaba ela mesma convertendo-se em investigação histórica[195]. Torna a tradição objeto da crítica, tal qual o faz a ciência da natureza com os testemunhos da aparência dos sentidos. Isso não significa que o "preconceito contra os preconceitos" deva ser em toda parte levado às consequências extremas do espiritualismo livre e do ateísmo, como na Inglaterra e na França. Ao contrário, a *Aufklärung* alemã reconheceu de modo absoluto "os preconceitos verdadeiros" da religião cristã. Dado que a razão humana seria demasiado débil para passar sem preconceitos, teria sido uma sorte se tivesse sido educada nos preconceitos verdadeiros.

Faria sentido investigar até que ponto essa modificação e moderação da *Aufklärung*[196] preparou o caminho ao movimento romântico alemão, como foi o caso da crítica feita por E. Burke à *Aufklärung* e à revolução. Mas tudo isso não traz nenhuma mudança essencial, pois os preconceitos verdadeiros têm que ser justificados, em última análise, pelo conhecimento racional, embora essa tarefa jamais possa ser plenamente realizada.

É dessa maneira que os critérios da *Aufklärung* moderna continuam determinando a autocompreensão do historicismo. É claro que não o fazem sem mediação, mas através de uma ruptura peculiar levada a efeito pelo romantismo.

Isso ganha uma cunhagem muito clara no esquema básico da [278] filosofia da história que o romantismo tem em comum com a *Aufklärung* e que se firma como premissa inabalável precisamente pela reação romântica contra a *Aufklärung*: o esquema da superação do *mythos* pelo *logos*. Esse esquema obtém sua validez através

---

195. Cf. as explanações sobre o *Tratado teológico-político* de Spinoza, p. 184s. (do original).
196. Tal como se encontra, por exemplo, em MEIER, G.F. *Beiträge zu der Lehre von den Vorurteilen des menschlichen Geschlechts*, 1766.

da premissa do progressivo "desencantamento" do mundo. Deve representar a lei progressiva da história do próprio espírito e, exatamente porque o romantismo valoriza negativamente esse desenvolvimento, recorre ao próprio esquema como evidente. O romantismo compartilha o preconceito da *Aufklärung* e se limita a inverter sua valorização, na medida em que faz valer o velho como velho: a medievalidade "gótica", a sociedade estatal cristã da Europa, a construção estamental da sociedade, mas também a simplicidade da vida campesina e a proximidade da natureza.

Arremetendo contra a crença na perfeição da *Aufklärung*, que sonha com a plenitude da liberação de toda "superstição" e de todo preconceito do passado, os tempos primitivos, o mundo mítico, a vida ainda não rompida nem dilacerada pela consciência numa "sociedade natural", o mundo da cavalaria cristã, alcançam agora um feitiço romântico e inclusive preferencial com respeito à verdade[197]. A inversão da premissa da *Aufklärung* tem como consequência a tendência paradoxal da restauração, isto é, a tendência de restabelecer o antigo porque é antigo, a voltar conscientemente ao inconsciente etc. e culmina no reconhecimento de uma sabedoria superior nos tempos originários do mito. E é justamente essa inversão romântica do critério de valor da *Aufklärung* que consegue perpetuar a premissa deste, a oposição abstrata entre mito e razão. Toda crítica da *Aufklärung* continuará agora o caminho dessa reconversão romântica do mesmo. A crença na perfectibilidade da razão se converte na crença na perfeição da consciência "mítica" e se reflete em um estado originário paradisíaco anterior à queda no pecado de pensar[198].

Na realidade, a premissa da misteriosa obscuridade, onde se encontra uma consciência coletiva mítica anterior a todo pensamento, é tão dogmática e abstrata quanto um estado perfeito de esclarecimento total ou de saber absoluto. A sabedoria originária

---

197. Num pequeno estudo sobre os "Chiliastische Sonette", de Immermann, *Kleine Schriften*, II, p. 136-147, agora no vol. IX das Obras Completas, tive oportunidade de analisar um exemplo desse processo.
198. [Cf., a esse respeito, meus trabalhos "Mythos und Vernunft". *Kleine Schriften*, p. 48-53, no vol. VIII das Obras Completas e "Mythos und Wissenschaft", no vol. VIII das Obras Completas.]

não é mais que a outra face da "ignorância originária". Toda consciência mítica já é sempre um saber, e na medida em que sabe de poderes divinos, ela ultrapassa o simples temor ante o poder (se é que se pode supor tal coisa num estágio originário), e ultrapassa também uma vida coletiva presa a rituais mágicos (como encontramos, por exemplo, no Oriente Antigo). A consciência mítica sabe de si própria e nesse saber já não se encontra simplesmente fora de si mesma[199]. [279]

Relacionado a isso encontra-se também o fato de que a oposição entre um autêntico pensamento mítico e um pensamento poético pseudomítico é uma ilusão romântica, montada sobre um preconceito da *Aufklärung*: o de que o fazer poético, pelo fato de ser uma criação da livre capacidade de imaginar, não participa mais da vinculação religiosa do *mythos*. É a antiga polêmica entre poetas e filósofos, que entra agora no seu estágio moderno de fé na ciência. Agora já não se diz que os poetas mentem muito, pois eles não têm nada de verdadeiro para dizer, já que só produzem um efeito estético e pretendem estimular a atividade da fantasia e o sentimento vital do ouvinte ou do leitor através das criações de sua fantasia.

Outro caso de inversão do reflexo romântico reside no conceito de "sociedade natural", que, segundo Landerdorf (217), foi introduzido por H. Leo[200]. Em Karl Marx aparece como uma espécie de relíquia do direito natural que limita a validez de sua teoria social e econômica da luta de classes[201]. Esse conceito não remontará à descrição de Rousseau da sociedade da divisão do trabalho e da introdução da propriedade?[202] Em todo caso, no livro III da República[203], Platão já desmascara o caráter ilusório dessa teoria do estado na sua descrição irônica de um estado natural.

---

199. Acredito que Horkheimer e Adorno tenham toda a razão em sua análise da *Dialektik der Aufklärung* (embora continue considerando que aplicar a Ulisses conceitos sociológicos como *burguês* representa um defeito de reflexão histórica, quando não, inclusive, uma confusão de Homero com J.H. Voss, como Goethe já criticou.
200. LEO, H. *Studien und Skizzen zu einer Naturlehre des Staates*, 1833.
201. Cf. as reflexões que G. von Lukács dedicou certa vez a essa importante questão, em *Geschichte und Klassenbewusstsein*, 1923.
202. ROUSSEAU. *Discours sur l'origine et les fondements de l'inégalité parmi les hommes*.
203. Cf. a obra do autor, *Plato und die Dichter*, p. 12s. [agora no vol. V das Obras Completas, p. 187-211.]

Dessas inversões de valores do romantismo se origina a atitude da ciência histórica do século XIX. Essa não mede mais o passado com os padrões do presente, tidos por absolutos; outorga aos tempos passados um valor próprio e em certos aspectos é capaz, inclusive, de reconhecer sua superioridade. As grandes produções do romantismo, o redespertar dos tempos primitivos, o acolher a voz dos povos em suas canções, a coleção de contos e sagas, o cultivo de costumes antigos, a descoberta das línguas como concepções de mundo, o estudo da "religião e da sabedoria dos hindus", [280] tudo isso desencadeou uma investigação histórica que foi convertendo, pouco a pouco, passo a passo, esse redespertar intuitivo num conhecimento histórico distanciado. O engate da escola histórica no romantismo confirma, assim, que a própria repetição romântica do originário apoia-se na *Aufklärung*. A ciência histórica do século XIX é o seu mais soberbo fruto, e se entende a si mesma como a consumação da *Aufklärung*, como o último passo para o espírito se libertar dos grilhões dogmáticos, o passo rumo ao conhecimento objetivo do mundo histórico, capaz de igualar-se em dignidade com o conhecimento da natureza da ciência moderna.

O fato de que a atitude restauradora do romantismo pôde unir-se ao interesse básico da *Aufklärung* na realidade das ciências históricas do espírito expressa tão somente que sua base comum é a mesma ruptura com a continuidade de sentido da tradição. Se, para a *Aufklärung*, toda tradição que se revela como impossível ou absurda ante a razão só pode ser compreendida historicamente, isto é, retrocedendo às formas de representação do passado, a consciência histórica que surge com o romantismo representa uma radicalização da *Aufklärung*. Pois para a consciência histórica o caso de uma tradição contrária à razão deixa de ser excepcional para converter-se numa situação comum. Crê-se tão pouco num sentido universalmente acessível à razão que todo o passado e todo o pensamento dos contemporâneos acabam só podendo ser compreendidos ainda como "históricos". Assim, na medida em que se desenvolve como ciência histórica e sateliza a tudo no empuxo do historicismo, a crítica romântica à *Aufklärung* desemboca, ela própria, numa *Aufklärung*. O descrédito fundamental de todo preconceito, que o *pathos* empírico da nova ciência da natureza vincula com a *Aufklärung*, torna-se, na *Aufklärung* histórica, universal e radical.

É justamente nesse ponto que deverá engatar criticamente a tentativa de uma hermenêutica histórica. A superação de todo preconceito, essa exigência global da *Aufklärung*, irá mostrar-se ela própria como um preconceito cuja revisão liberará o caminho para uma compreensão adequada da finitude, que domina não apenas o nosso caráter humano mas também nossa consciência histórica.

Será verdade que achar-se imerso em tradições significa em primeiro plano estar submetido a preconceitos e limitado em sua própria liberdade? O certo não será, antes, que toda existência humana, mesmo a mais livre, está limitada e condicionada de muitas maneiras? E se isso for correto então a ideia de uma razão absoluta não representa nenhuma possibilidade para a humanidade histórica. Para nós a razão somente existe como real e histórica, isto significa simplesmente: a razão não é dona de si mesma, pois está sempre referida ao dado no qual exerce sua ação.

Isso não se aplica só ao sentido como Kant, sob a influência da crítica cética de Hume, limitou as pretensões do racionalismo ao momento apriórico no conhecimento da natureza. Pode ser aplicado com maior decisão à consciência histórica e à possibilidade de conhecimento histórico. O fato de que, aqui, o homem tenha a ver consigo mesmo e com suas próprias criações (Vico) representa uma solução apenas aparente do problema que o conhecimento histórico nos coloca. O homem é estranho a si mesmo e ao seu destino histórico de uma maneira muito diferente daquela pela qual a natureza lhe é estranha, a qual não sabe nada dele. [281]

Aqui, o problema epistemológico deve ser colocado de modo totalmente diferente. Já mostramos acima que Dilthey chegou a compreender isso, mas não conseguiu superar os liames que o fixavam à teoria do conhecimento tradicional. Seu ponto de partida, a interiorização (*Innesein*) das "vivências", não pôde construir a ponte para as realidades históricas, porque as grandes realidades históricas, sociedade e Estado, determinam de antemão toda "vivência". A autorreflexão e a autobiografia – pontos de partida de Dilthey – não são fatos primários e não bastam como base para o problema hermenêutico, porque por elas a história é reprivatizada. Na verdade, não é a história que nos pertence mas somos nós que pertencemos a ela. Muito antes de nos compreendermos na reflexão sobre o passado, já nos compreendemos naturalmente na família, na sociedade e no Estado em que vivemos. A lente da subjetividade é um espelho deformante. A autorreflexão do indivíduo não passa de uma luz tênue na corrente cerrada da vida histórica. *Por isso, os preconceitos de um indivíduo, muito mais que seus juízos, constituem a realidade histórica de seu ser.*

2.1.2. Os preconceitos como condição da compreensão

a) A reabilitação de autoridade e tradição

Este é o ponto de partida do problema hermenêutico. Foi por isso que examinamos o descrédito do conceito do preconceito na *Aufklärung*. O que se apresenta sob a ideia de uma autoconstrução absoluta da razão como um preconceito restritivo na verdade faz parte da própria realidade histórica. Se quisermos fazer justiça ao modo de ser finito e histórico do homem, é necessário levar a cabo uma reabilitação radical do conceito do preconceito e reconhecer que existem preconceitos legítimos. Com isso a questão central de uma hermenêutica verdadeiramente histórica, a questão epistemológica fundamental, pode ser formulada assim: qual é a base que fundamenta a legitimidade de preconceitos? Em que se diferenciam os preconceitos legítimos de todos os inumeráveis [282] preconceitos cuja superação representa a inquestionável tarefa de toda razão crítica?

Vamos nos aproximar desse problema procurando desenvolver positivamente a teoria acima apresentada dos preconceitos que a *Aufklärung* desenvolveu a partir de um propósito crítico. Quanto à divisão dos preconceitos em preconceitos de autoridade e por precipitação, sabemos que sua base constitui a pressuposição fundamental da *Aufklärung*, a saber, um uso metodológico e disciplinado da razão é suficiente para nos proteger de qualquer erro. Esta é a ideia cartesiana do método. A precipitação é a verdadeira fonte de equívocos que induz ao erro no uso da própria razão. A autoridade, ao contrário, é culpada de que não façamos uso da própria razão. A distinção se baseia, portanto, numa oposição excludente entre autoridade e razão. Importa combatermos a falsa e prévia aceitação do antigo, das autoridades. A *Aufklärung* considera, por exemplo, que o grande feito reformador de Lutero consiste em ter debilitado profundamente "o preconceito da estima humana, sobretudo a estima filosófica (referindo-se a Aristóteles) e a estima ao papado romano..."[204] Assim, a reforma fomenta o florescimento da hermenêutica que deve ensinar a usar corretamente a razão na compreensão da tradição. Nem a autoridade do magistério papal nem o apelo à tradição podem tornar supérflua a atividade hermenêutica, cuja tarefa é defender o sentido razoável do texto contra toda e qualquer imposição.

As consequências de uma tal hermenêutica não precisam ser uma crítica religiosa tão radical como a que encontramos, por exemplo, em Spinoza. Ao contrário, a possibilidade de uma verdade sobrenatural pode muito bem subsistir. Nesse sentido e sobretudo no âmbito da filosofia popular alemã, a *Aufklärung* restringiu muitas vezes as pretensões da razão, reconhecendo a autoridade da Bíblia e da Igreja. É verdade que Walch, por exemplo, distingue entre as duas classes de preconceitos – autoridade e precipitação; mas ele considera-as como dois extremos, entre os quais é necessário encontrar o correto caminho do meio: a mediação entre a razão e a autoridade bíblica. É o que atesta o fato de ele conceber o preconceito da precipitação como preconceito a favor do novo, como um tomar partido de antemão, que leva a descartar precipitadamente as verdades sem outro motivo que o de serem antigas e o de serem atestadas por autoridades[205]. Desse modo, enfrenta os livre-pensadores ingleses (como Collins e outros) e defende a fé histórica contra a norma da razão. Aqui o preconceito de precipitação é reinterpretado, evidentemente, num sentido conservador.

No entanto, não há dúvida de que a verdadeira consequência da *Aufklärung* é outra, ou seja, a submissão de toda autoridade à razão. Assim, o preconceito da precipitação deve ser entendido ao modo de Descartes, ou seja, como fonte de todo erro no uso da razão. Concorda com isso o fato de que a velha divisão retorna com um sentido alterado, após a vitória da *Aufklärung*, quando a hermenêutica se liberta de todo vínculo dogmático. É assim, por exemplo, que vemos Schleiermacher divisar duas causas para os mal-entendidos: a sujeição e a precipitação[206]. Ao lado dos preconceitos

[283]

---

204. WALCH. *Philosophische Lexicon* (1726), 1013.
205. WALCH. p. 1006s., sob o verbete *Freiheit zu gedenken*. Cf. acima p. 276 (original).
206. SCHLEIERMACHER. *Werke*, I, 7, p. 31.

constantes que procedem das sujeições a que estamos submetidos, ele coloca os juízos momentâneos equivocados, devidos à precipitação. Mas para quem trata da metodologia científica só interessam realmente os primeiros. Schleiermacher nem suspeita que entre os preconceitos que atingem a quem se encontra sujeito a autoridades pode haver também os que contenham alguma verdade, o que sempre esteve implícito no próprio conceito de autoridade. Sua modificação da divisão tradicional dos preconceitos testemunha a consumação da *Aufklärung*. A sujeição só se refere ainda a uma barreira individual da compreensão: "a preferência unilateral por aquilo que se encontra próximo ao círculo de ideias particulares".

Na verdade, no conceito da sujeição oculta-se a questão essencial. A ideia de que os preconceitos que me determinam surgem da minha sujeição já está decidida a partir do ponto de vista de sua resolução e esclarecimento e só vale para os preconceitos não justificados. Se existem também preconceitos justificados que possam ser produtivos para o conhecimento, então voltamos a confrontar-nos com o problema da autoridade. Assim, as consequências radicais da *Aufklärung*, ainda presentes na fé que Schleiermacher depositava na metodologia, não se sustentam.

A reivindicação feita pela *Aufklärung* da oposição entre fé na autoridade e uso da própria razão tem sua razão de ser. Enquanto a validez da autoridade ocupar o lugar do juízo próprio, a autoridade será uma fonte de preconceitos. Mas isso não exclui o fato de que ela pode ser também uma fonte de verdade, o que a *Aufklärung* ignorou em sua pura e simples difamação generalizada contra a autoridade. Para nos certificarmos disso podemos nos reportar a um dos maiores precursores da *Aufklärung* europeia, Descartes. Apesar de toda a radicalidade de seu pensamento metodológico, sabe-se que Descartes excluiu as coisas da moral das pretensões de uma reconstrução completa de todas as verdades a partir da razão. Este era o sentido de sua moral provisória. Parece-me sintomático o fato de que ele não tenha desenvolvido realmente sua moral definitiva e que, pelo que se pode observar em suas cartas a Elisabete, seus princípios não trazem nenhuma novidade sobre isso.

[284] É claro que não podemos esperar que a ciência moderna e seus progressos vão fundamentar uma nova moral. De fato, a difamação de toda autoridade não é o único preconceito consolidado pela *Aufklärung*. Ela levou também a uma grave deformação do próprio conceito de autoridade. Sobre a base de um esclarecedor conceito de razão e liberdade, o conceito de autoridade acabou

sendo referido ao oposto de razão e liberdade, a saber, ao conceito da obediência cega. Conhecemos esse significado a partir da terminologia da crítica às ditaduras modernas.

Todavia, a essência da autoridade não é isso. Na verdade, a autoridade é, em primeiro lugar, uma atribuição a pessoas. Mas a autoridade das pessoas não tem seu fundamento último num ato de submissão e de abdicação da razão, mas num ato de reconhecimento e de conhecimento: reconhece-se que o outro está acima de nós em juízo e visão e que, por consequência, seu juízo precede, ou seja, tem primazia em relação ao nosso próprio juízo. Isso implica que, se alguém tem pretensões à autoridade, esta não deve ser-lhe outorgada; antes, autoridade é e deve ser alcançada. Ela repousa sobre o reconhecimento e, portanto, sobre uma ação da própria razão que, tornando-se consciente de seus próprios limites, atribui ao outro uma visão mais acertada. A compreensão correta desse sentido de autoridade não tem nada a ver com a obediência cega a um comando. Na realidade, autoridade não tem a ver com obediência, mas com *conhecimento*. Não resta dúvidas de que a autoridade implica necessariamente poder dar ordens e encontrar obediência. Mas isso provém unicamente da autoridade que alguém tem. A própria autoridade anônima e impessoal do superior que deriva das ordens não procede, em última instância, dessas ordens, mas torna-as possíveis. Seu verdadeiro fundamento é, também aqui, um ato da liberdade e da razão, que concede autoridade ao superior basicamente porque este possui uma visão mais ampla ou é mais experto, ou seja, porque sabe melhor[207].

É assim que o reconhecimento da autoridade está sempre ligado à ideia de que o que a autoridade diz não é uma arbitrariedade irracional mas algo que em princípio pode ser compreendido. É nisso que consiste a essência da autoridade que exige o educador, o

[285]

---

207. (Tenho a impressão de que a tendência ao reconhecimento da autoridade, como aparece em K. Jaspers, *Von der Wahrheit*, 766s. e em G. Krüger, *Freiheit und Weltverwaltung*, 231s., carece de um fundamento suficientemente claro, na medida em que não reconhece esse princípio.) A fatídica frase: "O partido (ou o "Führer") sempre tem razão" não é falsa pelo fato de exigir a supremacia da liderança, mas porque propicia que a liderança se sinta protegida por poder de decisão contra toda e qualquer crítica que possa ser verdadeira. A genuína autoridade não precisa comportar-se autoritariamente. [Sobre isso já se discutiu frequentemente, sobretudo no meu debate com J. Habermas. Cf. a antologia editada por J. Habermas, *Hermeneutik und Ideologiekritik*, Frankfurt, 1977, e minha conferência "Über den Zusammenhang von Autorität und kritischer Freiheit". *Schweizer Archiv für Neurologie, Neurochirurgie und Psychiatrie*, 133, 1983, p . 11-16. Foi sobretudo A. Gehlen que elaborou o papel das instituições.]

superior, o especialista. É claro que os preconceitos que eles inculcam encontram-se legitimados pela pessoa. Sua validez requer predisposição para com a pessoa que os representa. Mas é exatamente assim que se convertem em preconceitos objetivos, pois operam a mesma predisposição para com uma coisa, que pode se estabelecer por outros caminhos, por exemplo, por bons motivos validados pela razão. Nesse sentido a essência da autoridade pertence ao contexto de uma teoria de preconceitos que tem de ser libertada dos extremismos da *Aufklärung*.

Para isso podemos nos apoiar na crítica que o romantismo faz à *Aufklärung*, pois existe uma forma de autoridade que foi particularmente defendida pelo romantismo: a tradição. O que é consagrado pela tradição e pela herança histórica possui uma autoridade que se tornou anônima, e nosso ser histórico e finito está determinado pelo fato de que também a autoridade do que foi transmitido, e não somente o que possui fundamentos evidentes, tem poder sobre nossa ação e nosso comportamento. Toda educação repousa sobre essa base e, mesmo no caso em que se alcança um estágio na educação quando a "tutela" perde a sua função com o amadurecimento gerado pela maioridade, momento em que as próprias perspectivas e decisões assumem finalmente a posição que detinha a autoridade do educador, esta chegada da maturidade na história de vida não implica, de modo algum, que nos tornemos senhores de nós mesmos no sentido de nos havermos libertado de toda herança histórica e de toda tradição. A realidade dos costumes, p. ex., é e continua sendo, em sentido amplo, algo válido a partir da herança histórica e da tradição. Os costumes são adotados livremente, mas não são criados nem fundados em sua validade por um livre discernimento. É isso, precisamente, que denominamos tradição: ter validade sem precisar de fundamentação. E nossa dívida para com o romantismo é justamente essa correção da *Aufklärung*, no sentido de reconhecer que, ao lado dos fundamentos da razão, a tradição conserva algum direito e determina amplamente as nossas instituições e comportamentos. A superioridade da ética antiga sobre a filosofia moral da idade moderna se caracteriza precisamente pelo fato de que, com base no caráter indispensável da tradição, ela fundamenta a passagem da ética à "política", a arte da legislação correta[208]. Comparada a isso, a *Aufklärung* moderna é abstrata e revolucionária.

Entretanto, nem por isso o conceito de tradição se tornou menos ambíguo que o conceito de autoridade, e pelo mesmo motivo, pois o que determina a compreensão romântica da tradição é a oposição abstrata ao princípio da *Aufklärung*. O romantismo entende a tradição como o contrário da liberdade racional e vê nela um dado histórico ao modo da natureza. E, quer se queira combatê-la revolucionariamente ou se queira conservá-la, a tradição se mostra em ambos os casos como o contrário abstrato da autodeterminação livre, já que sua validez não necessita fundamentos racionais, pois nos determina de modo espontâneo. É claro que o caso da crítica romântica à *Aufklärung* não pode servir como exemplo de domínio espontâneo da tradição, na qual o que é transmitido se conserva sem rupturas, a despeito das dúvidas e das críticas. É, antes, uma reflexão crítica própria, que aqui se volta de novo para a verdade da tradição, procurando renová-la, e que pode ser chamada de tradicionalismo. [286]

Parece-me, no entanto, que entre a tradição e a razão não existe nenhuma oposição que seja assim tão incondicional. Por mais problemática que seja a restauração consciente de tradições ou a criação consciente de tradições novas, também a fé romântica nas "tradições que vingaram", ante as quais deveria silenciar toda a razão, acaba sendo preconceituosa e, no fundo, fiel à *Aufklärung*. Na realidade, a tradição sempre é um momento da liberdade e da própria história. Também a tradição mais autêntica e a tradição melhor estabelecida não se realizam naturalmente em virtude da capacidade de inércia que permite ao que está aí de persistir, mas necessita ser afirmada, assumida e cultivada. A tradição é essencialmente conservação e como tal sempre está atuante nas mudanças históricas. Mas a conservação é um ato da razão, e se caracteriza por não atrair a atenção sobre si. Essa é a razão por que as inovações, os planejamentos aparecem como as únicas ações e realizações da razão. Mas isso não passa de aparência. Inclusive quando a vida

---

208. Cf. ARISTÓTELES. *Ética a Nicômaco*, K 10.

sofre suas transformações mais tumultuadas, como em tempos revolucionários, em meio à suposta mudança de todas as coisas, do antigo conserva-se muito mais do que se poderia crer, integrando-se com o novo numa nova forma de validez. Em todo caso, a conservação representa uma conduta tão livre como a destruição e a inovação. Tanto a crítica da *Aufklärung* à tradição, quanto a sua reabilitação romântica, ficam muito aquém de seu verdadeiro ser histórico.

Essas considerações nos levam a indagar se na hermenêutica das ciências do espírito não devemos restabelecer de modo fundamental o direito do elemento da tradição. A investigação das ciências do espírito não pode ver-se a si própria em oposição pura e simples ao modo como nos comportamos com respeito ao passado na nossa qualidade de seres históricos. Em nosso constante comportamento com relação ao passado, o que está realmente em questão não é o distanciamento nem a liberdade com relação ao transmitido. Ao contrário, encontramo-nos sempre inseridos na tradição, e essa não é uma inserção objetiva, como se o que a tradição nos diz pudesse ser pensado como estranho ou alheio; trata-se sempre de algo próprio, modelo e intimidação, um reconhecer a si mesmos no qual o nosso juízo histórico posterior não verá tanto um conhecimento, mas uma transformação [287] espontânea e imperceptível da tradição.

Por isso, frente ao metodologismo epistemológico dominante, precisamos perguntar se o surgimento da consciência histórica conseguiu separar realmente e por inteiro nosso comportamento científico daquele comportamento natural com relação ao passado. Será correta a autocompreensão das ciências do espírito, quando rejeitar o conjunto de sua própria historicidade do lado dos preconceitos de que temos de nos libertar? Ou será que essa ciência "livre de preconceitos" não estará compartilhando, bem mais do que imagina, daquela recepção e reflexão ingênuas em que vivem as tradições e em que está presente o passado?

Em todo caso, há uma pressuposição fundamental que é comum à compreensão nas ciências do espírito e à sobrevivência das tradições: a de sentirem-se *interpeladas* pela própria tradição. Não é certo que os objetos de investigação dessas ciências – assim como os conteúdos da tradição – só então experimentam a sua significação? Essa significação pode muito bem ser mediada e provir de um interesse histórico aparentemente sem relação com o presente. Mesmo num caso extremo da investigação histórica "objetiva", a única realização autêntica da tarefa histórica é determinar de novo o significado do investigado. Mas essa significação que se encontra no final de uma tal investigação está também em seu começo: na escolha do tema da investigação, no despertar do interesse investigador, na obtenção de um novo modo de colocar os problemas.

Toda hermenêutica histórica deve começar, portanto, *abolindo a oposição abstrata entre tradição e ciência histórica* (Historie), *entre história* (Geschichte) *e conhecimento da história*. A ação (*Wirkung*) da tradição que perdura e a ação da investigação histórica formam uma única ação, cuja análise só poderia encontrar uma trama de ações recíprocas[209]. Nesse sentido, faremos bem em não compreender a consciência histórica – como pode parecer à primeira vista – como algo radicalmente novo, mas como um momento novo dentro do que sempre tem sido a relação humana com o passado. Em outras palavras, o que importa é reconhecer o momento da tradição no comportamento histórico e indagar pela sua produtividade hermenêutica.

O fato de que nas ciências do espírito esteja atuando um momento da tradição, que inclusive constitui sua verdadeira essência e sua característica, a despeito de toda a metodologia inerente ao seu procedimento, é algo que logo fica claro quando consideramos a história da investigação e a diferença entre a história da ciência que se dá no âmbito das ciências do espírito e a que se dá no âmbito das ciências da natureza. É claro que não pode haver nenhum esforço histórico e finito do homem que possa apagar completamente os indícios dessa finitude. Também a história da matemática ou das ciências da natureza é uma porção da história do espírito humano

[288]

---

209. Não concordo com a opinião de Scheler quando diz que com o progresso da ciência da história a pressão pré-consciente da tradição vai perdendo sua força (*Stellung des Menschen im Kosmos*, p. 37). A independência da ciência da história, implicada nisso, parece-me uma ficção liberal, que em geral Scheler costuma deixar claro (Analogamente "Nachlass" I, p. 228s., sua adesão à *Aufklärung* histórica e à Aufklärung da sociologia cognitiva.)

e reflexo de seus destinos. Mas que o investigador da natureza escreva a história de sua ciência a partir do estado atual de seus conhecimentos, isso não é mera ingenuidade histórica. Seu interesse pelos erros e desvios é meramente histórico, pois o progresso da investigação é o critério autoevidente a ser considerado. Levar em consideração o momento histórico no progresso da ciência da natureza ou da matemática constitui apenas um interesse secundário. O valor cognitivo dos conhecimentos da ciência da natureza ou da matemática permanece intocado por esse outro interesse.

É inútil contestar que também nas ciências da natureza podem estar operantes momentos da tradição, por exemplo, sob a forma de que em certas ocasiões preferem-se determinadas orientações de investigação. Mas a investigação científica como tal não recebe as leis de seu progresso dessas circunstâncias, mas unicamente da lei da coisa que se abre aos seus esforços metodológicos[210].

É claro que as ciências do espírito não podem ser descritas de maneira satisfatória a partir desse conceito de investigação e progresso. Também é certo que ali é possível descrever a história da solução de um problema, por exemplo, a decifração de uma inscrição difícil de ser lida, onde a única coisa que interessa é chegar a alcançar um resultado definitivo. Não fosse assim, tampouco teria sido possível que as ciências do espírito se apoiassem metodologicamente nas da natureza, o que vimos realizar-se no século passado. Mas mesmo assim a analogia entre a investigação da natureza e a investigação das ciências do espírito só atinge um nível secundário do trabalho oferecido pelas ciências do espírito.

Isso já se mostra no fato de que os grandes resultados da investigação feita pelas ciências do espírito quase não envelhecem. O leitor atual pode facilmente fazer abstração do fato de que um historiador de cem anos atrás dispunha de um estado de conhecimentos inferior e, portanto, acabou caindo em juízos errôneos em algumas particularidades.

---

210. [Esta questão parece bem mais complicada desde KUHN, Thomas. *The Structure of Scientific Revolutions*, Chicago, 1963 e *The Essential Tension. Selected Studies in Scientific Tradition and Schang*, Chicago, 1977.]

Mas, no conjunto, ele prefere sempre ler Droysen ou Mommsen a ler as abordagens mais recentes sobre a matéria, saídas da pena de um historiador atual. Qual é a medida que se está aplicando aqui? É claro que aqui não se pode aplicar à própria coisa o mesmo critério que se aplica para medir o valor e o peso da investigação. Ao contrário, a coisa somente nos parece realmente significativa à luz daquele que sabe descrevê-la corretamente. É verdade que o nosso interesse se orienta para a coisa, mas esta só pode adquirir vida através do aspecto sob o qual nos é mostrada. Admitimos que em tempos diversos ou a partir de pontos de vista diferentes também a coisa se apresenta historicamente sob aspectos diversos. Admitimos também que esses aspectos não se suprimem pura e simplesmente no curso do progresso investigativo, mas que são como que condições que se excluem entre si, existem cada qual por si e se unem somente em nós. O que satisfaz nossa consciência histórica é sempre uma pluralidade de vozes nas quais ressoa o passado. O passado só aparece na diversidade dessas vozes. É isso que constitui a essência da tradição da qual participamos e queremos participar. A própria investigação histórica moderna não é só investigação, mas também mediação da tradição. Não a vemos somente sob a lei do progresso e dos resultados assegurados; nela também realizamos nossas experiências históricas, na medida em que permite que ouçamos cada vez uma nova voz em que ressoa o passado.

O que é que subjaz a tudo isso? É evidente que não se pode falar de fins bem estabelecidos na investigação das ciências do espírito como se dá nas ciências da natureza, onde a investigação penetra cada vez mais profundamente na natureza. Nas ciências do espírito o interesse investigador que se volta para a tradição é motivado, de uma maneira especial, pelo respectivo presente e seus interesses. É só pela motivação do questionamento que se estabelece o tema e o objeto da investigação[211]. Com isso, a investigação histórica se sustenta no movimento histórico em que se encontra a própria vida, e não se deixa compreender teleologicamente a partir do

---

211. [Se, no sólido debate que realizou em *Theorie der Geschichtswissenschaft*. Munique, 1972, p. 25, K.-G. Faber não pôde citar essa frase sem acrescentar um ponto de exclamação irônico depois de "konstituirt" ("constituído"), então sou obrigado a perguntar de que outra maneira, afinal, se define um "fato histórico".]

[290] objeto a que se orienta a investigação. Em si, um tal objeto não existe de modo algum. É isso o que distingue as ciências do espírito das da natureza. Enquanto o objeto das ciências da natureza pode ser determinado *idealiter* como aquilo que seria conhecido num conhecimento completo da natureza, não faz sentido falarmos de um conhecimento completo da história. E é por isso que, em última análise, não podemos falar de um "objeto em si" ao qual se orientaria essa investigação[212].

b) O exemplo do clássico[213]

Não há dúvidas de que é uma exigência exagerada querer que, no conjunto de suas atividades, a autocompreensão das ciências do espírito se liberte do modelo das ciências da natureza, e passe a considerar a mobilidade histórica de seu tema não somente como um prejuízo de sua objetividade mas antes como algo positivo. Assim, na fase recente do desenvolvimento das próprias ciências do espírito surgiram algumas iniciativas visando a um gênero de reflexão que verdadeiramente pode fazer jus ao estado do problema. O metodologismo ingênuo da investigação histórica já não domina sozinho o campo. O progresso da investigação já não se entende de modo generalizado como expansão e penetração em novos âmbitos e materiais, mas busca alcançar um nível de reflexão mais elevado dentro dos correspondentes questionamentos. É evidente que, mesmo a partir desse ponto de vista, continua-se pensando teleologicamente, sob o padrão do progresso da investigação, como sempre convém ao investigador. Mas junto com isso começamos a entrever também uma consciência hermenêutica que perpassa a investigação com um interesse mais autorreflexivo. Isso ocorre sobretudo nas ciências do espírito que contam com uma tradição mais antiga. A ciência clássica da Antiguidade, por exemplo, depois de ter elaborado a mais vasta abrangência de sua própria tradição, voltou-se sempre de novo, com questionamentos cada vez mais afinados, para os velhos objetos prediletos de sua ciência.

---

212. [Hoje, após três décadas de trabalho teórico e científico, eu reconheceria prazerosamente o fato de que também essa "estilização" das ciências naturais ainda está muito indiferenciada.]
213. [Cf., a respeito, meu trabalho "Zwischen Phänomenologie und Dialektik – Versuch einer Selbstkritik", vol. II.]

Com isso introduziu uma espécie de autocrítica, na medida em que começou a refletir sobre o que realmente constitui a predileção de seus objetos prediletos. O conceito do clássico, que, no pensamento histórico a partir do descobrimento do helenismo por Droysen, acabou se reduzindo a mero conceito estilístico, obtém agora um novo direito de cidadania.

Será necessária uma reflexão hermenêutica mais aguda para compreender como é possível que um conceito normativo como é o conceito do clássico conserve ou recupere sua legitimidade científica. Isso porque a autocompreensão da consciência histórica implica necessariamente a dissolução de todo significado normativo do passado pela razão histórica que se tornou soberana. Foi só nos começos do historicismo – por exemplo, na obra de Winckelmann, que realmente marcou época – que o momento normativo representou ainda um real impulso para a investigação histórica. [291]

O conceito de Antiguidade clássica e o conceito de clássico, tal como dominou sobretudo o pensamento pedagógico desde os tempos do classicismo alemão, reunia um aspecto normativo e um aspecto histórico. Uma determinada fase evolutiva do devir histórico da humanidade havia produzido uma conformação do humano ao mesmo tempo madura e completa. Essa conciliação entre o sentido normativo e o sentido histórico do conceito remonta já a Herder. Mas o próprio Hegel ainda se ateve a essa conciliação, embora com um acento filosófico e histórico diferente. Nele a arte clássica adquire sua peculiaridade por ser compreendida como "religião da arte". Como essa forma do espírito é uma forma passada, somente pode ser exemplar num sentido limitado. Como arte passada, testemunha o caráter de passado da arte como tal. Com isso Hegel justificou sistematicamente a historização do conceito de clássico como um conceito estilístico e descritivo, o qual descreve uma harmonia muito efêmera entre medida e plenitude, situada entre a rigidez arcaica e a dissolução barroca. E desde que esse conceito se incorporou ao vocabulário estilístico-histórico da investigação histórica, foi só indiretamente que o conceito de clássico conservou o reconhecimento de um conteúdo normativo[214].

---

214. [Com relação ao conceito "estilo", cf. acima, p. 43 (original), e "Excurso I, vol. II.]

O fato de, após a Primeira Guerra Mundial, a "filologia clássica" debruçar-se sobre si mesma sob o signo de um novo humanismo e, entre vacilações e titubeios, reconhecer novamente nesse conceito a ligação entre os momentos de sentido normativo e sentido histórico foi um sintoma de começo de autocrítica histórica[215]. É claro que não tardou em ficar demonstrada a impossibilidade de se interpretar – embora se tenha tentado – o conteúdo desse velho conceito de clássico, surgido na Antiguidade e atuante na canonização de determinados escritores, como se o mesmo pudesse exprimir a unidade de um ideal de estilo[216]. Como designação de um estilo, o conceito antigo carecia de toda e qualquer univocidade. E quando hoje empregamos o conceito de "clássico" como conceito histórico de um estilo que ganha sua univocidade distinguindo-se de um antes e um depois, essa formulação, embora historicamente consequente, já se encontra muito distante do conceito antigo. O conceito do clássico designa hoje uma fase temporal, uma fase de um desenvolvimento histórico, não um valor supra-histórico.

[292]

Mas, na verdade, o elemento normativo no conceito de clássico nunca se extinguiu por completo. Mesmo hoje em dia continua servindo de base para a ideia do "ginásio humanístico". O filólogo tem razão em não se contentar com aplicar a seus textos o conceito histórico de estilo desenvolvido na história das artes plásticas. A própria questão evidente que discute se Homero também não é "clássico" faz balançar a categorização histórico-estilística do conceito de clássico usada em analogia com a história da arte – um exemplo de que a consciência histórica contém em si sempre mais do que ela mesma admite.

Para tentar nos conscientizar dessas implicações, talvez possamos dizer o seguinte: o clássico é uma verdadeira categoria histórica por ser mais do que o conceito de uma época ou o conceito histórico de um estilo, sem que por isso pretenda ser uma ideia de va-

---

215. A convenção de Naumburg sobre o conceito de clássico, 1930, orientada por Werner Jaeger, bem como a criação da revista *Die Antike*, são exemplos disso. Cf. *Das Problem des Klassischen und die Antike*, 1931.

216. Cf. a justificada crítica que A. Körte (*Berichte der Sächsischen Akademie der Wissenschaften* 86, 1934) fez à conferência apresentada em Naumburg por J. Stroux, e a explanação que eu fiz em *Gnomon* (1935), p. 612s. [Agora publicada no vol. V das Obras Completas, p. 350-353.]

lor supra-histórico. Não designa uma qualidade que deva ser atribuída a determinados fenômenos históricos, mas, sim, um modo característico do próprio ser histórico, a realização histórica da conservação que, numa confirmação constantemente renovada, torna possível a existência de algo verdadeiro. Ele não é, em absoluto, tal como pretendia fazer crer o modo de pensar histórico. Segundo este, o juízo de valor que designa algo como clássico seria realmente anulado pela reflexão histórica e sua crítica a todas as construções teleológicas do decurso da história. Ao contrário, essa nova crítica confere ao juízo de valor implícito no conceito de clássico uma nova e autêntica legitimação: é clássico aquilo que se mantém frente à crítica histórica, porque seu domínio histórico, o poder vinculante de sua validez que se transmite e se conserva, precede toda reflexão histórica e se mantém nela.

Para ilustrar o assunto diretamente com um exemplo decisivo do conceito global da Antiguidade clássica, é óbvio dizer que não é uma atitude histórica depreciar o helenismo como a época do ocaso e da decadência do classicismo, e Droysen acentua, com razão, a continuidade histórico-universal e o significado do helenismo para o nascimento e a expansão do cristianismo. Mas ele nem sequer teria sentido necessidade de levar a cabo essa teodiceia histórica se não houvesse subsistido um preconceito a favor do clássico e se o poder educativo do "humanismo" não tivesse conservado uma ligação com a "Antiguidade clássica", conservando-a como a herança antiga e imortal da cultura ocidental. No fundo, o clássico é algo muito diverso do que um conceito descritivo em poder de uma consciência histórica objetivadora; trata-se de uma realidade histórica, à qual pertence e na qual está a própria consciência histórica. O clássico é aquilo que se subtraiu às flutuações do tempo e [293] a suas variações de gosto; é acessível de modo imediato, mas não ao modo desse contato, digamos elétrico, que de vez em quando caracteriza uma produção contemporânea fazendo com que experimentemos momentaneamente a satisfação de uma intuição de sentido que supera toda a atenção consciente. O que nos leva a chamar algo de "clássico" é, antes, uma consciência do ser permanente, uma consciência do significado imorredouro, que é independente de toda circunstância temporal, uma espécie de presente intemporal contemporâneo de todo e qualquer presente.

O primeiro aspecto do conceito do "clássico", portanto, é o sentido normativo, e isso corresponde tanto ao uso terminológico antigo quanto ao moderno. Mas, na medida em que é referida retrospectivamente a uma magnitude única do passado que a cumpriu e apresentou, essa norma contém sempre um tom temporal que a articula dentro da história. Por isso não parece nada estranho que, no começo da reflexão histórica na Alemanha – para a qual, como vimos, o classicismo de Winckelmann foi determinante –, tenha-se resgatado um conceito histórico de um período ou de uma época a partir do que se impunha assim como clássico. Isso tudo para caracterizar um ideal de estilo de conteúdo definido, assim como para caracterizar do ponto de vista histórico e descritivo um período ou uma época que tenha realizado esse ideal. Na distância do epígono que erige o padrão, torna-se claro que a satisfação desse ideal estilístico designa um momento histórico que pertence ao passado. Concorda com isso o fato de que, no pensamento moderno, o conceito de clássico acabou sendo empregado para toda a "Antiguidade clássica", num momento em que o humanismo proclama de novo o caráter modelar dessa Antiguidade. Com isso retoma, não sem razão, um uso antigo do termo, pois os escritores antigos, "descobertos" pelo humanismo, foram os mesmos autores que instituíram o cânon do clássico na Antiguidade tardia.

A história da cultura e da educação ocidental conservou e manteve esses autores exatamente por terem sido canonizados como autores da "escola". É muito fácil compreender como o conceito histórico de estilo pôde se apoiar nesse uso terminológico, pois mesmo sendo normativa, a consciência formadora desse conceito possui também um aspecto retrospectivo. A norma clássica ganha destaque frente à consciência de decadência e de distanciamento. Não é por acaso que o conceito de clássico e de estilo clássico foi cunhado em épocas mais tardias. Calímaco e o "Dialogus" de Tácito desempenharam um papel decisivo nesse contexto[217]. Mas isso não é tudo. Sabe-se que os autores considerados como clássicos representam,

---

217. No debate de Naumburg sobre o clássico não foi por acaso que se deu muita atenção ao *Dialogus de oratoribus*. As causas da decadência da oratória implicam o reconhecimento de sua antiga magnitude, portanto, uma consciência normativa. Snell aponta com razão o fato de que os conceitos estilísticos históricos, como barroco, arcaico etc., pressupõem todos uma referência ao conceito normativo do clássico e que somente pouco a pouco foram perdendo seu sentido pejorativo (*Wesen und Wirklichkeit des Menschen, Festschrift für H. Plessner*, p. 333s.).

em cada caso, um determinado gênero literário. Eram tidos como os que cumpriram perfeitamente a realização da norma correspondente a esse gênero, um ideal que se tornou visível na retrospecção da crítica literária. Por nosso lado, se pensarmos essas normas dos gêneros literários do ponto de vista histórico, ou seja, se pensarmos a história desses gêneros, então o clássico se converterá em conceito de uma fase estilística, um ponto culminante que articula a história do gênero segundo o antes e o depois. E uma vez que os pontos culminantes na história dos gêneros literários pertencem, em boa parte, a um mesmo espaço de tempo bastante restrito, o conceito de clássico estará designando essa mesma fase dentro do conjunto do desenvolvimento histórico da Antiguidade clássica, convertendo-se assim em conceito de uma época fundido com o conceito de um estilo.

Enquanto tal conceito estilístico e histórico, o conceito de clássico torna-se capaz de uma expansão universal para qualquer "desenvolvimento" que receba alguma unidade de um *telos* imanente. É verdade que em todas as culturas há momentos de florescimento nos quais tal cultura documenta-se por produções especiais em muitos âmbitos. Assim o valor universal do conceito de clássico, pela via de sua realização histórica particular, converte-se de novo num conceito estilístico universal e histórico.

Por mais compreensível que seja esse desenvolvimento, o certo é que a historização do conceito significa, ao mesmo tempo, o seu desenraizamento, e não é por acaso que a incipiente autocrítica da consciência histórica tenha recuperado a honra do elemento normativo no conceito de clássico e da singularidade histórica de sua realização. Todo "novo humanismo" compartilha com o primeiro e mais antigo a consciência de sua filiação imediata e vinculante ao seu modelo que, como passado, é inacessível e, não obstante, presente. No "clássico" culmina um caráter geral do ser histórico: o de ser conservação na ruína do tempo. É verdade que o que caracteriza a essência geral da tradição é que só aquilo que do passado se conserva como não passado possibilita o conhecimento histórico. Clássico, porém, como diz Hegel, é "o que significa (*Bedeutende*) a si mesmo e, por consequência, se interpreta (*Deutende*) a si mesmo"[218]. Mas, em última análise, isso quer dizer que o clássico é o

---

218. HEGEL. *Ästhetik*, II, 3.

[295] que se conserva, *porque* se significa e interpreta a si mesmo; isto é, aquilo que é tão eloquente que não constitui uma proposição sobre algo desaparecido, um mero testemunho de algo a ser interpretado, antes, ele diz algo a cada presente como se o dissesse somente a ele. O que se qualifica como "clássico" não é algo que requeira a superação da distância histórica; pois ele mesmo realiza essa superação em constante mediação. Nesse sentido, o que é clássico é, sem dúvida, "intemporal", mas essa intemporalidade é um modo de ser histórico.

É claro que isso não exclui que obras avaliadas como clássicas apresentem problemas de conhecimento histórico a uma consciência histórica desenvolvida, consciente do distanciamento histórico. Para a consciência histórica já não se trata, como para Palladio ou para Corneille, de adotar imediatamente o modelo clássico, mas de conhecê-lo como um fenômeno histórico que somente se compreende a partir de sua própria época. Mas nessa compreensão sempre haverá algo *mais* do que a reconstrução histórica do "mundo" passado a que a obra pertenceu. Nossa compreensão há de conter sempre, ao mesmo tempo, a consciência da própria filiação da obra ao nosso próprio mundo. A isso corresponde uma copertença da obra ao nosso mundo.

É justamente isso o que quer dizer a palavra "clássico": a sobrevivência da força de expressão imediata de uma obra é fundamentalmente ilimitada[219]. Por mais que o conceito de clássico expresse a ideia de distância e inacessibilidade e pertença a essa configuração da consciência que é a cultura, também a "cultura clássica" continuará contendo sempre algo da validez permanente do clássico. Mesmo a configuração da consciência própria da cultura testemunha, no entanto, uma última comunidade e filiação ao mundo a partir do qual fala a obra clássica.

A intenção dessa discussão do conceito de clássico não é alcançar um significado autônomo, mas levantar uma questão geral: essa mediação histórica do passado com o presente, tal como a realiza o

---

219. Friedrich Schlegel (*Fragmente*, Minor 20) tira a consequência hermenêutica: "um escrito clássico jamais poderá ser compreendido totalmente. Mas quem é culto e cultiva o saber deve querer aprender dele cada vez mais".

conceito do clássico, estará presente em todo o comportamento histórico como substrato operante? Enquanto que a hermenêutica romântica pretendia ver na homogeneidade da natureza humana um substrato a-histórico para a sua teoria da compreensão, liberando assim de todo condicionamento histórico aquele que compreende congenialmente, a autocrítica da consciência histórica acaba levando a reconhecer uma mobilidade histórica não somente no acontecer mas também no próprio compreender. *A compreensão deve ser pensada menos como uma ação da subjetividade e mais como um retroceder que penetra num acontecimento da tradição*, onde se intermedeiam constantemente passado e presente. É isso que deve ser aplicado à teoria hermenêutica, que está excessivamente dominada pela ideia dos procedimentos de um método.

2.1.3. O significado hermenêutico da distância temporal[220] [296]

Iniciemos imediatamente com uma pergunta: Como se começa o trabalho hermenêutico? Que consequências tem para a compreensão a condição hermenêutica de pertencer a uma tradição? Recordamos aqui a regra hermenêutica segundo a qual é preciso compreender o todo a partir do individual e o individual a partir do todo. É uma regra que procede da antiga retórica e que a hermenêutica moderna transportou da arte da retórica para a arte da compreensão. Tanto aqui quanto lá subjaz uma relação circular. A antecipação de sentido que visa o todo chega a uma compreensão explícita através do fato de que as partes que se determinam a partir do todo determinam, por sua vez, a esse todo.

Estamos familiarizados com esse fato através da aprendizagem das línguas antigas. Aprendemos que é necessário "construir" uma frase antes de tentar compreender o conjunto de sentido da frase segundo o significado que este possui na linguagem. Mas esse processo de construção já vem guiado por uma expectativa de sentido procedente do contexto do que lhe precedia. É evidente que essa expectativa terá de admitir correções se o texto exigir. Isso signifi-

---

220. [A esse respeito convém conferir especialmente meu artigo "Zwischen Phänomenologie und Dialektik – Versuch einer Selbstkritik", vol. II.]

ca então que a expectativa muda de sintonia e que o texto se recolhe na unidade de uma intenção sob uma expectativa de sentido diferente. Assim, o movimento da compreensão vai constantemente do todo para a parte e desta para o todo. A tarefa é ir ampliando a unidade do sentido compreendido em círculos concêntricos. O critério correspondente para a justeza da compreensão é sempre a concordância de cada particularidade com o todo. Se não houver tal concordância, significa que a compreensão malogrou.

Schleiermacher distingue esse círculo hermenêutico do todo e da parte segundo um aspecto objetivo e um aspecto subjetivo. Tal como cada palavra forma parte do nexo da frase, cada texto forma parte do nexo da obra de um autor, e esta, por sua vez, forma parte do conjunto do correspondente gênero literário e mesmo de toda a literatura. Mas, por outro lado, como manifestação de um momento criador, o mesmo texto pertence ao todo da vida da alma de seu autor. Em cada caso a compreensão só pode acontecer a partir desse todo, de natureza tanto objetiva como subjetiva. Apoiando-se nessa teoria, Dilthey falará de "estruturas" e da "concentração em um ponto central", a partir do qual se produz a compreensão do todo. Como dizíamos[221], com isso ele transporta para o mundo histórico o que foi desde sempre um fundamento de toda interpretação textual: que cada texto deve ser compreendido a partir de si mesmo.

[297] Entretanto, precisamos nos perguntar se esse modo de compreender o movimento circular da compreensão é adequado. Aqui precisamos resgatar o resultado de nossa análise hermenêutica de Schleiermacher. O que este desenvolve sob o nome de interpretação subjetiva pode muito bem ser deixado de lado. Quando procuramos compreender um texto, não nos deslocamos até a constituição psíquica do autor, mas, se quisermos falar de "deslocar-se", devemos deslocar-nos para a perspectiva na qual o outro conquistou sua própria opinião. O que não significa nada mais que procuramos fazer valer o direito objetivo daquilo que o outro diz. Quando procuramos compreender, fazemos o possível inclusive para reforçar os seus próprios argumentos. É o que acontece já na conversação; mas se torna ainda mais claro na compreensão do escrito. Aqui

---

221. P. 202, 245 (original).

nos movemos numa dimensão de sentido que é compreensível em si mesma e que, como tal, não motiva um retrocesso à subjetividade do outro. É tarefa da hermenêutica explicar esse milagre da compreensão, que não é uma comunhão misteriosa das almas mas uma participação num sentido comum.

Mas tampouco o lado objetivo desse círculo, tal como o descreve Schleiermacher, atinge o cerne da questão. Já vimos que o objetivo de todo acordo e de toda compreensão é o entendimento sobre a própria coisa. A hermenêutica sempre se propôs como tarefa restabelecer o entendimento onde não há entendimento e onde foi distorcido. A história da hermenêutica é um bom testemunho disso; por exemplo, se pensarmos em Santo Agostinho, onde o Antigo Testamento deve ser mediado através da mensagem cristã[222], no protestantismo primitivo, que estava às voltas com o mesmo problema[223] ou finalmente na época da *Aufklärung*, onde praticamente se renuncia ao entendimento, no postulado de que "a compreensão completa" de um texto só deve ser alcançada pelo caminho da interpretação histórica. Só que, quando o romantismo e Schleiermacher fundam uma consciência histórica de alcance universal, deixando de admitir como base sólida para todo trabalho hermenêutico a forma vinculante da tradição, da qual procedem e na qual se encontram, isso representa uma verdadeira inovação qualitativa.

Um outro precursor imediato de Schleiermacher, o filólogo Friedrich Ast, defendia uma compreensão da tarefa da hermenêutica baseada em seu conteúdo; segundo ele, a tarefa específica da hermenêutica seria a reconstrução do entendimento entre Antiguidade clássica e cristianismo, entre uma Antiguidade clássica verdadeira, vista sob uma nova perspectiva, e a tradição cristã. Frente à *Aufklärung*, isso já é algo novo, no sentido de que uma hermenêutica assim não mede nem rejeita a tradição a partir dos critérios da razão natural. Mas, na medida em que procura uma concordância de sentido entre as duas tradições em que se encontra, essa hermenêutica permanece essencialmente fiel à tarefa de toda hermenêu- [298]

---

222. [Cf., no caso, RIPANTI, G. *Agostino teoretico dell'interpretazione*. Bréscia, 1980.]
223. [Cf. FRACIUS, M. *Clavis Scripturae sacrae seu de Sermone sacrarum literarum*, liv. II, 1676.]

tica tradicional, a saber, pela compreensão alcançar um entendimento sobre o *conteúdo*.

Quando Schleiermacher e, seguindo seu passos, a ciência do século XIX ultrapassam a "particularidade" dessa reconciliação entre Antiguidade clássica e cristianismo e concebem a tarefa da hermenêutica a partir de uma generalidade *formal*, conseguem estabelecer a concordância com o ideal de objetividade próprio das ciências da natureza, mas somente ao preço de renunciar a fazer valer a concreção da consciência histórica dentro da teoria hermenêutica.

Frente a isso, a descrição e a fundamentação existencial do círculo hermenêutico feitas por Heidegger representam uma mudança decisiva. É verdade que também a teoria da hermenêutica do século XIX falava de estrutura circular da compreensão, mas sempre inserida na moldura de uma relação formal entre o individual e o todo, assim como de seu reflexo subjetivo, a antecipação intuitiva do todo e sua explicação subsequente no individual. Segundo essa teoria, o movimento circular da compreensão vai e vem pelos textos e, quando a compreensão dos mesmos se realiza, este é suspenso. Consequentemente, a teoria da compreensão tem seu apogeu na teoria de Schleiermacher sobre o ato adivinhatório, mediante o qual o intérprete se transporta inteiramente no autor e resolve, a partir daí, tudo o que é desconhecido e estranho no texto. Mas, ao contrário, a descrição heideggeriana desse círculo mostra que a compreensão do texto se encontra constantemente determinada pelo movimento de concepção prévia da pré-compreensão. Quando se realiza a compreensão, o círculo do todo e das partes não se dissolve; alcança ao contrário sua realização mais autêntica.

O círculo, portanto, não é de natureza formal. Não é objetivo nem subjetivo, descreve, porém, a compreensão como o jogo no qual se dá o intercâmbio entre o movimento da tradição e o movimento do intérprete. A antecipação de sentido, que guia a nossa compreensão de um texto, não é um ato da subjetividade, já que se determina a partir da comunhão que nos une com a tradição. Mas em nossa relação com a tradição essa comunhão é concebida como um processo em contínua formação. Não é uma mera pressuposição sob a qual sempre já nos encontramos, mas nós mesmos vamos instaurando-a na medida em que compreendemos, na medida em que participamos do acontecer da tradição e continuamos determinando-o a partir de nós próprios. O círculo da compreensão não é, portanto, de modo algum, um círculo "metodológico; ele descreve antes um momento estrutural ontológico da compreensão. [299]

Entretanto, o sentido desse círculo que forma a base de toda compreensão possui uma nova consequência hermenêutica que gostaria de denominar de "concepção prévia da perfeição". É evidente que também isso é uma pressuposição formal que orienta toda compreensão. Quer dizer que somente é compreensível o que apresenta uma unidade de sentido perfeita. Fazemos tal pressuposição da perfeição quando lemos um texto, e é só quando essa pressuposição se mostra insuficiente, ou seja, quando o texto não é compreensível, que duvidamos da transmissão e procuramos adivinhar como pode ser corrigida. Por ora, podemos deixar de lado as regras que seguimos nessas considerações da crítica textual, pois o que importa, também aqui, é que sua aplicação correta não pode ser separada do conteúdo do texto.

A concepção prévia da perfeição que guia toda nossa compreensão demonstra também ela ter em cada caso um conteúdo determinado. Não se pressupõe somente uma unidade imanente de sentido capaz de guiar o leitor; pressupõe-se que a compreensão deste seja guiada constantemente também por expectativas de sentido transcendente, que surgem de sua relação com a verdade do que é visado. Da mesma forma que o destinatário de uma carta compreende as notícias que esta contém e vê as coisas, de imediato, com os olhos de quem escreveu, dando como certo o que este escreve, e não procura, por exemplo, compreender as opiniões particulares do escritor, também nós compreendemos os textos transmitidos sobre a base de expectativas de sentido que extraímos de nossa própria relação precedente com o assunto. E assim como damos crédito às notícias de um repórter porque este estava presente ou até porque entende melhor da questão, em princípio admitimos também a possibilidade de que um texto transmitido entenda do assunto mais do que nossas opiniões prévias nos induziram a supor. É só o malogro da tentativa de admitir como verdadeiro aquilo que foi dito no texto que gera o esforço de "compreender" o texto como a opinião de outro, psicológica e historicamente[224]. O preconceito da perfeição, além da exigência formal de que um texto deve expressar perfeitamente sua opinião, pressupõe também que aquilo que ele diz seja uma verdade perfeita.

Também aqui se confirma que compreender significa em primeiro lugar ser versado na coisa em questão, e somente secundariamente destacar e compreender a opinião do outro como tal. Assim, a primeira de todas as condições hermenêuticas é a pré-compreensão que surge do ter de se haver com essa mesma coisa. A partir daí determina-se o que pode ser realizado como sentido unitário e, com isso, a aplicação da concepção prévia da perfeição[225].

Desse modo, o sentido da pertença, isto é, o momento da tradição no comportamento histórico-hermenêutico, realiza-se através da comunidade de preconceitos fundamentais e sustentadores. A hermenêutica precisa partir do fato de que aquele que quer compreender deve estar vinculado com a coisa que se expressa na transmissão e ter ou alcançar uma determinada conexão com a tradição a partir da qual a transmissão fala. Por outro lado, a consciência hermenêutica sabe que não pode estar vinculada à coisa em questão ao modo de uma unidade inquestionável e natural,

---

224. Na exposição que fiz no congresso de Veneza de 1958 procurei mostrar que também o juízo estético, tal como o juízo histórico, possui um caráter secundário e confirma a "antecipação da perfeição" (publicado sob o título "Zur Fragwürdigkeit des ästhetischen Bewusstseins". *Rivista di Estetica*, 3/3 (1958). [HEIRICH, D. & ISER, W. (org.), *Theorien der Kunst*, 1982.]

225. Há uma exceção a essa antecipação da perfeição: o caso de escritos secretos ou cifrados. Esse caso apresenta os mais complicados problemas hermenêuticos (cf. as instrutivas observações de L. Strauss, em *Persecution and the art of writing*. Essa exceção no comportamento hermenêutico possui um significado exemplar, na medida em que aqui se supera a pura interpretação do sentido, na mesma direção em que caminha a crítica histórica das fontes, quando procura o que há por detrás da tradição. Ainda que aqui se trate de uma tarefa hermenêutica e não histórica, esta só poderá ser realizada quando se aplica como chave para abri-la um conhecimento objetivo. É só então que podemos decifrar seu caráter secreto, assim como na conversa só compreendemos uma ironia quando temos um entendimento mútuo sobre a coisa em questão. Assim, a aparente exceção confirma simplesmente que a compreensão implica sempre acordo. [Tenho as minhas dúvidas se L. Strauss sempre tem razão na aplicação de seu princípio, p. ex., no que diz respeito a Spinoza. A "dissimulação" pressupõe um grau máximo de consciência. Acomodação, conformismo etc. não precisam acontecer conscientemente. Ao que me parece, Strauss não percebeu suficientemente isso. Cf. a obra citada, p. 223s., bem como o meu trabalho *Hermeneutik und Historismus*, vol. II das Obras Completas, p. 387s. Parece-me que recentemente esses problemas foram bastante discutidos a partir de uma base semântica muito estreita. Cf. DAVISON, D. *Inquiries into Truth and Interpretation*. Oxford, 1984.]

como se dá na continuidade ininterrupta de uma tradição. Existe realmente uma polaridade entre familiaridade e estranheza, e nela se baseia a tarefa da hermenêutica. Só que essa não pode ser compreendida no sentido psicológico de Schleiermacher como o âmbito que abriga o mistério da individualidade, mas num sentido verdadeiramente hermenêutico, isto é, em referência a algo que foi dito (*Gesagtes*), a linguagem em que nos fala a tradição, a saga (*Sage*) que ela nos conta (*sagt*). Também aqui se manifesta uma tensão. Ela se desenrola entre a estranheza e a familiaridade que a tradição ocupa junto a nós, entre a objetividade da distância, pensada historicamente, e a pertença a uma tradição. *Esse entremeio (Zwischen) é o verdadeiro lugar da hermenêutica.*

Essa posição intermediária onde a hermenêutica deve ocupar seu posto mostra que sua tarefa não é desenvolver um procedimento compreensivo mas esclarecer as condições sob as quais surge compreensão. Nem todas essas condições possuem o modo de ser de um "procedimento" ou de um método, de modo que quem as compreendesse poderia aplicá-las por si mesmo; essas condições devem estar dadas.

Enquanto tais, os preconceitos e opiniões prévias que ocupam a consciência do intérprete não se encontram à sua livre disposição. O intérprete não está em condições de distinguir por si mesmo e de antemão os preconceitos produtivos, que tornam possível a compreensão, daqueles outros que a obstaculizam e que levam a mal-entendidos. [301]

Essa distinção deve acontecer, antes, na própria compreensão, e é por isso que a hermenêutica precisa perguntar pelo modo como isso se dá, o que implica elevar ao primeiro plano aquilo que na hermenêutica tradicional ficava à margem: a distância temporal e seu significado para a compreensão.

Isso deve ser esclarecido primeiramente, em confronto com a teoria hermenêutica do romantismo. Basta lembrar que este concebia a compreensão como a reprodução de uma produção originária. Foi por isso que ela pôde se impor a divisa de que é preciso chegar a compreender um autor melhor do que ele próprio se compreendia. Já investigamos a origem dessa frase e sua ligação com a estética do gênio, mas teremos que voltar agora a isso, uma vez que à luz de nossa reflexão atual ela ganha um novo significado.

O fato de a compreensão posterior possuir uma superioridade de princípio face à produção originária e possa, por isso, ser formulada como um "compreender melhor" não se deve a uma conscientização posterior capaz de equiparar o intérprete com o autor original (como opinava Schleiermacher), mas, ao contrário, descreve uma diferença insuperável entre o intérprete e o autor, diferença que é dada pela distância histórica. Cada época deve compreender a seu modo um texto transmitido, pois o texto forma parte do todo da tradição na qual cada época tem um interesse objetivo e onde também ela procura compreender a si mesma. Como se apresenta a seu intérprete, o verdadeiro sentido de um texto não depende do aspecto puramente ocasional representado pelo autor e seu público originário. Ou pelo menos não se esgota nisso, pois sempre é determinado também pela situação histórica do intérprete e consequentemente por todo curso objetivo da história. É isso que de modo simples e ingênuo leva em conta um autor como Chladenius[226], que ainda não estrangulou a compreensão do aspecto histórico. Ele crê que um autor não precisa ter reconhecido por si mesmo todo o verdadeiro sentido de seu texto e que por isso o intérprete pode e deve compreender mais do que aquele. Isso reveste-se de uma importância realmente fundamental. O sentido de um texto supera seu autor não ocasionalmente, mas sempre. Por isso, a compreensão nunca é um comportamento meramente reprodutivo, mas também e sempre produtivo. Talvez não seja correto chamar de "compreender melhor" a esse momento produtivo inerente à compreensão. Pois já vimos que essa fórmula é a transposição de um postulado básico da crítica de conteúdo da época da *Aufklärung* sobre a base da estética do gênio. Na verdade, compreender não é compreender melhor, nem sequer no sentido de possuir um melhor conhecimento sobre a coisa em virtude de conceitos mais claros, nem no sentido da superioridade básica que o consciente possui com relação ao caráter inconsciente da produção. Basta dizer que, *quando se logra compreender*, compreende-se de um modo *diferente*.

---

226. Cf. acima, p. 187 (original).

Este conceito da compreensão rompe, evidentemente, o círculo traçado pela hermenêutica romântica. Na medida em que agora já não se tem em mente a individualidade e sua opinião mas a verdade da coisa, um texto não é compreendido como mera expressão de vida, mas é levado a sério na sua pretensão de verdade. O fato de que também a isso, e até precisamente a isso, se chame "compreender" era antes uma obviedade – nisso recordo-me da citação de Chladenius[227]. Mas a dimensão do problema hermenêutico foi desacreditada pela consciência histórica e pela versão psicológica que Schleiermacher deu à hermenêutica e só pôde ser recuperada quando se tornaram patentes as aporias do historicismo e quando estas acabaram desembocando naquela mudança de rumo, nova e fundamental, para a qual, na minha opinião, o trabalho de Heidegger representou o impulso mais decisivo. Isso porque a distância temporal em sua produtividade hermenêutica só pôde ser pensada a partir da mudança de rumo ontológico que Heidegger deu à compreensão como um "existencial" e a partir da interpretação temporal que aplicou ao modo de ser da pre-sença.

O tempo já não é, primariamente, um abismo a ser transposto porque separa e distancia, mas é, na verdade, o fundamento que sustenta o acontecer, onde a atualidade finca suas raízes. Assim, a distinção dos períodos não é algo que deva ser superado. Esta era, antes, a pressuposição ingênua do historicismo, ou seja, que era preciso deslocar-se ao espírito da época, pensar segundo seus conceitos e representações em vez de pensar segundo os próprios, e assim se poderia alcançar a objetividade histórica. Na verdade trata-se de reconhecer a distância de tempo como uma possibilidade positiva e produtiva do compreender. Não é um abismo devorador, mas está preenchido pela continuidade da herança histórica e da tradição, em cuja luz nos é mostrada toda a tradição. Não será exagerado falarmos aqui de uma genuína produtividade do acontecer. Todo mundo conhece essa peculiar impotência de se julgar onde não dispomos de uma distância temporal que nos forneça critérios seguros. Assim, para a consciência científica, o juízo sobre a arte contemporânea reveste-se de uma insegurança desesperadora.

---

227. Acima, p. 186 (original).

[303] Quando nos aproximamos dessas criações, o fazemos, evidentemente, a partir de preconceitos incontroláveis, pressuposições que possuem demasiado poder sobre nós para que possamos conhecê-las, e que conseguem conferir à criação contemporânea uma hiper-ressonância que não corresponde ao seu verdadeiro conteúdo e significado. Somente a extinção de todos os nexos atuais torna visível sua verdadeira forma e possibilita, com isso, uma compreensão do que é dito neles, e isto pode reivindicar uma universalidade vinculante.

Essa experiência levou a investigação histórica à conclusão de que um conhecimento objetivo só pode ser alcançado a partir de uma certa distância histórica. É verdade que o que está numa coisa, o conteúdo que lhe é próprio, somente se divisa a partir da distância com relação à atualidade, surgida de circunstâncias efêmeras. A possibilidade de adquirir uma certa visão panorâmica, o caráter relativamente concluído (*Abgeschlossenheit*) de um processo histórico, o seu distanciamento com relação às opiniões objetivas que dominam o presente, tudo isso são, até certo ponto, condições positivas da compreensão histórica. A pressuposição tácita do método histórico é, pois, que o significado objetivo e permanente de algo somente se torna cognoscível quando pertence a um nexo mais ou menos concluído. Noutras palavras: quando está suficientemente morto para só despertar ainda interesse histórico. É só então que parece possível descartar a participação subjetiva do observador. Na verdade, isto é um paradoxo, é o correlato, na teoria da ciência, do velho problema moral de se saber se alguém pode ser declarado feliz antes de sua morte. Assim como Aristóteles mostrou até que ponto um problema desse tipo consegue aguçar as possibilidades humanas de juízo[228], a reflexão hermenêutica precisa aguçar aqui a autoconsciência metodológica da ciência. É bem verdade que determinados requisitos hermenêuticos se satisfazem, por si sós e sem dificuldade, aí onde um nexo histórico só desperta ainda interesse histórico. Isto porque, nesse caso, há certas fontes de erro que se descartam por si mesmas. A pergunta é se com isso se esgota realmente o problema hermenêutico. A distância tempo-

---

228. *Ética a Nicômaco*, A7.

ral possui ainda um outro sentido além da morte do interesse pessoal pelo objeto. Ela é a única que permite uma expressão completa do verdadeiro sentido que há numa coisa. Entretanto, o verdadeiro sentido contido num texto ou numa obra de arte não se esgota ao chegar a um determinado ponto final, visto ser um processo infinito. Não se eliminam apenas novas fontes de erro, de modo a filtrar todas as distorções do verdadeiro sentido. Antes, estão surgindo sempre novas fontes de compreensão, revelando relações de sentido insuspeitadas. A distância temporal que possibilita essa filtragem não tem uma dimensão fechada e concluída, mas está ela mesma em constante movimento e expansão. Ao lado do aspecto negativo da filtragem operada pela distância temporal, aparece, simultaneamente, seu aspecto positivo para a compreensão. Essa distância, além de eliminar os preconceitos de natureza particular, permite o surgimento daqueles que levam a uma compreensão correta. [304]

Muitas vezes essa distância temporal nos dá condições de resolver a verdadeira questão crítica da hermenêutica[229], ou seja, distinguir os *verdadeiros* preconceitos, sob os quais *compreendemos*, dos *falsos* preconceitos que produzem os *mal-entendidos*. Nesse sentido, uma consciência formada hermeneuticamente terá de incluir também a consciência histórica. Ela tomará consciência dos próprios preconceitos que guiam a compreensão para que a tradição se destaque e ganhe validade como uma opinião distinta. É claro que destacar um preconceito implica suspender sua validez. Pois, na medida em que um preconceito nos determina, não o conhecemos nem o pensamos como um juízo. Como poderia então ser colocado em evidência? Enquanto está em jogo, é impossível fazer com que um preconceito salte aos olhos; para isso é preciso de certo modo provocá-lo. Isso que pode provocá-lo é precisamente o encontro com a tradição, pois o que incita a compreender deve ter-se feito valer já, de algum modo, em sua própria alteridade. Já vimos[230] que a compreensão começa onde algo nos interpela. Esta é a condição hermenêutica suprema. Sabemos agora o que isso exi-

---

229. [Aqui abrandei o texto original ("Não é outra coisa senão essa partícula de tempo que consegue..."). Não apenas a distância temporal, mas a distância é que torna solúvel essa tarefa hermenêutica. Cf. também vol. II, das *Ges. Werke*, p. 64.]
230. P. 295, 300 (original).

ge: suspender por completo os próprios preconceitos. Mas, do ponto de vista lógico, a suspensão de todo juízo, e *a fortiori* de todo preconceito, tem a estrutura da *pergunta*.

A essência da *pergunta* é abrir e manter abertas possibilidades. Face ao que nos diz outra pessoa ou um texto, quando um preconceito se torna questionável, não quer dizer consequentemente que ele seja simplesmente deixado de lado e que o outro ou o diferente venha a substituí-lo imediatamente em sua validez. Essa é, antes, a ingenuidade do objetivismo histórico, a saber, a admissão de que nós podemos fazer caso omisso de nós mesmos. Na verdade, o preconceito próprio só entra realmente em jogo na medida em que já está metido nele. É só na medida em que ele próprio entra em jogo que pode apreender a pretensão de verdade do outro, possibilitando que também ele entre em jogo.

A ingenuidade do chamado historicismo reside em renunciar a uma reflexão desse tipo, esquecendo sua própria historicidade na medida em que confia na metodologia de seu procedimento. Nesse ponto convém deixar de lado esse pensamento histórico mal compreendido e apelar para outro que deve ser melhor compreendido.

[305] Um pensamento verdadeiramente histórico deve incluir sua própria historicidade em seu pensar. Só então deixará de perseguir o fantasma de um objeto histórico – objeto de uma investigação que está avançando – para aprender a conhecer no objeto o diferente do próprio, conhecendo assim tanto um quanto o outro. O verdadeiro objeto histórico não é um objeto, mas a unidade de um e de outro, uma relação formada tanto pela realidade da história quanto pela realidade do compreender histórico[231]. Uma hermenêutica adequada à coisa em questão deve mostrar a realidade da história na própria compreensão. A essa exigência eu chamo de "história efeitual". Compreender é, essencialmente, um processo de história efeitual.

---

231. [Aqui, encontramo-nos permanentemente sob a ameaça de nos "apropriarmos do outro na compreensão e, com isso, ignorar a sua alteridade.]

2.1.4. O princípio da história efeitual

O interesse histórico não se volta apenas aos fenômenos históricos ou às obras transmitidas, mas tem como temática secundária o efeito dos mesmos na história (o que implica também a história da investigação). Em geral, isso é considerado um mero complemento do questionamento histórico que, desde o *Raffael* de Hermann Grimm até Gundolf e mais além dele, produziu toda uma série de valiosas perspectivas históricas. Nesse sentido, a história efeitual não representa nada de novo. Novo, porém, é o fato de se precisar de um tal questionamento da história efeitual sempre que uma obra ou uma tradição tiver de sair do lusco-fusco em que se encontra entre tradição e historiografia para o claro e aberto de seu real significado. Essa sim é de fato uma nova exigência, não à investigação mas à sua consciência metodológica – que se impõe a partir da reflexão rigorosa da consciência histórica.

É evidente que não se trata de uma exigência hermenêutica no sentido tradicional do conceito de hermenêutica. Pois a ideia não é que a investigação deva desenvolver um questionamento de história efeitual paralelo ao questionamento voltado diretamente à compreensão da obra. A exigência tem um cunho teórico. A consciência histórica deve conscientizar-se de que, na suposta imediatez com que se orienta para a obra ou para a tradição, está sempre em jogo esse outro questionamento, ainda que de uma maneira despercebida e consequentemente incontrolada. Quando procuramos compreender um fenômeno histórico a partir da distância histórica que determina nossa situação hermenêutica como um todo, encontramo-nos sempre sob os efeitos dessa história efeitual. Ela determina de antemão o que se nos mostra questionável e se constitui em objeto de investigação. E, cada vez que tomamos o fenômeno imediato como toda a verdade, esquecemos praticamente a metade do que realmente é, ou melhor, esquecemos toda a verdade deste fenômeno. [306]

Na suposta ingenuidade da nossa compreensão, na qual nos guiamos pelo padrão da compreensibilidade, o outro se mostra a partir do próprio, e isso de tal modo que já não se distingue o que é próprio e o que é outro. Na medida em que apela para seu método crítico, o objetivismo histórico oculta o emaranhado histórico-efeitual em que se encontra a própria consciência histórica. É verdade que, graças ao seu método crítico, ele elimina a arbitrariedade e o capricho de certas atualizações que se congraçam com o passado. Mas com isso ele se livra da má consciência de negar aquelas pressuposições que não são arbitrárias nem aleatórias, mas que sustentam e guiam seu próprio compreender; dessa forma negligencia a verdade que se poderia alcançar, apesar de toda finitude de nossa compreensão. Nisso o objetivismo histórico se parece com a estatística, que se converte num meio propagandístico tão distinto, por deixar falar a linguagem dos fatos, aparentando assim uma objetividade que, na verdade, depende da legitimidade de seu questionamento.

Não precisamos, portanto, desenvolver a história efeitual como nova disciplina auxiliar das ciências do espírito. O que precisamos é apenas aprender a conhecer-nos melhor e reconhecer que os efeitos da história efeitual operam em toda compreensão, estejamos ou não conscientes disso. Quando se nega a história efeitual na ingenuidade da fé metodológica, a consequência pode ser até uma real deformação do conhecimento. Sabemos disso através da história da ciência, quando ela apresenta a prova irrefutável de coisas evidentemente falsas. Mas, em seu conjunto, o poder da história efeitual não depende de seu reconhecimento. Tal é precisamente o poder da história sobre a consciência humana limitada: o poder de impor-se inclusive onde a fé no método quer negar a própria historicidade. Daí a urgência com que se impõe a necessidade de tornar consciente a história efeitual: trata-se de uma exigência necessária à consciência científica. Mas isso não significa, de modo algum, que ela possa dar-se de modo absoluto. A afirmação de que a história efeitual pode chegar a tornar-se completamente consciente é tão híbrida como a pretensão hegeliana de um saber absoluto, em que a história chegaria à completa autotransparência e se elevaria até o patamar do conceito. Ao contrário, a consciência histórico-efeitual é um momento da realização da própria compreensão, e mais adiante veremos que ele já atua na *obtenção da pergunta correta*.

A consciência da história efeitual é em primeiro lugar cons- [307]
ciência da *situação* hermenêutica. No entanto, o tornar-se consciente de uma situação é uma tarefa que em cada caso se reveste de uma dificuldade própria. O conceito de situação se caracteriza pelo fato de não nos encontrarmos diante dela e, portanto, não dispormos de um saber objetivo sobre ela[232]. Nós estamos nela, já nos encontramos sempre numa situação cuja elucidação é tarefa nossa. Essa elucidação jamais poderá ser cumprida por completo. E isso vale também para a situação hermenêutica, isto é, para a situação em que nos encontramos frente à tradição que queremos compreender. Também a elucidação dessa situação, isto é, a reflexão da história efetual, não pode ser realizada plenamente. Essa impossibilidade porém não é defeito da reflexão, mas faz parte da própria essência do ser histórico que somos. *Ser histórico quer dizer não se esgotar nunca no saber-se.* Todo saber-se procede de um dado histórico prévio, que com Hegel chamamos de "substância", porque suporta toda opinião e comportamento do sujeito e, com isso, prefigura e delimita toda possibilidade de compreender uma tradição em sua alteridade histórica. A partir disso, a tarefa da hermenêutica filosófica pode ser caracterizada do seguinte modo: deve refazer o caminho da *Fenomenologia do espírito* hegeliana, até o ponto em que, em toda subjetividade, se mostre a substancialidade que a determina.

Todo presente finito tem seus limites. Nós definimos o conceito de situação justamente por sua característica de representar uma posição que limita as possibilidades de ver. Ao conceito de situação pertence essencialmente, então, o conceito do *horizonte*. Horizonte é o âmbito de visão que abarca e encerra tudo o que pode ser visto a partir de um determinado ponto. Aplicando esse conceito à consciência pensante, falamos então da estreiteza do horizonte, da possibilidade de ampliar o horizonte, da abertura de novos horizontes etc. A linguagem filosófica empregou essa palavra,

---

232. O conceito de situação foi elucidado em sua estrutura sobretudo por K. Jaspers (*Die geistige Situation der Zeit*) e Erich Rothacker. [Cf. tb. "Was ist Wahrheit", vol. II.]

sobretudo desde Nietzsche e Husserl[233], para caracterizar a vinculação do pensamento à sua determinidade finita e para caracterizar o ritmo de ampliação do campo visual. Aquele que não tem um horizonte é um homem que não vê suficientemente longe e que, por conseguinte, supervaloriza o que lhe está mais próximo. Ao contrário, ter horizontes significa não estar limitado ao que há de mais próximo, mas poder ver para além disso. Aquele que tem horizontes sabe valorizar corretamente o significado de todas as coisas que pertencem ao horizonte, no que concerne a proximidade e distância, grandeza e pequenez. A elaboração da situação hermenêutica significa então a obtenção do horizonte de questionamento correto para as questões que se colocam frente à tradição.

Também é verdade que falamos de horizontes no âmbito da compreensão histórica, sobretudo quando nos referimos à pretensão da consciência histórica de ver o passado em seu próprio ser, não a partir de nossos padrões e preconceitos contemporâneos, mas a partir de seu próprio horizonte histórico. A tarefa da compreensão histórica inclui a exigência de ganhar em cada caso o horizonte histórico a fim de que se mostre, assim, em suas verdadeiras medidas, o que queremos compreender. Quem omitir esse deslocamento ao horizonte histórico a partir do qual fala a tradição estará sujeito a mal-entendidos com respeito ao significado dos conteúdos daquela. Nesse sentido, parece ser uma exigência hermenêutica justificada o fato de termos de nos colocar no lugar do outro para poder compreendê-lo. Só que nesse caso é preciso que nos perguntemos se esse lema não fica devendo precisamente a compreensão que nos é exigida. Ocorre como no diálogo que mantemos com alguém com o único propósito de chegar a conhecê-lo, isto é, de termos uma ideia de sua posição e horizonte. Esse não é um verdadeiro diálogo; não se procura o entendimento sobre um tema, já que os conteúdos objetivos do diálogo não são mais que um meio para conhecer o horizonte do outro. Pense-se, por exem-

---

233. [A isso já se referiu H. Kuhn. Cf. *The Phenomenological Concept of "Horizon"* (*Philosophical Essays in Memory of Husserl*, M. Faber), Cambridge, 1940, p. 106-123. Cf. ainda as explicações acima sobre "Horizonte", p. 250s. (original)].

plo, numa consulta para exame ou em determinadas formas de consultas médicas. A consciência histórica opera de modo semelhante quando se desloca para a situação do passado e supõe ter alcançado assim seu verdadeiro horizonte histórico. Se no diálogo só passamos a compreender as opiniões do outro a partir do momento em que descobrimos sua posição e horizonte, sem precisarmos nos entender com ele, assim também para quem pensa historicamente, a tradição se torna compreensível em seu sentido sem que ele se entenda com ela e sem que se compreenda nela.

Em ambos os casos, aquele que procura compreender se coloca a si mesmo fora da situação do entendimento. Ele próprio não é atingível. Na medida em que se inclui de antemão também o ponto de partida do outro naquilo que ele procura nos dizer, estamos colocando nosso próprio ponto de partida na segurança de não poder ser atingido[234]. Na gênese do pensamento histórico vimos que este assume efetivamente essa transição equívoca do meio para o fim, isto é, transforma em fim o que era só um meio. O texto que se busca compreender historicamente é despojado formalmente de sua pretensão de dizer a verdade. Acreditamos estar compreendendo quando vemos a tradição a partir do ponto de vista histórico, isto é, quando nos deslocamos à situação histórica, procurando reconstruir seu horizonte. Na verdade renunciamos definitivamente à pretensão de encontrar na tradição uma verdade compreensível que possa ser válida para nós mesmos. Este reconhecimento da alteridade do outro, que a converte em objeto de conhecimento objetivo, é, no fundo, uma suspensão de nossa própria pretensão.

Surge então a questão de sabermos se essa descrição atinge realmente o fenômeno hermenêutico. Existirão aqui realmente dois horizontes diferentes, o horizonte onde vive quem compreende e o horizonte histórico a que este pretende se deslocar? Será que a descrição da arte da compreensão histórica que diz ser necessário aprender a deslocar-se a horizontes alheios é uma descrição correta

---

234. [Expus o aspecto moral disso em 1943 na minha dissertação "Das Problem der Geschichte in der neueren deutschen Philosophie", vol. II. A partir desse momento daremos mais atenção a isso.]

e suficiente? Nesse sentido, será que podemos dizer que existem horizontes fechados? Convém lembrar a acusação que Nietzsche fez ao historicismo, a saber, de suprimir o horizonte circunscrito pelo mito, único lugar onde uma cultura pode viver[235]. Pode-se dizer que o horizonte do próprio presente é algo tão fechado? Será possível pensar uma situação histórica limitada por um tal horizonte fechado?

Ou isso não será uma retrospecção romântica, uma espécie de robinsonada da *Aufklärung* histórica, a ficção de uma ilha inalcansável, tão artificial quanto o próprio Robinson, o presumível fenômeno originário do *solus ipse*? Assim como cada um jamais é um indivíduo solitário, pois está sempre se compreendendo com os outros também o horizonte fechado que cercaria uma cultura é uma abstração. A mobilidade histórica da existência humana se constitui precisamente no fato de não possuir uma vinculação absoluta a uma determinada posição, e nesse sentido jamais possui um horizonte verdadeiramente fechado. O horizonte é, antes, algo no qual trilhamos nosso caminho e que conosco faz o caminho. Os horizontes se deslocam ao passo de quem se move. Também o horizonte do passado, do qual vive toda vida humana e que se apresenta sob a forma de tradição, que já está sempre em movimento. Não foi a consciência histórica que colocou inicialmente em movimento o horizonte que tudo engloba. Nela esse movimento não faz mais que tomar consciência de si mesmo.

Quando nossa consciência histórica se transporta para horizontes históricos, isso não quer dizer que se translade a mundos estranhos que nada têm a ver com o nosso; ao contrário, todos eles juntos formam esse grande horizonte que se move a partir de dentro e que abarca a profundidade histórica de nossa autoconsciência para além das fronteiras do presente. Na realidade, trata-se de um único horizonte que engloba tudo quanto a consciência histórica contém em si. O nosso próprio passado e o dos outros, ao qual se volta a consciência histórica, faz parte do horizonte móvel a partir do qual vive a vida humana, esse horizonte que a determina como origem e tradição.

---

235. NIETZSCHE. *Unzeitgemässe Betrachtungen* II, no início.

Compreender uma tradição requer, sem dúvida, um horizonte histórico. Mas não é verdade que alcançamos esse horizonte deslocando-nos a uma situação histórica. Ao contrário, para poder nos deslocar a uma situação precisamos já sempre possuir um horizonte. Pois, o que significa deslocar-se? De certo que não será simplesmente "fazer abstração de si mesmo". É claro que isso é necessário na medida em que precisamos realmente representar-nos uma situação diferente. Mas é preciso que nós próprios nos transportemos até essa outra situação. Somente assim se satisfaz ao sentido de "deslocar-se". Se nos deslocamos, por exemplo, à situação de um outro homem, então vamos compreendê-lo, isto é, tornamo-nos conscientes da alteridade e até da individualidade irredutível do outro precisamente por *nos* deslocarmos à sua situação.

Esse ato de deslocar-se não se dá por empatia de uma individualidade com a outra, nem pela submissão do outro aos nossos próprios padrões. Antes, significa sempre uma ascensão a uma universalidade mais elevada que supera tanto nossa própria particularidade quanto a do outro. O conceito de horizonte torna-se interessante aqui porque expressa essa visão superior e mais ampla que deve ter aquele que compreende. Ganhar um horizonte quer dizer sempre aprender a ver para além do que está próximo e muito próximo, não para abstrair dele mas precisamente para vê-lo melhor, em um todo mais amplo e com critérios mais justos. Não estamos fazendo uma descrição adequada da consciência quando, com Nietzsche, falamos dos muitos horizontes mutáveis aos quais a consciência histórica ensina a se deslocar. Aquele que assim faz abstração de si mesmo priva-se justamente do horizonte histórico, e na verdade a demonstração de Nietzsche das desvantagens da ciência histórica para a vida não diz respeito à consciência histórica como tal, mas à autoalienação de que ela é vítima quando compreende a metodologia da moderna ciência da história como sua própria essência. Já acentuamos que uma consciência verdadeiramente histórica sempre tem em vista também seu próprio presente, e quiçá de modo a ver as relações corretas entre si mesma e o historicamente outro. É evidente que alcançar um horizonte histórico implica necessariamente um esforço pessoal. Nós já estamos sempre tomados pelas esperanças e temores do que nos é mais próximo e abordamos os testemunhos do passado a partir dessa predeterminação. Por isso, uma tarefa que nos é colocada constantemente é a de impedir uma assimilação precipitada do passado com as próprias expectativas de sentido. Só então poderemos ouvir a voz da tradição tal como ela pode fazer-se ouvir em seu sentido próprio e diverso.

Vimos anteriormente que isso se realiza como um processo que vai criando destaque (*Abhebung*).

[311]   Consideremos por um momento qual é o conteúdo desse conceito de "destacar". Destacar é sempre uma relação recíproca. O que deve ser destacado deve destacar-se de algo que, por sua vez, deverá destacar-se ele próprio daquele primeiro. Toda vez que se destaca alguma coisa se está tornando simultaneamente visível aquilo de que se destaca. Acima descrevemos esse processo como o pôr em jogo os preconceitos. Partíamos então do fato de que uma situação hermenêutica está determinada pelos preconceitos que trazemos conosco. Estes formam o horizonte de um presente, pois representam aquilo além do que já não conseguimos ver. No entanto, importa manter-nos afastados do erro de pensar que o que determina e limita o horizonte do presente é um acervo fixo de opiniões e valores, e que a alteridade do passado se destaca desse presente como de um fundamento sólido.

Na verdade, o horizonte do presente está num processo de constante formação, na medida em que estamos obrigados a pôr constantemente à prova todos os nossos preconceitos. Parte dessa prova é o encontro com o passado e a compreensão da tradição da qual nós mesmos procedemos. O horizonte do presente não se forma pois à margem do passado. Não existe um horizonte do presente por si mesmo, assim como não existem horizontes históricos a serem conquistados. *Antes, compreender é sempre o processo de fusão desses horizontes presumivelmente dados por si mesmos.* Conhecemos a força dessa fusão sobretudo de tempos mais antigos e da ingenuidade de sua relação com sua época e com suas origens. A vigência da tradição é o lugar onde essa fusão se dá constantemente, pois nela o velho e o novo sempre crescem juntos para uma validez vital, sem que um e outro cheguem a se destacar explícita e mutuamente. Mas se na realidade não existem esses horizontes que se destacam uns dos outros, por que falamos então de fusão de horizontes e não simplesmente da formação desse horizonte único que lança sua fronteira às profundidades da tradição? Colocar essa questão implica admitir a peculiaridade da situação na qual a compreensão se converte em tarefa científica e admitir que é necessário uma vez elaborar esta situação como situação hermenêutica. Todo encontro com a tradição realizado graças à consciência histórica experimenta por si mesmo a relação de tensão entre texto e presente. A tarefa hermenêutica consiste em não dissimular essa tensão em uma assimilação ingênua, mas em desenvolvê-la conscientemente. Esta é a razão por que o comportamento hermenêutico está obrigado a projetar um horizonte que se distinga do presente. A consciência histórica tem consciência de sua própria alteridade e por isso destaca o horizonte da tradição de seu próprio horizonte. Mas, por outro lado, ela mesma não é, como já procuramos mostrar, senão uma espécie de superposição sobre uma tradição que continua atuante. É por isso que logo em seguida ela recolhe o que acaba de destacar a fim de intermediar-se consigo mesma na unidade do horizonte histórico assim conquistado. [312]

O projeto de um horizonte histórico é, portanto, só uma fase ou um momento na realização da compreensão, e não se prende na autoalienação de uma consciência passada, mas se recupera no próprio horizonte compreensivo do presente. Na realização da compreensão dá-se uma verdadeira fusão de horizontes que, com o projeto do horizonte histórico, leva a cabo simultaneamente sua suspensão. Nós caracterizamos a realização controlada dessa fusão como a vigília da consciência histórico-efeitual. Se o positivismo estético e histórico, herdeiro da hermenêutica romântica, ocultou essa tarefa, precisamos reafirmar que o problema central da hermenêutica se estriba precisamente nisso. É o problema da *aplicação*, presente em toda compreensão.

2.2. A reconquista do problema fundamental da hermenêutica

2.2.1. O problema hermenêutico da aplicação

Na velha tradição da hermenêutica, que se perdeu completamente na autoconsciência histórica da teoria pós-romântica da ciência, esse problema ainda ocupava um lugar sistemático. O problema hermenêutico se dividia como segue: distingue-se uma *subtilitas intelligendi*, compreensão, de uma *subtilitas explicandi*, a interpretação, e durante o pietismo se acrescentou como terceiro componente a *subtilitas applicandi*, a aplicação (por exemplo, em J.J. Rambach). Esses três momentos devem perfazer o modo de realização da compreensão. É significativo que os três recebam o nome de *subtilitas*, ou seja, que se compreendam menos como um método sobre o qual se dispõe do que como uma aptidão que requer uma particular finura de espírito[236].

Ora, como vimos, o problema hermenêutico recebeu seu significado sistemático no momento em que o romantismo reconheceu a unidade interna de *intelligere* e *explicare*. A interpretação não é um ato posterior e ocasionalmente complementar à compreensão. Antes, compreender é sempre interpretar, e, por conseguinte, a interpretação é a forma explícita da compreensão. Relacionado com isso está também o fato de que a linguagem e a conceptualidade da interpretação foram reconhecidas como um momento estrutural interno da compreensão; com isso o problema da linguagem que ocupava uma posição ocasional e marginal passa a ocupar o centro da filosofia. A isso porém voltaremos mais adiante.

[313]

Mas a íntima fusão entre compreensão e interpretação acabou expulsando totalmente do contexto da hermenêutica o terceiro momento da problemática da hermenêutica, a *aplicação*. A aplicação edificante que se fazia por exemplo da Sagrada Escritura no anúncio e na pregação cristã parecia ser algo completamente distinto da compreensão histórica e teológica da mesma. Ora, nossas reflexões nos levaram a admitir que, na compreensão, sempre ocorre algo co-

---

236. As *Institutiones hermeneuticae sacrae* (1723), de Rambach, chegaram ao meu conhecimento apenas através do resumo de Morus, onde diz: "Solemus autem intelligendi explicandique subtilitatem (soliditatem vulgo)".

mo uma aplicação do texto a ser compreendido à situação atual do intérprete. Nesse sentido nos vemos obrigados a dar um passo mais além da hermenêutica romântica, considerando como um processo unitário não somente a compreensão e interpretação mas também a aplicação. Isso não significa um retorno à distinção tradicional das três *subtilitatae* de que falava o pietismo. Ao contrário, pensamos que a aplicação é um momento tão essencial e integrante do processo hermenêutico como a compreensão e a interpretação[237].

O estado atual da discussão hermenêutica nos permite destacar a significação fundamental desse ponto de vista. Para começar, podemos apelar à história esquecida da hermenêutica. Antigamente era lógico e muito natural considerar que a tarefa da hermenêutica era adaptar o sentido de um texto à situação concreta a que este fala. O intérprete da vontade divina, aquele que sabe interpretar a linguagem dos oráculos, representa seu modelo originário. Mas hoje em dia o trabalho do intérprete não é simplesmente reproduzir o que realmente diz o interlocutor que ele interpreta, mas deve fazer valer a opinião daquele como lhe parece necessário a partir da real situação da conversação na qual somente ele se encontra como conhecedor das duas línguas que estão em comércio.

A história da hermenêutica nos ensina que junto com a hermenêutica filológica existiram também uma hermenêutica teológica e uma hermenêutica jurídica, e que somente as três juntas perfazem o conceito pleno de hermenêutica. Uma das consequências do desenvolvimento da consciência histórica nos séculos XVIII e XIX foi a desvinculação da hermenêutica filológica e da historiografia de seu vínculo com as outras disciplinas hermenêuticas, estabelecendo-se autonomamente como teoria metodológica da investigação das ciências do espírito.

A estreita pertença que unia na sua origem a hermenêutica *filológica* com a *jurídica* apoiava-se no reconhecimento da aplicação como momento integrante de toda compreensão. Tanto para a her- [314]

---

237. [Infelizmente, essa clara declaração é muitas vezes ignorada por ambas as partes, na discussão hermenêutica.]

menêutica jurídica quanto para a teológica, é constitutiva a tensão que existe entre o texto proposto – da lei ou do anúncio – e o sentido que alcança sua aplicação ao instante concreto da interpretação, no juízo ou na pregação. Uma lei não quer ser entendida historicamente. A interpretação deve concretizá-la em sua validez jurídica. Da mesma forma, o texto de uma mensagem religiosa não quer ser compreendido como mero documento histórico, mas deve ser compreendido de forma a poder exercer seu efeito redentor. Em ambos os casos isso implica que, se quisermos compreender adequadamente o texto – lei ou mensagem de salvação –, isto é, compreendê-lo de acordo com as pretensões que o mesmo apresenta, devemos compreendê-lo a cada instante, ou seja, compreendê-lo em cada situação concreta de uma maneira nova e distinta. Aqui, compreender é sempre também aplicar.

Ora, nós partimos do conhecimento de que também a compreensão que se exerce nas ciências do espírito é essencialmente histórica, isto é, que também nelas um texto só pode ser compreendido se em cada caso for compreendido de uma maneira diferente. O caráter que revestia a missão da hermenêutica histórica era precisamente refletir sobre a tensão que existe na relação entre a identidade da coisa comum e a situação mutável na qual a coisa deve ser compreendida. Tínhamos partido do fato de que a mobilidade histórica da compreensão, deixada à margem pela hermenêutica romântica, representa o ponto central do questionamento hermenêutico adequado à consciência histórica. Nossas considerações sobre o significado da tradição na consciência histórica engatam na análise heideggeriana da hermenêutica da facticidade, procurando torná-la fecunda para uma hermenêutica das ciências do espírito. Mostramos que a compreensão é menos um método através do qual a consciência histórica se aproximaria do objeto eleito para alcançar seu conhecimento objetivo do que um processo que tem como pressuposição estar dentro de um acontecer da tradição. *A própria compreensão se mostrou como um acontecer*, e do ponto de vista filosófico a tarefa da hermenêutica consiste em perguntar pelo tipo de compreensão e de ciência é esta que é movida em si mesma pela própria mudança histórica.

É bom não esquecer que isso exige algo incomum à autocompreensão da ciência moderna. Ao largo de nossas reflexões, procuramos tornar essa exigência mais plausível, demonstrando que é o resultado da convergência de toda uma série de problemas.

De fato, a teoria da hermenêutica que chega até os nossos dias se desagregou em distinções que ela mesma não é capaz de sustentar. Isso fica muito claro onde se procura formular uma teoria geral da interpretação. Se distinguirmos, por exemplo, entre interpretação cognitiva, normativa e reprodutiva, como fez E. Betti em sua *Allgemeine Theorie der Interpretation*[238] – obra que apresenta um admirável conhecimento e domínio do tema –, as dificuldades aparecem no momento de submeter os fenômenos a esse esquema de divisão. Isso vale em primeiro lugar para a interpretação científica. Se juntarmos a interpretação teológica com a interpretação jurídica, subordinando-a à função normativa, será importante lembrar então que Schleiermacher relaciona inversamente, e de forma mais estreita, a interpretação teológica com a interpretação geral, que é para ele a interpretação histórico-filológica. De fato, a cisão entre as funções cognitiva e normativa atravessa, por inteiro, a hermenêutica teológica, e dificilmente poderá ser sanada pela distinção que se faz entre conhecimento científico e sua posterior aplicação edificante. É a mesma cisão que atravessa a interpretação jurídica, na medida em que o conhecimento do sentido de um texto jurídico e sua aplicação a um caso jurídico concreto não são dois atos separados, mas um processo unitário.

[315]

Mas, mesmo aquela interpretação que parece mais afastada dos tipos tratados até o presente, refiro-me à interpretação reprodutiva na leitura da poesia e na execução da música – pois uma e outra só possuem verdadeira existência ao serem executadas[239] – dificilmente poderá ser considerada como uma forma autônoma de interpretação. Também ela encontra-se atravessada pela cisão entre função cognitiva e normativa. Ninguém irá encenar um drama,

---

238. Cf. o tratado de E. Betti, citado acima à p. 264 (original), e sua monumental obra principal: *Allgemeine Auslegungslehre*, 1967. [Sobre isso, cf. sobretudo "Hermeneutik und Historismus", vol. II, e meu trabalho "Emilio Betti und das idealistische Erbe". *Quaderni Fiorentini* 7 (1978); Obras Completas, vol. IV.]

239. Cf., na primeira parte de nossa pesquisa, a análise da ontologia da obra de arte, p. 107s.

recitar um poema ou executar uma composição musical se não o fizer compreendendo o sentido originário do texto, mantendo-o como referência de sua reprodução ou interpretação. Mas, pelo mesmo motivo, ninguém poderia realizar essa interpretação reprodutiva sem levar em conta, nessa transposição do texto para uma forma sensível, aquele outro momento normativo que limita as exigências de uma reprodução estilisticamente justa em virtude das preferências de estilo do próprio presente. Se nos conscientizarmos de como a tradução de textos estrangeiros ou mesmo sua reformulação poética, assim como também a correta declamação de textos, realizam por si mesmas um desempenho explicativo parecido ao da interpretação filológica, de maneira que não existem de fato fronteiras nítidas entre um e outro, então já não poderemos [316] evitar a conclusão de que a distinção entre a interpretação cognitiva, normativa e reprodutiva não pode pretender uma validez de princípio, uma vez que circunscreve um fenômeno unitário.

E se isso for correto, então se coloca a tarefa de *voltar a determinar a hermenêutica das ciências do espírito a partir da hermenêutica jurídica e da hermenêutica teológica*. Para isso buscamos apoio no conhecimento alcançado em nossa investigação, a saber, que a hermenêutica romântica e sua coroação na interpretação psicológica, isto é, no deciframento e fundamentação da individualidade do outro, aborda o problema da compreensão de um modo excessivamente parcial. Nossas considerações não nos permitem dividir a colocação do problema hermenêutico segundo a subjetividade do intérprete e a objetividade de sentido que se trata de compreender. Esse procedimento partiria de uma falsa contraposição que tampouco pode ser superada pelo reconhecimento da dialética do subjetivo e do objetivo. A distinção entre uma função normativa e uma função cognitiva acaba cindindo definitivamente o que claramente é uno. O sentido da lei, que se apresenta em sua aplicação normativa, não é, em princípio, diferente do sentido de um tema, que ganha validez na compreensão de um texto. É completamente errôneo fundamentar a possibilidade de compreender textos na pressuposição da "congenialidade" que uniria o criador e o intérprete de uma obra. Se fosse assim, as ciências do espírito estariam em maus lençóis. O milagre da compreensão consiste, antes, no fato de que para reconhecer o que é verdadeiramente significativo e o sentido originário de uma tradição não precisamos da congenialidade. Ao contrário, nós somos capazes de nos abrir à pretensão excelsa de um texto e corresponder compreensivamente ao significado com o qual nos fala. A hermenêutica, no âmbito da filologia e da ciência espiritual da história, não é um "saber dominador"[240], isto é, apropriação por apoderamento; antes, ele se submete à pretensão dominante do texto. Mas quem fornece o verdadeiro modelo para isso é a hermenêutica jurídica e a hermenêutica teológica. A interpretação da vontade jurídica e da promessa divina não são evidentemente formas de domínio mas de serviço. Essas interpretações, que incluem aplicação, estão a serviço daquilo que deve valer. O postulado é, pois, que também a hermenêutica histórica deve realizar o trabalho da aplicação, pois também ela serve à validez de sentido, na medida em que supera, expressa e conscientemente, a distância temporal que separa o intérprete do texto, superando assim a alienação de sentido que o texto experimentou[241].

2.2.2. A atualidade hermenêutica de Aristóteles[242] [317]

Nesse ponto de nossa investigação impõe-se um contexto problemático que já apontamos em mais de uma ocasião. Se o próprio núcleo do problema hermenêutico é que a tradição como tal deve ser compreendida cada vez de modo diferente, então – a partir do ponto de vista lógico – o que está em questão é a relação entre o geral e o particular. Compreender passa a ser um caso especial da aplicação de algo geral a uma situação concreta e particular. Com isso a *ética aristotélica* ganha especial relevância para nós. Sobre ela já falamos nas nossas considerações introdutórias à teoria das ciências do espírito[243]. É verdade que Aristóteles não aborda o problema hermenêutico nem sua dimensão histórica, mas trata so-

---

240. Cf. as distinções em SCHELER, Max. *Wissen und Bildung*, 1927, p. 26.
241. [Como já ocorreu várias vezes nesse contexto, o debate permanece ainda demasiadamente restrito ao campo especial das ciências do espírito e ao *Sein zum Text*. Somente na terceira parte ocorre o que na verdade se tem sempre em vista, a expansão à linguagem e ao diálogo – e, com isso, a concepção fundamental de distância e alteridade. Cf. sobretudo p. 303s.]
242. [Cf. minha dissertação "Zwischen Phänomenologie und Dialektik – Versuch einer Selbstkritik", vol. II e a indicação que ali se encontra, sobre *Praktisches Wissen*, no vol. V das Obras Completas, p. 230-248.]
243. Cf. p. 19s., 37 (original).

mente da apreciação correta do papel que a razão deve desempenhar na atuação ética. Mas o que nos interessa aqui é precisamente o fato de que ali estão em questão razão e saber, que estes não estão separados do ser que deveio, mas são determinados por esse ser e são determinantes para esse ser. Sabe-se que através da limitação que impõe ao intelectualismo socrático-platônico na questão do bem, Aristóteles funda a ética como uma disciplina autônoma frente à metafísica. Criticando como uma generalidade vazia a ideia platônica do bem, contrapõe-lhe a questão pelo humanamente bom, aquilo que é bom para o agir humano[244]. Na linha dessa crítica, torna-se exagerado equiparar virtude e saber, *areté* e *logos*, como ocorria na teoria socrático-platônica das virtudes. Aristóteles recoloca-os na sua verdadeira medida, mostrando que o elemento que sustenta o saber ético do homem é a *orexis*, a "aspiração", e sua elaboração em uma atitude firme (*hexis*). Já em seu nome o conceito de ética guarda uma relação com essa fundamentação aristotélica da *areté*, no exercício e no *ethos*.

[318] O conjunto da ética humana se distingue essencialmente da natureza pelo fato de nela não atuarem simplesmente capacidades ou forças, mas que o homem vem a ser tal como veio a ser somente através do que faz e de como se comporta; isto significa, porém: sendo assim, se comporta de uma maneira determinada. Aristóteles opõe *ethos* a *physis*, como sendo um âmbito que não é regido pela falta de regras; é verdade que não conhece as leis da natureza, mas conhece a mutabilidade e regularidade limitada dos estatutos humanos e de suas formas de comportamento.

O problema então é saber como pode se dar um saber teórico sobre o ser ético do homem. Se o que é bom para o homem se dá cada vez na concreção da situação prática em que ele se encontra, então o saber ético deve chegar a discernir de certo modo o que é que esta situação concreta exige dele ou, dito de outro modo, aquele que atua deve ver a situação concreta à luz do que se exige dele em geral. Negativamente, significa que um saber geral que não saiba aplicar-se à situação concreta permanece sem sentido, e até

---

[244]. *Ética a Nicômaco*, A4. [Cf. entrementes minha dissertação acadêmica *Die Idee des Guten zwischen Plato und Aristoteles*, vol. VII das Obras Completas.]

ameaça obscurecer as exigências concretas que emanam de uma determinada situação. Esta conjuntura, que expressa a própria essência da reflexão ética, não somente converte uma ética filosófica em um problema metodológico difícil, mas *ao mesmo tempo dá relevância moral ao problema do método*. Frente à ideia do bem, determinada pela teoria platônica das ideias, Aristóteles enfatiza o fato de que, no terreno da filosofia prática não se pode falar de uma exatidão de nível máximo como a que fornece o matemático. Esse requisito de exatidão, na verdade, estaria fora de lugar. Aqui se trata tão somente de tornar visível o perfil das coisas e ajudar, de certo modo, a consciência moral com este esboço do mero perfil[245]. Mas o problema de como deve ser possível esta ajuda já é um problema moral, pois pertence à estrutura essencial do fenômeno ético o fato de que aquele que atua deve saber e decidir por si mesmo e não permitir que lhe arrebatem essa autonomia por nada. Para o enfoque correto de uma ética filosófica, portanto, é decisivo que essa não pretenda suplantar a consciência ética e que não busque uma informação meramente teórica e "histórica", mas que esclareça os contornos dos fenômenos ajudando assim a consciência ética a ganhar clareza sobre si mesma. Isto pressupõe uma série de coisas naquele que há de receber essa ajuda – o ouvinte da lição aristotélica. Esse deve possuir tal maturidade existencial que possa não esperar da instrução que se lhe oferece mais do que esta pode e deve dar. Dito positivamente, através da educação e do exercício ele já deve ter desenvolvido uma determinada atitude em si mesmo a ponto de mantê-la constantemente ao longo das situações concretas de sua vida e conservá-las através de um comportamento correto[246]. [319]

Como vemos, o problema do método está inteiramente determinado por seu objeto – isto já era um postulado geral aristotélico – e para o que nos interessa aqui valerá a pena considerar a relação especial entre ser ético e consciência ética tal como Aristóteles a desenvolve em sua ética. Aristóteles continua sendo socrático na medi-

---

245. Cf. *Ética a Nicômaco*, A7 e B2.
246. O capítulo final da *Ética a Nicômaco* dá ampla expressão a esta exigência e fundamenta, com isso, a passagem ao questionamento da *Política*.

da em que conserva o saber como um momento essencial do ser ético, e o que nos interessa é justamente o equilíbrio entre a herança socrático-platônica e esse momento do *ethos* a que ele deu validez. *Pois também o problema hermenêutico se aparta evidentemente de um saber puro, separado do ser.* Anteriormente falamos da pertença do intérprete à tradição com a qual está às voltas e vimos que a própria compreensão é um momento do acontecer. O enorme alheamento que caracteriza a hermenêutica e a historiografia do século XIX, fruto do método objetivador da ciência moderna, mostrou ser a consequência de uma falsa objetivação. O exemplo da ética aristotélica foi citado para desmascarar e evitar essa objetivação. O saber ético, como é descrito por Aristóteles, não é evidentemente um saber objetivo. Aquele que sabe não está frente a uma constelação de fatos, que basta constatar, mas é atingido diretamente por aquilo que ele conhece. É algo que ele deve fazer[247].

É claro que este não é o saber da ciência. Nesse sentido a delimitação operada por Aristóteles entre saber ético da *phronesis* e saber teórico da *episteme* é muito simples, sobretudo se levarmos em conta que, para os gregos, a ciência, representada pelo paradigma da matemática, é um saber do inalterável, que repousa sobre a demonstração e que, por conseguinte, qualquer um pode aprender. É certo que uma hermenêutica das ciências do espírito não poderia extrair nenhum ensinamento dessa delimitação entre o saber ético e o saber nos moldes da matemática. Ao contrário, em oposição a essa ciência "teórica", as ciências do espírito fazem parte, estritamente, do saber ético. São "ciências morais". Seu objeto é o homem e o que este sabe de si mesmo. Este, porém, se sabe a si mesmo como ser que atua, e o saber que assim possui de si mesmo não pretende comprovar o que é. Antes, aquele que atua está às voltas com coisas que nem sempre são como são, pois podem também ser diferentes.

[320]   Nelas descobre em que ponto pode intervir sua atuação. Seu saber deve orientar seu fazer.

---

247. Salvo indicações em contrário, iremos nos guiar, no que segue, pelo sexto livro da *Ética a Nicômaco*. [Podemos encontrar uma análise desse sexto livro, escrita e publicada em 1930 sob o título *Praktisches Wissen*, no vol. V das Obras Completas, p. 230-248.]

Aqui está o verdadeiro problema do saber ético de que se ocupa Aristóteles em sua ética. O direcionamento que o saber imprime ao fazer aparece sobretudo e de maneira exemplar aí onde os gregos falam de *techne*. Esta é a habilidade, é o saber do artesão que sabe produzir coisas determinadas. A questão é sabermos se também o saber moral é um saber desse tipo. Isto significa que seria um saber sobre como cada um deve produzir a si mesmo. Será que o homem deve aprender a fazer de si mesmo o que deve ser, tal como o artesão aprende a fazer, segundo seu plano e vontade, o que deve ser? Será que o homem projeta a si mesmo segundo seu próprio *eidos*, tal como o artesão traz em si o *eidos* do que quer fabricar e sabe reproduzi-lo no material? Sabe-se que Sócrates e Platão aplicaram de fato o conceito da *techne* ao conceito de ser humano, e não se pode negar que com isso descobriram algo de verdadeiro. O modelo da *techne*, pelo menos no âmbito político, tem uma função eminentemente crítica, na medida em que revela a inconstância do que se costuma chamar a arte da política, arte na qual toda pessoa que faz política, todo cidadão, já se considera experiente. É significativo que o saber do artesão seja o único que, na famosa descrição da experiência que faz com seus concidadãos, Sócrates reconhece em seu âmbito como um saber real[248]. Mas, naturalmente, também os artesãos o decepcionam. O seu saber não é o verdadeiro saber que constitui o homem e o cidadão como tais. Mesmo assim, é um saber real. É realmente uma arte e habilidade, e não apenas um grande cabedal de experiência. E isso coincide evidentemente com o verdadeiro saber ético que Sócrates procura. Ambos são um saber prévio e pretendem determinar e guiar um agir. Eles precisam conter em si a aplicação do saber a cada tarefa concreta.

Este é o ponto em que se pode relacionar a análise aristotélica do saber ético com o problema hermenêutico das modernas ciências do espírito. É verdade que na consciência hermenêutica não se trata de um saber técnico nem ético, mas essas duas formas de saber contêm *a mesma tarefa da aplicação* que vimos ser a dimensão problemática central da hermenêutica. Fica claro também que "aplicação" não significa a mesma coisa em ambos os casos. Existe

---

248. PLATÃO. *Apologia*, 22 cd.

[321] uma peculiaríssima tensão entre a *techne* que se ensina e aquela que se adquire por experiência. Na práxis o saber prévio que alguém possui quando aprendeu um ofício não é necessariamente superior àquele que possui um iletrado no assunto, mas que é muito experiente. E, mesmo assim, não se justifica chamar de "teórico" ao saber prévio da "techne", e muito menos se levarmos em conta que a aquisição de experiência aparece por si só no uso desse saber. Na verdade, enquanto saber, ele jamais cessa de visar a práxis, e ainda que a matéria bruta nem sempre obedeça ao artesão que aprendeu seu ofício, Aristóteles pode citar com razão as palavras do poeta: a *techne* ama a *tychne*, e a *tychne* ama a *techne*. Isso quer dizer que, via de regra, o bom êxito acompanha aquele que aprendeu seu ofício. O que se adquire de antemão na *techne* é um verdadeiro domínio da coisa, e é isso de certo modo o que se exige também do saber ético. Pois também para o saber ético fica claro que a mera experiência não é suficiente para uma decisão eticamente correta. Também aqui a consciência moral exige que a atuação seja previamente guiada. Tampouco será possível contentar-se com a relação insegura que no caso da *techne* se dá entre o saber prévio e o êxito alcançado no caso particular. Pode-se dizer que há uma correspondência real entre a perfeição da consciência ética e a perfeição do poder-produzir, a *techne*; mas estas, obviamente, não são a mesma coisa.

Ao contrário, as diferenças saltam imediatamente à vista. É evidente que o homem não dispõe de si mesmo como o artesão dispõe da matéria com a qual trabalha. Não pode produzir-se a si mesmo da mesma forma que pode produzir outras coisas. Por conseguinte, o saber que tem de si mesmo em seu ser ético deve ser diferente e destacar-se claramente em relação ao saber que guia um determinado produzir. Aristóteles formula essa diferença de um modo audaz e único, chamando a esse saber de saber-se (*Sich-Wissen*), isto é, um saber para si (*Für-sich-Wissen*)[249]. Com isso, o saber-se da

---

[249]. *Ética a Nicômaco*, Z 8, 1141 b33, 1142 a30; *Eth. Eud.* θ 2, 1246 b36. [Creio que se não incluirmos aqui, com Gauthier, também a *politike phronesis* perdemos a unidade essencial e metodológica entre a ética e a política de Aristóteles (cf. a introdução à 2ª edição de seu comentário sobre a *Ética a Nicômaco*, Louvain, 1970). Cf. também minha resenha, reimpressa no vol. VI das Obras Completas, p. 304-306.]

consciência ética se destaca do saber *teórico* de um modo que para nós se torna particularmente elucidativo. Isso implica também uma delimitação frente ao saber técnico, e ao arriscar-se a empregar a expressão peculiar "saber-se", Aristóteles busca formular de algum modo essa dupla delimitação.

A delimitação desse saber frente ao saber técnico torna-se a mais difícil quando, na linha de Aristóteles, determinamos ontologicamente o "objeto" desse saber não como algo geral que sempre é como é, mas como algo único que pode ser também de outra maneira. À primeira vista, parece tratar-se de uma tarefa análoga. Aquele que sabe produzir algo sabe com isso algo de bom, e ele o sabe no modo do "para si", de modo que sempre que possível ele poderá produzi-lo de fato. Lançará mão do material adequado e escolherá os meios corretos para a realização. Deve saber aplicar o que aprendeu em geral à situação concreta. Será que o mesmo não pode ser aplicado também no caso da consciência moral? Aquele que deve tomar decisões morais é alguém que já sempre aprendeu alguma coisa. Ele está determinado por sua educação e suas origens, de modo que em geral sabe o que é correto. A tarefa da decisão ética é encontrar o que é correto na situação concreta, isto é, discernir e apreender o que é correto na situação. Também ele deve lançar mão e escolher os meios adequados, e seu agir deve orientar-se tão reflexivamente quanto o do artesão. Como é possível, então, que seja um saber completamente diferente? [322]

Da análise aristotélica da *phronesis* podemos extrair toda uma série de momentos que respondem a essa pergunta. Pois a genialidade de Aristóteles está precisamente na quantidade de aspectos que leva em conta ao descrever cada fenômeno. "O empírico, concebido em sua síntese, é o conceito especulativo" (Hegel)[250]. Aqui basta-nos abordar alguns aspectos importantes para o contexto em que nos encontramos.

1. Uma *techne* se aprende, e pode também ser esquecida. Mas o saber ético não pode ser aprendido e nem esquecido. Não nos confrontamos com ele ao modo de poder apropriar-nos ou não

---

250. *Werke*, 1832, vol. XIV, p. 341.

dele, como podemos escolher ou deixar de escolher uma habilidade objetiva, uma *techne*. Ao contrário, encontramo-nos sempre na situação de quem precisa atuar (com abstração feita da fase da menoridade, na qual a obediência ao educador substitui a decisão pessoal) e, assim, já devemos sempre possuir e aplicar o saber ético. Por isso o conceito da aplicação é tão problemático, pois só se pode aplicar o que já se possui previamente. Mas não possuímos o saber ético para nós mesmos de forma a primeiro possuí-lo para depois aplicá-lo à situação concreta. A imagem que o homem forma sobre o que ele deve ser, como, p. ex., seus conceitos de justo e injusto, de decência, coragem, dignidade, solidariedade etc. (todos conceitos que têm seu correlato no catálogo das virtudes de Aristóteles) são, de certo modo, imagens diretrizes, pelas quais se guia. Mas há uma diferença fundamental entre elas e a imagem diretriz que representa, por exemplo, para um artesão o desenho do objeto que ele deve fabricar. Independentemente da situação que a justiça me exige, não é possível determinar, por exemplo, o que é justo, enquanto que o *eidos* daquilo que um artesão quer fabricar está inteiramente determinado, e quiçá determinado pelo uso para o qual está destinado.

[323]

É verdade que o que é justo parece estar determinado num sentido absoluto, pois está formulado nas leis e contido nas regras gerais de comportamento da ética, que, apesar de não estarem codificadas, têm uma determinação precisa e uma vinculação universal. A própria administração da justiça é uma tarefa própria que requer saber e poder. Mas então ela não é uma *techne*? Não consiste, também ela, na aplicação das leis e das regras a um caso concreto? Não falamos da "arte" do juiz? Por que será que o que Aristóteles designa como a forma jurídica da *phronesis* (*dikastiké fronésis*) não é uma *techne*[251]?

A reflexão nos ensina que a aplicação das leis contém uma problemática jurídica peculiar. Nisso, a situação do artesão é muito diferente. Este, que possui o projeto da coisa e as regras de sua execução, e a esta se aplica, pode ver-se obrigado também a se adaptar a circunstâncias e dados concretos, isto é, renunciar a executar seu

---

251. *Ética a Nicômaco*, Z 8.

plano exatamente como estava concebido originalmente. Mas essa renúncia não significa, de modo algum, que com isso se complete o seu saber daquilo que ele quer. Ele simplesmente faz reduções durante a execução. Isso é uma real aplicação de seu saber, vinculada a uma imperfeição dolorosa.

Ao contrário, todo aquele que "aplica" o direito se encontra em uma posição bem diferente. É verdade que na situação concreta ele se vê obrigado a atenuar o rigor da lei. Mas se o faz, não é porque não seja possível fazer melhor, mas porque senão estaria cometendo injustiça. Atenuando a lei não faz reduções à justiça, mas encontra um direito melhor. Em sua análise da *epieikeia*[252], a "equidade", Aristóteles formula isso com a mais precisa das expressões: *epieikeia* é a correção da lei[253]. Aristóteles mostra que toda lei é geral e não pode conter em si a realidade prática em toda a sua concreção, na medida em que se encontra numa tensão necessária com relação ao concreto da ação. Já assinalamos essa problemática quando falamos a respeito da análise do juízo[254]. Fica claro que o problema da hermenêutica jurídica encontra aqui seu verdadeiro lugar[255]. A lei é sempre deficiente, não em si mesma, mas porque, frente ao ordenamento a que se destinam as leis, a realidade humana é sempre deficiente e não permite uma aplicação simples das mesmas.

[324]

Essas considerações permitem compreender a grande sutileza de Aristóteles com relação ao problema do *direito natural*, e sua distinção com relação à tradição ulterior do direito natural. Limitamo-nos a apresentar aqui um pequeno esboço que permita pôr em primeiro plano a relação entre a ideia do direito natural e o problema hermenêutico[256]. O que vimos mostra que Aristóteles não se limita a rechaçar a questão do direito natural. Para ele, o direito po-

---

252. *Ética a Nicômaco*, E 14.
253. "Lex superior preferenda est inferiori", escreve Melanchthon como explicação da *ratio* da *epieikeia* (*Die älteste Fassung von Melanchthons Ethik*, org. por H. Heineck [Berlim, 1893], p. 29.
254. Acima, p. 43s. (original).
255. *Ideo adhibenda est ad omnes leges interpretatio quae flectat eas ad humaniorem ac leniorem sententiam* (Melanchthon, 29).
256. Cf., por fim, a excelente crítica de KUHN, H. & STRAUSS, L. "Naturrecht und Geschichte", 1953. *Zeitschrift für Politik*, 3-4, 1956.

sitivo representa o direito verdadeiro em sentido absoluto, mas ao menos na chamada ponderação da equidade reconhece uma tarefa complementar do direito. Volta-se assim contra o convencionalismo extremado ou o positivismo jurídico, distinguindo claramente entre o que é justo por natureza e o que é justo por lei[257]. Mas a distinção que ele tem em mente com isso não é simplesmente a da inalterabilidade do direito natural e da alterabilidade do direito positivo. É verdade que, via de regra, é assim que se costuma compreender Aristóteles, mas com isso se passa ao largo da verdadeira profundidade de sua concepção. Aristóteles conhece efetivamente a ideia de um direito absolutamente inalterável, mas a limita expressamente aos deuses e declara que entre os homens tanto é alterável o direito positivo quanto o direito natural. Segundo Aristóteles, essa alterabilidade é perfeitamente compatível com o caráter "natural" desse direito. O sentido dessa afirmação me parece ser o seguinte: existem efetivamente leis jurídicas que são fruto de mera convenção (por exemplo, as normas de trânsito, como a de conduzir pela direita); mas existem também aquelas que não permitem uma convenção humana qualquer, porque a "natureza da coisa" se defende e se impõe. A essa classe de leis pode-se chamar justificadamente de "direito natural"[258]. Na medida em que a natureza das coisas deixa uma certa margem de mobilidade para a fixação do direito, esse direito natural pode mudar. Os exemplos que Aristóteles apresenta, tirados de outros âmbitos, são muito elucidativos.

[325] A mão direita é, por natureza, a mais forte, mas nada impede que se treine a esquerda até igualá-la em força com a direita (Aristóteles apresenta evidentemente esse exemplo porque era uma das ideias preferidas de Platão). Ainda mais esclarecedor é um segundo exemplo, tomado da esfera jurídica: no comércio de vinho usa-se sempre uma e a mesma medida, mais abundante quando se compra do que quando se vende. Aristóteles não quer dizer com isso que no comércio do vinho se procura normalmente enganar a outra parte,

---

257. *Ética a Nicômaco*, E 10. Sabe-se que essa distinção é de origem sofística, mas mediante sua vinculação platônica com o *logos* perde seu sentido destrutivo; seu significado intrajurídico ganha clareza no *Política* de Platão (2943) e em Aristóteles.

258. O raciocínio da passagem paralela de *Magna Moralia* A 33, 1194 b30-95 a7 somente torna-se compreensível se procedermos do seguinte modo: *mé ei metaballei dia tén émeteran xrésin, dia tout ouk esti dikaion fusei.*

mas que essa conduta corresponde ao espaço de jogo do que é justo dentro dos limites impostos. E claramente opõe a isso que o melhor Estado "é por toda parte um e o mesmo", mas não o é da mesma maneira "que o fogo arde igual em todas as partes, tanto aqui na Grécia como lá na Pérsia".

A teoria posterior do direito natural se reporta a essa passagem, apesar da clareza do texto de Aristóteles, para afirmar que ele teria equiparado a inalterabilidade do direito com a das leis naturais[259]. Mas Aristóteles afirmou exatamente o contrário. De fato, como mostra essa contraposição, a ideia do direito natural em Aristóteles tem uma função meramente crítica. Não pode ser empregada numa forma dogmática, isto é, não é lícito atribuir a dignidade e a invulnerabilidade do direito natural a determinados conteúdos jurídicos como tais. Frente à inevitável deficiência de toda lei vigente, também para Aristóteles a ideia do direito natural é totalmente imprescindível e se torna particularmente atual onde se trata da ponderação da equidade, a única que realmente encontra o que é justo. Mas a sua função é crítica, na medida em que legitima o apelo ao direito natural somente onde surge uma discrepância entre os direitos.

Essa questão específica do direito natural, desenvolvida *in extenso* por Aristóteles, não nos interessa aqui tanto por si mesma, quanto por sua significação fundamental. O que Aristóteles demonstra aqui vale para todos os conceitos que o homem tem com respeito ao que ele deve ser, e não somente para o problema do direito. Todos esses conceitos não são um ideal arbitrário, condicionado por convenção, mas em meio à grande variedade dos conceitos morais dos diversos tempos e povos, também aqui existe algo como uma natureza da coisa. Isso não quer dizer que essa natureza da coisa, por exemplo, o ideal de bravura, seja um padrão fixo que se possa conhecer e aplicar por si mesmo. Aristóteles reconhece que também o professor de ética – e em sua opinião isso vale para todo homem como tal – encontra-se sempre em uma determinada vinculação moral e política, donde retira a representação da coisa.

---

259. Cf. MELANCHTHON. Op. cit., p. 28.

Tampouco nas imagens diretrizes que descreve, ele vê um saber que se possa ensinar.

[326]   Essas só têm a pretensão de valer como esquemas. Elas se concretizam sempre só na situação particular daquele que atua. Não são portanto normas escritas nas estrelas ou que detêm um lugar fixo nalgum universo ético natural que bastaria descobrir. Mas, por outro lado, tampouco são meras convenções, já que reproduzem realmente a natureza da coisa em questão; só que esta, por sua vez, somente se determina através da aplicação que a consciência moral faz dela.

2. Nisso se torna patente uma modificação fundamental da relação conceitual entre meios e fins, pela qual se distingue o saber ético do saber técnico. Não é só que o saber ético não possui um fim particular, mas que afeta o viver corretamente no seu conjunto – contra o que o saber técnico, naturalmente, é sempre particular e serve a fins particulares. Tampouco se trata só do fato de o saber moral dever intervir toda vez que se requisitasse um saber técnico que, não obstante, não se encontra disponível. É verdade que o saber técnico, onde estivesse disponível, não teria necessidade de buscar conselho consigo mesmo sobre aquilo que lhe confere validez enquanto saber. Quando há uma *techne*, é preciso que a aprendamos, e com isso saberemos também eleger os meios idôneos. O saber ético, ao contrário, requer sempre, ineludivelmente, essa deliberação interior. Ainda que se pense esse saber em um estado de perfeição ideal, esta seria a perfeição dessa deliberação consigo mesmo (*euboulia*) e não um saber do tipo técnico.

Aqui se trata de uma relação fundamental. Não é assim que, com a expansão do saber técnico um dia se acabaria chegando a suprimir a dependência do saber ético, o buscar-conselho-consigo-mesmo. O saber ético não poderá nunca revestir o caráter prévio, próprio dos saberes suscetíveis de aprendizagem. A relação entre meio e fim não permite que se disponha aqui de antemão de um conhecimento dos meios idôneos, e isso porque tampouco o saber do fim adequado não representa mero objeto de um saber. Não existe uma determinação prévia daquilo em que se orienta a vida no seu todo. Nesse sentido, as determinações aristotélicas da *phro-*

nesis mostram uma oscilação característica, uma vez que esse saber ora se subordina ao fim, ora mais ao meio para alcançar o fim[260]. Na verdade, isso significa que o fim pelo qual pautamos o todo de nossa vida, e o seu desenvolvimento nas representações [327] éticas que guiam nossa ação, como as descreve Aristóteles em sua ética, não pode ser objeto de um saber simplesmente ensinável. Não há um uso dogmático da ética, como tampouco um uso dogmático do direito natural. Antes, a doutrina das virtudes de Aristóteles apresenta formas típicas de justo meio, que convém adotar no ser e no comportamento humano, mas o saber ético que se guia por essas imagens diretrizes é o mesmo saber que deve responder à exigência da situação de cada momento.

Por outro lado, também não existem meras considerações sobre a idoneidade dos meios que sirvam para alcançar os fins éticos, já que a ponderação dos meios é, ela mesma, uma ponderação ética, e só através dela se concretiza, por sua vez, a correção ética do fim adequado. O saber-se, de que fala Aristóteles, se determina precisamente pelo fato de conter a aplicação completa e porque aciona seu saber na imediatez da situação dada. O único que pode completar o saber moral é, pois, um saber do que é em cada caso (*Jeweiligen*) um saber que não é uma visão sensível. Pois ainda que devamos ver de perto o que uma situação nos está pedindo, esse ver não significa que percebamos o que nessa situação é o visível como tal, mas que aprendemos a vê-la como situação de atuação e, portanto, à luz do que é correto. E tal como na análise geométrica de superfícies "vemos" que o triângulo é a figura plana mais simples e

---

260. Aristóteles destaca em geral que a *fronésis* tem a ver com os meios *ta pros to telos*, e não com o próprio *telos*. O que lhe faz pôr tanta ênfase nisso poderia ser a oposição à doutrina platônica da ideia do bem. No entanto, se observamos com atenção seu lugar sistemático dentro da ética aristotélica, torna-se inequívoco que a *fronésis* não é a mera capacidade de eleger os meios corretos, mas é propriamente uma *hexis* ética que tem em vista também o *telos*, pelo qual se orienta aquele que atua, em virtude de seu ser ético. Cf. sobretudo *Ética a Nicômaco*, Z 10, 1142 b33; 1140 b13; 1141 b15. Observo com satisfação que H. Kuhn, em sua contribuição à *Die Gegenwart der Griechen* (Gadamerfestschrift, 1960), ainda que pretenda mostrar uma fronteira última da "escolha preferencial", que deixaria Aristóteles muito atrás de Platão, faz plena justiça a esse nexo objetivo (p. 134s.). [A tradução latina de *fronésis* por "prudentia" favoreceu o desconhecimento da situação que ainda assombra a lógica "deôntica" de hoje. Cf. A exceção de R. Egberg-Pedersen, a que homenageio no *Philosphische Rundschau*, 32, 1985, p. 1-26 (Resenha sumária relativa a novos trabalhos sobre ética), *Aristotle's Theory of Moral Insight*, Oxford, 1983.]

que nele já não se pode fazer mais divisões menores, pois obriga a nos determos nele como num último passo, na reflexão ética o "ver" o imediatamente exequível também não é um mero ver, mas um "nous". Isso se confirma também a partir do que forma o contrário desse ver[261]. O contrário da visão do que é correto não é o erro nem o engano, mas a cegueira. Quem está dominado por suas paixões de repente não é capaz de, numa dada situação, ver o que seria correto. Perdeu o controle de si mesmo e, em consequência, a retidão, ou seja, perdeu a orientação correta de si mesmo, de modo que, desgovernado em seu interior pela dialética da paixão, parece-lhe correto o que a paixão lhe sugere.

[328]   O saber ético é verdadeiramente um saber peculiar. Abrange de modo especial os meios e os fins e com isso distingue-se do saber técnico. Por isso não faz muito sentido distinguir aqui entre saber e experiência, o que, por sua vez, convém perfeitamente à *techne*. O saber ético contém por si mesmo um certo tipo de experiência. Veremos inclusive que esta é talvez a forma fundamental da experiência, frente a qual toda outra experiência já é uma alienação, para não dizer uma desnaturalização[262].

3. O saber-se da reflexão ética possui, de fato, uma relação para consigo mesmo muito característica. É o que ensinam as modificações que Aristóteles apresenta no contexto de sua análise da *phronesis*. Junto à *phronesis*, a virtude da ponderação reflexiva, aparece a compreensão (*Verständnis*)[263]. A compreensão (*Verständnis*) é introduzida como uma modificação da virtude do saber ético, na medida em que aqui já não se trata de mim mesmo, que devo agir. Segundo isso, "synesis" significa, inequivocamente, a capacidade de julgamento ético. Elogia-se, portanto, a compreensão de alguém, quando ele, julgando, consegue deslocar-se completamente para a plena concreção da situação em que o outro deve atuar[264]. Também aqui portanto não se trata de um saber em geral, mas de

---

261. *Ética a Nicômaco*, Z 9, 1142 a, 25s.
262. Cf. abaixo, p. 363s.
263. *sunesis* (*Ética a Nicômaco*, Z 11).
264. [Neste caso alterei levemente o meu texto. O *allou legoutos* 1145a 15 quer apenas dizer que não é um caso para a *minha* ação. Posso ter compreensão ao ouvir alguém – mesmo que não deva lhe dar um conselho.]

uma concreção no instante. Em certo sentido, tampouco esse saber é um saber técnico ou a aplicação do mesmo. O homem experimentado, aquele que conhece todo tipo de manhas e práticas e é versado em tudo que existe, somente alcançará uma compreensão adequada daquele que atua quando satisfizer a seguinte premissa: que também ele deseje o que é justo, que se encontre portanto ligado ao outro nesse tipo de comunidade. Isso tem sua concreção no fenômeno do conselho em "questões de consciência". A pessoa que pede conselho, assim como quem o dá, situa-se sob a premissa de que o outro mantém uma relação de amizade com ele. Só um amigo pode aconselhar o outro ou, dito de outra maneira, somente um conselho com intenção de amizade pode ter sentido para o aconselhado. Também aqui se torna claro que o homem que compreende não sabe nem julga a partir de um simples estar postado frente ao outro sem ser afetado, mas a partir de uma pertença específica que o une com o outro, de modo que é afetado com ele e pensa com ele.

Isso se torna mais claro nos outros tipos de reflexão ética que Aristóteles apresenta, ou seja, discernimento e tolerância[265]. Agudeza de espírito é pensada aqui como uma propriedade. Nós dizemos que tem boa agudeza de espírito aquele que julga reta e equitativamente.

A pessoa que age com agudeza de espírito está disposta a reconhecer o direito particular do outro e por isso em geral está propenso a ser indulgente e perdoar. É claro que também aqui não se trata de um saber técnico.

[329]

Aristóteles ilustra ainda o modo de ser específico do saber ético e da virtude, que está em seu poder, descrevendo uma variedade e uma degeneração desse saber ético[266]. Fala do *deinós* como de um homem que dispõe de todas as condições e dotes naturais desse saber ético, que em todas as situações sabe aproveitar as chances e tirar proveito próprio com incrível habilidade, e em cada situação sabe encontrar uma saída[267]. Mas essa contraimagem natural da *fronesis* se caracteriza pelo fato de que o *deinós* é "capaz de

---

265. *gnómé, suggnómé*.
266. *Ética a Nicômaco*, Z 13, 1144a, 23s.
267. Ele é um *panourgos*, isto é, é capaz de tudo.

tudo", usa sua habilidade sem restrições e não tem sensibilidade para perceber que há coisas que não se devem fazer. Ele é *aneu aretes*. E não é por acaso que o homem hábil nesse sentido é chamado por um nome que significa também "terrível". Nada é tão terrível, tão espantoso, e até tão aterrador como um canalha de posse de habilidades geniais.

Se, para concluir, referimos à nossa problemática a descrição aristotélica do fenômeno ético, e em particular, da virtude do saber moral, então a análise aristotélica servirá como uma espécie de *modelo dos problemas inerentes à tarefa hermenêutica*. Também nós tínhamos nos convencido de que a aplicação não é uma parte última, suplementar e ocasional do fenômeno da compreensão, mas o determina desde o princípio e no seu todo. Também aqui a aplicação consistia em relacionar algo geral e prévio com uma situação particular. O intérprete que se confronta com uma tradição procura aplicá-la a si mesmo. Mas isso tampouco significa que, para ele, o texto transmitido seja dado e compreendido como algo de universal e que só assim poderia ser empregado posteriormente numa aplicação particular. Ao contrário, o intérprete não quer apenas compreender esse universal, o texto, isto é, compreender o que diz a tradição e o que constitui o sentido e o significado do texto. Mas para compreender isso ele não pode ignorar a si mesmo e a situação hermenêutica concreta na qual se encontra. Se quiser compreender, deve relacionar o texto com essa situação.

[330] 2.2.3. O significado paradigmático da hermenêutica jurídica

Se é assim, a distância entre a hermenêutica das ciências do espírito e a *hermenêutica jurídica* não é tão grande como se costuma supor. Em geral se tende a supor que foi somente a consciência histórica que elevou a compreensão a ser um método da ciência objetiva, e que a hermenêutica alcançou sua verdadeira determinação somente quando se desenvolveu como teoria geral da compreensão e da interpretação dos textos. A hermenêutica jurídica não pertenceria a esse contexto, pois não buscaria compreender textos dados, já que é um recurso auxiliar da práxis jurídica destinado a sanar certas deficiências e casos excepcionais no sistema da dogmática jurídica. Desse modo, não teria a menor relação com a tarefa de compreender a tradição, que é o que caracteriza a hermenêutica própria das ciências do espírito.

Mas, nesse caso, tampouco a *hermenêutica teológica* poderia ainda reivindicar um significado sistemático e autônomo. Schleiermacher a havia reconduzido conscientemente à *hermenêutica geral*, considerando-a simplesmente como uma aplicação especial desta. A partir de então parece que a capacidade da teologia científica em competir com as modernas ciências históricas consiste no fato de que na interpretação da Sagrada Escritura não deve guiar-se por leis e nem por regras diversas das que presidem a compreensão de qualquer outra tradição. Nesse sentido não haveria por que existir uma hermenêutica especificamente teológica.

Querer renovar no plano da ciência moderna a velha verdade e a velha unidade das disciplinas hermenêuticas seria defender uma tese paradoxal. Parece que o passo que levou à moderna metodologia das ciências do espírito era precisamente sua desvinculação com respeito a qualquer liame dogmático. A hermenêutica jurídica apartou-se de uma teoria geral da compreensão por ter um objetivo dogmático; a hermenêutica teológica, ao contrário, foi absorvida na unidade do método próprio da história da filologia precisamente ao se desfazer de sua vinculação dogmática.

Sendo assim, é razoável que nos interessemos agora em particular pela divergência entre hermenêutica jurídica e hermenêutica histórica, estudando os casos em que uma e outra se ocupam do mesmo objeto, isto é, os casos em que textos jurídicos devem ser interpretados juridicamente ou compreendidos historicamente. Trata-se de investigar o comportamento do *historiador jurídico* e do *jurista*, comportamento que assumem com respeito a um mesmo texto jurídico, dado e vigente. Para isso podemos tomar como base os excelentes trabalhos de E. Betti[268], acrescentando nossas próprias considerações.

Nossa pergunta vai no sentido de saber *se a diferença entre o interesse dogmático e o interesse histórico é uma diferença unívoca*. [331]

---

268. Além dos escritos acima citados, p. 264 e 315 (original), existem numerosos outros artigos. [Cf., quanto a isso, "Hermeneutik und Historismus", no vol. II e meu trabalho "Emilio Betti und das idealistische Erbe". *Quaderni Fiorentini* 7, 1978, p. 5-11.]

Que existe uma diferença é evidente. O jurista toma o sentido da lei a partir de e em virtude de um determinado caso dado. O historiador jurídico, ao contrário, não parte de nenhum caso concreto, mas procura determinar o sentido da lei, visualizando construtivamente a totalidade do âmbito de aplicação da lei. É só no conjunto dessas aplicações que o sentido de uma lei se torna concreto. Para determinar o sentido originário de uma lei, o historiador não pode contentar-se, portanto, em expor a aplicação originária da lei. Enquanto historiador, ele deve contemplar também as mudanças históricas pelas quais a lei passou. Sua tarefa será de intermediar compreensivamente a aplicação originária da lei com a aplicação atual.

Não me pareceria suficiente limitar a tarefa do historiador do direito à "reconstrução do sentido original do conteúdo da fórmula legal", e ao contrário, dizer do jurista, que "ele deve, além disso, pôr aquele conteúdo em concordância com a atualidade presente da vida". Uma tal delimitação implicaria afirmar que a competência do jurista é mais ampla, incluindo em si também a tarefa do historiador. Quem quiser adaptar adequadamente o sentido de uma lei precisa conhecer também o seu conteúdo de sentido originário. Ele tem de pensar também em termos histórico-jurídicos. Só que nesse caso a compreensão histórica não seria mais do que um meio para um fim. Na direção oposta, a tarefa jurídico-dogmática não interessa ao historiador como tal. Como historiador ele se movimenta numa contínua confrontação com a objetividade histórica para compreendê-la em seu valor posicional na história, enquanto que o jurista, além disso, procura reconduzir essa compreensão para a sua adaptação ao presente jurídico. A descrição de Betti trilha mais ou menos esse caminho.

O problema agora é saber se o comportamento do historiador foi visto e descrito suficientemente, em toda sua amplitude. No nosso exemplo, como se produz a mudança rumo ao histórico? Ante a lei vigente, vivemos já de antemão com a ideia natural de que seu sentido jurídico é unívoco e que a práxis jurídica do presente se limita a seguir simplesmente o seu sentido original. Se isso fosse sempre assim não haveria razão para distinguir entre sentido jurídico e sentido histórico de uma lei. Também o jurista não teria outra tarefa hermenêutica senão a de constatar o sentido original da lei e aplicá-lo como correto. Savigny, em 1840, descreveu a tarefa da hermenêutica jurídica como puramente histórica (no *System des romischen Rechts*). Assim como Schleiermacher não via problema algum em que o intérprete tivesse que se equiparar ao leitor originário, também Savigny ignora a tensão entre o sentido jurídico e o sentido originário e atual[269].

O tempo se encarregou de demonstrar com suficiente clareza que do ponto de vista jurídico isso é uma ficção insustentável. Ernst Forsthoff demonstrou numa valiosa investigação que, por razões estritamente jurídicas, foi necessário refletir sobre a mudança histórica das coisas, através do que se distinguiu entre o sentido original do conteúdo de uma lei e o que se aplica na práxis jurídica[270]. É verdade que o jurista sempre tem em mente a lei em si mesma. Mas seu conteúdo normativo deve ser determinado em relação ao caso em que deve ser aplicado. E para determinar com exatidão esse conteúdo não se pode prescindir de um conhecimento histórico do sentido originário, e é só por isso que o intérprete jurídico leva em conta o valor posicional histórico atribuído a uma lei em virtude do ato legislador. No entanto, ele não pode prender-se ao que informam os protocolos parlamentares sobre a intenção dos que elaboraram a lei. Ao contrário, deve admitir que as circunstâncias foram mudando, precisando assim determinar de novo a função normativa da lei.

Bem outra é a função do historiador do direito. Aparentemente, a única coisa que ele tem em mente é o sentido originário da lei, qual seu valor e intenção no momento em que foi promulgada. Mas como chegará a reconhecer isso? Ser-lhe-ia possível compreendê-lo sem ter consciência da mudança de circunstâncias que separa aquele momento originário da atualidade? Não estaria obrigado a fazer exatamente o mesmo que o juiz, ou seja, distinguir o sentido originário do conteúdo de um texto legal desse outro conteúdo jurídico em cuja pré-compreensão vive como homem atual? Nisso me pare-

---

269. Será mero acaso que o curso de Schleiermacher sobre hermenêutica somente tenha aparecido pela primeira vez na edição de seus trabalhos póstumos, justamente dois anos antes do livro de Savigny? Teríamos que estudar o desenvolvimento da teoria hermenêutica em Savigny, que Forsthoff deixa fora de sua investigação. (Cf., a respeito de Savigny, a observação de Franz Wieacker em *Gründer und Bewahrer*, p. 110.)
270. *Recht und Sprache, Abhandlung der Königsberger Gelehrter Gesellschaft*, 1940.

ce que a situação hermenêutica é a mesma, tanto para o historiador como para o jurista, ou seja, ante todo e qualquer texto todos nos encontramos numa determinada expectativa de sentido imediato. Não há acesso imediato ao objeto histórico capaz de nos proporcionar objetivamente seu valor posicional. O Historiador tem que [333] realizar a mesma reflexão que deve orientar o jurista.

Nesse sentido, o conteúdo efetivo do que se compreende de um e de outro modo vem a ser o mesmo. A descrição que fazíamos antes do comportamento do historiador é insuficiente. Só existe conhecimento histórico quando em cada caso o passado é entendido na sua continuidade com o presente, e isto é o que realiza o jurista na sua tarefa prático-normativa, quando procura "assegurar a sobrevivência do direito como um *continuum* e salvaguardar a tradição de pensamento jurídico"[271].

Naturalmente, teríamos de nos perguntar se o caso que acabamos de analisar como modelo caracteriza realmente a problemática geral da compreensão histórica. O modelo de que partimos era a compreensão de uma lei ainda em vigor. O historiador e o dogmático estavam voltados, pois, ao mesmo objeto. Mas não será que este é um caso excepcional? O historiador do direito que se defronta com culturas jurídicas do passado, assim como qualquer outro historiador que procura conhecer o passado e cuja continuidade com o presente já não é imediata, seguramente não poderá identificar-se no caso apresentado de uma lei que continua vigorando. Dirá que a hermenêutica jurídica possui uma tarefa dogmática especial que é completamente alheia ao contexto da hermenêutica histórica.

Na realidade acredito que é exatamente o contrário. A hermenêutica jurídica está em condições de recordar em si mesma o autêntico procedimento das ciências do espírito. Nela temos o modelo de relação entre passado e presente que estávamos procurando. Quando o juiz adapta a lei transmitida às necessidades do presente, quer certamente resolver uma tarefa prática. O que de modo algum quer dizer que sua interpretação da lei seja uma tradução arbitrária. Também em seu caso, compreender e interpretar signifi-

---

271. BETTI. Op. cit., nota 62a.

cam conhecer e reconhecer um sentido vigente. O juiz procura corresponder à "ideia jurídica" da lei, intermediando-a com o presente. Claro que ali se trata de uma mediação jurídica. O que tenta reconhecer é o significado jurídico da lei, não o significado histórico de sua promulgação ou certos casos quaisquer de sua aplicação. Assim, não se comporta como historiador, mas se ocupa de sua própria história, que é seu próprio presente. Assim, a cada momento, ele pode assumir a posição do historiador, e dirigir-se às questões que implicitamente já o ocuparam como juiz.

Inversamente, o historiador, que não se ocupa com nenhuma tarefa jurídica mas que pretende simplesmente estabelecer o significado histórico da lei – como qualquer outro conteúdo da tradição histórica –, não pode ignorar que o que está em questão nesse caso é uma criação jurídica que requer uma compreensão jurídica. Ele deve poder pensar também juridicamente e não apenas historicamente. É verdade que o estudo de um texto jurídico ainda vigente é para o historiador um caso excepcional. Mas esse caso excepcional serve para deixar claro o que é que determina nossa relação com qualquer tradição. O historiador que pretende compreender a lei a partir de sua situação histórica original não pode ignorar os efeitos jurídicos que ela desenvolveu. É ela que lhe fornece as questões que ele coloca à tradição histórica. Mas, na realidade, isso vale para todo e qualquer texto que deva ser compreendido precisamente no que diz? Não implica que sempre é necessária uma tradução? Essa tradução não se dá, sempre e em qualquer caso, nos moldes de uma mediação com o presente? Na medida em que o verdadeiro objeto da compreensão histórica não são os eventos mas seu "significado", esta compreensão não estará descrita corretamente, se se fala de um objeto existente em si e do modo como é abordado pelo sujeito. Na verdade, em toda compreensão histórica já está sempre implícito que a tradição que nos alcança dirige sua palavra ao presente e deve ser compreendida nessa mediação – mais ainda: *como* essa mediação. *O caso da hermenêutica jurídica não é portanto um caso excepcional, mas está em condições de devolver à hermenêutica histórica todo o alcance de seus problemas, restabelecendo assim a velha unidade do problema hermenêutico, na qual o jurista e o teólogo se encontram com o filólogo.*

[334]

Assinalamos acima[272] que a pertença à tradição é uma das condições para a compreensão nas ciências do espírito. Agora podemos tirar a prova, examinando como aparece esse momento estrutural da compreensão no caso da hermenêutica teológica e da hermenêutica jurídica. Evidentemente não se trata de uma condição restritiva da compreensão, mas, antes, de uma das condições que a tornam possível. A pertença do intérprete ao seu texto é como a pertença do ponto de vista na perspectiva que se dá num quadro. Tampouco se trata de que se deva procurar e ocupar esse ponto de vista como um determinado lugar. Antes, aquele que compreende não escolhe arbitrariamente um ponto de vista, mas encontra seu lugar fixado de antemão. Assim, para a possibilidade de uma hermenêutica jurídica é essencial que a lei vincule por igual todos os membros da comunidade jurídica. Quando não é este o caso, como no absolutismo, onde a vontade do chefe supremo está acima da lei, já não é possível hermenêutica alguma, "pois um chefe supremo pode explicar suas palavras até contra as regras da interpretação comum"[273]. Neste caso nem sequer se coloca a tarefa de interpretar a lei, de modo que o caso concreto se decida com justiça dentro do sentido jurídico da lei. A vontade do monarca não sujeito à lei pode sempre impor o que lhe parece justo, sem atender à lei, isto é, sem o esforço da interpretação. A tarefa de compreender e de interpretar subsiste onde uma regra estabelecida tem valor vinculante e irrevogável.

A tarefa da interpretação consiste em *concretizar a lei*[274] em cada caso, ou seja, é a tarefa da *aplicação*. A complementação produtiva do direito que se dá aí está obviamente reservada ao juiz, mas este encontra-se sujeito à lei como qualquer outro membro da

---

272. P. 266, entre outras.
273. Walch, 158. [No absolutismo esclarecido, a situação é a seguinte: O "chefe supremo" interpreta suas palavras de maneira não a abolir a lei mas a interpretá-la de outra forma, fazendo com que corresponda assim à sua vontade, sem observar as regras de explicitação.]
274. O significado da concretização é um tema tão central na jurisprudência que já mereceu um número incalculável de escritos. Cf., por exemplo, a investigação de Karl Engisch: *Die Idee der Konkretisierung* (Abhandlung der Heildelberger Akademie, 1953). [Cf. também os mais recentes trabalhos de K. Engisch: *Methoden der Rechtswissenschaft*, Munique, 1972, p. 39-80 e do mesmo, *Recht und Sittlichkeit – Hauptthemen der Rechtphilosophie*, Munique, 1971.]

comunidade jurídica. A ideia de uma ordem judicial implica que a sentença do juiz não surja de arbitrariedades imprevisíveis, mas de uma ponderação justa do conjunto. A pessoa que se tenha aprofundado na plena concreção da situação estará em condições de realizar essa ponderação justa. É por isso que existe segurança jurídica em um estado de direito, ou seja, podemos ter uma ideia daquilo com que estamos às voltas. A princípio, qualquer advogado ou conselheiro está capacitado para aconselhar corretamente, ou seja, para predizer corretamente a decisão do juiz com base nas leis vigentes. Claro que esta tarefa da concreção não se resume a um mero conhecimento dos artigos dos códigos. Precisamos conhecer também a judicatura e todos os momentos que a determinam se quisermos julgar juridicamente um caso determinado. Não obstante, a única pertença à lei que se exige aqui é que a ordem jurídica seja reconhecida como válida para todos, sem exceção. Por isso, a princípio, sempre é possível conceber como tal a ordem jurídica vigente, o que significa reelaborar dogmaticamente qualquer complementação jurídica feita à lei. Entre a hermenêutica jurídica e a dogmática jurídica existe, pois, uma relação essencial, na qual a hermenêutica detém a primazia. A ideia de uma dogmática jurídica perfeita, sob a qual se pudesse baixar qualquer sentença como um simples ato de subsunção, não tem sustentação[275].

Dentro da perspectiva de nosso problema, vejamos agora o caso da *hermenêutica teológica* tal como foi desenvolvido pela teologia protestante[276]. Aqui se pode apreciar claramente uma autêntica correspondência com a hermenêutica jurídica, já que também aqui a dogmática não pretende deter a primazia. A verdadeira concretização do anúncio se dá na pregação, assim como a da ordem legal se dá na sentença. Mas aqui há uma diferença importante. Ao contrário do que ocorre na sentença do juiz, a pregação não é uma

[336]

---

275. Cf., por exemplo, F. Wiaecker, que recentemente expôs o problema da ordem jurídica extralegal, partindo da arte de julgar, própria do juiz, assim como dos momentos que determinam (*Gesetz und Richterkunst*, 1957).

276. Além do ponto de vista aqui desenvolvido, a superação da hermenêutica do historicismo, postulada com o conjunto de minhas investigações, tem consequências teológicas decisivas, que me parecem aproximar-se das teses de E. Fuchs, *Hermeneutik*, 1960, e de G. Ebeling, "Hermeneutik", in: *Rgg*, III. [Cf. também minha contribuição "Zur Problematik des Selbstverständnisses", vol. II.]

complementação produtiva do texto que interpreta. Pela pregação, a mensagem da salvação não experimenta nenhum incremento de conteúdo que se possa comparar com a capacidade complementadora do direito que convém à sentença do juiz. Nem sequer se pode dizer que a mensagem de salvação só obtenha uma determinação precisa a partir do pensamento do pregador. Ao contrário do que ocorre com o juiz, o pregador não fala ante a comunidade com autoridade dogmática. É verdade que na pregação se trata de interpretar uma verdade vigente. Mas esta verdade é anúncio, e o fato de esse anúncio obter êxito ou não não depende do pensamento do pregador, mas da força da própria palavra, que pode chamar à conversão inclusive através de uma má pregação. O anúncio não pode ser separado de sua realização. Toda fixação dogmática da doutrina pura é secundária. A Sagrada Escritura é a palavra de Deus e isso significa que a Escritura mantém uma primazia absoluta face à doutrina dos que a interpretam.

Isso é algo que a interpretação nunca deve perder de vista. Mesmo a interpretação científica do teólogo deve manter a convicção de que a Sagrada Escritura é a mensagem divina da salvação. Sua compreensão portanto não pode ser somente a investigação científica de seu sentido. Em certa ocasião, Bultmann escreveu que "a interpretação dos escritos bíblicos não está submetida a condições diferentes das da compreensão de qualquer outra literatura"[277]. O sentido dessa frase é ambíguo. A questão é saber se toda e qualquer literatura não está submetida a condições de compreensão bem diferentes das que, de maneira puramente formal e geral, devem ser satisfeitas frente a qualquer texto. O próprio Bultmann destaca que toda compreensão pressupõe uma relação vital do intérprete com o texto, uma relação prévia com o tema mediado pelo texto. A essa pressuposição hermenêutica ele dá o nome de *pré-compreensão*, porque evidentemente não é produto do procedimento compreensivo, mas é anterior a ele. Hofmann, ocasionalmente citado por Bultmann, escreve que uma hermenêutica bíblica pressupõe sempre uma relação com o conteúdo da Bíblia.

---

277. *Glauben und Verstehen* II, p. 231.

A questão é: "o que significa aqui pressuposição"? Será que esta já está dada com a existência humana como tal? Pode-se dizer que em todo homem existe uma relação prévia com a verdade da revelação divina, pelo fato de o homem como tal já ser movido pela questão a respeito de Deus? Ou será que a existência humana só se sente movida pela questão a respeito de Deus a partir do próprio Deus, isto é, a partir da fé? Mas então o sentido do pressuposto implicado no conceito da pré-compreensão se torna problemático. A validez dessa pressuposição não pode ser genérica, mas somente do ponto de vista da fé verdadeira.

Com relação ao Antigo Testamento, esse é um velho problema hermenêutico. Qual é sua interpretação correta: a cristã, que parte do Novo Testamento, ou a judaica? Ou ambas são interpretações justificadas, no sentido de que existe algo comum a ambas, e é isso na realidade o que compreende a interpretação? O judeu, que compreende o texto bíblico veterotestamentário de maneira diferente que o cristão, compartilha com este a pressuposição de que também ele é movido pela questão a respeito de Deus. Mas, frente às afirmações do teólogo cristão, ele será de opinião de que este não compreende adequadamente, quando limita as verdades de seu livro sagrado a partir do Novo Testamento. Nesse sentido, a pressuposição de que somos movidos pela questão a respeito de Deus já implica a pretensão de conhecer o Deus verdadeiro e sua revelação. Inclusive o que se chama de "falta de fé" é determinado a partir da fé exigida. A pré-compreensão existencial de que parte Bultmann não pode ser outra que a cristã.

É claro que se pode tentar fugir dessa consequência, dizendo que basta *saber* que os textos religiosos só devem ser compreendidos como textos que respondem à questão a respeito de Deus. O intérprete não precisaria de nenhuma motivação religiosa. Mas qual seria a opinião de um marxista, que considera que toda afirmação religiosa só é compreendida quando revelada como jogo de interesses das relações de domínio social? De certo, o marxista não aceitará o pressuposto de que a existência humana como tal é movida pela questão a respeito de Deus. Esse pressuposto só vale para aquele que tem consciência da alternativa entre crer ou não crer no Deus verdadeiro. Por isso tenho a impressão de que o sentido hermenêutico da pré-compreensão teológica é, ele mesmo, teológico. A própria história da hermenêutica mostra como o questionamento de um texto está determinado por uma pré-compreensão muito concreta. A hermenêutica moderna, enquanto disciplina protestante e enquanto arte da interpretação da Escritura, mantém uma relação polêmica com a tradição dogmática da Igreja Católica e sua doutrina da justificação pelas obras. Tem pois, ela própria, um sentido dogmático e confessional.

[338]   Isso não quer dizer que uma tal hermenêutica teológica parta de preconceitos dogmáticos, de modo que só consegue extrair do texto o que ela própria colocou aí. Antes, ela própria se põe realmente em jogo. Mas o que pressupõe é que a palavra da Escritura é a verdade e atinge, e que só pode ser compreendida por quem for atingido por sua verdade, quer na fé, quer na dúvida. Nesse sentido, a aplicação é a primeira.

Desse modo, podemos destacar que o que há de verdadeiramente comum a todas as formas de hermenêutica é que o sentido que se deve compreender somente se concretiza e se completa na interpretação. Mas, de certo modo, essa ação interpretadora se mantém totalmente ligada ao sentido do texto. Nem o jurista e nem o teólogo consideram a tarefa da aplicação como uma liberdade frente ao texto.

Todavia, a tarefa de concretizar um universal e de aplicá-lo a si mesmo parece ter nas ciências históricas do espírito uma função muito diferente. Se perguntarmos o que significa aqui a aplicação e como ela ocorre na compreensão produzida pelas ciências do espírito, poderemos admitir que há um determinado tipo de tradição, frente ao qual nos comportamos à maneira da aplicação, como o jurista se comporta em relação à lei e o teólogo em relação ao anúncio. Tal como o juiz procura encontrar a justiça e o pregador anunciar a salvação, e como em ambos os casos o sentido da mensagem somente se completa na promulgação e no anúncio, também no caso a um texto filosófico ou de uma poesia temos que reconhecer que esses textos exigem do leitor e de quem procura compreendê-los uma atitude própria e frente a eles não temos a liberdade de reservar para nós um certo distanciamento histórico. Aqui precisamos admitir que a compreensão implica sempre a aplicação do sentido compreendido.

Mas será que a aplicação pertence essencial e necessariamente à compreensão? Do ponto de vista da ciência moderna devemos dizer que não; que essa aplicação que desloca o intérprete mais ou menos para o lugar do destinatário original de um texto não pertence à ciência. Nas ciências históricas do espírito ela está excluída por princípio. A cientificidade da ciência moderna consiste justamente em tornar a tradição objetiva eliminar metodologicamente qualquer influência do presente do intérprete sobre sua compreensão. Às vezes poderá ser difícil alcançar esta meta, e aqueles textos que carecem de um destinatário determinado e pretendem valer para todos os que têm acesso à tradição podem dificultar a manutenção dessa cisão entre o interesse histórico e o interesse dogmático. Um bom exemplo disso é a problemática da teologia científica e sua relação com a tradição bíblica. Poderia parecer que nesse caso seria necessário encontrar o equilíbrio entre o interesse da ciência da história a dogmática dentro da esfera privada da pessoa. Algo parecido pode ocorrer com o filósofo, e também com [339] a nossa consciência artística, quando nos sentimos interpelados por uma obra. Mas a pretensão da ciência seria manter-se independente de toda aplicação subjetiva em virtude de sua metodologia.

Do ponto de vista da teoria da ciência moderna, é preciso argumentar mais ou menos assim. Poderíamos apelar também ao valor paradigmático de casos onde não é possível uma substituição imediata do destinatário original pelo intérprete, p. ex., quando um texto se dirige a uma pessoa bem determinada, como um parceiro de contrato, ou quem recebe uma conta ou um comando. Para entender plenamente o sentido de um texto desse tipo poderíamos transferir-nos para o lugar desse destinatário, e na medida em que esse deslocamento lograsse dar ao texto toda a sua concreção poderíamos reconhecer também isso como um produto da interpretação. Mas esse deslocar-se ao lugar do leitor original (Schleiermacher) é coisa muito diferente da aplicação. Representa saltar por cima da tarefa de mediar o outrora e o hoje, o tu e o eu, que é o que queremos dizer com a palavra *aplicação* e que também a hermenêutica jurídica reconhece como sua tarefa.

Tomemos o exemplo da compreensão de um comando. Só há comando onde existe alguém que deve cumpri-lo. Aqui, a compreensão faz parte de uma relação entre pessoas, uma das quais tem que ordenar. Compreender a ordem significa aplicá-la à situação concreta a que se refere. É verdade que às vezes se pede para repetir o comando, como maneira de controlar se se havia entendido bem, mas isso não muda o fato de que seu verdadeiro sentido somente se determina na concreção de sua execução "adequada ao sentido". Esta é a razão pela qual existe também uma negação explícita à obediência, o que não quer dizer simplesmente desobediência, mas que se legitima pelo sentido da ordem e da concretização a que alguém ficou incumbido. Aquele que se nega a obedecer uma ordem a entendeu, e nega-se a fazê-lo porque é ele que a aplica à situação concreta e sabe o que a sua obediência implicaria nesse caso. Evidentemente, a compreensão se mede segundo um padrão que não se encontra na literalidade da ordem nem na real intenção de quem a dá, mas unicamente na compreensão da situação e na responsabilização daquele que obedece. Inclusive quando se dá uma ordem por escrito, ou se pede que alguém no-la dê por escrito, a fim de controlar sua correta compreensão e execução, nem por isso se terá dito tudo. Executar as ordens recebidas, de maneira que se cumpra sua literalidade mas não seu sentido, é um ato que se reveste de um caráter de travessura. Por isso não há dúvida de que o receptor de uma ordem tem de levar a cabo um certo desempenho produtivo da compreensão do sentido.

[340] Se imaginarmos agora um *historiador* que encontra na tradição uma ordem desse tipo e procura compreendê-la, é claro que sua situação será muito diferente da do destinatário original. Não é a ele que a ordem se refere e por isso não pode referi-la a si mesmo. E, não obstante, se quiser realmente entender a ordem em questão, deverá realizar, *idealiter, o mesmo desempenho* que o destinatário a que se referia originalmente a ordem. Também este último, que refere a ordem a si mesmo, está em condições de distinguir entre compreender a ordem e segui-la. Ele tem a possibilidade de não segui-la, ainda que haja compreendido, ou precisamente por isso. Para o historiador pode acabar sendo difícil reconstruir a situação para a qual se emitiu a ordem em questão. Mas também ele terá

compreendido inteiramente quando tiver realizado a tarefa dessa concreção. Esta é a clara exigência hermenêutica: compreender o que diz um texto a partir da situação concreta na qual foi produzido.

Segundo a autocompreensão da ciência, não deve haver a menor diferença entre um texto com um destinatário determinado e um texto escrito como "posse perene" (Besitz für immer). A universalidade da tarefa hermenêutica consistiria, antes, no fato de que cada texto deve ser compreendido sob a perspectiva que lhe seja adequada. Mas isso quer dizer que a ciência histórica se esforça, em princípio, por compreender cada texto em si mesmo, não reproduzindo ela mesma a intenção de seu conteúdo mas se pronunciando sobre sua verdade. De certo que compreender é sempre uma concretização, mas uma concretização pautada na observância dessa distância hermenêutica. Somente compreende aquele que sabe manter-se pessoalmente fora do jogo. Tal é o requisito da ciência.

De acordo com essa autointerpretação da metodologia própria das ciências do espírito, pode-se dizer, via de regra, que o intérprete assinala a cada texto um destinatário, independentemente de que o texto se tenha referido explicitamente a ele ou não. Seja qual for o caso, este destinatário é o leitor original, e o intérprete se sabe distinto dele. Do ponto de vista negativo, isso é claro. Aquele que tenta compreender um texto na qualidade de filólogo ou historiador não refere o discurso do texto a si mesmo. Apenas procura compreender a opinião do autor. Na medida em que procura apenas compreender, não se interessa pela verdade da coisa referida como tal, mesmo quando o próprio texto pretende ensinar a verdade. Nisso o filólogo e o historiador concordam.

Entretanto, é evidente que hermenêutica e historiografia não são exatamente a mesma coisa. Na medida em que aprofundamos um pouco as diferenças metodológicas que as separam, poderemos discernir a sua aparente comunidade e reconhecer sua *verdadeira comunidade*. Na medida em que procura conhecer através deles um trecho do passado, o historiador se relaciona diferentemente com os textos transmitidos. Por isso, busca completar e controlar o texto com outras tradições paralelas. Ele considera como que uma debilidade do filólogo o fato de este olhar para seu texto

[341]

como uma obra de arte. Uma obra de arte é um mundo completo que basta a si próprio. Mas o interesse histórico não conhece esta autossuficiência. Dilthey já objetava contra Schleiermacher que "a filologia gostaria de encontrar em toda parte uma existência acabada em si mesma"[278]. Quando uma obra literária transmitida do passado impressiona o historiador, isso não tem nenhum significado hermenêutico para ele. No fundo, ele não pode conceber-se como destinatário do texto, nem sujeitar-se à sua pretensão. As perguntas que dirige ao texto se referem, antes, a algo que o texto não oferece por si mesmo. E isto vale inclusive para aquelas formas de tradição que pretendem ser por si mesmas representações históricas. Também o cronista está submetido à crítica histórica.

Nesse sentido, o historiador ultrapassa o trabalho hermenêutico. A isto corresponde o fato de que aqui o conceito da interpretação obtém um sentido novo e aguçado. Não se refere somente à realização expressa da compreensão de um dado texto, como deve ser feito pelo filólogo. O conceito da interpretação histórica possui, antes, seu correlato no conceito de *expressão*, conceito que a hermenêutica histórica não entende no seu sentido clássico e usual como termo retórico referente à relação da linguagem com o pensamento. O que a expressão expressa não é somente o que nela deve se tornar expresso, o que ela quer dizer, mas principalmente aquilo que se expressa nesse querer dizer e dizer, sem precisar ser expresso, aquilo que "trai" a expressão. Nesse sentido amplo, o conceito de "expressão" não se restringe à expressão no âmbito da linguagem. Ele abarca antes tudo aquilo além do qual se deve ir quando se quer saber o que há ali; abarca ainda aquilo que possibilita dar esse passo. Aqui a interpretação não tem a ver tanto com o sentido que se tem em mente mas com o sentido oculto que precisa ser revelado. Nesse sentido, todo texto não apresenta somente um sentido compreensível, mas necessita ser interpretado a partir de diversas perspectivas. Em primeiro lugar ele próprio é um fenômeno de expressão. É compreensível que o historiador se interesse precisamente por esse seu aspecto, pois o valor testemunhal de um relato, por exemplo, depende efetivamente do que representa o texto

---

278. *Der junge Dilthey*, 94.

como fenômeno expressivo. Nele pode-se adivinhar o que queria o escritor, sem chegar a dizê-lo, a que partido pertencia, a partir de que convicções compreendia as coisas, ou até que ponto agia sem escrúpulo e segundo inverdades. Evidentemente que não se pode deixar de lado esses fatores subjetivos da credibilidade de um testemunho. Mas embora admitamos assegurada sua credibilidade [342] subjetiva, o conteúdo transmitido mais que tudo deve ser reinterpretado, isto é, o texto deve ser compreendido como um documento cujo sentido real deve ser procurado além de seu sentido literal, por exemplo, comparando-o com outros dados que permitam avaliar o valor histórico de uma tradição.

Para o historiador é uma suposição fundamental que a tradição deva ser interpretada num sentido diferente do que os textos exigem por si mesmos. Por detrás deles e por detrás da intenção de sentido a que dão expressão, o historiador buscará as realidades de que são expressão involuntária. Os textos aparecem junto com uma série de outros materiais históricos, ou seja, os chamados restos. Também esses precisam ser interpretados, isto é, não devem ser compreendidos somente no que dizem mas também no que testemunham. É aqui onde o conceito da interpretação alcança sua plenitude. A interpretação se torna necessária onde o sentido de um texto não se deixa compreender imediatamente. A interpretação se faz necessária sempre que não se quer confiar no que um fenômeno representa imediatamente. Na medida em que não se contenta com as manifestações da vida, segundo o que tem em mente o sujeito, o psicólogo interpreta, retrocedendo e questionando o que ocorreu no inconsciente. E o historiador interpreta os dados da tradição para chegar ao verdadeiro sentido que, a um só tempo, se manifesta e se oculta neles.

Nesse sentido, existe uma certa tensão natural entre o historiador e o filólogo que quer compreender um texto por sua beleza e verdade. A interpretação do historiador volta-se para algo que não vem expresso no próprio texto e que absolutamente não precisa se encontrar na presumida orientação de sentido do texto. Aqui a consciência histórica e a consciência filológica entram em conflito. Claro que essa tensão diminuiu muito desde que a consciência histórica modificou também a postura do filólogo. A partir daí, também este acabou por renunciar à ideia de que seus textos tenham para ele alguma validez normativa. Já não os considera como modelos do dizer e na exemplaridade do que dizem, mas também ele os vê agora na perspectiva de algo a que eles mesmos não têm em mente, ou seja, os considera como historiador. É assim que a filologia se converteu numa disciplina auxiliar da historiografia. É o que se pode constatar no caso da filologia clássica, a partir do momento em que ela mesma começa a se chamar de ciência da Antiguidade, como ocorreu, por exemplo, em Wilamowitz. É uma seção da investigação histórica que tem por objeto sobretudo a língua e a literatura. O filólogo é historiador na medida em que descobre em suas fontes literárias uma dimensão histórica própria. Para ele, compreender quer dizer integrar um determinado texto no contexto da história da língua, da forma literária, do estilo etc., e em tal intermediação, e por fim na totalidade do contexto histórico da vida. Somente de vez em quando se interpõe também algo de sua antiga natureza. Assim, por exemplo, em sua apreciação aos cronistas da Antiguidade, o filólogo está inclinado a dar mais crédito a esses autores do que um historiador considera correto. Nesse tipo de credulidade ideológica que leva o filólogo a superestimar o valor testemunhal de seus textos aparece um último vestígio da velha pretensão do filólogo de ser amigo dos "belos discursos" e mediador da literatura clássica.

É o momento de indagarmos até que ponto é correta essa descrição do procedimento das ciências do espírito que une o historiador e o filólogo atual, e se a pretensão de universalidade da consciência histórica é legítima. À primeira vista, na perspectiva da *filologia* isso parece duvidoso[279]. Quando o filólogo se dobra ao padrão da investigação histórica acaba desconhecendo-se a si mesmo, ele que era o amigo dos belos discursos. Quando o filólogo reconhece que seus textos contêm uma exemplaridade, pode estar se referindo sobretudo à sua forma. O que caracterizava o velho *pathos* do humanismo era que, na literatura clássica, tudo era dito de maneira exemplar. Mas o que se disse dessa maneira exemplar é

---

279. Cf., por exemplo, a dissertação de H. Patzer "Der Humanismus als Methodenproblem d. klass. Philol.", *Studium Generale*, 1948.

bem mais que um modelo formal. Os belos discursos não levam esse nome pelo simples fato de aquilo que contêm ser dito de maneira bela, mas também porque é belo o que neles se diz. De fato, não pretendem ser somente um "palavreado formoso". Da tradição poética dos povos, devemos reconhecer que não admiramos apenas sua força poética, sua fantasia e a arte da expressão, mas também e sobretudo a verdade superior que fala a partir dela.

Se na prática do filólogo sobrevive algo da referência ao modelo, então ele já não reporta seus textos tão somente a um destinatário reconstruído, mas também a si mesmo (obviamente, sem dar-se conta). Permite que o exemplar valha como modelo. Todo apelo a um modelo implica sempre um compreender que não deixa as coisas como estão, mas que escolheu e se sabe obrigado. Por isso, essa referência de si mesmo a um modelo reveste sempre um caráter de seguimento. Da mesma forma que o seguimento é mais que uma simples imitação, sua compreensão é também uma forma de encontro sempre nova. A própria compreensão tem o caráter de acontecimento precisamente porque não deixa as coisas como estão, uma vez que sempre implica sua aplicação. Também o filólogo tece sua parte na vasta trama dos legados e da tradição que nos sustenta a todos.

Uma vez tendo reconhecido esse fato, a melhor maneira de recuperar a autêntica dignidade da filologia e fazer com que alcance uma compreensão adequada de si mesma é libertando-a da historiografia. Creio que isso representa apenas meia verdade. Precisamos, antes, perguntar se a imagem do comportamento histórico que nos guiou até aqui não é uma imagem deformada. Talvez não apenas o filólogo *mas também o próprio historiador* deva orientar seu comportamento muito mais pelo modelo oferecido pela hermenêutica jurídica e pela hermenêutica teológica do que pelo ideal metodológico das ciências da natureza. Pode ser que o tratamento dado pelo historiador aos textos seja especificamente diferente da vinculação original que liga o filólogo com seus textos. Também pode ser que o historiador procure ir além de seus textos, buscando extrair-lhes uma conclusão que eles não querem e por si mesmos não podem dar. Quando se mede pelo padrão pautado num só texto, as coisas parecem ser realmente assim. O historiador se com- [344]

porta com os seus textos como o juiz de instrução no interrogatório das testemunhas. Entretanto, a mera constatação de fatos que este consegue extrair a partir das atitudes preconcebidas de uma testemunha não esgota a tarefa do historiador; esta só chega ao seu final quando se compreendeu o significado dessas constatações. Nesse sentido, os testemunhos históricos apresentam algo parecido ao que se passa com as declarações das testemunhas num julgamento. Não é por acaso que se usa a mesma palavra para ambos os casos. Em ambos os casos o testemunho é um meio para constatar fatos. Todavia, tampouco esses representam o verdadeiro objeto. Se constituem em mero material para a verdadeira tarefa: no caso do juiz, encontrar o direito; no caso do historiador, determinar o significado histórico de um acontecimento no conjunto de sua autoconsciência histórica.

Assim, toda a diferença talvez não passe de uma questão de critério. Se quisermos alcançar o que é verdadeiramente próprio, não podemos eleger um critério demasiadamente estreito. E quando demonstramos que hermenêutica tradicional havia reduzido artificialmente as dimensões do fenômeno, pode ser que isso possa ser aplicado também para o comportamento histórico. Não acontece também aqui que, em toda aplicação do método histórico, as coisas verdadeiramente decisivas já estão dadas de antemão? Uma hermenêutica histórica que não outorgue uma posição central *à essência da questão histórica* e não pergunte pelos motivos pelos quais um historiador se dirige à tradição é uma hermenêutica cujo núcleo foi extremamente reduzido.

Ao admitir isso, a relação entre filologia e historiografia se modifica de súbito e totalmente. Quando falamos do alheamento que a historiografia impôs à filologia, isso não representa o aspecto decisivo da questão. Ao contrário, o que me parece *determinante também para a complicada situação objetiva da compreensão histórica é o problema da aplicação,* que tivemos de tornar presente ao filólogo. É verdade que todas as aparências estão contra essa ideia, pois a compreensão histórica parece resistir fundamentalmente a toda tentativa de aplicação sugerida pela tradição. Já vimos que, em virtude de um peculiar deslocamento da intenção, o historiador não deixa valer a intenção própria do texto, uma vez que considera esse texto como mera fonte histórica, ou seja, compreende algo que o texto não tinha em mente, mas que só se expressa aí para nós.

Todavia, um exame mais atento irá nos fazer perguntar se a diferença entre a compreensão do historiador e a do filólogo é verdadeiramente estrutural. De certo que o historiador vê os textos em outra perspectiva, mas essa modificação da intenção só vale para o texto individual como tal. Todavia, para o historiador cada texto se junta com outras fontes e testemunhos, formando a unidade de toda a tradição. A unidade do conjunto da tradição é seu verdadeiro objeto hermenêutico. Ele deve compreender essa unidade no mesmo sentido em que o filólogo compreende seu texto sob a unidade de sua intenção. Também ele precisa realizar uma tarefa de aplicação. Este é o ponto decisivo. A compreensão histórica se apresenta como uma espécie de filologia em grande escala.

Seja como for, isso não quer dizer que compartilhamos a atitude hermenêutica da escola histórica, cujos questionamentos apresentamos mais acima. Ali mencionamos o predomínio do esquema filológico na autocompreensão histórica, e mostramos sobretudo na fundamentação diltheyana das ciências do espírito que a verdadeira intenção da escola histórica, de conhecer a história como realidade e não como mero desenvolvimento de um corolário de ideias, não pôde impor-se realmente. De nossa parte, não afirmamos em absoluto, no sentido de Dilthey, que todo acontecer componha uma configuração de sentido tão acabada como a de um texto legível. Se denominamos a historiografia de uma filologia em grande escala, isso não quer dizer que aquela deva ser compreendida como história do espírito.

Nossas considerações vão em direção oposta. Cremos haver compreendido melhor o que é a leitura de um texto. Na verdade, jamais existirá um leitor ante o qual se encontre simplesmente aberto o grande livro da história do mundo, assim como não há um leitor que tome um texto e simplesmente leia o que está nele. Em toda leitura tem lugar uma aplicação, e aquele que lê um texto se encontra, também ele, dentro do sentido que percebe. Ele próprio pertence ao texto que compreende. E sempre há de ocorrer que a linha de sentido que vai se mostrando a ele ao longo da leitura de um texto acabe abruptamente numa indeterminação aberta. O leitor pode e até precisa reconhecer que as gerações vindouras compreenderão de uma forma diferente o que ele leu nesse texto. E o que vale para cada leitor vale também para o historiador.

[346]   Só que o que interessa a esse é o conjunto da tradição histórica que ele deve mediar com o presente de sua própria vida, se quiser compreendê-lo. Com isso, ele mantém o conjunto da tradição aberto para o futuro.

Assim, também nós reconhecemos uma unidade entre filologia e historiografia, mas esta unidade não se estriba na universalidade do método histórico, na substituição objetivadora do intérprete pelo leitor original e nem na crítica histórica da tradição como tal. Pauta-se, antes, no fato de que ambas as disciplinas realizam uma tarefa de aplicação que somente difere quanto aos critérios. Se o filólogo compreende um texto dado, e isto significa, se compreende a si mesmo no sentido que encontra no texto, o historiador compreende também o próprio grande texto da história do mundo, que ele adivinha, texto no qual cada texto transmitido é só um fragmento, uma letra; e também ele se compreende nesse grande texto. Tanto o filólogo como o historiador retornam assim do autoesquecimento em que estavam exilados pela força de um pensamento. O único critério desse pensamento era a consciência metodológica da ciência moderna. É na *consciência da história efeitual* onde ambos se encontram como em seu verdadeiro fundamento.

O modelo da hermenêutica jurídica mostrou-se, pois, efetivamente fecundo. Quando se sabe autorizado a realizar a complementação do direito, dentro da função judicial e frente ao sentido original de um texto legal, o que faz o jurista é exatamente aquilo que ocorre em qualquer tipo de compreensão. *A velha unidade das disciplinas hermenêuticas recupera seu direito se se reconhece a consciência da história efeitual em toda prática hermenêutica, tanto na do filólogo quanto na do historiador.*

Assim, fica claro o sentido da aplicação que já está de antemão em toda forma de compreensão. A aplicação não é o emprego posterior de algo universal, compreendido primeiro em si mesmo, e depois aplicado a um caso concreto. É, antes, a verdadeira compreensão do próprio universal que todo texto representa para nós. A compreensão é uma forma de efeito, e se sabe a si mesma como tal efeito.

2.3. A análise da consciência da história efeitual

2.3.1. O limite da filosofia da reflexão[280]

Devemos perguntar agora como se dá aqui a unidade de saber e efeito? Já acentuamos acima[281] que a consciência da história efeitual é diferente da investigação da história efeitual de uma obra, ou, por assim dizer, é diferente do rastro que uma obra deixou atrás de si. Ela é, antes, uma consciência da própria obra e, nesse sentido, ela mesma é efeito. Toda nossa consideração sobre a formação e a fusão de horizontes tinha em mente precisamente descrever a maneira como se realiza a consciência da história efeitual. Mas que classe de consciência é esta? Aqui está o problema decisivo. Podemos muito bem ressaltar que a consciência da história efeitual forma parte, ela própria, do efeito, é preciso admitir que toda consciência aparece essencialmente sob a possibilidade de elevar-se acima daquilo de que é consciência. A estrutura da reflexividade está dada fundamentalmente em toda forma de consciência. Deve valer também, portanto, para a consciência da história efeitual.

[347]

Podemos formulá-lo também dessa maneira: quando falamos da consciência da história efeitual não nos encontramos necessariamente exilados na lei imanente da reflexão, que dissolve todo atingimento imediato como aquilo que é referido pelo nome de "efeito"? Isso não nos obriga a dar razão a Hegel? Não teremos de conceber como fundamento da hermenêutica a *mediação absoluta de história e verdade,* tal como pensava Hegel?

Não podemos tomar esta questão suficientemente a sério se pensarmos a concepção histórica do mundo e seu desenvolvimento desde Schleiermacher até Dilthey. O fenômeno é sempre o mesmo.

---

280. [A expressão "filosofia da reflexão" foi cunhada por Hegel, contra Jacobi, Kant e Fichte. E isto já no título de sua obra "Glauben und Wissen", mas como uma "filosofia da reflexão da subjetividade". O próprio Hegel contrapõe a ela a reflexão da *razão*.]
281. Cf. acima, p. 305 (original).

A exigência da hermenêutica somente parece se satisfazer na infinitude do saber, da mediação pensante da totalidade da tradição com o presente. A hermenêutica parece estar plantada no ideal de uma *Aufklärung* total, na abolição total dos limites de nosso horizonte histórico, na supressão de nossa própria finitude na infinitude do saber, em uma palavra, na onipresença do espírito conhecedor da história. Não tem maior importância que no século XIX o historicismo não tenha reconhecido expressamente esta consequência. Em última instância o historicismo encontra sua legitimação na posição de Hegel, ainda que os historiadores, animados pelo *pathos* da experiência, tenham preferido apelar a Schleiermacher e a Wilhelm von Humboldt. Mas nem Schleiermacher nem Humboldt pensaram realmente até o final sua própria posição. Por muito que acentuassem a individualidade, a barreira da estranheza que a nossa compreensão tem que superar, a compreensão só alcança sua perfeição, e a ideia da individualidade só encontra sua fundamentação, numa consciência infinita. É a inclusão panteísta de toda individualidade no absoluto o que torna possível o milagre da compreensão. Assim, também aqui o ser e o saber se interpretam mutuamente no absoluto.

[348] Nem o kantismo de Schleiermacher nem o de Humboldt representam uma afirmação autônoma e sistemática frente à perfeição especulativa do idealismo na dialética absoluta de Hegel. A crítica à filosofia da reflexão dirigida a Hegel alcança a eles também.

Assim, teremos de nos perguntar se a nossa própria tentativa de uma hermenêutica histórica pode ser também alvo desta mesma crítica ou se conseguimos nos manter livres da pretensão metafísica da filosofia da reflexão e justificar a legitimidade da experiência hermenêutica, concordando com a poderosa crítica histórica dos neo-hegelianos contra Hegel.

Mas para isso em primeiro lugar será necessário tomar consciência da força impositiva da filosofia da reflexão e admitir que os críticos de Hegel tampouco foram capazes de romper o círculo mágico dessa reflexão. Somente estaremos em condições de liberar o problema da hermenêutica histórica das consequências híbridas do idealismo especulativo, se não nos contentarmos apenas com um abrandamento irracional do mesmo, mas soubermos reter a verdade do pensamento hegeliano. Trata-se portanto de pensar a consciência da história efeitual de maneira que a consciência do efeito não acabe reduzindo a imediatez e superioridade da obra a uma simples realidade reflexiva. É preciso, pois, pensar uma realidade capaz de pôr limites à onipotência da reflexão. Era justamente esse o ponto contra o qual se dirigia a crítica a Hegel e onde o princípio da filosofia da reflexão se mostrou superior a todos os seus críticos.

A conhecida polêmica de Hegel contra "a coisa em si" kantiana pode tornar isto mais claro[282]. Quando Kant, pela crítica, impôs limites à razão, restringindo a aplicação das categorias aos objetos da experiência possível, acabou declarando que a coisa em si que subjaz aos fenômenos, por princípio, não é passível de conhecimento. A argumentação dialética de Hegel objeta contra isso que, ao impor esse limite e distinguir entre fenômeno e coisa em si, a razão demonstra, na realidade, que essa diferença é constitutiva da própria razão. Com isso, a consciência não alcança o que seria um limite para si mesma, mas ao colocar esse limite permanece antes totalmente em si mesma, uma vez que isso significaria que ela já o superou. O que constitui um limite enquanto tal implica sempre simultaneamente aquilo em relação ao qual se delimita o que foi delimitado pelo dito limite. A dialética do limite se caracteriza por ser somente enquanto se supera. Da mesma maneira, o ser em si que caracteriza a coisa em si, diferenciando-a de sua manifestação, somente é em si para nós. O que na dialética do limite aparece em sua generalidade lógica se especifica para a consciência na experiência de que o ser em si, distinto da consciência, é o outro de si [349] mesma, e que só é conhecido em sua verdade, quando é conhecido como si-mesmo (*Selbst*), ou seja, quando sabe a si mesmo na perfeita autoconsciência absoluta. Mais tarde examinaremos a razão e os limites dessa argumentação.

Os críticos de Hegel objetaram contra essa filosofia da razão absoluta a partir das mais diversas posições. Mas essa crítica não consegue afirmar-se frente à coerência da automediação dialética total, como foi descrita por Hegel sobretudo em em sua *Fenome-*

---

282. Cf., por exemplo, *Enzyklopädie*, § 60.

nologia, a ciência do saber fenomenal. O argumento de que o outro não precisa ser experimentado como o outro de mim mesmo, abrangido por minha pura autoconsciência, mas como o outro, enquanto tu – tal é a objeção prototípica contra a infinitude da dialética hegeliana – não atinge seriamente a posição de Hegel. Talvez não haja nada tão decisivo e determinante do processo dialético da *Fenomenologia do espírito* como o problema do reconhecimento do tu. Para mencionar apenas algumas das etapas dessa história: Segundo Hegel, a autoconsciência própria somente alcança a verdade de sua autoconsciência, na medida em que luta por obter seu reconhecimento no outro. A relação imediata do homem e da mulher é o conhecimento natural de seu reconhecimento mútuo (325[283]). Além disso, a consciência moral representa o elemento espiritual onde se dá o reconhecimento, e o reconhecimento mútuo, no qual o espírito é absoluto, somente é alcançado através da confissão e do perdão. Não há dúvida de que nessas formas do espírito descritas por Hegel já está pensado o que deveria ser o conteúdo das objeções de Feuerbach e Kierkegaard.

A polêmica contra o pensador absoluto carece, ela própria, de posição. O ponto arquimédio capaz de descarrilhar a filosofia hegeliana nunca poderá ser encontrado na reflexão. O que perfaz a qualidade formal da filosofia da reflexão é o fato de que não pode haver nenhuma posição que não esteja implicada no movimento reflexivo da consciência que vem a ser ela mesma. Os apelos à imediatez – seja os da natureza corporal, os do tu e suas exigências, os da facticidade impenetrável do acaso histórico ou os da realidade das relações de produção – já sempre se refutam por si próprios, na medida em que não são um comportamento imediato mas um fazer reflexivo. A crítica da esquerda hegeliana contra uma simples reconciliação somente no pensamento, que ficaria devendo a transformação real do mundo, ou toda a teoria da conversão da filosofia em política, e no terreno da filosofia pode ser equiparada com um anulamento de si mesma[284].

---

283. [Pude apresentar uma exata interpretação da dialética do reconhecimento (*Phänomenologie des Geistes*, IV, A – Selbständigkeit und Unselbständigkeit des Selbstbewusstseins. Herrschaft und Knechtschaft) em *Hegels Dialektik. Sechs hermeneutische Studien*, Tübingen, 1980, vol. III das Obras Completas, cap. III.]

284. Isto se torna claro na literatura marxista de que dispomos até o momento. Cf. a enérgica elaboração deste ponto em HABERMAS, J. "Zur philosophischen Discussion um Marx und den Marxismus". *Philosophische Rundschau* V, 3/4, 1957, p. 183s.

Com isso precisamos nos perguntar até que ponto a superioridade dialética da filosofia da reflexão corresponde a uma verdade pautada na coisa em questão ou será que gera tão somente uma aparência formal. A argumentação da filosofia da reflexão não pode acabar ocultando que a crítica contra o pensamento especulativo, exercida do ponto de vista da limitada consciência humana, contém algo de verdade. Isso se mostra muito particularmente nas formas epigônicas do idealismo, por exemplo, na crítica neokantiana à filosofia da vida e à filosofia existencial. Em 1920, Heinrich Rickert forneceu uma ampla argumentação em favor da "filosofia da vida", mas isso não chegou a afetar a influência de Nietzsche e de Dilthey, que então começava a se estender. Mesmo que se mostre claramente a contraditoriedade inerente a qualquer relativismo, as coisas não deixam de ser como as descreve Heidegger: todas essas argumentações triunfais têm sempre algo como uma tentativa de ataque de surpresa[285]. Por mais convincentes que pareçam, passam ao largo do verdadeiro núcleo das coisas. Com elas podemos ter sempre a última palavra, e, no entanto, não exprimem nenhuma evidência superior que possa ser fecunda. É impossível refutar o argumento que postula a verdade da tese do ceticismo ou do relativismo; mas exatamente por isso acaba anulando a si mesma. Mas, o que se consegue com isso? O argumento da reflexão, que se mostra assim triunfante, ricocheteia contra aquele que o defende, na medida em que torna suspeito o valor de verdade da reflexão. O que se alcança com essa argumentação não é a realidade do ceticismo ou de um relativismo capaz de dissolver qualquer verdade, mas a pretensão de verdade do argumentar formal em geral.

Nesse sentido a legitimidade filosófica do formalismo desses argumentos da reflexão não passa de aparência. Na realidade, eles não fornecem nenhum conhecimento. A pseudolegitimidade dessa maneira de argumentar nos é conhecida sobretudo pela antiga sofística, cuja vacuidade Platão pôs a descoberto. Foi Platão quem viu com clareza que não existe nenhum critério argumentativamente suficiente para distinguir entre um uso verdadeiramente filosófico do discurso e um uso sofista. Ele demonstra que o mero

---

285. HEIDEGGER. *Sein und Zeit*, p. 229.

fato de refutar formalmente uma teoria não exclui necessariamente sua verdade[286].

[351] O modelo original da argumentação vazia é a pergunta sofística de como se pode perguntar algo que não se conhece. É interessante notar que essa objeção sofística formulada por Platão no *Menon*[287] não é superada por uma solução argumentativamente superior, mas apenas fazendo apelo ao mito da preexistência da alma. É um apelo bastante irônico, pois na realidade o mito da preexistência e da reminiscência, destinado a resolver o enigma do perguntar e do buscar, não lança mão de uma certeza religiosa, mas se fundamenta na certeza da alma que busca o conhecimento que se impõe frente à vacuidade das argumentações formais. Por outro lado, o fato de Platão fundamentar a crítica à argumentação sofística não na lógica mas no mito é uma caracterização clara da debilidade que ele reconhece no *logos*. Assim como a opinião verdadeira é um favor e um dom divino, a busca e o conhecimento do *logos* verdadeiro não é algo que o espírito possua por si mesmo. Adiante veremos que o fato de Platão fundamentar a dialética socrática no mito reveste-se de uma importância fundamental. Se o sofisma ficasse sem refutação – fato que do ponto de vista da argumentação é possível –, esse argumento levaria à resignação. É o argumento da "razão preguiçosa" e possui um alcance verdadeiramente simbólico, na medida em que a reflexão vazia conduz, apesar de sua aparência triunfal, ao descrédito de qualquer reflexão.

Todavia, por mais evidente que pareça, a refutação mítica de Platão ao sofisma dialético não pode satisfazer o pensamento moderno. Para Hegel já não há fundamentação mítica da filosofia. Para ele o mito pertence à pedagogia. Em última análise é a razão que se fundamenta a si mesma. E na medida em que elabora a dialética da reflexão como a automediação total da razão, o próprio Hegel supera o formalismo argumentativo que, de acordo com Platão, chamamos sofístico. Por isso, sua dialética, inclusive a dialéti-

---

286. Este é o sentido da difícil exposição de 343 c d, para a qual os impugnadores da autenticidade da sétima carta se sentem compelidos a supor um segundo Platão anônimo. [Cf. a minha pormenorizada exposição *Dialektik und Sophistik im VII platonischen Brief*, vol. VI das Obras Completas, p. 90-115.]

287. *Ménon*, 80ds.

ca que refuta a argumentação vazia do entendimento, chamada por ele de "reflexão externa", não é menos polêmica que a do Sócrates platônico. Por esse motivo, a confrontação com ele torna-se muito importante para o problema hermenêutico, uma vez que a filosofia do espírito de Hegel pretende oferecer uma mediação total da história e do presente. Nela não está em questão um formalismo da reflexão. Ela trata do mesmo tema a que devemos nos ater também nós. O pensamento de Hegel perpassou toda a dimensão histórica, onde se enraíza o problema da hermenêutica.

Assim, precisamos determinar *a estrutura da consciência da história efeitual* a partir da perspectiva de Hegel e procurando distingui-la de sua perspectiva. A interpretação espiritualista do cristianismo, através da qual Hegel determina a essência do espírito, não se vê afetada pela objeção de que nela não haveria espaço para a experiência do outro e da alteridade da história. A vida do espírito consiste, antes, em reconhecer a si mesmo no ser-do-outro. O espírito, orientado para o conhecimento de si mesmo, vê-se dividido com o "positivo" que lhe aparece como estranho, e deve aprender a reconciliar-se com ele, reconhecendo-o como próprio e familiar. Dissolvendo a dureza da positividade, reconcilia-se consigo mesmo. Na medida em que essa reconciliação constitui o trabalho histórico do espírito, a atitude histórica do espírito não consiste em mirar-se num espelho nem mesmo numa suspensão puramente formal-dialética da autoalienação em que se encontra, mas numa *experiência* que experimenta a realidade e é ela própria real. [352]

2.3.2. O conceito de experiência e a essência da experiência hermenêutica

O que precisamos reter para a análise da consciência da história efeitual é exatamente isso: ela tem a estrutura da *experiência*. Por mais paradoxal que possa parecer, o conceito da experiência me parece um dos conceitos menos elucidados que temos. Uma vez que na lógica da indução desempenha uma função decisiva para as ciências da natureza, esse conceito viu-se submetido a uma esquematização epistemológica que me parece mutilar grandemente seu conteúdo originário. Gostaria de recordar que o próprio Dilthey já acusava, no empirismo inglês, uma certa falta de formação histórica. Para nós, que detectamos em Dilthehy uma oscilação não explícita entre a temática da "filosofia da vida" e a da teoria da ciência, essa parece não passar de uma crítica deficiente. De fato, a falta de uma teoria da experiência, presente até os dias de hoje e que inclui inclusive a Dilthey, faz com que esta se oriente totalmente na direção da ciência, passando ao largo, assim, de sua historicidade interna. O objetivo da ciência é tornar a experiência tão objetiva a ponto de anular nela qualquer elemento histórico. No experimento das ciências naturais isso é alcançado através de seu aparato metodológico. Algo parecido se dá também por meio do método da crítica histórica no âmbito das ciências do espírito. Em ambos os casos a objetividade é garantida pelo fato de as experiências feitas ali poderem ser repetidas por qualquer pessoa. Assim como na ciência da natureza os experimentos devem ser passíveis de verificação, também nas ciências do espírito o procedimento completo deve ser passível de controle. Nesse sentido, na ciência não pode restar espaço para a historicidade da experiência.

[353] Nisso, a ciência moderna não faz mais do que continuar, com seus próprios métodos, o que, de um modo ou de outro, é sempre objetivo de qualquer experiência. Uma experiência só é válida, na medida em que se confirma; nesse sentido, sua dignidade repousa no princípio que reza que ela pode ser reproduzida. Mas isto significa que, por sua própria essência, a experiência suspende em si mesma sua própria história e a extingue. Se isso vale para a experiência cotidiana, quanto mais valerá para qualquer organização científica da mesma. O fato de a teoria da experiência buscar por natureza a verdade que a experiência permite alcançar não é uma parcialidade casual da teoria da ciência moderna, mas possui um fundamento na própria coisa.

Nos últimos tempos especialmente Edmund Husserl dedicou atenção a essa questão, e por meio de um trabalho de investigação sempre renovado buscou esclarecer a unilateralidade a que foi submetida a experiência pela idealização das ciências[288]. Nesse sentido, Husserl desenvolve uma genealogia da experiência que, como

---

288. Cf., por exemplo, a exposição em *Erfahrung und Urteil*, p. 42, e em seu grande trabalho sobre a "Krisis der europäischen Wissenschaften und die transzendentale Phänomenologie", in: *Husserliana*, VI, p. 48s., 130s. [A base disso é um conceito de fundamentação muito diferente. Do ponto de vista fenomenológico, a "pura" percepção me parece uma mera construção, que corresponde ao conceito derivado de ser simplesmente dado – e com isso aparece como uma posição derivada e decadente de sua idealização científica e teórica.]

experiência do mundo da vida, antecede à sua idealização pelas ciências. Entretanto, o próprio Husserl me parece também estar dominado pela unilateralidade que ele critica, pois ele ainda projeta o mundo idealizado da experiência das ciências exatas sobre a experiência original de mundo, na medida em que faz da percepção, enquanto experiência exterior e orientada à mera corporalidade, o fundamento de toda experiência ulterior. Cito literalmente: "Mesmo quando, com base nessa presença sensível, atrai logo o nosso interesse prático ou espiritual, logo se nos oferece como algo utilizável, atrativo ou repulsivo – todavia, tudo isso se funda no fato de ser um substrato com qualidades que se percebem de uma maneira simplesmente sensível, e às quais leva sempre um caminho de possível interpretação"[289]. A tentativa de Husserl de retroceder pela gênese do sentido à origem da experiência, e de superar assim sua idealização pela ciência, precisa lutar duramente com a dificuldade de que a pura subjetividade transcendental do ego não está dada realmente como tal, mas na idealização da linguagem já sempre coimplicada em toda aquisição de experiência, e na qual está atuante a pertença do eu individual a uma comunidade da linguagem.

De fato, se retrocedermos aos começos da teoria da ciência e da lógica modernas, o problema será justamente saber até que ponto é possível um emprego puro da nossa razão, procedendo segundo princípios metodológicos e acima de qualquer preconceito ou atitude preconcebida, sobretudo os de caráter "verbal". A contribuição especial de Bacon nesse terreno é que ele não se contentou [354] com a tarefa lógica imanente de desenvolver a teoria da experiência como teoria de uma indução verdadeira, mas que discutiu toda a dificuldade moral e problematicidade antropológica desse tipo de desempenho da experiência. Seu método de indução procura superar a forma fortuita e irregular sob a qual se produz a experiência cotidiana, e evidentemente ultrapassar seu emprego dialético. Nesse contexto, e de uma maneira que já anuncia a nova era da investigação metodológica, Bacon despotencia a teoria da indução baseada na *enumeratio simplex*, ainda cultivada pela escolástica humanística. O conceito da indução lança mão do fato de a generalização surgir a partir de observações fortuitas, reivindicando vali-

---

289. *Husserliana*, VI, op. cit. Cf. acima, p. 251s. (original).

dez enquanto não apareça alguma instância contrária. Como sabemos, a essa *anticipatio*, essa generalização precipitada da experiência cotidiana, Bacon opõe a *interpretatio naturae*, a hábil explicação do verdadeiro ser da natureza[290]. Esta deverá permitir um acesso gradual às generalidades verdadeiras e sustentáveis que são as formas simples da natureza através de experimentos organizados metodicamente. Este método verdadeiro se caracteriza pelo fato de que nele o espírito não está meramente confiado a si mesmo[291]. Não lhe é dado "voar" como quiser. Vê-se obrigado a ir ascendendo *gradatim* (passo a passo), desde o particular até o geral, com o fim de adquirir uma experiência ordenada e capaz de evitar qualquer precipitação[292].

O método exigido por Bacon, ele próprio intitula como método experimental[293]. Mas convém recordar que em Bacon o termo *experimento* não se refere sempre somente à organização técnica do pesquisador da natureza, que produz artificialmente e torna mensuráveis determinados processos sob condições de isolamento. Experimento é também e sobretudo um hábil direcionamento do nosso espírito que é impedido de abandonar-se a generalizações prematuras, o qual aprende a variar conscientemente as observações que ele impõe à natureza, aprende a confrontar conscientemente os casos mais distantes, aparentemente menos relacionados, e desse modo vai ascendendo gradual e continuamente até os axiomas, pelo caminho de um procedimento de exclusão[294].

[355] Em linhas gerais devemos concordar com a crítica habitual feita a Bacon e admitir que suas propostas metodológicas nos decepcionam. Hoje, já podemos ver que elas são demasiadamente indeterminadas e gerais, e acabaram não produzindo maiores frutos na sua aplicação à investigação da natureza. É verdade que esse adversário das sutilezas dialéticas vazias permanecia, ele próprio, profundamente ligado à tradição metafísica e às suas formas de argumentação dialética combatidas por ele. Seu objetivo de vencer a

---

290. BACON, F. *Nov. Org.* I, 26s.
291. Op. cit. I, 20s., 104.
292. Op. cit. I, 19s.
293. Op. cit., cf., principalmente, a "distributio operis".
294. Op. cit. I, 22, 28.

natureza obedecendo-a, sua nova atitude de acometer e forçar a natureza, em suma, tudo o que o converteu no paladino da ciência moderna é apenas o lado programático de sua obra, para a qual sua contribuição é muito pouco consistente. Sua verdadeira contribuição consiste, antes, numa investigação abrangente dos preconceitos que ocupam o espírito humano e que desviam do verdadeiro conhecimento das coisas, e com isso leva a cabo uma espécie de limpeza metodológica do espírito, o que na verdade representa mais uma disciplina do que uma metodologia. A conhecida teoria baconiana dos "preconceitos" tem um sentido de possibilitar antes de tudo um uso metodológico da razão[295]. E justamente isso torna-se interessante para nós, uma vez que aqui, ainda que criticamente e com uma intenção excludente, se expressam momentos da vida da experiência que não estão vinculados teleologicamente ao objetivo da ciência. É o que ocorre, por exemplo, quando sob os termos *idola tribus*, Bacon fala da tendência do espírito humano de reter na memória unicamente o positivo e esquecer as *istantiae negativae*. A fé nos oráculos, por exemplo, nutre-se dessa capacidade humana de esquecer, que retém na memória as predições acertadas e não leva em conta as equivocadas. Assim, para Bacon, também a relação do espírito humano com as convenções da linguagem é um modo de extravio do conhecimento através de formas convencionais vazias. Pertence aos *idola fori*.

Os dois exemplos mencionados são suficientes para mostrar que o aspecto teleológico, predominante na problemática baconiana, não é o único possível. Teríamos que perguntar se o predomínio do positivo na recordação é válido em toda e qualquer consideração e se a tendência que a vida possui em esquecer o negativo também deve ser tratada criticamente em toda e qualquer consideração. Desde o Prometeu de Ésquilo, a essência da esperança caracteriza a experiência humana de maneira tão clara que, frente ao seu significado antropológico, deve-se considerar como unilateral o princípio segundo o qual o único critério válido para a realização do conhecimento seria o teleológico. Algo semelhante encontramos na questão da importância da linguagem, que guia por anteci-

---

295. Op. cit. I, 38s.

pação toda experiência. Se é verdade que os pseudoproblemas verbalísticos podem proceder do âmbito das convenções da linguagem, também é verdade que a linguagem é simultaneamente condição e guia positivo da própria experiência. Por outro lado, como Bacon, também Husserl leva mais em conta o aspecto negativo do que o positivo na esfera expressiva da linguagem.

[356] Assim, na análise do conceito de experiência não podemos nos guiar por esses modelos, pois não queremos limitar-nos ao aspecto teleológico que dominou até agora o questionamento do problema. Isso não quer dizer que esse aspecto não tenha compreendido corretamente um momento verdadeiro da estrutura da experiência. O fato de que a experiência seja válida enquanto não é contradita por uma nova experiência (*ubi non reperitur instantia contradictoria*) caracteriza evidentemente a essência geral da experiência, independentemente de que se trate de sua produção científica no sentido moderno ou da experiência da vida cotidiana tal como vem se realizando desde sempre.

Essa caracterização corresponde perfeitamente à análise do conceito de indução acrescentada por Aristóteles no apêndice das *Analytica posteriora*[296]. (De modo semelhante ao primeiro capítulo da *Metafísica*) Aristóteles descreve aqui como, a partir de muitas percepções individuais, pela retenção desses múltiplos elementos individuais, acaba surgindo a experiência, a unidade una da experiência. Que unidade é essa? Evidentemente se trata da unidade de um universal. Mas a universalidade da experiência ainda não é a universalidade da ciência. Aristóteles adota, antes, uma posição intermediária, surpreendentemente indeterminada, entre as muitas percepções individuais e a verdadeira universalidade do conceito. É a universalidade do conceito que serve de ponto de partida para a ciência e a técnica. Mas o que é a universalidade da experiência e como passa à nova universalidade do *logos*? Quando a experiência nos mostra que um determinado meio curativo tem um determinado efeito, isso significa que a partir de um conjunto de observações detectamos algo comum, e é claro que é só a partir de uma observação assim assegurada que pode surgir a verdadeira questão mé-

---

296. *An. Post.* B, 19 (99s.).

dica, a questão da ciência. É só assim que surge a questão do *logos*. A ciência sabe o porquê, em virtude de que razão esse remédio tem efeito curativo. A experiência não é a própria ciência, mas é um pressuposto necessário para ela. É preciso que ela já esteja assegurada, isto é, as observações individuais devem mostrar regularmente os mesmos resultados. É só quando já se alcançou a universalidade, a qual está em questão na experiência, que se pode colocar a pergunta relativa à razão e, por conseguinte, o questionamento que conduz à ciência. Assim, pois, repetimos nossa pergunta: que universalidade é essa? É evidente que se refere ao comum indiferenciado de muitas observações individuais. É só pela retenção dessas observações que se torna possível uma certa capacidade de previsão.

A relação entre experiência, retenção e unidade da experiência gerada por aquelas permanece marcadamente obscura. É evidente que nesse caso Aristóteles se apoia num raciocínio que em seu tempo já denotava um caráter clássico.

Anaxágoras representa o mais antigo testemunho disso. É [357] Plutarco quem nos relata a visão de Anaxágoras, segundo a qual o que caracteriza o homem frente aos animais é *empeiria, mneme, sophia* e *techne*[297]. Encontramos um nexo parecido quando Ésquilo[298], no Prometeu, destaca o papel da *mneme*, e ainda que sintamos falta de uma ênfase correspondente no mito platônico de *Protágoras*, tanto Platão[299] quanto Aristóteles mostram que àquela altura, essa ideia já representava uma teoria estabelecida. A permanência de percepções importantes (*mone*) é claramente o motivo vinculante pelo qual o saber do universal pode elevar-se acima da experiência do individual. Todos os animais que possuem *mneme* nesse sentido, ou seja, que possuem um sentido para o passado e para o tempo, encontram-se próximos do homem. Seria necessária uma investigação própria para descobrir até que ponto o nexo entre essa faculdade de retenção (*mneme*) e a linguagem já poderia estar atuando nessa teoria primitiva da experiência que estamos

---

297. PLUTARCO. De fortuna, 3, p. 98 F = *Diels. Vors. Anaxag.* B 21 b.
298. ÉSQUILO. *Prometeu*, 461.
299. *Fédon*, 96.

rastreando. É evidente que a aprendizagem de nomes e da fala acompanha essa aquisição de conceitos gerais, e Temístio ilustra a análise aristotélica da indução, evocando simplesmente o exemplo da aprendizagem da fala e da formação das palavras. De qualquer modo, é importante assinalar que a universalidade da experiência referida por Aristóteles não é a universalidade do conceito nem a da ciência. (O círculo de problemas a que nos remete essa teoria poderia ser a ideia sofística de formação, pois em todos os nossos testemunhos se detecta uma conexão entre a caracterização do homem que está em questão aqui e a organização geral da natureza. E é precisamente essa confrontação entre homem e animal o que constitui o ponto de partida natural do ideal da formação sofística.) A experiência só se atualiza nas observações individuais. Não se pode conhecê-la numa universalidade prévia. É nesse sentido que a experiência permanece fundamentalmente aberta para toda e qualquer nova experiência – não só no sentido geral da correção dos erros, mas porque a experiência está essencialmente dependente de constante confirmação, e na ausência dessa confirmação ela se converte necessariamente noutra experiência diferente (*ubi reperitur instantia contradictoria*).

[358] Aristóteles encontra uma esplêndida imagem para a lógica desse procedimento. Ele compara a multidão de observações feitas por alguém com um exército em fuga. Também as experiências são fugidias, não ficam paradas. Mas, nessa fuga geral, quando uma determinada observação se confirma numa experiência repetida, então ela para. Isso faz com que nesse ponto se forme uma primeira estância fixa dentro da fuga geral. Quando a essa primeira começam a juntar-se outras, então de repente o exército inteiro de fugitivos acaba detendo-se e obedecendo de novo à unidade de comando. O domínio unitário do conjunto serve de imagem aqui para simbolizar a própria ciência. A imagem deve mostrar como no geral se pode chegar à ciência, isto é, à verdade universal, que não pode ficar na dependência da casualidade das observações, mas que encontra sua validez numa universalidade verdadeira. Como é possível que isto resulte da casualidade das observações?

A imagem é importante porque ilustra o momento decisivo da essência da experiência. Como toda imagem, ela é manca, mas esse mancar de uma imagem não é uma deficiência, mas a outra face do desempenho abstrativo que leva a cabo. A imagem aristotélica do exército em fuga manca, na medida em que faz uma pressuposição distorcida. Parte do pressuposto de que antes da fuga deve ter havido um estado de repouso. Mas isso não serve para o que se quer simbolizar aqui, ou seja, para instaurar o saber. Entretanto, precisamente através dessa deficiência torna-se claro o que a imagem deveria ilustrar: que a experiência se instaura como um acontecer que não tem dono e que a importância particular dessa ou daquela observação como tal não é decisiva para sua instauração, mas que tudo acaba se ordenando de um modo que não pode ser compreendido. A imagem mantém essa peculiar abertura onde se adquire a experiência, nisto ou naquilo, de repente, de improviso, e, no entanto, não sem preparação; esta continua válida até que apareça outra experiência nova, determinante não somente para isto ou para aquilo mas para tudo que seja desse gênero. Segundo Aristóteles, é essa universalidade da experiência que instaura a verdadeira universalidade do conceito e a possibilidade da ciência. A imagem ilustra, portanto, como a universalidade da experiência, que é desprovida de princípios (o mero alinhamento das mesmas), acaba levando à unidade da *arche* (*arche* = "comando" e "princípio").

Entretanto, quando se pensa na essência da experiência apenas nos moldes da ciência, como faz Aristóteles [que para ele certamente não significa ciência "moderna", mas saber], acaba-se simplificando o processo pelo qual ela se instaura. É verdade que a imagem descreve precisamente esse processo, mas o faz sob pressupostos simplificadores que no modo como aparecem aqui não têm validade. Como se o que é típico da experiência se produzisse a si mesmo, sem contradições! Aristóteles já sempre pressupõe esse comum que em meio à fuga das observações alcança a estabilidade e se configura como universal; a universalidade do conceito é para ele um *prius* ontológico. O que interessa a Aristóteles na experiência é unicamente a sua contribuição para a formação dos conceitos.

Quando se considera a experiência na perspectiva de seu resultado, passa-se por cima do verdadeiro processo da experiência.

Esse processo é essencialmente negativo. Ele não pode ser descrito simplesmente como a formação, sem rupturas, de univer- [359]

salidades típicas. Essa formação se dá, antes, pelo fato de as falsas universalizações serem constantemente refutadas pela experiência; as coisas tidas por típicas são destipificadas[300]. Na linguagem isso se dá ao falarmos de experiência num duplo sentido; de um lado, as experiências que correspondem às nossas expectativas e as confirmam; de outro, a experiência que se "faz". Essa, a verdadeira experiência, é sempre negativa. Quando fazemos uma experiência com um objeto significa que até então não havíamos visto corretamente as coisas e que só agora nos damos conta de como realmente são. Assim, a negatividade da experiência possui um sentido marcadamente produtivo. Não é simplesmente um engano que é visto e corrigido, mas representa a aquisição de um saber mais amplo. Desse modo, o objeto com o qual se faz uma experiência não pode ser um objeto escolhido ao acaso. Antes, deve proporcionar-nos um saber melhor, não somente sobre si mesmo mas também sobre aquilo que antes se acreditava saber, isto é, sobre o universal. A negação, em virtude da qual a experiência chega a esse resultado, é uma negação determinada. A essa forma da experiência damos o nome de *dialética*.

Uma testemunha importante para o momento dialético da experiência não é Aristóteles mas Hegel. Nele o momento da historicidade obtém seu direito. Hegel pensa a experiência como a autorrealização do ceticismo. Já vimos que a experiência que fazemos transforma todo o nosso saber. Em sentido estrito, não é possível "fazer" duas vezes a mesma experiência. É verdade que a experiência implica o fato de ter de se confirmar continuamente, que só pode ser adquirida pela repetição. Mas, enquanto uma experiência repetida e confirmada, já não se "faz" essa experiência de novo. Quando se fez uma experiência, isso significa que a possuímos. A partir desse momento, o que antes era inesperado passa a ser previsto. Uma mesma coisa não pode voltar a converter-se para nós numa experiência nova. Somente um novo fato inesperado pode proporcionar uma

---

300. [Isto vem descrito, de forma semelhante, por Karl Popper, através do par de conceitos *trial and error* – com a restrição de que esses conceitos partem demasiadamente da vontade e muito pouco da paixão da experiência de vida humana. Isso é justificável quando temos em vista somente a "lógica da pesquisa", mas certamente não quando nos referimos à lógica atuante na experiência de vida do homem.]

nova experiência a quem já possui experiência. Desse modo, a consciência que experimenta inverteu-se, ou seja, voltou-se sobre si mesma. Aquele que experimenta se torna consciente de sua experiência, tornou-se um experimentador: ganhou um novo horizonte dentro do qual algo pode converter-se para ele em experiência.

Este é o ponto em que Hegel nos aparece como um testemunho importante. Na *Fenomenologia do espírito* mostrou como faz suas experiências a consciência que quer adquirir certeza de si mesma. O objeto da consciência é o em-si, mas o em-si só pode ser conhecido tal como se apresenta para a consciência que experimenta. Assim, a consciência que experimenta faz precisamente esta experiência: o em-si do objeto é em-si "para nós"[301]. [360]

Hegel analisa aqui o conceito da experiência; trata-se de uma análise que ganhou uma atenção especial de Heidegger, em quem provocou simultaneamente uma atitude de atração e repulsa[302]. Hegel diz: "O movimento dialético que a consciência realiza consigo mesma, tanto em seu saber como em seu objeto, *na medida em que para ela o novo objeto verdadeiro surge desse movimento*, é isso, no fundo, o que chamamos *experiência*". De acordo com que o que vimos acima, perguntamos a que se refere Hegel, que enuncia algo sobre a essência geral da experiência. Parece-me que Heidegger aponta com razão que nesse texto Hegel não interpreta a experiência dialeticamente, mas ao contrário pensa o que é o dialético a partir da essência da experiência[303]. Para Hegel a experiência tem a estrutura de uma inversão da consciência e é por isso que se constitui num movimento dialético. É verdade que Hegel age como se o que se costuma entender como experiência fosse algo diferente, na medida em que em geral "fazemos a experiência da não verdade desse primeiro conceito num novo objeto" (mas não, que se altere o próprio objeto). Mas a diferença é só aparente. Na verdade, a consciência filosófica compreende o que verdadeiramente faz a consciência que experimenta quando avança de um para outro: ela

---

301. *Phänomenologie*, na introdução, org. Hoffmeister, p. 73.
302. HEIDEGGER. "Hegels Begriff der Erfahrung". *Holzwege*, p. 105-192.
303. *Holzwege*, p. 169.

se inverte. Hegel afirma, pois, que a verdadeira essência da experiência é essa inversão.

De fato, como vimos acima, a experiência é em primeiro lugar sempre experiência de negatividade (*Nichtigkeit*). Não é como havíamos suposto. A experiência que se faz de outro objeto altera as duas coisas, nosso saber e seu objeto. Agora sabemos outra coisa e sabemos melhor, e isto quer dizer que o próprio objeto "não se sustenta". O novo objeto contém a verdade do anterior.

O que Hegel descreve assim como experiência é a experiência que a consciência faz consigo mesma. Hegel escreve na *Enzyklopädie*[304]: "o princípio da experiência contém a determinação infinitamente importante de que para aceitar e admitir um conteúdo por verdadeiro o próprio homem deve estar *nele*, ou, mais precisamente, deve encontrar esse conteúdo em acordo e em unidade com a *certeza de si mesmo*". O conceito da experiência quer dizer precisamente que esse acordo consigo mesmo começa a se instaurar. Essa é a inversão que ocorre à experiência, reconhecer-se a si mesma no estranho, no outro. Não importa se o caminho da experiência se realiza como um estender-se pela multiplicidade dos conteúdos ou como o surgir de formas sempre novas do espírito, cuja necessidade a ciência filosófica se encarrega de compreender. Em ambos os casos, trata-se de uma inversão da consciência. A descrição dialética hegeliana da experiência tem obviamente seu quinhão de acerto.

Não resta dúvida de que para Hegel o caminho da experiência da consciência tem que conduzir necessariamente a um saber-se a si mesmo que já não tem nada diferente nem estranho fora de si. Para ele a consumação da experiência é a "ciência", a certeza de si mesmo no saber. O padrão a partir do qual pensa a experiência é, portanto, o do saber-se. Por isso a dialética da experiência deve culminar na superação de toda experiência, que se alcança no saber absoluto, isto é, na identidade absoluta entre consciência e objeto. A partir daí poderemos compreender por que não faz justiça à consciência hermenêutica a aplicação que Hegel faz à história, na medida em que considera que a história estaria absorvida na au-

---

304. *Enzyklopädie*, § 7.

toconsciência absoluta da filosofia. O saber próprio da experiência é pensado aqui, desde o princípio, a partir de algo no qual a experiência já está superada. A própria experiência jamais pode ser ciência. Ela detém uma oposição insuperável frente ao saber e frente àquele ensinamento que provém de um saber geral teórico ou técnico. A verdade da experiência contém sempre a referência a novas experiências. Nesse sentido, a pessoa a quem chamamos experimentada não é somente alguém que se tornou o que é *através* das experiências, mas também alguém que está aberto *a* experiências. A consumação de sua experiência, o ser pleno daquele a quem chamamos "experimentado", não consiste em saber tudo nem em saber mais que todo mundo. Ao contrário, o homem experimentado evita sempre e de modo absoluto o dogmatismo, e precisamente por ter feito tantas experiências e aprendido graças a tanta experiência está particularmente capacitado para voltar a fazer experiências e delas aprender. A dialética da experiência tem sua própria consumação não num saber concludente, mas nessa abertura à experiência que é posta em funcionamento pela própria experiência.

Mas com isso o conceito de experiência em questão agora adquire um momento qualitativamente novo. Não se refere somente à experiência no sentido de que ela instrui sobre isto ou aquilo. Refere-se à experiência em seu todo. Esta é a experiência que cada um constantemente deve adquirir e a que ninguém pode se poupar. Aqui, a experiência faz parte da essência histórica do homem. Embora o objetivo limitado de uma solicitude pela educação seja o de poupar alguém de fazer certas experiências, como fazem às vezes os pais com seus filhos, a experiência, em seu conjunto, não é algo que possa ser poupado a alguém. Nesse sentido, a experiência pressupõe necessariamente que se frustrem muitas expectativas, pois somente é adquirida através disso. O fato de a experiência ser eminentemente dolorosa e desagradável não corresponde a uma visão pessimista, mas provém, como se pode ver, da essência da própria experiência. Como já sabia o próprio Bacon é só através de instâncias negativas que se chega a uma nova experiência. Toda experiência digna desse nome teve que se livrar de algum tipo de expectativa. Assim, o ser histórico do homem contém, como um momento essencial, uma negação fundamental que aparece na relação essencial entre experiência e discernimento.

[362]

Discernimento é mais que conhecimento desse ou daquele estado de coisas. Contém sempre um retorno de algo em que estávamos presos por cegueira. Nesse sentido, implica sempre um momento de autoconhecimento e representa um aspecto necessário do que chamamos experiência num sentido autêntico. Discernimento é algo a que se chega. Também isto é afinal uma determinação do próprio ser humano, a saber, possuir discernimento e ser perspicaz.

Se quisermos acrescentar mais um testemunho a esse terceiro momento da essência da experiência que vamos destacar, o mais indicado será certamente Ésquilo. Ele encontrou, ou melhor, reconheceu, em seu significado metafísico, a fórmula que expressa a historicidade interna da experiência: aprender pelo sofrer (*pathei mathos*). Essa fórmula não significa somente que nos tornamos inteligentes através do dano e que devemos alcançar o verdadeiro conhecimento apenas pela ilusão e desilusão. Assim compreendida, a fórmula deveria ser tão velha como a própria experiência humana. Mas pensa mais que isso[305]. Refere-se à razão pela qual isto é assim. O que o homem deve aprender pelo sofrer não é isto ou aquilo. Ele precisa discernir os limites do ser humano, alcançar o discernimento de que as barreiras que nos separam do divino não podem ser superadas. No fundo, trata-se de um conhecimento religioso – aquele conhecimento a partir donde nasce a tragédia grega.

[363]

Experiência é, portanto, experiência da finitude humana. É experimentado, no autêntico sentido da palavra, aquele que tem consciência dessa limitação, aquele que sabe que não é senhor do

---

305. Um excelente estudo de H. Dörrie (*Leid und Erfahrung*, Akademie der Wissenschaften und der Literatur, Mainz 5, 1956) investiga a origem da rima *pathos mathos* na linguagem proverbial. Presume que o sentido original do refrão significaria que somente o idiota necessita sofrer para se tornar astuto, já que o astuto se prevê por si mesmo. A versão religiosa dada ao termo por Ésquilo representaria um aspecto posterior. No entanto, essa tese torna-se pouco convincente se pensarmos que o próprio mito, de que se serve Ésquilo, fala da miopia do gênero humano, não na de idiotas isolados. Além disso, a limitação da previsão humana é uma experiência tão primordial e tão humana, tão estritamente vinculada com a experiência geral do sofrimento humano, que é difícil crer que essa intuição tivesse permanecido oculta em um dito inocente, até ser descoberta por Ésquilo. [Sobre o provérbio de Ésquilo, leia-se mais recentemente NEIZTEL Heinz. In: *Gymnasium* 87 (1980), p. 283s. Segundo isso, estaria incluído o castigo para a Hybris em um dito semelhantemente a "quem não quer ouvir deve necessariamente sentir".]

tempo nem do futuro. O homem experimentado conhece os limites de toda previsão e a insegurança de todo plano. Nele consuma-se o valor de verdade da experiência. Se o que caracteriza todas as fases do processo da experiência é o fato de que aquele que faz a experiência possui uma abertura para novas experiências, isto valerá tanto mais para a ideia de uma experiência consumada. Nela a experiência não chega ao fim, adquirindo-se então uma forma suprema de saber (Hegel), mas ali a experiência está presente por inteiro e no sentido mais autêntico. Nela chega ao limite absoluto todo dogmatismo nascido do coração humano que se deixa possuir por seus desejos. A experiência ensina a reconhecer o que é real. Conhecer o que é constitui-se pois no autêntico resultado de toda experiência e de todo querer saber em geral. Mas "o que é", aqui, não é isto ou aquilo, "mas o que já não pode ser revogado" (Ranke).

A verdadeira experiência é aquela na qual o homem se torna consciente de sua finitude. Nela, a capacidade de fazer e a autoconsciência de uma razão planificadora encontram seu limite. A ideia de que se pode dar marcha-a-ré a tudo, de que sempre há tempo para tudo e de que, de um modo ou de outro, tudo retorna se mostra como uma ilusão. Quem está e atua na história faz constantemente a experiência de que nada retorna. Nesse caso, reconhecer o que é não quer dizer conhecer o que se dá singularmente aí, mas perceber os limites dentro dos quais ainda há possibilidade de futuro para as expectativas e os planos: ou, mais fundamentalmente, reconhecer que toda expectativa e toda planificação dos seres finitos é, por sua vez, finita e limitada. A verdadeira experiência é assim experiência da própria historicidade. Com isso, a discussão do conceito de experiência alcança um resultado que será particularmente fecundo para a nossa pergunta acerca do modo de ser da consciência da história efeitual. Como autêntica forma de experiência, ela terá que refletir a estrutura geral da experiência. Assim, teremos de buscar na *experiência hermenêutica* os elementos que antes tínhamos distinguido na análise da experiência.

A experiência hermenêutica tem a ver com a *tradição*. É esta que deve chegar à experiência. Todavia, a tradição não é simplesmente um acontecer que aprendemos a conhecer e dominar pela experiência, mas é *linguagem*, isto é, fala por si mesma, como um tu.

[364] O tu não é objeto, mas se comporta em relação ao objeto. Mas isso não deve ser mal-interpretado como se na tradição o que nela chega à experiência se compreendesse como a opinião de um outro, que é um tu. Ao contrário, estamos convencidos de que a compreensão da tradição não compreende o texto transmitido como a expressão da vida de um tu mas como um conteúdo de sentido, sem qualquer vínculo com os que estão opinando ali, sem vínculo com o eu e o tu. Mas isso não impede que o comportamento frente ao tu e o sentido da experiência que se dá ali possam servir à análise da experiência hermenêutica; pois também a tradição é um verdadeiro interlocutor, ao qual estamos vinculados como estão o eu e o tu.

Mas, na medida em que o tu não é um objeto mas se comporta ele mesmo com relação a um objeto, fica claro que *a experiência do tu* deve ser uma experiência específica. Nesse sentido, os elementos estruturais da experiência que antes destacamos sofrem uma modificação. E uma vez que aqui o próprio objeto da experiência possui um caráter de pessoa, essa experiência se torna um fenômeno moral, tanto quanto o saber adquirido nessa experiência, a compreensão do outro. É por isso que nos detemos a analisar agora a modificação que sofre a estrutura da experiência, enquanto experiência do tu e experiência hermenêutica.

Existe uma experiência do tu que detecta elementos típicos a partir da observação do comportamento de seu próximo e que, graças a essa experiência, pode prever atitudes do outro. Chamamos a isso de conhecer as pessoas. Compreendemos o outro da mesma maneira que compreendemos qualquer processo típico dentro do nosso campo de experiência, isto é, podemos contar com ele. Seu comportamento nos serve como meio para nossos fins, como qualquer outro meio. Moralmente falando, esse comportamento com relação ao tu significa a referência ao egoísmo puro e simples e contradiz a determinação moral do homem. Sabe-se que uma das formas de interpretação que Kant dá ao imperativo categórico é que não se deve jamais usar o outro como meio, mas reconhecê-lo sempre como fim em si.

Aplicando ao problema hermenêutico a forma de se relacionar com o tu e a forma de compreendê-lo representada pelo conhecimento de pessoas, achamos que o que lhes corresponde é a fé ingênua no método e na objetividade alcançada por esse. Aquele que compreende assim a tradição acaba convertendo-a em objeto, isto é, aborda-a livremente, sem ver-se atingido por ela, e, na medida em que elimina metodologicamente todos os momentos subjetivos de sua relação para com a tradição, adquire certeza do que essa contém. Já vimos como, desse modo, ele se liberta da sobrevivência da tradição, na qual ele próprio tem sua realidade histórica. Esse método das ciências sociais que corresponde ao pensamento metodológico do século XVIII e sua formulação programática por Hume é, na verdade, um clichê extraído da metodologia das ciências da natureza[306]. Do procedimento efetivo das ciências do espírito, toma-se [365] um aspecto parcial e, na medida em que no comportamento humano só se reconhece o que é típico e regular, acaba-se reduzindo esse procedimento a um esquema. A essência da experiência hermenêutica fica assim achatada como vimos acontecer na interpretação teleológica do conceito de indução, desde Aristóteles.

Uma segunda maneira de experimentar e compreender o tu consiste em reconhecê-lo como pessoa, mas, apesar de incluir a pessoa na experiência do tu, a compreensão deste continua sendo um modo da referência a si mesmo. Esta autorreferência procede da aparência dialética que a dialética da relação-eu-tu leva consigo. A relação entre o eu e o tu não é imediata, mas reflexiva. Toda pretensão implica necessariamente uma pretensão oposta. Assim surge a possibilidade de que cada parte da relação salte reflexivamente por sobre a outra. Ele pretende conhecer por si mesmo a pretensão do outro, pretende inclusive compreendê-lo melhor que ele mesmo se compreende. Com isso, o tu perde a imediatez com que orienta suas pretensões a outra pessoa. É compreendido, mas no sentido de que é antecipado e apreendido reflexivamente a partir da posição do outro. Na medida em que esta é uma relação recíproca, perfaz também a realidade da relação-eu-tu. A historicidade interna de todas as relações vitais entre os homens consiste em que, consequentemente, se está lutando constantemente pelo reconhecimento recíproco. Este pode adotar graus muito diversos de tensão, até chegar inclusive ao completo domínio

---

306. Cf. nossas observações a esse respeito na Introdução p. 1s. (original).

de um eu por outro eu. Mas até as formas mais extremas de dominação e servidão são uma autêntica relação dialética da estrutura elaborada por Hegel[307].

A experiência do tu assim adquirida é objetivamente mais adequada que o conhecimento que reduz os outros a objetos de cálculo. É uma ilusão considerar o outro como um instrumento que se pode abranger com a vista e dominar totalmente. Inclusive no servo há uma vontade de poder que se volta contra o senhor, como acertadamente expressou Nietzsche[308]. Todavia, esta dialética da reciprocidade que domina toda a relação-eu-tu permanece necessariamente oculta para a consciência do indivíduo. O servo que tiraniza o senhor com a sua própria servidão não crê, de modo algum, que nisto se busca a si mesmo. E mais, a própria autoconsciência consiste justamente em subtrair-se à dialética dessa reciprocidade, retirar-se reflexivamente dessa relação com o outro, tornando-se assim inacessível para ele. Quando se compreende o outro e se pretende conhecê-lo, se lhe subtrai, na realidade, toda a legitimação de suas próprias pretensões. Em particular isto é válido para a dialética da solicitude, na medida em que penetra todas as relações inter-humanas como uma forma reflexiva de impulso para o domínio. Na realidade, a pretensão de compreender o outro, antecipando-se-lhe, cumpre a função de manter à distância a pretensão do outro. Isto é bem conhecido, por exemplo, na relação educadora, uma forma de solicitude baseada na autoridade. A dialética da relação-eu-tu se torna mais aguda nessas formas reflexivas.

No âmbito hermenêutico o correlato dessa experiência do tu é o que se costuma chamar de *consciência histórica*. A consciência histórica sabe da alteridade do outro e do passado em sua alteridade, do mesmo modo que a compreensão do tu sabe do mesmo como pessoa. No outro do passado não busca o caso particular de uma regularidade geral, mas algo historicamente único. Mas, na medida em que nesse reconhecimento procura elevar-se por inteiro acima

---

307. Cf. a extraordinária análise desta dialética da reflexão do eu e do tu, em LÖWITT, K. *Das Individuum in der Rolle des Mitmenschen*, 1928, bem como a minha resenha no *Logos* XVIII (1929), p. 436-440 [= vol. IV das Obras Completas].
308. *Also Sprach Zarathustra* II (Von der Selbstüberwindung).

de seu próprio condicionamento, acaba prisioneiro da aparência dialética, pois o que realmente procura é tornar-se de certo modo senhor do passado. Isto não precisa acontecer nos moldes da pretensão especulativa de uma filosofia da história universal; pode muito bem aparecer sob a luz do ideal de uma *Aufklärung* perfeita, que ilumina o caminho experimental das ciências históricas, como vimos, por exemplo, em Dilthey. Já demonstramos a aparência dialética gerada pela consciência histórica e correlata à aparência dialética da experiência que se consuma no saber, quando na nossa análise da consciência hermenêutica descobrimos que o ideal do esclarecimento histórico é algo irrealizável. Aquele que está seguro de não ter preconceitos, apoiando-se na objetividade de seu procedimento e negando seu próprio condicionamento histórico, experimenta o poder dos preconceitos que o dominam incontroladamente como uma *vis a tergo*. Aquele que não quer conscientizar-se dos preconceitos que o dominam acaba se enganando sobre o que se revela sob sua luz. É como na relação entre o eu e o tu. Aquele que sai reflexivamente da reciprocidade de uma tal relação modifica-a e destrói sua vinculatividade moral. *Da mesma maneira, aquele que pela reflexão se coloca fora da relação vital com a tradição destrói o verdadeiro sentido desta*. A consciência histórica que quer compreender a tradição não pode abandonar-se à forma de trabalho da metodologia crítica com a qual se aproxima das fontes, como se ela fosse suficiente para proteger contra a intromissão dos seus próprios juízos e preconceitos. Na verdade, ele precisa pensar também sua própria historicidade. Como já dissemos, o fato de estar na tradição não restringe a liberdade do conhecer, antes é o que a torna possível. [367]

Esse conhecimento e reconhecimento é o que perfaz a terceira e mais elevada maneira da experiência hermenêutica: a abertura à tradição, própria da *consciência da história efeitual*. Também ela tem um autêntico correlato na experiência do tu. Como vimos, na relação inter-humana o que importa é experimentar o tu realmente como um tu, isto é, não passar ao largo de suas pretensões e permitir que ele nos diga algo. Para isso é necessário abertura. Mas, por fim, esta abertura não se dá só para aquele a quem permitimos que nos fale. Ao contrário, aquele que em geral permite que se lhe diga algo está aberto de maneira fundamental. Sem essa abertura mútua, tampouco pode existir verdadeiro vínculo humano. A pertença mútua significa sempre e ao mesmo tempo poder ouvir uns aos outros. Quando dois se compreendem, isto não quer dizer que um "compreenda" o outro, isto é, que o olhe de cima para baixo. E igualmente, "escutar alguém" não significa simplesmente realizar às cegas o que o outro quer. Agir assim significa ser submisso. A abertura para o outro implica, pois, o reconhecimento de que devo estar disposto a deixar valer em mim algo contra mim, ainda que não haja nenhum outro que o faça valer contra mim.

Eis aqui o correlato da experiência hermenêutica. Eu tenho de deixar valer a tradição em suas próprias pretensões, e não no sentido de um mero reconhecimento da alteridade do passado, mas de reconhecer que ela tem algo a nos dizer. Também isto requer uma forma de abertura fundamental. Quem tem essa abertura para com a tradição percebe que a consciência histórica não está realmente aberta. Antes, quando lê seus textos "historicamente", já nivelou prévia e fundamentalmente toda a tradição, e os critérios de seu próprio saber jamais poderão ser colocados em questão por ela. Para tanto basta mencionar a forma ingênua de comparação de que costuma lançar mão o comportamento histórico. O fragmento 25 do *Lyceum* de Friedrich Schlegel diz: "Os dois princípios fundamentais da chamada crítica histórica são o postulado do caráter comum e o axioma da habitualidade. O postulado do caráter comum reza que tudo o que é verdadeiramente grande, bom e belo é inverossímil, pois é extraordinário e no mínimo suspeito. O axioma da habitualidade reza que as coisas devem ter sido sempre tal como são entre nós e em nosso entorno, porque é natural que seja assim". – Ao contrário, a consciência da história efetual ultrapassa a ingenuidade desse comparar e igualar, deixando que a tradição se converta em experiência e mantendo-se aberta à pretensão de verdade apresentada por essa. A consciência hermenêutica tem sua consumação não na certeza metodológica sobre si mesma, mas na comunidade de experiência que distingue o homem experimentado daquele que está preso aos dogmas.

[368]   É isto que caracteriza a consciência da história efeitual, como poderemos ver mais detalhadamente agora a partir do conceito de experiência.

2.3.3. A primazia hermenêutica da pergunta

a) O modelo da dialética platônica

Com isto prelineia-se o caminho da investigação que segue. Nós perguntamos pela *estrutura lógica da abertura* que caracteriza a consciência hermenêutica, e é bom que não esqueçamos a importância do conceito de *pergunta* na análise da situação hermenêutica. É claro que toda experiência pressupõe a estrutura da pergunta. Não se fazem experiências sem a atividade do perguntar. O conhecimento de que algo é assim, e não como acreditávamos inicialmente, pressupõe evidentemente a passagem pela pergunta para saber se a coisa é assim ou assado. Do ponto de vista lógico, a abertura que está na essência da experiência é essa abertura do "assim ou assado". Ela tem a estrutura da pergunta. E assim como a negatividade dialética da experiência encontrou sua perfeição na ideia de uma experiência consumada, onde temos plena consciência de nossa finitude e limitação, também a forma lógica da pergunta e a negatividade que lhe é inerente encontram sua consumação numa negatividade radical: no saber que não sabe. É a famosa *docta ignorantia* socrática que abre a verdadeira superioridade da pergunta na negatividade extrema da aporia. É preciso então que nos aprofundemos na *essência da pergunta*, se quisermos esclarecer em que consiste o modo peculiar de realização da experiência hermenêutica.

É essencial a toda pergunta que tenha um sentido. Sentido quer dizer, todavia, sentido de orientação. O sentido da pergunta é, pois, a única direção que a resposta pode adotar se quiser ter sentido e ser pertinente. Com a pergunta, o interrogado é colocado sob uma determinada perspectiva. O surgir de uma pergunta rompe de certo modo o ser do interrogado. Nesse sentido, o *logos* que desenvolve esse ser assim aberto já é sempre resposta, e só tem significado no sentido da pergunta.

Uma das mais importantes intuições que herdamos do Sócrates platônico é que, ao contrário da opinião dominante, perguntar é mais difícil do que responder. Quando os companheiros do diálogo socrático procuram inverter o jogo para não responder às molestas perguntas de Sócrates, reivindicando para si a posição supostamente vantajosa daquele que pergunta, é quando mais propriamente fracassam[309]. Por trás desse tom de comédia dos diálogos platônicos não é difícil descobrir a distinção crítica entre discurso autêntico e inautêntico. Na fala, quem só procura ter razão, sem se preocupar com o discernimento do assunto em questão, irá achar que é mais fácil perguntar do que responder. Assim, se livra do perigo de ficar devendo resposta a alguma pergunta. Na verdade, o fracasso renovado do interlocutor demonstra que aquele que pensa saber mais e melhor não pode perguntar. Para perguntar, é preciso querer saber, isto é, saber que não se sabe. E no intercâmbio de perguntas e respostas, de saber e não saber, descrito por Platão ao modo de comédia, acaba-se reconhecendo que para todo conhecimento e discurso em que se queira conhecer o conteúdo das coisas *a pergunta toma a dianteira*. Uma conversa que queira chegar a explicar alguma coisa precisa romper essa coisa através de uma pergunta.

Essa é a razão por que a dialética se concretiza na forma de perguntas e respostas, ou seja, todo saber acaba passando pela pergunta. Perguntar quer dizer colocar no aberto. A abertura daquilo sobre o que se pergunta consiste no fato de não possuir uma resposta fixa. Aquilo que se interroga deve permanecer em suspenso na espera da sentença que fixa e decide. O sentido do perguntar consiste em colocar em aberto aquilo sobre o que se pergunta, em sua questionabilidade. Ele tem de ser colocado em suspenso de maneira que se equilibrem o pró e o contra. O sentido de qualquer pergunta só se realiza na passagem por essa suspensão, onde se converte numa pergunta aberta. Toda verdadeira pergunta requer essa abertura, e quando essa falta, ela é, no fundo, uma pergunta aparente que não tem o sentido autêntico da pergunta. Temos algo parecido, por exemplo, na pergunta pedagógica, cuja especial dificuldade paradoxal consiste em ser uma pergunta sem que haja alguém que realmente pergunte. O mesmo acontece na pergunta retórica, onde não só não há quem pergunte como também não há algo realmente perguntado.

---

309. Cf., por exemplo, a polêmica sobre a forma de falar, em *Protágoras*, p. 335s.

Entretanto, a abertura da pergunta não é ilimitada. Ela implica, antes, uma delimitação precisa através do horizonte da pergunta. Uma pergunta sem horizonte acaba no vazio. Ela só se torna uma pergunta quando a fluida indeterminação da direção em que aponta é colocada na determinação de um "assim ou assado". Dito de outro modo, a pergunta deve ser *colocada*. A colocação de uma pergunta pressupõe abertura, mas também delimitação. Implica uma fixação expressa dos pressupostos vigentes, a partir dos quais se mostra o que está em questão, aquilo que permanece em aberto. Por isso, também a colocação de uma pergunta pode ser correta ou falsa na medida em que consegue ou não levar o assunto para o âmbito do verdadeiramente aberto. Dizemos que a colocação de uma pergunta é falsa quando não alcança o aberto, quando se afasta desse pela manutenção de falsos pressupostos. Enquanto pergunta, ostenta abertura e decisibilidade. Quando não se distingue ou se distingue mal o que se pergunta frente aos pressupostos que realmente se mantêm de pé, então não se alcança realmente o aberto e, por conseguinte, não se pode decidir nada.

Isso se torna tanto mais claro naqueles questionamentos falsos em que falamos de perguntas ambíguas, tão frequentes na vida prática. Também uma pergunta ambígua não pode receber nenhuma resposta, uma vez que não leva realmente a essa situação aberta de suspensão, onde ocorre a decisão. Não dizemos que a pergunta seja falsa, mas ambígua, pois de um modo ou de outro ela sempre contém uma pergunta, ou seja, refere-se a algo aberto, mas esse não segue a direção indicada pela colocação da pergunta. Ambíguo é aquilo que se desvia, sai da direção. A ambiguidade de uma pergunta consiste em que essa não tem uma real direção de sentido e, por isso, não permite resposta. Chamamos de ambíguas ainda as afirmações que não são completamente falsas mas também não são corretas. Também essas determinam-se a partir de seu sentido, isto é, a partir de sua relação com a pergunta: não as podemos chamar falsas porque nelas se percebe algo de verdade, mas tampouco as podemos chamar corretas, porque não correspondem a nenhuma pergunta com sentido e, por isso, não possuem nenhum sentido verdadeiro, a não ser que sejam retificadas. O sentido do que é correto deve necessariamente corresponder à orientação traçada por uma pergunta.

[370]

Na medida em que a pergunta coloca em aberto, abarca sempre os dois aspectos do julgamento, tanto o sim quanto o não. Nisso se estriba a relação essencial entre perguntar e saber. Pois a essência do saber não consiste somente em julgar corretamente, mas em excluir o incorreto ao mesmo tempo e pela mesma razão. A decisão da pergunta é o caminho para o saber. Uma pergunta é decidida pela preponderância de motivos a favor de uma possibilidade e contra a outra; mas isto ainda não é o conhecimento completo. Só se alcança o saber da coisa ela mesma quando se dissolvem as instâncias contrárias e quando se desmascara a incorretura dos argumentos.

Conhecemos isto sobretudo da dialética medieval, que não se contentava em elencar os prós e os contras, tomando em seguida a própria decisão, mas acabava arrolando o conjunto de todos os argumentos. Esta forma da dialética medieval não é uma simples consequência do sistema docente da *disputatio*, mas repousa na pertença íntima entre ciência e dialética, isto é, resposta e pergunta. Há uma famosa passagem da *Metafísica* aristotélica[310] que suscitou muitas discussões e que se explica a partir desse nexo. Nessa passagem, Aristóteles afirma que a dialética é a faculdade de investigar os opostos, mesmo independentemente de seu *quid* e (de investigar) se pode haver uma e a mesma ciência para coisas opostas. Nesse ponto parece que uma característica geral da dialética (que corresponde perfeitamente ao que encontramos no *Parmênides* de Platão) tem uma ligação muito especial com um problema

[371] "lógico" que conhecemos através da *Tópica*[311]. Parece ser realmente uma questão muito especial saber se pode haver uma mesma ciência para coisas opostas. Procurou-se, por isso, descartar essa questão como glosa[312]. Na verdade, o nexo entre as duas perguntas torna-se claro logo que constatamos a primazia da pergunta sobre a resposta. Essa primazia é a base para o conceito do saber. Saber quer dizer sempre e concomitantemente ir ao encontro dos opostos. Sua superioridade frente à atitude preventiva de deixar-se levar pela opinião

---

310. M 4, 1078 b, p. 25s.
311. 105 b 23.
312. H. Maier, *Syllogistik des Aristoteles* II, 2, 168.

consiste em saber pensar possibilidades como possibilidades. O saber é fundamentalmente dialético. Somente pode possuir saber aquele que tem perguntas, mas as perguntas implicam sempre a oposição do sim e do não, do assim e do diverso. Somente porque o saber é dialético nesse sentido abrangente, pode haver uma "dialética" que tome explicitamente como objeto a oposição do sim e do não. A pergunta aparentemente demasiado especial pela possibilidade de uma mesma ciência para os opostos contém, portanto, objetivamente a base da possibilidade da dialética em geral.

Também a teoria aristotélica da prova e da inferência – falando objetivamente, a degradação da dialética a um momento subordinado do conhecimento – permite reconhecer essa mesma primazia da pergunta, como mostraram sobretudo as brilhantes observações de Ernst Kapp sobre a gênese da silogística aristotélica[313]. A primazia da pergunta para a essência do saber demonstra da maneira mais originária a limitação da ideia de método para o saber. Esse foi o ponto de partida de todas as nossas reflexões. Não há método que ensine a perguntar, a ver o que se deve questionar. O exemplo de Sócrates ensina que o que importa aqui é saber que não se sabe. A dialética socrática, que conduz a esse saber através de sua arte de desconcertar, cria assim os pressupostos para o ato de perguntar. Todo perguntar e todo querer saber pressupõem um saber que não se sabe. Mas o que conduz a uma pergunta determinada é um não saber determinado.

Em suas marcantes exposições, Platão nos mostra em que consiste a dificuldade de sabermos o que não sabemos. O que torna tão difícil reconhecer que não se sabe é o poder exercido pela opinião vigente. É a opinião aquilo que impede a pergunta. Ela carrega em si uma forte tendência a se expandir. Ela gostaria de ser sempre opinião comum, e a palavra que entre os gregos designava a opinião, *doxa*, significa ao mesmo tempo a decisão alcançada pela maioria na reunião do conselho.

Como é possível, então, chegar ao não saber e ao perguntar? [372]

---

313. Cf. sobretudo o artigo "Syllogistik", em *RE*.

De início, queremos afirmar que só se pode chegar a isso quando nos ocorre uma ideia (*Einfall*). É verdade que essas ideias são atribuídas mais a respostas do que a perguntas, como a solução de enigmas, por exemplo. E com isso queremos afirmar que não existe nenhum caminho metodológico que nos conduza à ideia que fornece a solução. Não obstante, sabemos também que, quando nos vem à mente uma ideia, isso não ocorre sem preparação prévia. Pressupõe uma certa orientação para um âmbito do aberto, a partir donde pode advir a ideia, o que significa que pressupõe perguntas. A essência real desse tipo de ideia talvez não consista tanto em algo como a solução de um enigma mas mais como uma pergunta que nos empurra para o aberto e com isso torna possível a resposta. Toda ideia que nos vem à mente tem a estrutura de pergunta. No entanto, essa ideia que nos ocorre como pergunta já é a irrupção na extensão niveladora da opinião corrente. Dizemos, portanto, que também as próprias perguntas nos ocorrem, surgem ou se impõem, e não somos nós que as levantamos e as colocamos.

Já vimos que, do ponto de vista lógico, a negatividade da experiência implica a pergunta. Na verdade, o que nos move a fazer experiências é o impulso daquilo que não se submete às opiniões preestabelecidas. É por isso que o próprio perguntar consiste mais num sofrer do que num agir. A pergunta se impõe; chega um momento em que não podemos mais fugir dela, nem permanecer aferrados à opinião corrente.

Mas o fato de na dialética socrático-platônica a arte do perguntar alcançar um domínio consciente parece contradizer essas ideias. No entanto, essa arte é algo muito peculiar. Já havíamos visto que ela está reservada àquele que quer saber, isto é, àquele que já tem perguntas. A arte de perguntar não é a arte de esquivar-se da pressão das opiniões; ela pressupõe essa liberdade. Nem sequer é uma arte no sentido em que os gregos falavam de *techne*, não é uma faculdade que se possa ensinar e por ela apoderar-se do conhecimento da verdade. Ao contrário, o chamado excurso epistemológico da sétima carta busca precisamente distinguir o modo de ser característico dessa arte peculiar da dialética frente a tudo o que se pode ensinar e aprender. A arte da dialética não é a arte de ganhar de todo mundo na argumentação. Ao contrário, é perfeitamente possível que aquele que é perito na arte dialética, isto é, na arte de perguntar e buscar a verdade, apareça aos olhos de seus ouvintes como o menos indicado a argumentar. A dialética, como arte do perguntar, só pode se manter se aquele que sabe perguntar é capaz de manter de pé suas perguntas, isto é, a orientação para o aberto. A arte de perguntar é a arte de continuar perguntando; isso significa, porém, que é a arte de pensar. Chama-se dialética porque é a arte de conduzir uma autêntica conversação.

Para desenvolver uma conversação é necessário, em primeiro lugar, que os interlocutores ao conversar não passem ao largo um do outro.

É por isso que o diálogo possui, necessariamente, a estrutura [373] de pergunta e resposta. A primeira condição da arte da conversação é nos assegurarmos de que o interlocutor nos acompanha no mesmo passo. Isso nos é bem conhecido pelas constantes respostas afirmativas dos interlocutores do diálogo platônico. O lado positivo dessa monotonia é a coerência interna pela qual o diálogo avança no desenvolvimento do tema. Levar adiante uma conversa significa voltar-se na direção do tema que orienta os interlocutores. Requer não abafar o outro com argumentos, mas ponderar realmente a importância objetiva de sua opinião. Assim o diálogo se caracteriza como a arte de ir colocando à prova[314]. Mas essa arte de ir colocando à prova é, no fundo, a arte de perguntar, visto que, como mencionamos, perguntar significa colocar algo em suspenso e aberto. Opondo-se à rigidez das opiniões, o perguntar põe em suspenso o assunto com suas possibilidades. Aquele que possui a "arte" de perguntar sabe defender-se da tendência da opinião comum em reprimir a interrogação. Quem possui essa arte irá, ele mesmo, buscar todos os argumentos a favor de uma opinião. A dialética não é a tentativa de atingir o ponto fraco daquilo que foi dito. Ela busca, antes, atribuir-lhe sua verdadeira força. Isso não se refere àquela arte de falar e argumentar capaz de fortalecer uma

---

314. *Metafísica*. 1004 b25: *esti de e dialetike peirastike*. Aqui já se percebe a mudança rumo à ideia do ser conduzido, que significa dialética em sentido autêntico, na medida em que colocar uma opinião à prova e testá-la proporciona a esta a oportunidade de sobrepor-se e, portanto, põe em jogo a própria opinião prévia.

coisa fraca, mas à arte de pensar capaz de reforçar as objeções a partir da própria coisa em questão.

Os diálogos platônicos devem sua surpreendente atualidade a essa arte de reforçar. O que se diz por essa arte alcança sempre as melhores possibilidades de seu direito e de sua verdade, sobrepujando toda contra-argumentação que pretenda pôr limites à vigência de seu sentido. É evidente que aí não se trata de simplesmente deixar as coisas como estão. Pois quem quer realmente conhecer não pode deixar que o assunto se mantenha no nível de simples opinião, isto é, não lhe é permitido distanciar-se das opiniões que estão em questão[315]. Pede-se razão sempre àquele que está falando até que acabe se mostrando a verdade daquilo sobre o que se fala. É verdade que a produtividade maiêutica do diálogo socrático, sua arte de parturiente da palavra, se dirige às pessoas humanas que se constituem nos companheiros de diálogo, mas seu interesse está apenas nas opiniões expressas por esses, cuja consequência imanente e objetiva desenvolve-se no diálogo. O que vem à tona, na sua verdade, é o *logos*, que não é nem meu nem teu, e que por isso sobrepuja tão amplamente a opinião subjetiva dos companheiros de diálogo que aquele que o conduz permanece sempre como [374] aquele que não sabe. A dialética, como arte de conduzir uma conversação, é ao mesmo tempo a arte de juntar os olhares para a unidade de uma perspectiva (*synoran eis en eidos*), isto é, a arte da formação de conceitos como elaboração da intenção comum. O que caracteriza a conversação, frente à forma endurecida das proposições que urgem sua fixação escrita, é precisamente que, aqui, em perguntas e respostas, no dar e tomar, no passar ao largo do outro na conversa e no pôr-se de acordo com ele, a língua realiza aquela comunicação de sentido cuja elaboração artística frente à tradição literária é a tarefa da hermenêutica. Por isso, quando a tarefa hermenêutica é concebida como um entrar em diálogo com o texto, mais que uma metáfora, isso representa uma verdadeira recordação do originário. O fato de a interpretação dar-se no âmbito da linguagem não significa a transposição para um *medium* estranho. Significa, antes, que se restabelece uma comunicação de sentido originário. O que foi transmitido

---

315. Cf. acima, p. 300s.; 342s. (original).

em forma literária é assim recuperado do alheamento em que se encontrava, para o presente vivo do diálogo cuja realização originária é sempre perguntar e responder.

Assim, podemos apelar a Platão, quando colocamos em primeiro plano a referência à pergunta também para o fenômeno hermenêutico. Podemos fazê-lo tanto mais pelo fato de que, de certa forma, no próprio Platão já se mostra o fenômeno hermenêutico. Sua crítica à escrita deveria ser analisada, uma vez, também sob o ponto de vista de que a tradição poética e filosófica em Atenas se converte em literatura. Nos diálogos de Platão vemos como a "interpretação" de textos, cultivada nos discursos sofísticos, especialmente a interpretação da poesia para fins didáticos, atrai sobre si a repulsa platônica. Vemos também como Platão tenta superar a debilidade dos *logoi*, e sobretudo a dos escritos, através de sua própria poesia dialogada. A forma literária do diálogo devolve a linguagem e o conceito ao movimento originário da conversação. Com isso se protege a palavra de qualquer abuso dogmático.

O caráter originário da conversação se mostra também naquelas formas derivadas nas quais a correlação entre pergunta e resposta fica oculta. A própria correspondência epistolar representa um interessante fenômeno de transição: é uma espécie de conversação por escrito, que, de algum modo, distende o movimento de divergência e convergência no acordo. A arte epistolar consiste em não deixar que a palavra escrita se degenere em tratado, e em ajustá-la a ser recebida pelo destinatário. Mas também consiste, inversamente, em manter e satisfazer corretamente a medida de caráter definitivo que possui tudo quanto se diz por escrito. A distância temporal que separa o envio de uma carta da recepção de sua resposta não é um mero fato externo, mas um fato que cunha de modo essencial a forma de comunicação da correspondência, como uma forma especial de escrita. É interessante notar que o encurtamento dos prazos postais não só não intensificou essa forma de comunicação, como até favoreceu o declínio da arte de escrever cartas. [375]

O caráter original da conversação como mútua referência de pergunta e resposta mostra-se inclusive num caso tão extremo como o que representa a dialética hegeliana enquanto método filosófico. Desenvolver a totalidade das determinações do pensar como era o interesse da lógica hegeliana é de certo modo a tentativa de abranger, no grande monólogo do "método" moderno, a continuidade de sentido cuja realização em nível particular é proporcionada a cada vez aos dialogantes pela conversação. Ao assumir a tarefa de flexibilizar e animar as determinações abstratas do pensar, Hegel refundiu a lógica na forma de realização da linguagem, o conceito, na força de sentido da palavra que pergunta e responde; mesmo tendo fracassado, isso constituiu uma recordação eminente do que foi e é a dialética. A dialética hegeliana é um monólogo do pensar que busca produzir, previamente, o que pouco a pouco vai amadurecendo em cada conversação autêntica.

b) A lógica de pergunta e resposta

Retornamos ao que havia sido estabelecido de que também o fenômeno hermenêutico implica o caráter original da conversação e a estrutura de pergunta e resposta. De início, o fato de um texto transmitido se converter em objeto de interpretação significa que coloca uma pergunta ao intérprete. Nesse sentido, a interpretação contém sempre uma referência essencial à pergunta que nos foi dirigida. Compreender um texto quer dizer compreender essa pergunta. Mas, como já demonstramos, isso ocorre quando se conquista o horizonte hermenêutico. Definimos isso como o *horizonte do perguntar*, no qual se determina a orientação de sentido do texto.

Assim, pois, para compreender é preciso que as perguntas ultrapassem o que foi dito. Deve-se compreender o que foi dito como resposta a uma pergunta. Assim, ultrapassando o que foi dito, indaga-se, necessariamente, por algo que *ultrapassa* isso que foi dito. Só se compreende o sentido de um texto quando se alcança o horizonte do perguntar, que como tal pode ter também outras respostas. Assim, o sentido de uma frase é relativo à pergunta a que ele responde e isso significa que ultrapassa necessariamente o que é dito nela. Como se percebe nessa reflexão, a lógica das ciências do espírito é uma lógica da pergunta.

Apesar de Platão, estamos muito pouco preparados para ela. Praticamente o único testemunho em que posso me apoiar nesse ponto é R.G. Collingwood. Numa engenhosa e acertada crítica à escola "realista" de Oxford, Collingwood desenvolve a ideia de uma "logic of question and answer", mas lamentavelmente não chega a um desenvolvimento sistemático[316]. Reconhece de modo perspicaz o que falta à hermenêutica ingênua que está na base da crítica filosófica habitual. Sobretudo o procedimento encontrado por Collingwood no sistema universitário inglês, a saber, a discussão de *statements*, talvez um bom exercício para cultivar a sutileza, ignora de modo grotesco a historicidade contida em toda compreensão. Collingwood argumenta: na verdade, só se pode compreender um texto quando se compreendeu a pergunta para a qual ele é a resposta. Mas como essa pergunta só pode ser ganha a partir do próprio texto, e a adequação da resposta representa o pressuposto metodológico para a reconstrução da pergunta, a crítica a esta resposta, que parte de qualquer posição, não passa de um puro simulacro. É como na compreensão das obras de arte. Também uma obra de arte só pode ser compreendida na medida em que se pressupõe sua adequação. Também em relação a essa, para ser compreendida, deve-se ganhar primeiro a pergunta à qual responde. De fato, este é um axioma de toda hermenêutica, que já tratamos anteriormente como "antecipação da perfeição"[317].

[376]

Pois bem, para Collingwood esse ponto representa o nervo central de todo conhecimento histórico. O método histórico requer a aplicação da lógica de pergunta e resposta à tradição histórica. Somente se poderão compreender os acontecimentos históricos quando se reconstrói a pergunta a que a atuação histórica das pessoas queria responder. Collingwood toma o exemplo da batalha de Trafalgar e do plano seguido por Nélson. O exemplo procura mos-

---

316. Cf. a autobiografia de Collingwood, que por insistência minha foi publicada em tradução alemã sob o título *Denken*, bem como a tese doutoral, não publicada, de J. Finkeldei, *Grund und Wesen des Fragens*, Heidelberg, 1954. Encontramos uma posição parecida em Croce (que influenciou Collingwood), o qual, em sua *Logik* (ed. alemã, p. 135s.), compreende toda definição como resposta a uma pergunta e, portanto, "historicamente".

317. Cf. acima, p. 299s. (original) e minha "Guardinikritik". *Kleine Schriften* II, p. 178-187, vol. IX das Obras Completas, onde diz: "Toda crítica à poesia é sempre autocrítica da interpretação".

trar que o curso da batalha torna compreensível o verdadeiro plano de Nélson, justamente porque este teve pleno êxito em sua execução. Ao contrário, o plano de seu adversário já não pode ser reconstruído a partir dos acontecimentos, pela razão inversa de que fracassou. A compreensão do curso da batalha e a compreensão do plano levado a cabo por Nélson são, por conseguinte, um e o mesmo acontecimento[318].

[377] Na verdade, não podemos esquecer que nesse caso a lógica de pergunta e resposta deve reconstruir duas perguntas distintas que encontrarão também duas respostas distintas: a pergunta pelo sentido no curso de um grande acontecimento, e a pergunta para ver se esse curso se deu de acordo com o plano. Ambas as perguntas só coincidem no caso de uma planificação humana estar realmente à altura do curso dos acontecimentos. Entretanto, esse é um pressuposto que não podemos afirmar como princípio metodológico em nossa qualidade de homens que estão na história, e nem frente a uma tradição histórica na qual justamente esses homens estão em questão. A famosa descrição de Tólstoi do conselho de guerra antes da batalha, onde se calculam todas as possibilidades estratégicas com agudeza e em profundidade, e onde se delibera sobre todos os planos, enquanto o próprio general sentado ao lado cochila, o que não impede que na noite de vésperas da batalha o general faça a ronda nos postos externos, essa descrição apresenta com muito mais acerto e objetividade o que chamamos de história. Kutusow está mais perto da autêntica realidade e das forças que a determinam do que os estrategistas do conselho de guerra. Desse exemplo deve-se extrair a conclusão principal de que o intérprete da história corre sempre o perigo de hipostasiar o contexto no qual ele reconhece um sentido, como aquele que tinham em mente os homens que realmente atuam e planejam[319].

Isso só seria legítimo sob os pressupostos de Hegel, na medida em que a filosofia da história está consagrada aos planos do espíri-

---

318. COLLINGWOOD. *Denken*, p. 70.
319. Cf., sobre isso, as observações pertinentes de SEEBERG, Erich: *Zum Problem der pneumatischen Exegese*, Sellin-Festschrift, p. 127s. [Agora em GADAMER, H.-G. & BOEHME, G. (org.) *Die Hermeneutik und die Wissenschaften*. Frankfurt: [s.e.], 1978, p. 272-282.]

to universal e, a partir desse saber consagrado, pode designar certos indivíduos como indivíduos universal-históricos, nos quais se daria uma real coincidência entre seus pensamentos particulares e o sentido histórico universal dos acontecimentos. Não obstante, desses casos marcados pela coincidência do subjetivo e do objetivo na história, não se pode extrair nenhum princípio hermenêutico para o conhecimento dessa história. Frente à tradição histórica, a doutrina de Hegel só possui, evidentemente, uma verdade particular. A infinita trama de motivações que perfaz a história somente raras vezes e em segmentos muito breves alcança a claridade de algo conforme a um plano em um indivíduo único. O que Hegel descreve como um caso excepcional consiste no desequilíbrio existente entre a ideia subjetiva de um indivíduo e o sentido do decurso total da história. Em geral experimentamos o decurso das coisas como algo que nos obriga continuamente a alterar nossos planos e expectativas. Aquele que procura manter rigidamente seus planos é justamente quem acaba sentindo a impotência de sua razão. São muito raros os momentos em que tudo anda "por si mesmo", uma vez que os próprios acontecimentos vêm ao encontro de nossos planos e desejos. Então sim é que podemos dizer que tudo está [378] transcorrendo conforme o plano. Mas aplicar essa experiência ao todo da história implica realizar uma tremenda extrapolação que contradiz estritamente a nossa experiência da história.

O uso que Collingwood faz da lógica de pergunta e resposta na teoria hermenêutica torna-se ambíguo em virtude dessa extrapolação. Enquanto tal, nossa compreensão da tradição não nos permite simplesmente pressupor uma coincidência entre o sentido que reconhecemos nela e o sentido que o autor tinha em mente ao escrever o texto. Assim como os acontecimentos da história em geral não coincidem com as imagens subjetivas daquele que está e atua na história, também as tendências de sentido de um texto ultrapassam o que o autor podia ter em mente[320]. Mesmo assim, a tarefa de compreender se orienta em primeiro lugar no sentido do próprio texto.

Evidentemente, é isso o que Collingwood tem em mente quando contesta a existência de uma diferença entre a pergunta históri-

---

320. Cf. acima, p. 187, 301 e outras (original).

ca e a pergunta filosófica, para a qual o texto deve ser uma resposta. Frente a isso, precisamos manter que a pergunta a ser reconstruída não atinge em primeiro lugar as vivências intelectuais do autor mas unicamente o sentido do próprio texto. Assim, quando se compreendeu o sentido de uma frase, isto é, quando se reconstruiu a pergunta a que ela realmente responde, deve ser possível também perguntar por aquele que pergunta e por sua opinião, à qual, talvez, o texto não passe de uma presumível resposta. Collingwood não tem razão quando, por motivos de método, considera absurdo distinguir entre a pergunta a que o texto deveria responder e a pergunta a que ele realmente responde. Somente tem razão na medida em que, em geral, a compreensão de um texto não comporta essa distinção, na medida em que nós nos referimos às coisas das quais o texto fala. Frente a isso, a reconstrução das ideias de um autor é uma tarefa completamente diferente.

É preciso questionar quais são as condições sob as quais surge essa outra tarefa. Isso porque, frente à real experiência hermenêutica que compreende o sentido do texto, a reconstrução do que o autor realmente pensava é uma tarefa de somenos importância. A tentação do historicismo consiste em ver nessa redução a virtude da cientificidade e considerar a compreensão como uma espécie de reconstrução que recupera, de algum modo, a gênese do texto. Desse modo, o historicismo segue o famoso ideal de conhecimento herdado do conhecimento da natureza, segundo o qual só compreendemos um processo na medida em que estamos em condições de produzi-lo artificialmente.

[379]

Já assinalamos acima[321] a problematicidade da frase de Vico, segundo a qual esse ideal alcança seu mais puro cumprimento na história, porque ali o homem encontraria sua própria realidade humana e histórica. Nós destacamos, ao contrário, que todo historiador e todo filólogo devem contar com a impossibilidade fundamental de circunscrever o horizonte de sentido em que se movem quando compreendem. A tradição histórica somente pode ser compreendida quando se tiver pensado que também a marcha das coisas ajuda a determinar fundamentalmente o desenvolvimento; e igual-

---

321. P. 226s.; 280s.

mente o filólogo, que está às voltas com textos literários e filosóficos, sabe muito bem de seu caráter inesgotável. Em ambos os casos é a continuação do acontecer histórico que mostra os novos aspectos significativos do conteúdo transmitido. Pelos acentos que recebem através da compreensão, os textos se inserem num autêntico acontecer, exatamente como se inserem os eventos, em virtude de sua própria progressão. É o que na experiência hermenêutica havíamos caracterizado como o momento da história efeitual. Toda atualização na compreensão pode compreender-se como uma possibilidade histórica daquilo que é compreendido. A própria finitude histórica da nossa existência implica estarmos conscientes de que, depois de nós, haverá outras pessoas que compreenderão de modo cada vez diferente. Mas em nossa experiência hermenêutica não há dúvida de que a obra continua a ser sempre a mesma, que comprova sua plenitude de sentido cada vez que é compreendida diferentemente, assim como a história continua a ser a mesma, cujo significado continua se determinando. A redução hermenêutica à opinião do autor é tão inadequada quanto a redução à intenção dos agentes, no caso dos acontecimentos históricos.

A reconstrução da pergunta à qual responde um determinado texto não pode ser tomada, evidentemente, como uma mera realização da metodologia histórica. Ao contrário, o que vem por primeiro é a pergunta que o texto nos coloca, sermos atingidos pela palavra da tradição, de modo que para compreender essa tradição precisamos sempre realizar a tarefa da automediação histórica do presente com a tradição. Assim, na verdade, a relação entre pergunta e resposta se inverteu. O que é transmitido e nos fala – o texto, a obra, o vestígio – impõe, ele próprio, uma pergunta, colocando nossa opinião no aberto. Para poder responder a essa pergunta que nos é colocada, nós, os interrogados, temos que começar, por nossa vez, a perguntar. Procuramos reconstruir a pergunta a que responderia aquilo que é transmitido. Todavia, não podemos fazê-lo se não superamos, com nossas perguntas, o horizonte histórico assim caracterizado. A reconstrução da pergunta a que o texto deve responder está, ela mesma, situada dentro de uma interrogação com o qual procuramos responder à pergunta que a tradição nos coloca. Uma pergunta reconstruída não pode nunca permanecer em seu horizonte originário. O horizonte histórico descrito na re- [380]

construção não é verdadeiramente um horizonte englobante. Encontra-se, antes, ele mesmo, abarcado pelo horizonte que nos engloba a nós que perguntamos e que somos atingidos pela palavra da tradição.

Nesse sentido, é uma necessidade hermenêutica sempre ultrapassar a mera reconstrução. Não se pode deixar de pensar também no que não representava problema para o autor e no que, portanto, este não pensou. Isso também deve ser colocado no campo aberto da pergunta. Com isso, não se abrem as portas a qualquer arbitrariedade na interpretação, mas simplesmente se põe a descoberto o que constantemente acontece. Compreender uma palavra da tradição que nos atinge requer sempre pôr a pergunta reconstruída no aberto de sua questionabilidade, isto é, passar à pergunta o que a tradição vem a ser para nós. Quando a pergunta "histórica" surge para si mesma, significa sempre que já não se "coloca" como pergunta. É o produto residual que surge do fato de já não mais compreendermos, um desvio onde ficamos atolados"[322]. Por outro lado, a verdadeira compreensão implica a reconquista dos conceitos de um passado histórico de tal modo que esses contenham também nosso próprio conceber. Acima, chamamos a isso de fusão de horizontes[323]. Com Collingwood, podemos dizer que só compreendemos quando compreendemos a pergunta para a qual algo é resposta, e também é verdade que a intenção semântica do que assim se compreende não pode ser desvinculada e separada de nossa própria intenção. A reconstrução da pergunta que permite compreender o sentido de um texto como uma resposta passa ao nosso próprio perguntar. Isso porque o texto precisa ser compreendido como resposta a uma pergunta real.

A estreita relação que se mostra entre perguntar e compreender é a única que dá sua real dimensão à experiência hermenêutica. Aquele que quer compreender pode deixar em suspenso a verdade do que tem em mente. Ele pode ter retrocedido desde a intenção imediata da coisa à intenção de sentido como tal, e considerar esta não como verdadeira, mas simplesmente como algo com senti-

---

322. Cf. a explicitação desse desvio do histórico na análise que fizemos acima do *Tratado teológico-político* de Spinoza, p. 184s.
323. P. 311s. (original).

do, de maneira que a possibilidade de verdade fique em suspenso. Esse pôr-em-suspenso é a verdadeira essência original do perguntar. Perguntar permite sempre ver as possibilidades que ficam em suspenso. Por isso, se é possível compreender uma opinião à margem do próprio opinar, não é possível compreender a questionabilidade desligando-nos de um verdadeiro questionar. *Compreender a questionabilidade de algo já é sempre perguntar.* Para perguntar não pode haver um comportamento potencial, servindo apenas como teste comprobatório, isso porque perguntar não é pôr mas experimentar possibilidades. Aqui, a partir da essência do perguntar torna-se claro o que o diálogo platônico demonstra na sua realização fáctica[324]. Quem quiser pensar deve perguntar. Quando alguém diz "aqui caberia uma pergunta", isto já é uma verdadeira pergunta, disfarçada pela prudência ou cortesia.

[381]

Essa é a razão por que todo compreender é sempre algo mais que a mera reprodução de uma opinião alheia. Quando se pergunta, abrem-se possibilidades de sentido, e com isso aquilo que possui sentido passa para a opinião pessoal. É só em sentido inautêntico que podemos compreender também perguntas que nós mesmos não fazemos, por exemplo, as que consideramos superadas ou sem objeto. Isto significa então que compreendemos como foram colocadas determinadas perguntas sob certas condições históricas. Compreender as perguntas significa então compreender os pressupostos correspondentes que uma vez tendo caducado tornam caduca também a pergunta. Basta pensarmos, por exemplo, no *perpetuum mobile*. O horizonte de sentido desse tipo de perguntas somente está aberto na aparência. Já não são compreendidas como perguntas, pois o que realmente se compreende em tais casos é que neles não há nenhuma pergunta.

Compreender uma pergunta significa colocar essa pergunta. Compreender uma opinião significa compreendê-la como resposta a uma pergunta.

A lógica de pergunta e resposta, desenvolvida por Collingwood, põe fim ao tema do *problema* permanente, que forma a base da postura dos "realistas de Oxford" frente aos clássicos da filosofia.

---

324. P. 368s. (original).

Coloca um fim igualmente ao conceito da *história dos problemas* desenvolvido pelo neokantismo. A história dos problemas somente seria história de verdade se reconhecesse a identidade do problema como uma abstração vazia, admitindo a mudança dos questionamentos. Na verdade, não existe um ponto à margem da história, a partir do qual podemos pensar a identidade de um problema na mudança de suas tentativas históricas de solução. É verdade que toda compreensão de textos filosóficos requer que se reconheça o que neles se conheceu. Sem esse reconhecimento nunca compreenderíamos nada. Mas nem por isso nos subtraímos ao condicionamento histórico no qual nos encontramos e a partir do qual compreendemos. Na verdade, se for compreendido a partir da ação de um autêntico perguntar, o problema que reconhecemos não é simplesmente o mesmo. Somente nossa miopia histórica nos permite considerar que seja o mesmo problema. O ponto de vista que observa a partir de um posicionamento superior, a partir do qual se poderia pensar sua verdadeira identidade, é uma mera ilusão.

Agora, podemos ver a razão disso. O conceito de problema formula uma evidente abstração, a saber, a separação entre o conteúdo de uma pergunta e a pergunta enquanto única possibilidade de manifestar esse conteúdo. Refere-se ao esquema abstrato sob o qual se deixam reduzir e subsumir perguntas reais e perguntas realmente motivadas. Um tal "problema" saiu e se afastou do contexto motivado da pergunta, a partir donde recebe a univocidade de seu sentido. Por isso, esse tipo de problema é tão insolúvel como toda pergunta que não tem um sentido unívoco, porque não está realmente motivada e muito menos pensada.

Isso confirma também a origem do conceito de "problema". Este não pertence ao âmbito daquelas "refutações bem-intencionadas"[325] que exigem a verdade do assunto em questão, mas ao âmbito da dialética como um instrumento de luta para aturdir ou desconcertar o adversário. Em Aristóteles, o termo "problema" se refere àquelas perguntas que se apresentam como alternativas abertas porque ambas as alternativas têm a seu favor todo tipo de argumento e não cremos encontrar razões para poder decidi-las, uma

---

325. PLATÃO. *Cartas* VII, 344b.

vez que são perguntas demasiadamente grandes[326]. Os problemas portanto não são verdadeiras perguntas que se colocam, recebendo assim a indicação prévia de sua resposta a partir de sua gênese de sentido. São antes alternativas do opinar que não podemos mais que deixar de lado e que por isso só admitem um tratamento dialético. O lugar desse sentido dialético do "problema" não se encontra propriamente na filosofia mas na retórica. Seu conceito implica necessariamente a impossibilidade de uma decisão unívoca sustentada por razões. É por isso que, para Kant, o uso do conceito de problema se restringe à dialética da razão pura. Os problemas são "tarefas que brotam plenamente do seu seio", são, portanto, produtos da própria razão, cuja solução definitiva esta não pode esperar[327]. É significativo que no século XIX, com a derrocada da tradição imediata do perguntar filosófico e com o surgimento do historicismo, o conceito de problema ascenda a uma validez universal. É um sinal de que já não existe uma relação imediata com as perguntas sobre o objeto da filosofia. Assim a perplexidade da consciência filosófica frente ao historicismo se caracteriza pelo fato de ter se refugiado na abstração do conceito de problema, sem levar em conta como os problemas realmente "são". A história dos problemas própria do neokantismo é um filho bastardo do historicismo. A crítica ao conceito de problema, guiada pela lógica de pergunta e resposta, precisa destruir a ilusão de que os problemas existem como as estrelas estão no céu[328]. A reflexão sobre a experiência hermenêutica reconverte os problemas em perguntas que se colocam e têm sentido em sua motivação. [383]

---

326. ARISTÓTELES. *Topica*, A 11.
327. *Kritik der reinen Vernunft* V, A 321s.
328. HARTMANN, N. *Der philosophische Gedanke und seine Geschichte: Abhandlungen der preussischen Akademie der Wisseschaften* 5 (1936), agora em: HARTMANN, N. *Kleine Schriften* II, p. 1-47, destaca, com razão, que o que importa é reconhecer novamente o que conheceram os grandes pensadores. Mas quando, para estabelecer algo de firme contra o historicismo, ele distingue entre a constância dos "conteúdos autênticos dos problemas" e o caráter mutável de seus questionamentos e das situações problemáticas, não se dá conta de que ao caráter cognitivo da filosofia não correspondem nem "mudança" e nem "constância", nem a oposição entre "problema" e "sistema" e muito menos o critério da "realização que triunfaram". "É só quando se utiliza da imensa experiência secular do pensamento, quando toma pé naquilo que já foi conhecido e confirmado... que o conhecimento do indivíduo pode estar seguro do seu próprio progresso" (p. 18). Quem escreve isso está explicitando a "sensibilidade sistemática para os problemas" segundo o padrão das ciências experimentais e de um progresso cognitivo que está muito aquém da complexa imbricação entre tradição e história, o que reconhecemos como consciência hermenêutica.

A dialética de pergunta e resposta que descobrimos na estrutura da experiência hermenêutica nos permitirá agora determinar mais detidamente o que caracteriza esse tipo de consciência chamado consciência da história efeitual. Isso porque a dialética de pergunta e resposta que expusemos acima apresenta a relação da compreensão como uma relação recíproca semelhante à relação que se dá na conversação. É verdade que um texto não nos fala como o faria um tu. Somos só nós, que compreendemos, que temos de trazê-lo à fala a partir de nós mesmos. Mas já vimos que esse trazer-à-fala, próprio da compreensão, não é uma intervenção arbitrária de uma iniciativa pessoal, mas se refere, por sua vez, como pergunta, à resposta latente no texto. A latência de uma resposta pressupõe, por sua vez, que aquele que pergunta foi atingido e se sente interpelado pela própria tradição. Esta é a verdade da consciência da história efeitual. Na medida em que nega o fantasma de um esclarecimento total, e justo por isso, a consciência dotada de experiência histórica está aberta para a experiência da história. Descrevemos sua maneira de realizar-se como a fusão de horizontes do compreender que faz a intermediação entre o texto e seu intérprete.

O pensamento central das discussões que se seguem é o de que *a fusão de horizontes que se deu na compreensão é o genuíno desempenho e produção da linguagem.* De certo que a compreensão do que é a linguagem representa uma das coisas mais obscuras com que já se deparou a reflexão humana. O caráter de linguagem está tão extraordinariamente próximo de nosso pensar e em sua concretização é tão pouco objetivo que, a partir de si mesmo, esconde seu verdadeiro ser. No entanto, em nossa análise do pensamento a respeito das ciências do espírito alcançamos uma tal proximidade desse obscuro universal, e que precede todas as coisas, que podemos nos sentir confiantes na orientação da questão que nos guia. A partir da conversação que nós mesmos somos, buscamos nos aproximar da obscuridade da linguagem.

Quando tentamos considerar o fenômeno hermenêutico guiados pelo modelo da conversação que se dá entre duas pessoas, o caráter comum que serve de orientação entre essas duas situações aparentemente tão diversas, entre a compreensão do texto e o acordo numa conversação, consiste sobretudo no fato de que toda [384] compreensão e todo acordo têm em mira alguma coisa com a qual estamos confrontados. Da mesma forma que nos pomos de acordo com o nosso interlocutor sobre algum assunto, também o intérprete compreende a coisa que lhe diz o texto. Essa compreensão da coisa ocorre necessariamente na formulação da linguagem, mas não no sentido de que uma compreensão acaba sendo apreendida posteriormente também em palavras. Ao contrário, tanto no caso dos textos quanto no interlocutor do diálogo que nos propõe o assunto em questão, a realização da compreensão se dá justamente nesse vir-à-fala da própria coisa em pauta. Assim, seguimos imediatamente a estrutura da verdadeira conversação, para assim destacar a peculiaridade daquela outra conversação representada pela compreensão de textos. Enquanto acima, seguindo a essência do diálogo, destacamos o significado constitutivo da *pergunta* para o fenômeno hermenêutico, será de utilidade demonstrar agora o *caráter de linguagem* presente no diálogo como um momento hermenêutico e que esse caráter de linguagem forma a base de todo perguntar.

Para começar, precisamos deixar claro que a linguagem, que permite que algo venha à fala, não é uma posse à disposição de um ou de outro interlocutor. Toda conversação pressupõe uma linguagem comum, ou melhor, toda conversação gera uma linguagem comum. Como dizem os gregos, existe ali alguma coisa que foi colocada no meio, na qual participam os interlocutores e sobre o que eles se alternam mutuamente. O acordo sobre uma questão, que deve surgir na conversação, significa necessariamente que os interlocutores começam por elaborar uma linguagem comum. Esse não é um processo externo de ajustamento de ferramentas, e muito menos podemos dizer que os companheiros de diálogo se adaptam uns aos outros. Antes, à medida que consegue dar-se a conversação, ambos se submetem à verdade do assunto em questão, que os une numa nova comunidade. O acordo na conversação não é um mero confronto e imposição do ponto de vista pessoal, mas uma transformação que converte naquilo que é comum, na qual já não se é mais o que se era[329].

---

[329]. Cf. a obra do autor: "Was ist Wahrheit?". *Verdade e método*, vol. II.

TERCEIRA PARTE
A VIRADA ONTOLÓGICA DA HERMENÊUTICA NO FIO CONDUTOR DA LINGUAGEM

> *Tudo o que se deve propor na hermenêutica não é nada mais que linguagem*
>
> (F. Schleiermacher).

1. A linguagem como *medium* da experiência hermenêutica

Costumamos dizer que "levamos" uma conversa, mas na verdade quanto mais autêntica uma conversação, tanto menos ela se encontra sob a direção da vontade de um outro dos interlocutores. Assim, a conversação autêntica jamais é aquela que queríamos levar. Ao contrário, em geral é mais correto dizer que desembocamos e até que nos enredamos numa conversação. Como uma palavra puxa a outra, como a conversação toma seus rumos, encontra seu curso e seu desenlace, tudo isso pode ter algo como uma direção, mas nela não são os interlocutores que dirigem; eles são os dirigidos. O que "surgirá" de uma conversação ninguém pode saber de antemão. O acordo ou o seu fracasso é como um acontecimento que se realizou em nós. Assim, podemos dizer que foi uma boa conversação, ou que os astros não foram favoráveis. Tudo isso demonstra que a conversação tem seu próprio espírito e que a linguagem que empregamos ali carrega em si sua própria verdade, ou seja, "desvela" e deixa surgir algo que é a partir de então.

Na análise da hermenêutica romântica já tivemos ocasião de ver que a compreensão não se funda no ato de transferir-se para o outro, numa participação imediata de um no outro. Como vimos, compreender o que alguém diz é pôr-se de acordo na linguagem e não transferir-se para o outro e reproduzir suas vivências. Destacamos que a experiência de sentido, que assim ocorre na compreensão, implica sempre um momento de aplicação. Percebemos agora que *todo esse processo é um processo de linguagem*. Não é por acaso que a verdadeira problemática da compreensão e a tentativa de dominá-la pela arte – o tema da hermenêutica – pertencem tradicionalmente ao âmbito da gramática e da retórica. A linguagem é o meio em que se realizam o acordo dos interlocutores e o entendimento sobre a coisa em questão.

São as situações em que o acordo se complica ou se torna difícil, onde mais facilmente se toma consciência das condições sob as quais se realiza qualquer entendimento. Assim, o processo de linguagem no qual uma conversa realizada em duas línguas diferentes é possibilitado pela tradução e transposição acaba sendo particularmente instrutivo. Aqui o tradutor precisa transpor o sentido a ser compreendido para o contexto em que vive o outro interlocutor. Mas é claro que isso não significa que possa falsear o sentido que o outro tem em mente. Ao contrário, o sentido precisa ser mantido, mas como ele deve ser compreendido num novo universo de linguagem, precisa ganhar validez de outra maneira. Por isso, toda tradução já é interpretação. Podemos dizer, inclusive, que ela é sempre a consumação da interpretação que o tradutor deu à palavra que lhe foi proposta.

O caso da tradução, portanto, nos faz tomar consciência do caráter de linguagem como o *medium* do acordo, pois este *medium* deve ser produzido artificialmente através de uma mediação expressa. De certo que essa elaboração artificial não é o caso normal de uma conversação. Tampouco a tradução é o caso normal de nosso comportamento frente a uma língua estrangeira. Antes, o fato de depender da tradução é uma espécie de tutela por parte do interlocutor. Quando a tradução é necessária, não há outro remédio a não ser adequar-se à distância entre o espírito da literalidade originária do que é dito e sua reprodução, distância que nunca chegamos a superar completamente. Nesses casos o acordo não se dá realmente entre os companheiros de diálogo mas entre os intérpretes, que estão realmente aptos a se encontrar num mundo comum (sabemos que não há nada mais difícil do que um diálogo em idiomas diferentes, em que um fala um idioma e o outro fala um outro, cada um deles compreendendo mas não sabendo falar o outro idioma. Em tais casos uma das línguas procura, como através de um poder superior, impor-se à outra como o *medium* para se chegar ao acordo).

Onde há acordo não se traduz, mas se fala. Compreender uma língua estrangeira significa propriamente não precisar traduzi-la para a nossa própria língua. Quando alguém domina de verdade um idioma, não somente já não precisa de traduções, como parece-lhe impossível qualquer tradução. Compreender uma língua ainda não é, por si, realmente compreender e não implica nenhum processo interpretativo. É uma realização da vida. Compreende-se uma língua quando se vive nela – um princípio que vale tanto para as línguas vivas como para as mortas. O problema hermenêutico não é, pois, um problema de domínio correto da língua, mas de correto acordo sobre um assunto, que se dá no *medium* da linguagem. Pode-se aprender de tal modo uma língua a ponto de não só dispensar sua tradução a partir da nossa própria língua ou para nossa própria língua, como também de poder pensar na própria língua estrangeira. De certo modo, para que possa haver acordo numa conversação, esse domínio da língua é uma condição prévia. Toda conversação implica o pressuposto evidente de que seus membros falem a mesma língua. É só quando é possível pôr-se de acordo pela linguagem, a qual possibilita o intercâmbio da fala, que a compreensão e o acordo podem tornar-se problemáticos. Depender da tradução de um intérprete é um caso extremo que reduplica o processo hermenêutico, a conversação: é a conversa do intérprete com o outro e nossa própria conversa com o intérprete. [389]

A conversação é um processo do acordo. Toda verdadeira conversação implica nossa reação frente ao outro, implica deixar realmente espaço para seus pontos de vista e colocar-se no seu lugar, não no sentido de querer compreendê-lo como essa individualidade mas compreender aquilo que ele diz. Importa respeitar o direito objetivo de sua opinião, a fim de podermos chegar a um acordo em relação ao assunto em questão. Não relacionamos sua opinião, portanto, com sua própria individualidade, mas com nossa própria opinião e suposição. Quando o outro é visto realmente como individualidade, como ocorre no diálogo terapêutico ou no interrogatório de um acusado, ali não se dá verdadeiramente uma situação de acordo.[1]

Tudo isso que serve para caracterizar essa situação do acordo na conversação adquire uma formulação própria no plano hermenêutico onde está em questão a *compreensão de textos*. Reiniciamos novamente com o caso extremo da tradução a partir de uma língua estrangeira. Aqui fica bem claro que, por mais que o tradutor tenha entrado na vida e nos sentimentos do autor, a tradução de um texto não é um mero redespertar do processo anímico origi-

---

1. A essa transferência, que visa sempre o outro e não seu direito objetivo, corresponde a inautenticidade das perguntas que se fazem nesse tipo de conversação, o que já tivemos ocasião de caracterizar acima (p. 368s. do original).

nal de sua redação, mas uma reconstituição do texto guiada pela compreensão do que se diz nele. Nesse caso, não há dúvida de que se trata de uma interpretação e não de uma simples corealização (*Mitvollzug*). Projeta-se sobre o texto uma outra e nova luz, procedente da nova língua e destinada ao leitor da mesma. A exigência de fidelidade que se coloca numa tradução não pode suspender a diferença fundamental entre as línguas. Por mais fiéis que queiramos ser, vamos nos deparar com decisões delicadas. Quando queremos destacar, em nossa tradução, um traço que achamos importante no original, só podemos fazê-lo colocando outros aspectos em segundo plano ou inclusive eliminando-os. Mas este é precisamente o comportamento que conhecemos como interpretação. Como toda interpretação, a tradução implica uma reiluminação. Quem traduz precisa assumir a responsabilidade dessa reiluminação. Evidentemente, não pode deixar nada em aberto daquilo que lhe parece obscuro. Precisa reconhecer nuances. É verdade que há casos extremos em que se encontra algo que realmente não está claro no original (e para o "leitor originário"). Mas é precisamente nesses casos hermenêuticos extremos que se mostra claramente a situação exigente em que sempre se encontra o tradutor. Aqui ele precisa tomar partido e dizer claramente como compreende. Mas na medida em que sempre se encontra na situação de não poder expressar realmente todas as dimensões de seu texto, isso significa para ele uma constante renúncia. Toda tradução que leva a sério sua tarefa torna-se mais clara e mais fluente que o original. Mesmo que seja uma reconstituição magistral, sempre faltar-lhe-ão algumas nuances que enriqueciam o original (em casos raros de criação verdadeiramente magistral, essa perda pode ser compensada ou até produzir melhoramentos; penso, por exemplo, nas *Flores do mal* de Baudelaire que, em sua recriação por George, parecem respirar uma saúde verdadeiramente nova).

O tradutor tem, muitas vezes, dolorosa consciência da distância que o separa necessariamente do original. Também seu trato com o texto tem algo dos esforços para alcançar o acordo na conversação. Com a diferença de que aqui a situação do acordo é particularmente penosa, porque se reconhece que, em última análise, a distância entre a opinião do outro e a própria não pode ser superada. E assim como acontece com as diferenças insuperáveis dentro de uma conversação, onde no vaivém do diálogo pode-se alcançar algum tipo de compromisso, também o tradutor no vaivém do pesar e sopesar encontrará a melhor solução, que será sempre somente um compromisso. E assim como na conversação nos colocamos no lugar do outro com objetivo de compreender seu ponto de vista, também o tradutor procura pôr-se por completo no lugar do autor. Mas com isso não se produz nem o acordo na conversação nem se consegue reconstituir o original. De certo que as estruturas são muito parecidas. O acordo na conversação implica que os interlocutores estejam dispostos a isso, abrindo espaço para acolher o estranho e o adverso. Quando isto ocorre de ambas as partes e cada interlocutor sopesa os contra-argumentos, ao mesmo tempo que mantém suas próprias razões, pode-se, por uma recíproca, imperceptível e involuntária transferência dos pontos de vista (o que chamamos de intercâmbio de opiniões) chegar finalmente a uma linguagem e uma decisão comum. Do mesmo modo, o tradutor precisa resguardar o direito de sua língua materna, para a qual traduz, ao mesmo tempo em que acolhe também o estranho e inclusive o adverso do texto e de sua forma de expressão. Pode ser que essa descrição da atividade do tradutor fique muito aquém do necessário. Mesmo nas situações extremas em que se deve traduzir de uma língua para outra, o tema em questão dificilmente pode ser separado da língua. Só será um verdadeiro reconstituidor aquele tradutor que consiga trazer à linguagem o tema que o texto lhe mostra. O que significa que encontra uma linguagem que seja adequada não somente à sua língua, mas também àquela do original[2]. A situação do tradutor e a do intérprete no fundo são a mesma.

O exemplo do tradutor que precisa superar o abismo entre as línguas mostra, com particular clareza, a relação recíproca que se desenrola entre intérprete e texto, que corresponde à reciprocidade do acordo na conversação. Isso porque todo tradutor é intérprete. O fato de que algo esteja numa língua estrangeira significa apenas um agravamento da dificuldade hermenêutica, ou seja, um agravamento de sua estranheza e sua superação. Na verdade, todos os "objetos" com os quais tem a ver a hermenêutica tradicional são estranhos, no [391]

---

2. Aqui aparece o problema do "estranhamento" (*Ferfremdung*), sobre o qual Schadewaldt fez importantes observações no epílogo à sua tradução da *Odisseia* (Ro-Ro-Ro-Klassiker, 1958, p. 324).

mesmo sentido, claramente definido, da palavra. A tarefa reconstitutiva do tradutor se distingue da tarefa geral da hermenêutica frente a todo e qualquer texto não pela qualidade mas pelo grau.

De certo, isso não quer dizer que a situação hermenêutica frente aos textos seja idêntica à que se dá entre duas pessoas numa conversação. No caso de textos, trata-se de "manifestações da vida fixadas de modo permanente"[3] e que devem ser entendidas, o que significa que um parceiro da conversação hermenêutica, o texto, só pode chegar a falar através do outro, o intérprete. Somente por ele os signos escritos se reconvertem novamente em sentido. Ao mesmo tempo, em virtude dessa recondução à compreensão, o próprio tema de que fala o texto vem à linguagem. Assim como acontece nas conversações reais, é o tema comum que une as partes entre si, nesse caso o texto e o intérprete. Assim como o tradutor, enquanto intérprete, só possibilita o acordo na conversação na medida em que participa do assunto que se está tratando, também no caso do texto pressupõe-se imprescindivelmente que o intérprete participe de seu sentido.

Logo, é plenamente legítimo falar de uma *conversação hermenêutica*. Mas isso implica que tanto a conversação hermenêutica quanto a real precisam elaborar uma linguagem comum, e que essa elaboração de uma linguagem comum, como na conversão, não representa a preparação de um aparato com vistas ao acordo, mas coincide com a própria realização do compreender e do acordo. Como ocorre entre duas pessoas, também entre os parceiros dessa "conversação" se dá uma comunicação que é mais que mera adaptação. O texto traz um tema à fala, mas isso, em última instância, é devido ao trabalho do intérprete. Ambos tomam parte disso.

Por isso, o significado de um texto não se pode comparar com um ponto de vista fixo, inflexível e obstinado, que coloca sempre a mesma pergunta àquele que procura compreender: como o outro pode chegar a uma opinião tão absurda? Nesse sentido, na compreensão não se trata seguramente de um "entendimento histórico" que reconstruiria exatamente o que retrata o texto. Ao contrário, pen-

---

3. DROYSEN. *Historik*, 1937, p. 63.

samos *compreender o próprio texto*. Mas isso significa que, no redespertar o sentido do texto já se encontram sempre implicados os pensamentos próprios do intérprete. Nesse sentido o próprio horizonte do intérprete é determinante, mas também ele não como um ponto de vista próprio que se mantém ou se impõe, mas como uma opinião e possibilidade que se aciona e coloca em jogo e que ajuda a apropriar-se verdadeiramente do que se diz no texto. Acima descrevemos isso como fusão de horizontes. Agora podemos reconhecer nisso *a forma de realização da conversação*, graças à qual chega à expressão uma "coisa" que não é somente minha ou de meu autor, mas uma coisa comum a ambos.

Devemos ao romantismo alemão ter visto o significado sistemático que possui o caráter de linguagem da conversação para todo compreender. Ela nos ensinou que, em última instância, compreender e interpretar são uma e a mesma coisa. Como vimos, foi só através desse conhecimento que o conceito de interpretação se desvinculou da significação pedagógico-ocasional que recebeu no século XVIII, alcançando um lugar sistemático, que se caracteriza por representar o ponto-chave que o problema da linguagem alcançou para o questionamento filosófico.

Desde o romantismo não se pode mais pensar como se os conceitos da interpretação migrassem para a compreensão, resgatados, segundo a necessidade, de um acervo da linguagem, onde já se estariam disponíveis para o caso de a compreensão não ser imediata. *Ao contrário, a linguagem é o* medium *universal em que se realiza a própria compreensão. A forma de realização da compreensão é a interpretação*. Constatar isso não significa que não haja problemas específicos em relação à expressão. A diferença entre a linguagem de um texto e a de seu intérprete, ou o abismo que separa o tradutor de seu original, não são, de modo algum, uma questão secundária. Bem ao contrário, os problemas da expressão de linguagem já são, na realidade, problemas de compreensão. Todo compreender é interpretar, e todo interpretar se desenvolve no *medium* de uma linguagem que pretende deixar falar o objeto, sendo, ao mesmo tempo, a própria linguagem do intérprete.

Com isto, o fenômeno hermenêutico se apresenta como um caso especial da relação geral entre pensar e falar, cuja enigmática intimidade faz com que a linguagem se oculte no pensamento. Assim como a conversação, a interpretação é um circuito fechado pela dialética de pergunta e resposta. É uma verdadeira relação vital histórica que se realiza no *medium* da linguagem e que, mesmo no caso da interpretação de textos, podemos chamar de "conversação". O caráter de linguagem da compreensão é a *concreção da consciência da história efeitual*.

[393]

A relação essencial entre o caráter de linguagem e a compreensão se mostra de imediato no fato de que é essencial para a tradição existir no *medium* da linguagem, de tal modo que o *objeto* primordial da interpretação possui a natureza própria da linguagem.

1.1. O caráter de linguagem (Sprachlichkeit) *como determinação do objeto hermenêutico*

O fato de a essência da tradição se caracterizar por seu caráter de linguagem traz muitas consequências para a hermenêutica. Frente a toda outra forma de tradição, a compreensão da tradição de linguagem possui especial primazia. No que se refere à imediatez visível, essa tradição de linguagem pode ficar muito atrás dos monumentos das artes plásticas, por exemplo. Mas a falta de imediatez não é um defeito; antes, nessa aparente deficiência, na abstrata estranheza de todos os "textos" se expressa de uma maneira peculiar a filiação prévia de todo elemento de linguagem ao âmbito da compreensão. A tradição de linguagem é tradição no sentido autêntico da palavra, ou seja, aqui não nos defrontamos simplesmente com um resíduo que se deve investigar e interpretar enquanto vestígio do passado. O que chegou a nós pelo caminho da tradição de linguagem não é o que restou, mas é transmitido, isto é, nos é dito – seja na forma de tradição oral imediata, onde vivem o mito, a lenda, os usos e costumes, seja na forma da tradição escrita, cujos signos de certo modo destinam-se diretamente a todo e qualquer leitor que esteja em condições de os ler.

O fato de a essência da tradição se caracterizar por seu caráter de linguagem adquire seu pleno significado hermenêutico onde a tradição se torna *escrita*. Na escrita a linguagem se liberta do ato de sua realização. Na forma da escrita todo o transmitido está simultaneamente presente para qualquer atualidade. Nela se dá uma coexistência de passado e presente única em seu gênero, na medida em que a consciência presente tem a possibilidade de um acesso livre a tudo quanto tenha sido transmitido por escrito. A consciência que compreende, liberada de sua dependência da transmissão oral, que traz ao presente as notícias do passado, porém voltada imediatamente para a tradição literária, ganha uma possibilidade autêntica de avançar os limites e ampliar seu horizonte, enriquecendo assim seu próprio mundo com toda uma nova dimensão de profundidade. A apropriação da tradição literária supera inclusive a experiência vinculada com a aventura das viagens e da imersão em estranhos mundos de linguagem. O leitor que se aprofunda numa língua e literatura estrangeiras mantém, a todo momento, a liberdade de voltar de novo a si mesmo, e assim está ao mesmo tempo aqui e acolá. [394]

A tradição escrita não é apenas uma parte de um mundo passado, mas já sempre se elevou acima deste, na esfera do sentido que ela enuncia. Trata-se da idealidade da palavra, que todo elemento de linguagem eleva acima da determinação finita e efêmera, própria aos restos de existências passadas. O portador da tradição não é este manuscrito como uma parte do passado mas a continuidade da memória. Através dela a tradição se converte numa parte do próprio mundo, e assim o que ela nos comunica pode chegar imediatamente à linguagem. Onde uma tradição escrita chega a nós, não só conhecemos algo individual mas se faz presente em pessoa uma humanidade passada em sua relação universal. Por isso, nossa compreensão permanece tão insegura e fragmentária naquelas culturas das quais não possuímos nenhuma tradição de linguagem mas apenas monumentos mudos; a essas notícias do passado ainda não chamamos de história. Os textos, ao contrário, sempre trazem à fala um todo. Traços sem sentido, que de tão estranhos se tornam incompreensíveis, quando interpretados como escrita de repente aparecem a partir de si mesmos como passíveis de uma compreensão muito exata, tão exata que podemos corrigir os acidentes de uma tradição deficiente, uma vez que se tenha compreendido o contexto como um todo.

É assim que se coloca a verdadeira tarefa hermenêutica frente aos textos escritos. Escrita é uma forma de autoalienação. Sua superação, a leitura do texto, é portanto a mais elevada tarefa da compreensão. Inclusive só podemos ver e articular corretamente o simples conjunto de signos de uma inscrição quando conseguimos reconverter o texto em linguagem. Lembramos que essa reconversão à linguagem estabelece sempre também uma relação com o que é visado, com o assunto de que se fala. Aqui o processo da compreensão se move inteiramente na esfera de sentido mediada pela tradição da linguagem. Por isso, numa inscrição só se inicia a tarefa hermenêutica quando já houver uma decifração (supostamente correta). Os monumentos não escritos impõem uma tarefa hermenêutica apenas num sentido mais amplo, pois não podem ser compreendidos por si mesmos. Seu significado é um problema de interpretação (*Deutung*) e não de decifração e de compreensão de sua literalidade.

Na escrita a linguagem alcança sua verdadeira espiritualidade, pois, frente à tradição escrita, a consciência compreensiva alcançou sua plena soberania. Em seu ser, já não depende de nada. Assim, a consciência leitora se encontra na posse potencial de sua história. Não é por acaso que o conceito da "filologia", do amor aos discursos, com o aparecimento da cultura literária se transformou na arte oni-abrangente da leitura, perdendo sua relação originária com o cultivo do falar e argumentar. A consciência leitora é necessariamente histórica, é consciência que se comunica livremente com a tradição histórica. Nesse sentido é legítimo equiparar, junto com Hegel, o começo da história com o surgir de uma vontade de tradição, de "permanência da recordação"[4]. A escrita não é um simples acidente ou uma mera adição que não alteraria qualitativamente nada no progresso da tradição oral. É claro que também sem escrita pode dar-se uma vontade de sobrevivência, uma vontade de permanência. Mas é só a tradição escrita que pode desligar-se da mera persistência de resíduos de uma vida passada, a partir dos quais é possível à existência (*Dasein*) remontar a outra existência completando-a..

---

4. HEGEL. *Die Vernunft in der Geschichte* (Lasson), p. 145.

A tradição de inscrições não participa desde o princípio da forma livre de tradição que chamamos de literatura, pois depende da existência de resíduos, seja pedra ou qualquer outro material. Mas, para tudo o que chegou até nós através de cópias, é determinante o fato de que há uma vontade de sobrevivência que criou sua própria forma de duração, a que chamamos de literatura. Nela não se encontra apenas um acervo de monumentos e signos. Tudo o que é literatura conquistou, antes, uma simultaneidade própria com todo e qualquer presente. Compreendê-la não significa a princípio reconstruir uma vida passada, mas significa participação atual no que foi dito. Ali não se trata propriamente de uma relação entre pessoas, entre o leitor e o autor, por exemplo (que talvez possa ser totalmente desconhecido), mas de participação no que o texto nos comunica. Quando compreendemos, esse sentido do que foi dito está presente, independentemente do fato de, a partir da tradição, podermos formar uma ideia sobre o autor ou se nosso interesse é a interpretação histórica da tradição como uma fonte.

Convém recordar que originalmente a hermenêutica tem como tarefa sobretudo a compreensão dos textos. Foi somente Schleiermacher que minimizou o caráter essencial da fixação por escrito com respeito ao problema hermenêutico, ao ver que o problema da compreensão se apresentava também no discurso oral, e é ali que ele encontra realmente sua forma completa. Já demonstramos acima[5] como a versão psicológica introduzida por ele na hermenêutica acabou restringindo a autêntica dimensão histórica do fenômeno hermenêutico. Na verdade, a escrita ocupa o centro do fenômeno hermenêutico, na medida em que, graças ao escrito, o texto adquire uma existência autônoma, independente do escritor ou do autor, e do endereço concreto de um destinatário ou leitor. De certo modo, o que é fixado por escrito se eleva aos olhos de todos para uma esfera de sentido na qual pode participar todo aquele que esteja em condições de ler. [396]

É verdade que, frente ao caráter de linguagem, o escrito parece ser um fenômeno secundário. A linguagem dos signos da escrita refere-se à verdadeira linguagem do discurso. Mas o fato de que a lin-

---

5. P. 189s., 302s.

guagem possa ser escrita não é de modo algum secundário para a essência da linguagem. Ao contrário, essa possibilidade de ser escrita repousa sobre o fato de que o próprio discurso participa da idealidade pura do sentido que se comunica nele. Na escrita esse sentido do falado está aí por si mesmo, inteiramente livre de todos os momentos emocionais da expressão e do anúncio. Um texto não quer ser entendido como manifestação da vida, mas apenas naquilo que ele diz. O escrito é a idealidade abstrata da linguagem. Por isso, o sentido de uma notação escrita é perfeitamente passível de ser identificado e repetido. É só o que é idêntico na repetição que realmente foi anotado na escrita. Com isso fica claro também que "repetir" não pode ser tomado aqui em sentido estrito. Não se refere à recondução a um termo primeiro e originário, no qual algo teria sido dito ou escrito, enquanto tal. Compreender pela leitura não é repetição de algo passado, mas participação num sentido presente.

A preeminência metodológica do texto escrito é que nele o problema hermenêutico aparece puramente, livre de todo o caráter psicológico. De certo, o que aos nossos olhos e para a nossa intenção representa uma vantagem metodológica é ao mesmo tempo expressão de uma debilidade específica que caracteriza muito mais o escrito do que a própria linguagem. A tarefa do compreender aparece de modo muito claro quando se reconhece a debilidade de todo escrito. Basta para isso recordar de novo o exemplo de Platão, que via a verdadeira debilidade do escrito no fato de que ninguém pode vir em auxílio do discurso escrito quando este sucumbe a mal-entendidos deliberados ou involuntários[6].

Como sabemos, Platão considerava que o desamparo da escrita representava uma debilidade muito maior do que aquela que afeta os discursos (*to asthenes tón logón*). E quando ele requisita a ajuda da dialética para compensar essa debilidade, declarando ao contrário que o caso da escrita não tem saída, isso não passa de um exagero irônico pelo qual procura dissimular sua própria obra literária e sua própria arte. Na verdade, com a escrita ocorre o mesmo que com a fala. Se na fala se dá a correspondência mútua entre uma arte da simulação e uma arte do pensar verdadeiro, sofística e

---

6. PLATÃO, *7ª Carta*, 341 c, 344 c e *Fedro*, 275.

dialética, existe, evidentemente, também uma dupla arte de escrever, de maneira que uma serve a um pensamento e a outra a outro. Realmente existe também uma arte da escrita capaz de vir em auxílio do pensar, e é a esta que deve subordinar-se a arte da compreensão que presta a mesma ajuda ao escrito. [397]

Como dissemos, todo escrito é uma espécie de fala alienada, necessitando da reconversão de seus signos à fala e ao sentido. Essa reconversão se coloca como o verdadeiro sentido hermenêutico, uma vez que através da escrita o sentido sofre uma espécie de autoalienação. O sentido do que foi dito precisa voltar a ser enunciado unicamente com base na literalidade transmitida pelos signos escritos. Ao contrário do que ocorre com a palavra falada, a interpretação do escrito não dispõe de nenhuma outra ajuda. É por isso que, aqui, se torna especialmente importante a "arte" de escrever[7]. É surpreendente notar até que ponto a palavra falada se interpreta a si mesma, pelo modo de falar, o tom, a cadência etc., mas também pelas circunstâncias nas quais se fala[8].

Mas também existem escritos que, por assim dizer, se leem por si mesmos. Existe um sugestivo debate sobre o espírito e a letra na filosofia, realizado por dois grandes escritores filosóficos alemães, Schiller e Fichte, que parte desse fato[9]. Parece-me determinante o fato de que com os critérios estéticos empregados de ambas as partes não se consegue vislumbrar uma conciliação para a disputa em questão. É que, no fundo, não se trata de uma questão estética do bom estilo, mas de uma questão hermenêutica. A "arte" de escrever de tal modo a estimular os pensamentos do leitor a se movimentarem produtivamente tem muito pouco a ver com os demais meios usuais das artes retóricas ou estéticas. Ao contrário, consiste inteiramente no fato de sermos levados, também nós, a pensar o pensado. Aqui, a "arte" de escrever não quer ser compreendida e considerada como tal. A arte de escrever, tal como a de falar, não

---

7. É esse estado de coisas que serve de base para a gigantesca diferença que existe entre um "discurso" e um "escrito", entre o estilo oral e exigências estilísticas extremamente elevadas que precisa satisfazer o que se fixa literariamente.

8. Kippernberg relatou certa ocasião como, certo dia, Rilke leu uma de suas *Elegias a Duíno* de tal maneira que seus ouvintes nem se deram conta da dificuldade desse poema.

9. Cf. a correspondência vinculada ao escrito de FICHTE. "Über Geist und Buchstabe in der Philosophie". *Fichtes Briefwechsel*, vol. II, cap. V.

representa um fim em si mesma, não sendo portanto objeto primário do esforço hermenêutico. A compreensão é colocada a caminho apenas através da "coisa" em questão. Por isso, os pensamentos confusos e o que está "mal" escrito não são, para a tarefa do compreender, casos paradigmáticos nos quais a arte hermenêutica alcançaria todo seu esplendor. Ao contrário, representam casos-limite [398] nos quais a condição indispensável do êxito hermenêutico, a saber, a univocidade do sentido referido, começa a perder sua segurança.

Em si, todo escrito tem a pretensão de, autonomamente, despertar e ganhar vida no elemento falado, e essa pretensão de autonomia de sentido vai tão longe que mesmo uma autêntica conferência, por exemplo, a leitura de um poema por seu autor, torna-se problemática no momento em que a intenção da audição se afasta do ponto a que nós estamos realmente orientados, enquanto estamos compreendendo. Uma vez que o que importa é a comunicação do verdadeiro sentido de um texto, sua interpretação já se encontra submetida a uma norma da "coisa" em questão. É esta a exigência feita pela dialética platônica quando procura fazer valer o *logos* como tal, deixando muitas vezes de lado o seu real companheiro de diálogo. O reverso da especial debilidade que afeta a escrita, sua acentuada necessidade de auxílio em comparação com o falar vivo, é o fato de ressaltar de modo muito claro a tarefa dialética da compreensão. Como na conversação, também aqui a compreensão precisa tentar fortalecer o sentido do que foi dito. O que se diz no texto precisa ser despojado de toda a contingência que lhe é inerente e compreendido em sua idealidade plena, a única a conferir-lhe seu real valor. Assim, precisamente por desvincular totalmente o sentido do enunciado daquele que enuncia, a fixação por escrito permite que o leitor que compreende possa defender sua própria pretensão de verdade. Justamente por isso, o leitor experimentou a validez daquilo que lhe fala e daquilo que ele compreende. O que ele compreendeu é sempre mais do que uma opinião estranha, já é sempre uma possível verdade. É isso que vem à luz em virtude da desvinculação do que é dito com relação a quem o disse e em virtude do caráter de duração conferido pela escrita. Como expusemos mais acima[10], o fato de que pessoas pouco exercitadas na leitura dificilmente cheguem a suspeitar de

---

10. Cf. acima, p. 277s. (original).

que o escrito possa ser falso deve-se a uma razão hermenêutica profunda, uma vez que para eles todo escrito é uma espécie de documento que se avaliza a si mesmo.

De fato, todo escrito é por excelência objeto da hermenêutica. O que ficou claro no caso extremo da língua estrangeira e dos problemas da tradução confirma-se agora na autonomia da leitura: a compreensão não é uma transposição psíquica. O horizonte de sentido da compreensão não pode ser realmente limitado pelo que tinha em mente originalmente o autor, nem pelo horizonte do destinatário para quem o texto foi originalmente escrito.

A princípio, o fato de que num texto não se deva introduzir nada que não pudesse ter tido em mente o autor e o leitor soa como um cânon hermenêutico da razão, um cânon genericamente admitido. No entanto, é só em casos extremos que se pode realmente aplicá-lo, pois os textos não pretendem ser compreendidos como expressão de vida da subjetividade do autor. Assim, não é a [399] partir daí que podem ser traçados os limites de um texto. Todavia, não é somente a limitação do sentido de um texto às "verdadeiras" ideias do *autor* que se torna problemático. Mesmo quando se procura determinar o sentido de um texto de maneira objetiva, compreendendo-o como mensagem contemporânea e referindo-o a seu *leitor* original, ao modo da premissa básica de Schleiermacher, não se consegue ir além de uma delimitação acidental. O próprio conceito do destinatário contemporâneo só pode reivindicar uma validez crítica muito limitada. Pois o que quer dizer contemporaneidade? Os ouvintes de anteontem, tal como os de depois-de-amanhã, fazem parte dos que se chamam de contemporâneos. Onde se poderia traçar a fronteira daquele depois-de-amanhã que exclui um leitor do grupo daqueles a quem se dirige o texto? O que são os contemporâneos, e o que é a pretensão de verdade de um texto, frente a essa múltipla confusão de ontem e depois-de-amanhã? O conceito de leitor originário encontra-se envolto em uma idealização que passa completamente despercebida.

Nosso modo de ver a essência da tradição literária contém, ademais, outro argumento fundamental contra a legitimação hermenêutica do conceito de leitor originário. Havíamos visto como a literatura se define pela vontade de transmissão. Quem copia e quem transmite tem em mira novamente seus próprios contemporâneos. Assim, a referência ao leitor originário, assim como a referência feita ao sentido do autor, parece representar um cânon histórico-hermenêutico muito rudimentar, ao qual não é realmente permitido delimitar o horizonte de sentido dos textos. O que se fixa por escrito desvinculou-se da contingência de sua origem e de seu autor, liberando-se positivamente para novas relações. Conceitos normativos como a opinião do autor ou a compreensão do leitor originário representam, na realidade, apenas um lugar vazio que se preenche de compreensão, de ocasião para ocasião.

1.2. O caráter de linguagem (Sprachlichkeit) *como determinação da realização hermenêutica*

Chegamos, assim, ao segundo aspecto sob o qual se apresenta a relação entre o caráter de linguagem e compreensão. Não é só o objeto preferencial da compreensão, a tradição, que possui a natureza da linguagem. A própria compreensão possui uma relação fundamental com o caráter de linguagem. Partimos do postulado de que a compreensão já é sempre interpretação, porque constitui o horizonte hermenêutico no qual ganha validade a intenção de um texto. Mas para expressar a opinião de um texto em seu conteúdo objetivo precisamos traduzi-la para a nossa língua, o que significa, porém, colocá-la em relação com o conjunto de intenções possíveis, no qual nos movemos quando falamos e nos dispomos a expressar nossa opinião. Já investigamos isto em sua estrutura lógica, na posição privilegiada que ocupa a *pergunta* enquanto fenômeno hermenêutico. Se agora nos vemos orientados para o caráter de linguagem de toda compreensão, então aquilo que já se demonstrou na dialética de pergunta e resposta é novamente trazido à fala a partir de outro aspecto.

[400]

Com isso, entramos numa dimensão, em geral, deixada de lado pela autoconcepção dominante das ciências históricas. Isso porque, em geral, o historiador escolhe os conceitos com os quais descreve a peculiaridade histórica de seus objetos, sem reflexão expressa sobre a sua origem e justificação. Ele segue unicamente seu interesse objetivo e não se dá conta de que a apropriação descritiva que ele encontra nos conceitos que escolhe pode ser altamente desastrosa para sua própria intenção, na medida em que o que equipara o que é historicamente estranho com o que lhe é familiar, e assim, mesmo sem ter a menor pretensão, submete a alteridade do objeto aos próprios conceitos prévios. Assim, apesar de toda metodologia científica, ele comporta-se da mesma maneira que todo aquele que, filho do seu tempo, é dominado acriticamente pelos conceitos prévios e pelos preconceitos do seu próprio tempo[11].

Enquanto o historiador não reconhecer essa sua ingenuidade, ficará necessariamente aquém do nível de reflexão exigida pela coisa em questão. Mas sua ingenuidade se tornará verdadeiramente abissal quando começar a tornar-se consciente dessa problemática e impor, por exemplo, a exigência de que na compreensão histórica é preciso deixar de lado os próprios conceitos e pensar unicamente como os da época que se trata de compreender[12]. Essa exigência, que soa como uma consequência natural da consciência histórica, a um leitor que pense mostra-se como uma ilusão ingênua. A ingenuidade desse postulado não consiste, por exemplo, em que tal exigência e tal projeto da consciência histórica não alcancem sua realização porque o intérprete não consegue alcançar suficientemente o ideal de deixar de lado a si mesmo. Isso continuaria significando que se trata de um ideal legítimo do qual na medida do possível deve-se procurar aproximar-se. Mas a intenção implícita na legítima exigência da consciência histórica, de compreender cada época a partir de seus próprios conceitos, é completamente diferente. A exigência de pôr de lado os conceitos do presente não postula um deslocamento ingênuo ao passado. Trata-se, antes, de uma exigência essencialmente relativa e que só ganha sentido por referência aos próprios conceitos. A consciência histórica compreende a si mesma erroneamente, quando, para compreender, pretende descartar a única possibilidade de compreender. Na verdade, *pensar historicamente* significa *realizar a conversão que acontece aos* [401] *conceitos do passado* quando procuramos pensar neles. Pensar his-

---

11. Cf. acima, p. 367 (original) e principalmente a passagem de Friedrich Schlegel.
12. Cf. minha crítica a ROSE, H. "Klassik als Denkform des Abendlandes". *Gnomon*, 1940, p. 433s. (vol. V das *Obras Completas*, p. 353-356). Mais tarde vim a compreender que, implicitamente, esta mesma crítica já está feita na introdução metodológica a *Platos dialektische Ethik*, 1931 [vol. V das *Obras Completas*, p. 6-14].

toricamente implica sempre uma mediação entre aqueles conceitos e o próprio pensar. Querer evitar os próprios conceitos na interpretação não só é impossível como também um absurdo evidente. Interpretar significa justamente colocar em jogo os próprios conceitos prévios, para com isso trazer realmente à fala a opinião do texto.

Na análise do processo hermenêutico constatamos a obtenção do horizonte de interpretação e o reconhecemos como uma fusão de horizontes. Agora isso se confirma também a partir do caráter de linguagem da interpretação. Através da interpretação o texto deve vir à fala. Mas nenhum texto e nenhum livro falam se não falarem a linguagem que alcance o outro. Assim, a interpretação deve encontrar a linguagem correta se quiser fazer com que o texto realmente fale. Por isso, não pode haver uma interpretação correta "em si", justamente porque em cada uma está em questão o próprio texto. A vida histórica da tradição consiste na sua dependência a apropriações e interpretações sempre novas. Uma interpretação correta "em si" seria um ideal desprovido de pensamento, que desconhece a essência da tradição. Toda interpretação deve acomodar-se à situação hermenêutica a que pertence.

O estar ligado a uma situação não significa, de modo algum, que a pretensão de correção inerente a toda e qualquer interpretação se dissolva no subjetivo ou ocasional. Não vamos retornar ao conhecimento romântico que purificou o problema da hermenêutica de todos os seus motivos ocasionais. Interpretar, para nós, tampouco é um comportamento pedagógico, mas a realização da própria compreensão, que não se cumpre apenas para os outros em cujo benefício se interpreta, mas também para o próprio intérprete e somente no caráter expresso da interpretação que se dá na linguagem. Graças ao seu caráter de linguagem, toda interpretação contém também uma possível referência a outras. Não é possível haver fala que não vincule simultaneamente quem fala com aquele a quem se dirige. E isso vale também para o processo hermenêutico. Entretanto, essa relação não determina a realização interpretativa da compreensão ao modo de uma adaptação consciente a uma situação pedagógica, mas essa realização nada mais é que *a concreção do próprio sentido*. Cabe recordar a maneira como resgatamos o valor do momento da aplicação, que fora banido por completo da hermenêutica. Vimos que compreender um texto significa sempre aplicá-lo a nós próprios. Sabemos que, embora deva ser compreendido cada vez diferente, um texto continua sendo o mesmo texto que se apresenta cada vez diferente. O fato de que, com isso, não se relativiza em nada a pretensão de verdade de qualquer interpretação torna-se claro pelo fato de que a toda interpretação é essencialmente inerente seu caráter de linguagem. O caráter expressivo da linguagem, que a compreensão ganha na interpretação, não gera um segundo sentido além do que foi compreendido e interpretado. Na compreensão, os conceitos interpretativos não se tornam temáticos como tais. Ao contrário, determinam-se pelo fato de se ocultarem atrás do que eles trazem à fala na interpretação. Paradoxalmente, uma interpretação é correta quando é suscetível desse ocultamento. E, no entanto, também é certo que ela se apresenta enquanto destinada a desaparecer. A possibilidade de compreender depende da possibilidade dessa interpretação mediadora. [402]

Conforme o caso, isso vale também onde a compreensão ocorre imediatamente e sem necessidade de assumir uma interpretação manifesta. Pois também nesses casos de compreensão deve ser possível a interpretação. Mas isso significa que a interpretação está potencialmente contida na compreensão. Ela leva a compreensão simplesmente à sua demonstração expressa. A interpretação portanto não é um meio para produzir a compreensão, mas adentrou no conteúdo do que se compreende ali. Recordamos que isso não significa apenas que a intenção de sentido de um texto é realizada unitariamente, mas também que, com isso, a coisa de que fala o texto vem à fala. De certo modo, a interpretação coloca "a coisa" na balança das palavras. A generalidade dessa constatação experimenta agora algumas variações características que a confirmam indiretamente. Onde se trata de compreender e interpretar textos de linguagem, a própria interpretação, no *medium* da própria linguagem, mostra com clareza o que é a compreensão: uma apropriação do que foi dito, de maneira que se converta em propriedade de alguém. A interpretação que se dá na linguagem é a forma da interpretação como tal. Por isso, ela também ocorre onde a interpretação não é de natureza da linguagem, e não é portanto um texto, mas, por exemplo, num quadro ou numa obra musical. Apenas que não convém que nos deixemos enganar por essas formas de interpretação que em si não pertencem à linguagem mas pressupõem o caráter de linguagem. Pode-se, por exemplo, demonstrar alguma coisa por meio do contraste, por exemplo quando se comparam dois quadros ou se leem sucessivamente dois poemas, de maneira que um interpreta o outro. Nesses casos, de certo modo, a demonstração indicativa precede a interpretação na linguagem. Mas, na verdade, isso significa que essa demonstração é uma modificação da interpretação feita na linguagem. No que foi mostrado aparecerá o reflexo da interpretação, que se serve do mostrar como uma abreviatura plástica. A demonstração é interpretação no mesmo sentido em que uma tradução resume o resultado de uma interpretação ou como a correta leitura de um texto já deve ter decidido as questões de interpretação, porque só se pode fazer uma leitura do que se compreendeu. Compreender e interpretar estão imbricados de modo indissolúvel.

[403]

De certo, a implicação necessária de toda interpretação na compreensão está em relação com o fato de que o conceito de *interpretação* não se aplica somente à interpretação científica, mas também à *reprodução* artística, por exemplo, na execução musical ou cênica. Acima demonstramos como essa reprodução não é uma criação independente superposta à primeira, mas que é a única que permite à obra de arte manifestar-se autenticamente. A escrita cifrada na qual se encontra um texto musical ou um drama só é solucionada na interpretação. Também a leitura pública é um processo desse gênero, a saber despertar e converter um texto numa nova imediaticidade[13].

Mas disso segue-se que o mesmo vale também para toda compreensão que se realiza na leitura silenciosa. Fundamentalmente, também a leitura contém sempre uma interpretação. Com isso não se quer dizer que a compreensão na leitura é uma espécie de encenação interior, na qual a obra de arte alcançaria uma existência autônoma – ainda que encerrada na intimidade da interioridade da alma – como se dá na encenação à vista de todos. Ao contrário, isso

---

13. [No que diz respeito à diferença entre "ler" e "reproduzir", cf. "Zwischen Phänomenologie und Dialektik – Versuch einer Selbstkritik", vol. II.]

quer dizer na verdade que também uma encenação colocada na exterioridade do espaço e do tempo não tem uma existência autônoma frente à própria obra e só poderia tornar-se tal numa diferenciação estética secundária. A interpretação da música ou da poesia, quando executadas, não diferem essencialmente da compreensão de um texto, quando é lido: compreender implica sempre interpretar. A atividade do filólogo consiste justamente em tornar legíveis e compreensíveis os textos ou em assegurar isso. Então já não há nenhuma diferença de princípio entre a interpretação que uma obra experimenta por sua reprodução e aquela produzida pelo filólogo. Pode ser que um artista que reproduz considere a justificação de sua interpretação em palavras e discurso como secundária e a recuse como não artística, mas ele não poderá negar que a interpretação reprodutiva está fundamentalmente em condições de uma tal justificação. Também ele precisa querer que sua concepção seja correta e convincente, e seguramente não pretenderá contestar a vinculação ao texto que tem como base. Mas esse texto é o mesmo que impõe sua tarefa ao intérprete científico. Assim, não poderá arguir nada de fundamental contra o fato de que sua própria compreensão de uma obra, tal como se manifesta em sua interpretação reprodutiva, possa ser, por sua vez, novamente compreendida, e isto significa que pode ser justificada interpretativamente, e essa interpretação precisa realizar-se na forma de linguagem. Tampouco ela será uma nova criação de sentido. Também a ela acontecerá de desaparecer enquanto interpretação, conservando sua verdade na imediatez da compreensão. [404]

A visão da imbricação interna entre interpretação e compreensão permite também destruir a falsa romantização da imediatez que artistas e conhecedores cultivaram e cultivam sob o signo da estética do gênio. A interpretação não pretende pôr-se no lugar da obra interpretada. Não pretende, por exemplo, atrair para si a atenção pela força poética de sua própria expressão. Ao contrário, ela está tomada de uma acidentalidade *fundamental*. Mas isso vale não somente para a palavra interpretadora, mas também para a interpretação reprodutiva. A palavra interpretadora tem sempre algo de acidental, na medida em que se encontra motivada pela pergunta hermenêutica, não somente no sentido de preocupações pedagógicas a que se limitou a interpretação na época do *Aufklärung*, mas também porque a compreensão é sempre um verdadeiro acontecer[14]. Do mesmo modo, a interpretação como reprodução é fundamentalmente acidental, ou seja, não apenas quando se executa, interpreta, traduz ou se lê algo para outros, exagerando com intenções didáticas. O fato de que, nesses casos, a reprodução seja interpretação num sentido especial e ostensivo, a saber, que comporta um exagero demonstrativo e um excesso de claridade, não representa verdadeiramente uma diferença fundamental mas uma simples diferença de grau, frente a qualquer outra interpretação reprodutiva. Embora, em sua execução, o próprio poema ou a própria composição aceda à sua presença mímica, toda e qualquer execução está obrigada a colocar suas ênfases. Neste sentido, a diferença para com a enfatização demonstrativa, que serve à intenção didática, já não é tão grande. Toda execução é interpretação. Em toda execução há um excesso de iluminação.

É só porque não possui um ser durável e se oculta na obra que reproduz que essa interpretação não se mostra claramente. Mas, quando fazemos uma comparação dentro das artes plásticas, por exemplo, nos desenhos de um grande artista, copiando os velhos mestres, encontramos essa mesma interpretação excessivamente iluminadora. De modo semelhante, podemos julgar o efeito peculiar de velhos filmes quando revistos, ou o efeito produzido quando de imediato se revê um filme pela segunda vez, tendo ainda presente sua recordação: ali tudo parece jogado numa claridade exagerada. É pois com razão que em cada reprodução falamos de uma concepção que lhe serve de base, e esta deve ser passível de uma justificação fundamental. A concepção, em seu conjunto, se compõe, na realidade, de mil pequenas decisões que pretendem todas elas ser corretas. A justificação e a interpretação argumentativas não precisam ser propriedade particular do artista. Além do mais, a expressividade da interpretação feita na linguagem possui uma correção apenas aproximada e permanecerá essencialmente inferior à plena concreção alcançada pela reprodução "artística" como tal. Mas nem a referência interna que toda compreensão mantém com rela-

---

14. Cf. p. 312s. (original) [e minhas dissertações no vol. II].

ção à interpretação, nem a possibilidade básica de uma interpretação em palavras se veem afetadas por isso.

Convém entender bem essa primazia fundamental do caráter de linguagem que referimos. De certo que às vezes a linguagem parece pouco capaz de expressar o que sentimos. Frente à presença avassaladora de obras de arte, a tarefa de resumir em palavras o que elas nos dizem parece uma empresa infinda e de uma distância desesperadora. Nesse sentido, o fato de que o nosso querer e poder compreender nos levem a ultrapassar sempre a sentença que se consegue pronunciar poderia muito bem motivar uma crítica da linguagem. Só que isso não muda nada na primazia básica do caráter de linguagem. Nossas possibilidades de conhecimento parecem muito mais individuais do que as possibilidades de expressão que a linguagem põe à nossa disposição. Frente à tendência niveladora, motivada pela sociedade, com a qual a linguagem força a compreensão a encaixar-se em determinados esquematismos restritivos, nossa vontade de conhecimento procura subtrair-se criticamente a essas esquematizações e pré-concepções. Mas a superioridade crítica que pretendemos possuir frente à linguagem não atinge a convenção da expressão dentro da linguagem, mas a convenção do opinar (*Meinen*) cunhada no âmbito da linguagem. Ela não diz nada portanto contra a pertença essencial entre compreensão e o caráter de linguagem. Na verdade, ela está apta a confirmar por si mesma essa pertença essencial. Isso porque toda crítica que, para compreender, eleva-se para além do esquematismo de nossas frases encontra sua expressão na forma da linguagem. Nesse sentido, a linguagem escapa de todas as objeções feitas contra sua competência. Sua universalidade se mantém na altura da universalidade da razão. Aqui a consciência hermenêutica se limita a participar daquilo que perfaz a relação geral de linguagem e razão. Se toda compreensão se encontra numa necessária relação de equivalência com sua possível interpretação, e se a compreensão não conhece nenhuma barreira fundamental, também a concepção que se dá na linguagem, concepção experimentada pela compreensão na interpretação, precisa conter uma infinitude que supere qualquer fronteira. A linguagem é a linguagem da própria razão.

Uma afirmação como essa não pode ser feita sem chocar. Pois, com isso, a linguagem ganha tal proximidade com a razão, ou seja, com as coisas que nomeia, que se torna enigmático saber como pode haver diversas línguas, uma vez que todas parecem possuir a mesma proximidade para com a razão e as coisas. Quem vive numa língua dentro de um idioma está prenhe da insuperável adequação das palavras que ele usa para com as coisas que quer referir. Parece [406] impossível que outras palavras de línguas estrangeiras estejam em condições de nomear as mesmas coisas de uma maneira igualmente adequada. A palavra certa parece poder ser só a nossa própria palavra e sempre uma única palavra, e isso é tão certo como é certo que a coisa referida é sempre e cada vez uma. Já podemos sentir a tortura de traduzir, em última instância, no fato de que as palavras originais parecem inseparáveis dos conteúdos a que se referem, de modo que para tornar compreensível um texto muitas vezes é necessário circunscrevê-lo com amplos rodeios interpretativos, em vez de traduzi-lo. Quanto mais sensivelmente reagir nossa consciência histórica, tanto mais parece sentir a impossibilidade de traduzir o que é estranho. Mas com isso a unidade íntima da palavra e da coisa se converte num escândalo hermenêutico. Como será possível então compreender uma tradição estranha se de certo modo estamos atados à língua que falamos?

É importante perceber que esse raciocínio é aparente. Na realidade a sensibilidade de nossa consciência histórica testemunha o contrário. O esforço para compreender e interpretar sempre tem sentido. Nisso se mostra a superior universalidade com que a razão se eleva acima das barreiras de toda constituição dada da linguagem. A experiência hermenêutica é o corretivo pelo qual a razão pensante se subtrai ao encanto do elemento de linguagem, sendo ela mesma constituída dentro da linguagem.

Sob esse aspecto e a princípio, o problema da linguagem não se coloca no mesmo sentido em que se apresenta na *filosofia da linguagem.* De certo, a multiplicidade das línguas, cuja diversidade interessa à ciência linguística, também nos coloca uma pergunta. Mas essa questão pergunta simplesmente como, apesar da diversidade de outras línguas, cada língua está em condições de dizer tudo o que quer. A ciência da linguística nos ensina que cada língua realiza isso à sua maneira. Nós, de nossa parte, colocamos a questão de como, dentro da multiplicidade dessas maneiras de falar, pode se estabelecer a mesma unidade de pensar e falar, de tal modo que, a princípio, qualquer tradição escrita possa ser compreendida. Nos interessamos, portanto, pelo oposto daquilo que a ciência linguística tenta investigar.

A íntima unidade de linguagem e pensamento é a premissa de que parte também a ciência da linguagem. Somente assim pôde se converter em ciência. É só porque existe essa unidade que vale a pena para o investigador realizar a abstração, pela qual ele converte a linguagem como tal em objeto. Foi só porque romperam com os preconceitos convencionalistas da teologia e do racionalismo que Herder e Humboldt aprenderam a ver as línguas como modos de ver o mundo. Ao reconhecerem a unidade de pensamento e fala, perceberam a tarefa de comparar as diversas maneiras de dar forma a essa unidade como tal. Nós agora partiremos da mesma concepção, mas de certo modo faremos o caminho inverso. Apesar de toda diversidade das maneiras de falar, procuramos reter a unidade indissolúvel de pensamento e linguagem tal como a encontramos no fenômeno hermenêutico como unidade de compreensão e interpretação. [407]

A pergunta que nos guia é, portanto, a da *conceitualidade de toda compreensão*. Somente na aparência se trata de um questionamento secundário. Já vimos que a interpretação conceitual é o modo como se realiza a própria experiência hermenêutica. Esta é a razão pela qual o problema que se apresenta agora é tão difícil. O intérprete não sabe que carrega para dentro de sua interpretação tanto a si mesmo quanto seus próprios conceitos. A formulação na linguagem é tão inerente à opinião do intérprete, que em nenhum caso se torna objetiva para ele. Por isso, é compreensível que esse aspecto da realização hermenêutica passe completamente despercebido. Mas a isso se acrescenta, sobretudo, que esse estado de coisas acabou sendo desvirtuado por *teorias de linguagem* inadequadas. É claro que uma teoria instrumentalista dos signos, que compreende as palavras e os conceitos como instrumentos disponíveis ou que se devem pôr à disposição, fica aquém do fenômeno hermenêutico. Se nos ativermos ao que ocorre na palavra e na fala e sobretudo em qualquer conversação com a tradição, levada a cabo pelas ciências do espírito, precisamos reconhecer que em tudo isso se produz uma continuada formação de conceitos. Isto não quer dizer que o intérprete faça uso de palavras novas ou insólitas. Mas o uso das palavras habituais não se origina de um ato de subsunção lógica pelo qual algo individual é submetido à generalidade do conceito. Recordamos, antes, que a compreensão implica sempre um momento de aplicação, realizando assim um constante e progressivo desenvolvimento da formação dos conceitos. Isso é algo que precisamos pensar também agora, se quisermos que o caráter de linguagem próprio da compreensão se liberte do domínio da chamada filosofia da linguagem. O intérprete não se serve das palavras e dos conceitos como o artesão que apanha e deixa de lado suas ferramentas. Precisamos, antes, reconhecer que toda compreensão está intimamente entretecida por conceitos e refutar qualquer teoria que se negue a aceitar a unidade interna de palavra e coisa.

Na verdade, a situação é ainda mais grave. O que se questiona, de fato, é se o *conceito de linguagem*, de que partem a moderna ciência da linguagem e a filosofia da linguagem, faz justiça ao estado da questão. Nos últimos tempos os cientistas da linguagem impuseram a ideia, e com razão, de que o conceito moderno de linguagem pressuporia uma consciência da linguagem, sendo essa um resultado histórico que não atinge o começo do processo histórico, em particular o que era a linguagem entre os gregos[15]. O caminho iria desde a completa inconsciência em relação à linguagem, própria do classicismo grego, até a desvalorização instrumentalista da linguagem na idade moderna. E esse processo de conscientização, que implica igualmente uma modificação do comportamento de linguagem, seria o único a possibilitar à "linguagem", como tal, isto é, segundo sua forma, tornar-se objeto de uma consideração independente de todo conteúdo.

Pode-se duvidar se a relação entre comportamento e teoria de linguagem é uma caracterização correta. Mas é inquestionável que tanto a ciência da linguagem como a filosofia da linguagem trabalham com base na premissa de que seu único tema é a *forma* da lin-

---

15. Lohmann, J. In: *Lexis* III, entre outros.

guagem. Mas será que o conceito de forma está em ordem, nesse posicionamento? Será que a linguagem é uma forma simbólica, como a chamou Cassirer? Com isso, faz-se justiça à sua singularidade, que consiste em que o caráter de linguagem abrange, por sua vez, tudo que Cassirer chama de forma simbólica, mito, arte, direito etc.?[16]

No caminho de nossa análise do fenômeno hermenêutico damos de cara com a função universal do caráter de linguagem (*Sprachlichkeit*). Na medida em que o fenômeno hermenêutico se revela em seu próprio caráter de linguagem, possui por si mesmo um significado universal absoluto. Compreender e interpretar se subordinam de uma maneira específica à tradição da linguagem. Mas, ao mesmo tempo, ultrapassam essa subordinação, não somente porque todas as criações culturais da humanidade, mesmo as que não pertencem ao âmbito da linguagem, querem ser entendidas desse modo, mas pela razão muito mais fundamental de que tudo o que é compreensível precisa tornar-se acessível à compreensão e à interpretação. Para a compreensão vale o mesmo que para a linguagem. Ambas não devem ser tomadas apenas como um fato que se pode investigar empiricamente. Ambas jamais podem ser um simples objeto, abrangem, antes, tudo o que, de um modo ou de outro, pode chegar a ser objeto[17].

Se reconhecermos essa relação fundamental entre o caráter de linguagem e a compreensão, já não poderemos reconhecer um processo histórico unívoco no caminho que vai da inconsciência da linguagem para a desvalorização da linguagem, passando pela consciência da linguagem[18]. Como irá se mostrar, esse esquema não me parece suficiente sequer para a história das teorias da linguagem, e muito menos para a vida da própria linguagem em sua realização viva. A linguagem que vive no falar, que abarca toda a compreensão, inclusive a do intérprete dos textos, está tão envolvida na realização do pensar e do interpretar que verdadeiramente nos restaria [409]

---

16. Cf. CASSIRER, Ernst. *Wesen und Wirkung des Symbolbegriffs*, 1956 (que contém, sobretudo, os tratados publicados pela Bibliothek Warburg); • HÖNIGSWALD, R. *Philosophie und Sprache*, 1937, inicia sua crítica nesse ponto.
17. Hönigswald expressa essa questão do seguinte modo: a linguagem não é só *factum* mas também princípio. Op. cit., p. 448.
18. É assim que J. Lohmann descreve o desenvolvimento (op. cit.).

muito pouco se desconsiderássemos o conteúdo que nos transmitem as línguas e quiséssemos pensá-las unicamente como formas. A inconsciência da linguagem não deixou de ser o verdadeiro modo de ser do falar. Por isso, preferimos nos voltar para os *gregos*, que não possuíam nenhum termo para o que nós chamamos "linguagem", no momento em que a unidade, que se impunha universalmente, entre palavra e coisa começou a se tornar problemática e digna de ser pensada. E então nos voltaremos para o *pensamento cristão da Idade Média*, que repensou o mistério dessa unidade a partir do interesse teológico e dogmático.

2. A cunhagem do conceito de "linguagem" ao longo da história do pensamento do mundo ocidental

2.1. Linguagem e logos

A íntima unidade de palavra e coisa era, nos tempos primitivos, algo tão natural que o nome verdadeiro era experimentado como parte do portador desse nome, quando não, como se o representasse por procuração. É significativo que, em grego, a expressão usada para "palavra", *onoma*, significa ao mesmo tempo "nome", e em particular nome próprio, isto é, apelativo. A palavra é compreendida imediatamente a partir do nome. O nome é tal em virtude de alguém se chamar assim e atender por esse nome. Pertence ao seu portador. A correção do nome se confirma no fato de seu portador atender por ele. Parece, portanto, pertencer ao próprio ser.

Pois bem, de certo modo a filosofia grega se inicia precisamente com o conhecimento de que a palavra é *somente* nome, isto é, não representa (*vertritt*) o verdadeiro ser. É exatamente essa a brecha que abre a pergunta filosófica dentro da pressuposição, de princípio indiscutida, do nome. Crer na palavra e duvidar da palavra caracterizam o estado da questão onde o pensamento da ilustração grega via a relação entre palavra e coisa. Por ela o modelo do nome se converte em antimodelo. O nome que se dá e que pode ser mudado é o que motiva que se duvide da verdade da palavra. Pode-se falar da correctura dos nomes? Mas não devemos falar da correção das palavras, ou seja, exigir a unidade de palavra e coisa? E não foi um dos pensadores mais profundos da Antiguidade, Heráclito, quem descobriu o sentido profundo do jogo de palavras? Este é o pano de fundo donde surge o *Crátilo* de Platão, o escrito básico do pensamento grego sobre a linguagem, que contém todo o universo dos problemas, de tal modo que a discussão grega posterior, que conhecemos apenas fragmentariamente, quase não acrescenta nada de essencial[19]. [410]

O *Crátilo* de Platão discute duas teorias que procuram determinar, por caminhos diversos, a relação entre palavra e coisa. A teoria convencionalista vê a única fonte de significado das palavras na univocidade do uso de linguagem alcançada por convenção e exercício. A teoria contrária defende uma coincidência natural entre palavra e coisa, designada pelo conceito da correção (*orthotés*). É evidente que se trata de duas posições extremas e que, portanto, objetivamente não necessitam se excluir. Em todo caso, o indivíduo que fala não conhece a questão da "correção" da palavra pressuposta por essa posição.

O modo de ser da linguagem que chamamos "uso geral de linguagem" limita ambas as teorias. O limite do *convencionalismo* é o seguinte: não se pode alterar arbitrariamente o que as palavras significam, se deve haver *linguagem*. O problema das "linguagens privadas" mostra as condições sob as quais se encontram essas mudanças de nome. O próprio Hermógenes dá um exemplo no *Crátilo*: a mudança de nome de um criado[20]. A falta de independência interna do universo de vida do criado, a fusão de sua pessoa com sua função, torna possível o que, noutro caso, fracassaria, quando a pessoa reivindica sua autonomia e sua honra. Também os meninos e os amantes têm "sua" linguagem, pela qual se compreendem num mundo que é só deles; mas também isso não se faz por imposição arbitrária, mas desenvolvendo um hábito de linguagem. O pressu-

---

19. Continua sendo valiosa a exposição sobre o assunto feita por Hermann Steinthal, em *Die Geschichte der Sprachwissenschaft bei den Griechen und Römern mit besonderer Rücksicht auf die Logik*, 1864. [Mencionamos também, representando muita coisa, o livro de K. Gaiser, *Name und Sache in Platons "Krantylos"* (Abhandl. der heidelberger Akademie der Wissenschaften, Philos.-histor. Klasse, Abh. 3, 1974), Heidelberg, 1974].

20. *Crátilo*, 384 d.

posto para que se dê "linguagem" é sempre o caráter comum de um mundo, ainda que seja somente um mundo jogado.

Mas também o limite da *teoria* da semelhança é muito claro: não se pode criticar a linguagem, no que concerne às coisas que se quer exprimir, dizendo que as palavras não reproduziram corretamente as coisas. A linguagem não está aí como um simples aparato de que lançamos mão ou que construímos para com ele comunicar e fazer distinções[21]. Ambas as interpretações das palavras partem de sua existência e do fato de estarem à mão, deixando as coisas existirem por si como já sendo conhecidas de antemão. Justamente por isso, já de antemão começam demasiado tarde. Precisamos perguntar se, ao mostrar a insustentabilidade interna dessas duas posições extremas, Platão quer questionar um pressuposto que lhes seja comum. Na minha opinião, a intenção de Platão é muito clara, e creio que nunca se poderá acentuar isto suficientemente, frente à interminável usurpação de *Crátilo* a favor dos problemas sistemáticos da filosofia da linguagem. Com essa discussão das teorias da época relacionadas com a linguagem, Platão pretende mostrar que na pretensão de correção da linguagem (*orthotés tón onomatón*) não se pode alcançar nenhuma verdade objetiva (*alétheia tón ontón*) e que se deve conhecer o ente sem as palavras (*aneu tón onomatón*) só a partir de si mesmo (*auta ex eautón*)[22]. Com isso se desloca radicalmente o problema para um novo nível. A dialética, que é o que se objetiva aqui, pretende evidentemente embasar o pensamento sobre si mesmo, abrindo seus verdadeiros objetos (*Gegenstände*), as "ideias", de tal modo que isso supere o poder das palavras (*dunamis tón onomatón*) e sua tecnificação demoníaca na arte da argumentação sofística. De certo, a superação do âmbito das palavras (*onomata*) pela dialética não significa que exista realmente um conhecimento sem palavras, mas, unicamente, que aquilo que cria acesso para a verdade não é a *palavra*. Ao contrário, a "adequação" da palavra só pode ser julgada a partir do conhecimento das coisas.

---

21. *Crátilo*, 388 c.
22. *Crátilo*, 438 a-439 b.

Podemos aprovar essa conclusão e no entanto sentimos haver uma certa lacuna: é evidente que diante da verdadeira relação entre palavra e coisa Platão acaba retrocedendo. Nesse ponto ele declara que a questão de como se pode conhecer o ente é na realidade demasiado ampla, e onde fala dela, onde portanto descreve a verdadeira essência da dialética, como ocorre no excurso da *Sétima Carta*[23], o caráter de linguagem só aparece como um aspecto exterior perigosamente equívoco. Faz parte dos pretextos enganosos (*proteinomena*) que procuram se impor e que o verdadeiro dialético deve deixar para trás, tal como a aparência sensível das coisas. O puro pensar as ideias, a *dianoia*, enquanto diálogo da alma consigo mesma, é mudo (*aneu fónés*). O *logos*[24] é a corrente que parte desse pensar, ressoando através da boca (*reuma dia tou stomatos meta fthoggou*). É evidente que a materialização do pensar no som não pode pretender para si nenhum significado de verdade. Não há dúvidas de que Platão *não* reflete sobre o fato de que a realização do pensamento, quando concebido como um diálogo da alma, comporta por si uma vinculação com a linguagem. E quando, na *Sétima Carta*, vemos alguma referência sobre o assunto, isso se dá no contexto da dialética do conhecimento, isto é, no contexto da orientação de todo o movimento do conhecer na direção do uno (auto). Mas, ainda que aqui se reconheça fundamentalmente a vinculação à linguagem, esta não aparece realmente em seu verdadeiro significado. Não passa de um dos aspectos do conhecimento, e todos esses aspectos, vistos a partir da própria coisa para a qual se dirige o conhecimento, se manifestam em sua provisoriedade dialética. O resultado que se deve formular, portanto, é que o descobrimento das ideias por Platão oculta a essência da linguagem ainda mais do que o fizeram os teóricos sofísticos, que desenvolveram sua própria arte (*techne*) no uso e abuso da linguagem. [412]

Em todo caso, mesmo onde Platão supera o nível de discussão do *Crátilo*, apontando para sua dialética, não encontramos nenhuma outra relação com a linguagem que já não tenha sido discutida nesse nível: ferramenta e cópia, a serem produzidas e julgadas a

---

23. *Sétima Carta*, 342s.
24. *Sofista.*, 263 e 264a.

partir do modelo original, a partir das próprias coisas. Mesmo quando não reconhece ao âmbito das palavras (*onomata*) nenhuma função cognitiva autônoma, e precisamente quando exige a superação desse âmbito, ele conserva o horizonte de questionamento em que se coloca a questão da "correção" dos nomes. Inclusive quando não quer ouvir falar de uma correção natural dos nomes (como no contexto da *Sétima Carta*), continua mantendo, como padrão, uma relação de semelhança (*omoion*): cópia e modelo original continuam sendo para ele o modelo metafísico pelo qual ele pensa toda a relação com o noético. A arte do artesão tanto quanto a do demiurgo divino, a arte do orador tanto quanto a do dialético filosófico copiam em seu *medium* o verdadeiro ser das ideias. Sempre há uma distância (*apexei*), ainda que o verdadeiro dialético consiga por si mesmo superar essa distância. O elemento do verdadeiro discurso continua sendo a palavra (*onoma* e *réma*), a mesma palavra na qual a verdade se oculta até se tornar irreconhecível e até anular-se completamente[25].

Olhando, a partir desse pano de fundo, a discussão "sobre a correção dos nomes", tal como a nivela o *Crátilo*, as teorias discutidas ali adquirem, de imediato, um interesse que vai além de Platão e de sua própria intenção. Pois as duas teorias que o Sócrates platônico faz sucumbir não são pensadas na gravidade de sua verdade. A teoria convencionalista reduz a "correção" das palavras a um nomear, uma espécie de batismo das coisas através de um nome. Para essa teoria o nome não traz a menor intenção de conhecimento objetivo. Mas Sócrates chama a depor o defensor dessa sóbria teoria, na medida em que, partindo da diferença entre um *logos* verdadeiro e um *logos* falso, lhe faz admitir que também os componentes do *logos*, as palavras (*onomata*), são verdadeiros ou falsos, referindo igualmente o nomear, enquanto uma parte do falar, com a descoberta do ser (*ousia*) que se produz no falar[26]. Trata-se de uma afirmação tão incompatível com a tese convencionalista que antes se torna fácil deduzir, a partir daqui, uma "natureza" que ser-

---

25. [Cf., sobre *mimesis*, acima p. 118s. (original), bem como a significativa troca entre *mimesis* e *methexis*, atestada por Aristóteles em sua *Metafísica* A 6, 987 b 10-13.]
26. *Crátilo*, 385 b, 387 c.

visse de padrão tanto para os nomes verdadeiros quanto para o correto nomear. O próprio Sócrates reconhecerá que essa compreensão da "correção" dos nomes conduz a uma embriaguez etimológica e às consequências mais absurdas. Mas o tratamento dado pela tese contrária, a saber, que as palavras existem por natureza (*fusei*), também não deixa de ser curiosa. Se esperássemos que essa teoria contrária fosse refutada, por sua vez, pelo descobrimento de que seria incoerente a conclusão sobre a verdade das palavras a partir da do discurso, donde essa se deriva (e no "Sofista" encontramos de fato uma retificação disso), sentir-nos-íamos decepcionados. Ao contrário, toda a discussão se mantém dentro dos pressupostos de princípio da teoria "da natureza", a saber, no princípio da semelhança, e essa só se resolve através de sucessivas restrições. Se a "correção" dos nomes deve repousar no fato de se encontrar nomes corretos e adequados para as coisas, então, como em toda e qualquer adequação, existem graus e níveis de correção. Ora, não se pode excluir que aquilo que é só *um pouco* correto seja estimado como útil se reproduzir os contornos (*tupos*) da coisa[27]. Mas precisamos ser um pouco mais generosos. Uma palavra pode ser compreendida, seja por hábito ou convenção, também quando contém sons que em nada se parecem com a coisa, de tal modo que todo o princípio de semelhança começa a balançar e acaba sendo refutado com exemplos como o das palavras que designam números. Ali não pode haver a menor semelhança, já pelo fato de os números não pertencerem ao mundo sensível e móvel, de modo que para eles só seria plausível o princípio da convenção.

O abandono da *teoria da physei* aparece revestida de um caráter surpreendentemente conciliador, de tal modo o princípio da convenção precisa intervir como complementar onde fracassa o princípio da semelhança. Platão parece pensar que o princípio da semelhança é racional, ainda que em sua aplicação se deva proceder de uma maneira muito liberal. A convenção, que aparece no uso prático da linguagem, sendo a única a determinar a correção das palavras, dentro do possível pode servir-se do princípio de se-

---

[27]. *Crátilo*, 432 as.

melhança, mas não está presa a ele[28]. Trata-se de uma posição muito moderada, mas que encerra a premissa básica de que as palavras não possuem um verdadeiro significado cognitivo. Esse é um resultado que ultrapassa a esfera das palavras e da questão de sua correção, levando ao conhecimento da coisa em questão, evidentemente a única coisa que interessa a Platão.

[414]   No entanto, enquanto se mantém fiel ao esquema que busca encontrar e impor nomes, a argumentação socrática contra *Crátilo* reprime uma série de perspectivas que não conseguem se impor. O fato de que a palavra seja um instrumento erigido para o trato docente e diferenciador das coisas, portanto, que seja um ente que pode adequar-se e corresponder mais ou menos a seu próprio ser, fixa a questão da essência das palavras de um modo que não pode ficar sem problemas. O trato com as coisas de que se fala aqui é a revelação da coisa referida. A palavra é correta quando faz a coisa se apresentar, isto é, quando é uma representação (*mimésis*). De certo, não se trata de uma representação imitadora, no sentido de uma cópia direta, de modo a reproduzir o fenômeno audível e visível, mas é o ser (*ousia*), o qual se pode dizer que "é" (*einai*), que deve ser revelado pela palavra. Mas, então, precisamos indagar se os conceitos que são empregados na conversação, os conceitos da *mimema*, ou os da *deloma*, compreendidos como *mimema*, são corretos para isso.

O fato de a palavra, que nomeia um objeto, nomeá-lo por aquilo que ele é, por que ela própria possui o significado que permite nomear o que se tem em mente, não implica necessariamente uma relação de cópia. É da essência do *mimema* já representar também algo diferente do que ele mesmo representa. A mera imitação, o "ser como", já contém sempre a possibilidade de iniciar a reflexão sobre a distância ontológica que separa imitação e seu modelo. Mas a palavra nomeia a coisa de uma maneira muito mais íntima ou espiritual do que se houvesse aqui uma distância de semelhança, um copiar mais ou menos correto. *Crátilo* tem toda a razão quando se pronuncia contra isso. Tem razão também quando diz que, enquanto a palavra for palavra, precisa ser "correta", uma pa-

---

28. *Crátilo*, 434 c.

lavra que "convém". Se ela não for correta, se não tiver significado, não é mais que o bronze que ressoa[29]. Nesse caso, não tem o menor sentido se falar de falsidade.

É claro que também podemos chamar alguém não pelo seu nome correto, por tê-lo confundido com outro, assim como podemos não empregar a palavra correta" para uma coisa, porque esta não é conhecida. Mas nesse caso não é a palavra que está errada, mas o seu emprego. Só aparentemente se refere à coisa para a qual é empregada. Na realidade ela é a palavra adequada para outra coisa, e como tal é correta. Também aquele que aprende uma língua estrangeira e procura fixar o vocabulário, isto é, o significado das palavras que lhe são desconhecidas, pressupõe sempre que essas possuam verdadeiro significado que o dicionário extrai do uso da linguagem e o transmite. Podemos confundir essas significações, mas isso significa sempre que as palavras "corretas" são mal empregadas. Assim, faz sentido falar de uma *perfeição absoluta da palavra*, na medida em que entre sua manifestação sensível e seu [415] significado não exista, em absoluto, relação sensível, e nenhuma distância. Por isso, Crátilo não teria motivo para deixar-se submeter ao jugo do esquema da cópia. É verdade que podemos dizer que a cópia se equipara ao modelo original, sem reduzir-se a mera duplicação desse, sendo portanto outra coisa e remetendo para esse outro que ela representa em virtude de sua semelhança imperfeita. Mas isso certamente não funciona para o caso da relação da palavra com o seu significado. Nesse sentido, quando Sócrates reconhece que as palavras – diferentemente das pinturas (*zoa*) – não somente são corretas mas também verdadeiras (*alethe*)[30], isso é como o florescer de uma verdade completamente oculta. De certo, a "verdade" da palavra não se radica na correção, em sua correta adequação à coisa. Encontra-se, antes, em sua perfeita espiritualidade, isto é, no fato de que o sentido da palavra é manifesto no som. Nesse sentido, todas as palavras "são" verdadeiras, isto é, seu ser se confunde com seu significado, enquanto que as cópias são

---

29. *Crátilo*, 429 bc, 430a.
30. *Crátilo*, 430 d^5.

apenas mais ou menos parecidas e assim, medidas segundo o aspecto da coisa, são apenas mais ou menos corretas.

Mas como é comum em Platão, também aqui a cegueira de Sócrates frente ao que ele refuta tem sua razão de ser. O próprio Crátilo não vê claramente que o significado das palavras não é idêntico às coisas a que se referem, e tampouco vê com clareza – e isso fundamenta a tácita superioridade do Sócrates platônico – que o *logos*, o dizer e o falar, assim como a manifestação que esses produzem nas coisas, são diferentes da intenção das significações que se encontram nas palavras, e que é somente aqui que se dá a verdadeira possibilidade de a linguagem comunicar o que é correto e verdadeiro. O uso incorreto da linguagem, pelos sofistas, procede justamente da ignorância desta genuína possibilidade de verdade da fala (e à qual pertence, como possibilidade contrária, a falsidade essencial, *pseudos*). Quando o *logos* é compreendido como representação de uma coisa (*deloma*), como sua manifestação, sem distinguir essencialmente entre essa função de verdade da fala e o caráter significativo das palavras, abre-se a possibilidade de uma confusão que é própria da linguagem. Nesse caso, chegamos a pensar possuir a coisa na palavra. Ater-se à palavra pareceria então o caminho legítimo para o conhecimento. Nesse caso, podemos afirmar também a tese contrária. Onde há conhecimento, a verdade da fala precisa ser construída a partir da verdade das palavras, como a partir de seus elementos. E assim como se pressupõe a "correção" dessas palavras, ou seja, sua adequação natural às coisas nomeadas por elas, será possível interpretar também os elementos dessas palavras, as letras, na perspectiva de sua função de ser cópia das coisas.

[416] Essa é a consequência a que Sócrates obriga o seu interlocutor a chegar.

Mas em tudo isso se desconhece que a verdade das coisas se encontra na fala, o que significa, em última instância, na intenção (*Meinen*) de uma opinião (*Meinung*) unitária sobre as coisas e não nas palavras singulares, nem sequer no acervo léxico completo de uma língua. É esse desconhecimento que permite a Sócrates refutar os argumentos que de maneira muito acertada Crátilo emprega na questão da verdade da palavra, isto é, em sua capacidade de significar. Sócrates opõe a ele o argumento extraído do uso das palavras, ou seja, o discurso, o *logos*, com sua capacidade de ser verdadeiro ou falso. O nome ou a palavra parece ser verdadeiro ou falso na medida em que é usado de modo verdadeiro ou falso, isto é, na medida em que se subordina (*zuordnen*) correta ou incorretamente ao ente. Mas essa subordinação já não é mais a subordinação da palavra, mas já é *logos*, e num tal *logos* pode encontrar sua expressão adequada. Por exemplo, chamar a alguém de "Sócrates" pressupõe que esse homem se chame Sócrates.

A subordinação que é *logos* é portanto mais que a mera correspondência de palavras e coisas, como corresponderia, em última instância, à teoria eleática do ser e como se pressupõe na teoria da cópia. Precisamente porque a verdade contida no *logos* não é a verdade da mera recepção (*noein*), não consiste simplesmente em deixar o ser aparecer, mas coloca o ser sempre numa determinada perspectiva, reconhecendo e atribuindo-lhe *algo*, o que sustenta a verdade (e é claro também a não verdade) não é a palavra (*onoma*) mas o *logos*. Disso se conclui necessariamente que, para essa estrutura de relações na qual o *logos* articula e assim interpreta as coisas, o caráter enunciativo e sua ligação com a linguagem são inteiramente secundários. Percebe-se que o verdadeiro paradigma do noético *não é a palavra, mas o número*, cuja designação é uma pura convenção e cuja "exatidão" consiste em que cada número se define por sua posição na série. Uma pura configuração da inteligibilidade, portanto, um *ens rationes*, não no sentido de uma restrição de sua validez ontológica mas sua perfeita racionalidade. Esse é o verdadeiro resultado que o *Crátilo* busca alcançar, e esse resultado possui consequências extremamente fecundas, que na verdade influenciaram todo o pensamento ulterior sobre a linguagem.

Se o âmbito do *logos* representa o âmbito do *noético*, na pluralidade de suas subordinações, a *palavra* se converte, tal como o número, em mero *signo* de um ser bem definido e assim conhecido de antemão. Com isso, a princípio o questionamento se inverte. Agora, partindo da coisa, já não se pergunta pelo ser ou pelo caráter medial das palavras, mas sim, partindo da mediação da palavra, pergunta-se pelo que ela medeia e como medeia isso para aquele que a usa. É da essência do *signo* ter seu ser na função de seu emprego, e isto de tal modo que sua virtude se reduz à aptidão de indicar. Por isso,

[417] nessa sua função, precisa se destacar do contexto em que se encontra e no qual deve ser tomado como signo, e justamente assim suspender o seu ser-coisa e empenhar-se completamente (desaparecer) no seu significado. Isso representa a abstração do próprio indicar.

Por isso, o signo não é algo que imponha um conteúdo próprio. Tampouco precisa ter algum conteúdo parecido com o que indica. E quando o possui, só poderá ser um conteúdo esquemático. Mas isso significa mais uma vez que todo seu conteúdo próprio visível está reduzido a um mínimo que possa ajudar em sua função indicadora. Quanto mais unívoca for a designação através de uma coisa-signo, tanto mais o signo será signo puro, isto é, ele se esgota na subordinação (*Zuordnung*) como tal. Assim, por exemplo, os signos escritos estão subordinados a determinadas identidades fonéticas, os signos numéricos, a determinados números. E esses são os signos mais espirituais que existem porque dispõem de uma subordinação total no sentido de que se esgotam por inteiro. Sinal, distintivo, aviso, indicação etc. somente têm espiritualidade na medida em que são tomados como signos, isto é, na medida em que se abstrai sua função de referencialidade. Aqui, a existência do signo não possui consistência se não em algo outro, que enquanto coisa-signo é ao mesmo tempo algo por si mesmo, possuindo seu próprio significado, um significado diferente do que tem enquanto signo. Nesse caso afirma-se que o signo só recebe seu significado em sua relação com um sujeito receptor do signo: "não tem seu significado absoluto em si mesmo, ou seja, nele o sujeito não foi abolido"[31]. Continua sendo um ente imediato (continua tendo sua consistência na pertença ao conjunto dos outros entes. Mesmo os signos escritos podem ter, por exemplo, um valor decorativo num conjunto ornamental), e somente em virtude de seu ser imediato podem ter ao mesmo tempo valor de reenvio, valor ideal. A diferença entre o seu ser e seu significado é absoluta.

A coisa se coloca de outro modo no caso do extremo oposto, que intervém na determinação da palavra, a saber, a *cópia*. De cer-

---

31. HEGEL. *Jenenser Realphilosophie* I, 210. [Atualmente no vol. VI das Obras Completas, *Jenaer Systementwürfe* I, Düsseldorf, 1975, p. 287.]

to que a cópia contém a mesma contradição entre seu ser e seu significado, mas de tal forma que ela suspende essa contradição em si mesma em virtude da semelhança nela contida. Ela não obtém a função de referir ou de representar do sujeito que percebe o signo, mas de seu próprio conteúdo objetivo. Não é um mero signo, pois nela é o próprio copiado que se representa, ganha duração e se torna presente. Por isso, pode ser apreciada por seu grau de semelhança, ou seja, pela *medida* em que permite que nela se faça presente o que não está presente.

O *Crátilo* desacredita totalmente a legítima pergunta que quer saber se a palavra se reduz a um "signo puro" ou se contém algo de "imagem". Enquanto ali se leva ao absurdo a tese de que a palavra seja uma cópia, a única possibilidade que parece restar é a de que ela seria um signo. Embora sem uma distinção muito acentuada, é isso que temos como resultado da discussão negativa do *Crátilo* e que sela o banimento do conhecimento à esfera do inteligível, de modo que a partir desse momento, em toda a reflexão sobre a linguagem, o conceito de imagem (*eikon*) é substituído pelo conceito de signo (*semeion* ou *semainon*). Isso não é somente uma alteração terminológica, mas expressa uma decisão em torno do pensamento do que é a linguagem, decisão que marcou época[32]. O fato de que o verdadeiro ser das coisas deva ser investigado "sem os nomes" significa que no ser próprio das palavras como tais não existe acesso algum à verdade, embora toda e qualquer busca, pergunta, resposta, ensino e distinção estejam obrigados a realizar-se com os meios da linguagem. Com isso fica dito também que o pensar se libera de tal modo do ser próprio das palavras – tomando-as como simples signos, através dos quais traz à luz o designado, a ideia, a coisa –, que a palavra mantém uma relação inteiramente secundária com a coisa. É um mero instrumento de comunicação, que extrai (*ekferein*) e apresenta (*logos proforikos*) na mediação da voz aquilo que se quer dizer. O fato de que um sistema ideal de signos, cujo único sentido seria a atribuição unívoca de todos os signos, faça com que a força das palavras (*dunamis tón onoma-*

[418]

---

32. LOHMANN, J. *Lexis* II, *passim*, sublinha a importância da gramática estoica e da formação de uma linguagem conceitual latina para copiar o grego.

tón), a ampla variedade do que é contingente inscrito nas línguas históricas que se desenvolveram de modo concreto, apareça como mero obscurecimento de seu uso, isso é uma consequência direta do que se disse. O que surge aqui é o ideal de uma *characteristica universalis*.

A desconexão do que "é" uma linguagem para além de seu funcionamento teleológico como coisa-signo, portanto, a autossuperação da linguagem através de um sistema de símbolos artificiais, definidos univocamente, esse ideal do *Aufklärung* dos séculos XVIII e XX apresentou a linguagem ideal como correspondendo a tudo que é cognoscível, o ser como a objetividade absolutamente disponível. Nem sequer valeria a objeção fundamental de que não se pode pensar uma tal linguagem matemática de signos, sem uma linguagem que introduza suas convenções. É verdade que esse problema de uma "metalinguagem" pode até ser insolúvel, porque implica um processo interativo. Mas a impossibilidade de levar esse processo ao seu termo nada diz contra o reconhecimento fundamental do ideal a que se aproxima.

[419] Precisamos admitir também que toda formação de uma terminologia científica, por menos restrito que seja seu uso, representa uma fase desse processo. Afinal, o que é um *termo*? É uma palavra, cujo significado está delimitado univocamente, na medida em que se refere a um conceito definido. Um termo sempre é algo artificial, seja porque a própria palavra é formada artificialmente, seja – o que é mais frequente – porque uma palavra que já está em uso é recortada da plenitude e largueza de suas relações de significado e fixada em um determinado sentido conceitual. Frente à vida do significado das palavras da linguagem falada, às quais segundo mostra com razão Wilhelm von Humboldt[33] é essencial um certo espaço de jogo, o termo é uma palavra rígida, e o uso terminológico de uma palavra é um ato de violência contra a linguagem. Todavia, diferentemente da linguagem puramente simbólica do cálculo lógico, o uso de uma terminologia permanece fundido no falar uma língua (ainda que frequentemente sob a forma de um estrangeirismo). Não existe uma fala puramente terminológica e mesmo as ex-

---

33. HUMBOLDT, W. Über die Verschiedenheit des menschlichen Sprachbaus, § 9.

pressões forjadas artificialmente em oposição à língua (um bom exemplo disso são todas as expressões artificiais do universo da publicidade moderna) acabam sempre voltando à vida da linguagem. Uma confirmação indireta disso é o fato de que às vezes uma determinada distinção terminológica não consegue impor-se e se vê constantemente desautorizada pelo uso normal da linguagem. Evidentemente, isso significa que precisa se submeter às exigências da linguagem. Basta pensarmos, por exemplo, na impotente pedantaria escolástica com a qual o neokantismo difamou o uso de "transcendental" pelo termo "transcendente", ou no uso de "ideologia" no sentido dogmático-positivo, que, apesar de seu cunho originário polêmico-instrumentalista, acabou se impondo de modo geral. Por isso, também como intérpretes de textos científicos, precisamos contar sempre com essa coexistência do uso terminológico e do uso corrente de uma palavra[34]. Os intérpretes modernos de textos antigos são facilmente inclinados a menosprezar essa exigência, porque o conceito no uso científico moderno é mais artificial e portanto mais fixo do que na Antiguidade, que não conhecia estrangeirismos e onde havia menos palavras artificiais.

Somente através do simbolismo matemático seria possível elevar-se fundamentalmente acima da contingência das línguas históricas e da indeterminação de seus conceitos. Através da arte combinatória de um tal sistema de signos, levado a efeito, poderíamos ganhar novas verdades, dotadas de certeza matemática (essa era a ideia de Leibniz), visto que o *ordo* reproduzido por um tal sistema de signos teria uma correspondência em todas as línguas[35]. [420] Fica claro que essa pretensão da *characteristica universalis* de ser uma *ars inveniendi*, como salienta Leibniz, repousa precisamente sobre o caráter artificial de seu simbolismo. Assim, seria possível calcular, ou seja, encontrar relações a partir das regularidades formais das leis combinatórias, independentemente de saber se a experiência nos conduz ou não a correspondentes nexos nas coisas.

---

34. Pense-se, por exemplo, no uso que faz Aristóteles do termo *fronesis*, cuja aparição sem o rigor terminológico põe em perigo a segurança de conclusões sobre o desenvolvimento histórico, como já procurei mostrar com relação a W. Jaeger (cf. *Der aristotelische Protreptikos*, Hermes, 1928, p. 146s). [Cf. tb. no vol. V das Obras Completas, p. 164-186.]

35. Cf. LEIBNIZ. 1840, p. 77 {ERDMANN (org.)].

Adiantando-nos assim com o pensamento rumo ao reino das possibilidades, a razão pensante é levada à sua perfeição absoluta. Para a razão humana não há maior adequabilidade do conhecimento do que a *notitia numerorum*[36], e todo cálculo procede segundo os esquemas desta. No entanto, há uma crença geral de que a imperfeição do homem não permite um conhecimento adequado *a priori*, e por isso a experiência se torna imprescindível. Através desses símbolos o conhecimento não se torna claro nem distinto, pois o símbolo não significa nada que seja dado pela intuição; esse conhecimento é "cego", na medida em que o símbolo toma o lugar de um verdadeiro conhecimento, mostra tão somente a possibilidade de que este chegue a se produzir.

O ideal de linguagem perseguido por Leibniz é, portanto, uma "linguagem" da razão, uma *analysis notionum*, que, partindo dos "primeiros" conceitos, desenvolveria o sistema completo dos conceitos verdadeiros, propiciando a reprodução do todo dos entes, como corresponderia à razão divina[37]. A criação do mundo como cálculo de Deus, que calculando escolhe a melhor dentre as possibilidades do ser, seria reproduzida pelo cálculo do espírito humano.

Na verdade, esse ideal torna patente que a linguagem é algo diferente de um mero sistema de signos para designar o conjunto dos objetos. A palavra não é apenas signo. Nalgum sentido difícil de apreender, ela é também algo assim como uma cópia. Basta ponderar a possibilidade extrema e contrária de uma linguagem puramente artificial para reconhecer nessa teoria arcaica da linguagem uma certa porção de razão. De um modo enigmático, a palavra mostra uma certa vinculação com aquilo que é "reproduzido" (*Abgebildete*), uma pertença ao ser do que é reproduzido. Pensamos isso de modo fundamental, não somente porque na formação da linguagem a relação mimética tenha uma certa participação,

---

36. LEIBNIZ. *De cognitione, veritate et ideis*. 1684, [s.l.]: Erdmann, p. 79s.
37. Sabemos que, numa carta endereçada a Mersenne em 20.11.1629, e conhecida por Leibniz, o próprio Descartes seguiu o modelo da formação dos signos numéricos para desenvolver a ideia de uma linguagem simbólica da razão que contivesse toda a filosofia. Embora sob restrições platonizantes de sua ideia, já encontramos uma prefiguração da mesma em Nicolau de Cusa, *Idiota de mente* III, cap. VI.

pois isso é indiscutível. Esse sentido mediador já havia sido pensado por Platão, e assim continua pensando a investigação atual sobre a linguagem na medida em que reconhece que a onomatopeia exerce uma certa função na história da palavra. Mas, nesse sentido, imaginamos a linguagem inteiramente desvinculada do ser pensado, como um *instrumentarium* da subjetividade. Isso significa: segue-se no caminho da abstração, e no final desse caminho se encontra a construção racional de uma linguagem artificial. [421]

Minha impressão é que com isso estamos nos movendo numa direção que nos afasta da essência da linguagem[38]. O caráter de linguagem é tão inerente ao pensar das coisas que se torna uma abstração pensar o sistema das verdades como um sistema prévio de possibilidades de ser a que se deveriam subordinar signos que um sujeito emprega quando lança mão deles. A palavra da linguagem não é um signo de que se lança mão, mas tampouco é um signo que alguém faça ou dê a outro; não é uma coisa existente que se recebe e se carrega com a idealidade do significado, para com isso tornar visível outro ente. Isso é falso em ambos sentidos. Antes, a idealidade do significado está na própria palavra. Ela já é sempre significado. Mas, por outro lado, isso significa que a palavra preceda toda experiência dos entes e se acrescente, exteriormente, à experiência já feita, submetendo-a a si. A experiência não é inicialmente desprovida de palavras e tornando-se posteriormente objeto de reflexão em virtude da designação, por exemplo, no modo da subsunção sob a generalidade da palavra. Antes, pertence à própria experiência o fato de ela buscar e encontrar as palavras que a expressem. Buscamos a palavra certa, isto é, a palavra que realmente pertença à coisa, de modo que ela própria venha à fala. Embora afirmemos que isso não implica uma simples relação de cópia, a palavra pertence de tal modo à própria coisa que não é atribuída posteriormente à coisa como signo. A análise aristotélica que apresentamos acima sobre a formação dos conceitos por indução nos oferece um testemunho indireto para isso. É verdade que o próprio Aristóteles não vincula expressamente a formação dos conceitos com o problema da formação das palavras e com o aprendizado da linguagem,

---

38. Com relação a *Analyt. Post.* II, 19.

mas Temístio não encontra dificuldade em exemplificá-la em sua paráfrase de como as crianças aprendem a linguagem[39]. Tanto a linguagem está contida no *logos*.

Se a filosofia grega se obstina em não perceber essa relação entre palavra e coisa, entre falar e pensar, o motivo é que o pensamento tinha que se defender frente à estreita relação entre palavra e coisa em meio à qual vive o homem falante. O domínio dessa "língua, a mais falável de todas" (Nietzsche), sobre o pensamento era tão intenso que a filosofia teve de dedicar seu empenho mais próprio à tarefa de libertar-se dele. Por isso, os filósofos gregos combateram, desde o princípio, contra o desvio e extravio do pensamento no "onoma", mantendo-se, frente a isso, na idealidade realizada continuamente pela própria linguagem. Pode-se dizer isso já de Parmênides, que pensava a verdade da coisa a partir do *logos*, assim como de Platão, desde sua mudança rumo aos "discursos", também seguido pela orientação aristotélica das formas do ser nas formas da enunciação (*schemata tés katégorias*). Porque, aqui, se pensou a orientação para o *eidos* como o determinante do *logos*, o ser próprio da linguagem só pôde ser pensado como extravio, e o pensamento precisava se esforçar para bani-lo esconjurá-lo e dominá-lo. A crítica da correção dos nomes realizada no *Crátilo* já representa o primeiro passo numa direção que desemboca na moderna teoria instrumentalista da linguagem e no ideal de um sistema de signos da razão. Comprimido entre a imagem e o signo, o ser da linguagem só poderia acabar sendo nivelado a um puro ser-signo.

2.2. Linguagem e verbum

Existe, no entanto, um pensamento que não é grego e que faz mais justiça ao ser da linguagem, de modo que o esquecimento da linguagem pelo pensamento ocidental não se tornasse total. É o pensamento cristão da *encarnação*. Encarnação não é evidentemente corporalização. Nem a ideia da alma nem a ideia de Deus, vinculadas a essa corporalização, correspondem ao conceito cristão de encarnação.

---

39. [Não ignoro que o *linguistic turn*, do qual, no início dos anos 50, eu não possuía conhecimento algum, tenha reconhecido isso. Cf. meus comentários a respeito, no meu trabalho "Die phänomenologische Bewegung". *Kleine Schriften* III, p. 150-189; atualmente no vol. III das Obras Completas.]

A relação entre alma e corpo, como é pensada nessas teorias, por exemplo, na filosofia platônico-pitagórica, e que corresponde à ideia religiosa da transmigração das almas, instaura, antes, a completa alteridade da alma em relação ao corpo. Em todas as corporalizações a alma retém seu ser para si, e a liberação do corpo é considerada como purificação, ou seja, reconstrução de seu ser verdadeiro e autêntico. Também a manifestação do divino na forma humana, que torna tão humana a religião grega, nada tem a ver com encarnação. Ali, Deus não se torna homem, mas se mostra aos homens em forma humana, mantendo ao mesmo tempo toda sua divindade supra-humana, de maneira completa e absoluta. Frente a isso, a humanização de Deus, como ensina a religião cristã, implica o sacrifício que o crucificado assume como filho do homem, o que constitui uma relação misteriosamente diferente, cuja interpretação teológica tem lugar na doutrina da trindade.

Vale a pena deter-nos nesse ponto nuclear do pensamento cristão, ainda mais porque também para o pensamento cristão a encarnação está intimamente vinculada com o problema da palavra. Já desde os padres da Igreja e finalmente na reelaboração sistemática do augustinismo na alta escolástica, a interpretação do *mistério da trindade* – a tarefa mais importante imposta ao pensamento medieval cristão – apoia-se na relação humana que se estabelece entre falar e pensar. Para isso, a dogmática segue sobretudo o prólogo do Evangelho de João, e por mais que se lance mão do auxílio conceitual grego para resolver esse problema teológico, pela dogmática o pensamento filosófico conquista uma dimensão que estava fechada para o pensamento grego. Quando o verbo se faz carne, e só nesta encarnação se consuma a realidade do espírito, o *logos* se liberta com isso de sua espiritualidade, que significa simultaneamente sua potencialidade cósmica. A singularidade do acontecimento da redenção marca a emergência e a irrupção da essência histórica no pensamento ocidental, permitindo também que o fenômeno da linguagem emirja de sua imersão na idealidade do sentido fazendo com que se apresente para a reflexão filosófica. Isso porque, diferentemente do *logos* grego, a palavra é puro acontecer (*verbum proprie dicitur personaliter tantum*)[40].

[423]

---

40. Tomás I, qu 34 *et passim*.

De certo que, com isso, a linguagem humana se tornou objeto de reflexão, mas apenas indiretamente. É só em sua polaridade (*Gegenbild*) frente à palavra humana que surge o problema teológico da palavra, o *verbum dei*, que é unidade de Deus-Pai e Deus-Filho. Mas, para nós, é exatamente isso que se torna decisivamente importante, a saber, que o mistério dessa unidade tem seu reflexo no fenômeno da linguagem.

O próprio modo como, na Patrística, a especulação teológica sobre o mistério da encarnação busca apoio no pensamento helenístico é muito significativo para a nova dimensão a que aponta. De início procura-se fazer uso do conceito estoico de *logos* exterior e interior (*logos endiathetos – proforikos*)[41]. Essa distinção deveria distinguir originariamente entre o princípio estoico universal do *logos* e a exterioridade do puro falar por imitação[42]. Para a fé cristã na revelação, de certo modo, é a direção inversa que adquire um significado positivo. A analogia entre palavra interior e exterior, o fato de que a palavra se faça som na *vox*, adquire aqui um valor paradigmático.

[424] De princípio, a criação acontece pela palavra de Deus. Assim, os primeiros padres da Igreja já falam do milagre da linguagem, para poder pensar o pensamento tão pouco grego, que é a criação. No próprio prólogo de João vem descrita, a partir da palavra, a verdadeira ação salvadora, o nascimento do Filho, o mistério da encarnação. A exegese interpreta que o fato de a palavra tornar-se som é um milagre igual ao fato de Deus tornar-se carne. O "tornar-se", de que se trata em ambos os casos, não é um tornar-se no qual algo se converte noutra coisa diferente. Não se trata de uma separação de um com relação ao outro (*kat' apokopén*) nem de um abrandamento da palavra interior por causa de sua exterioridade, nem sequer um converter-se noutra coisa, de tal modo que a palavra interior fosse consumida[43]. Ao contrário, já desde as primeiras aproximações feitas ao pensamento grego é possível reconhecer

---

41. A seguir faço referência ao instrutivo artigo "Verbe". *Dictionnaire de Théologie catholique*, bem como a Lebreton, *Histoire du dogme de la Trinité*.
42. *Die Papagaien: Sext. adv. math.* VIII, 275.
43. "Assumendo non consumendo", Agostinho, *De Trinitate*, XV, 11.

essa nova direção rumo à unidade misteriosa de Pai e Filho, de Espírito e Palavra. E quando, por fim, a dogmática cristã, rejeitando o subordinacionismo, rejeita igualmente a referência direta à exteriorização, a articulação sonora da palavra, justamente essa decisão torna necessário reiluminar filosoficamente o mistério da linguagem e sua relação com o pensamento. O maior milagre da linguagem não consiste no fato de que a palavra se tornou carne e manifestando-se no ser exterior, mas no fato de que aquilo que se manifesta e se expressa em sua exteriorização já é sempre palavra. O fato de que a palavra está junto de Deus, e quiçá desde a eternidade, representa o postulado da doutrina da Igreja que triunfou na defesa contra o subordinacionismo. É também essa doutrina que permite que o problema da linguagem se instale no mais íntimo do pensamento.

O próprio Agostinho já desvaloriza expressamente a palavra exterior e, com ela, todo o problema da multiplicidade das línguas, embora trate dela[44]. Tanto a palavra exterior, quanto sua simples reprodução interior, está vinculada a uma determinada língua (*lingua*). O fato de que em cada língua o verbo se diga de modo diferente, significa apenas que não pode se manifestar verdadeiramente a uma língua humana. Com um desprezo bem platônico pela manifestação sensível, Agostinho diz: *non dicitur, sicut est, sed sicut potest videri audirive per corpus*. A "verdadeira" palavra, o *verbum cordis*, é inteiramente independente dessa manifestação. Não é nem *prolativum* nem *cogitativum in similitudine soni*. Essa palavra interior é o espelho e a imagem da palavra divina. Quando Agostinho e a escolástica tratam do problema do verbo para ganhar meios conceituais para o mistério da trindade, seu tema é exclusivamente essa palavra interior, a palavra do coração e sua relação com a *intelligentia*.

O que vem à luz com isso é, portanto, um aspecto bem determinado da essência da linguagem. O mistério da trindade encontra [425]

---

44. Com respeito ao que segue, sobretudo Agostinho, *De Trinitate*, XV, 10-15. [Entrementes, num excelente estudo, G. Ripanti demonstrou que em *De doctrina christiana* encontram-se os traços fundamentais de uma hermenêutica da Bíblia, que não é uma metodologia da teologia, mas descreve a maneira de experimentar a leitura da Bíblia. Cf. RIPANTI, G. *Agostino teoretico dell'interpretazione*. Brescia: [s.e.], 1980.]

seu reflexo no milagre da linguagem, na medida em que a palavra, que é verdadeira porque diz como é a coisa, não é nem quer ser nada por si mesma: *nihil de sua habens, sed totum de illa scientia de qua nascitur.* Ela possui seu ser na sua função de tornar aberto. É exatamente isso que serve para o mistério da trindade. Também aqui não importa a manifestação terrena do redentor como tal, mas antes, sua divindade plena, sua igualdade essencial com Deus. A tarefa teológica consiste em pensar essa igualdade essencial com Deus. No entanto, a tarefa teológica consiste em pensar a existência pessoal autônoma de Cristo nessa igualdade essencial. Para isso, apresenta-se a relação humana que se torna visível na palavra do espírito, o *verbum intellectus*. Isso é mais do que uma simples imagem, pois, apesar de sua imperfeição, a relação humana de pensamento e linguagem corresponde à relação divina da trindade. A palavra interior do espírito é tão essencialmente igual ao pensamento como Deus-Filho com Deus-Pai.

Então surge a questão de saber se nesse ponto não se está explicando o incompreensível com a incompreensibilidade. Que tipo de palavra será essa que se mantém como conversação interior do pensamento sem adquirir nenhuma formação fonética: Será que pode existir tal coisa? Todo nosso pensamento já não se produz sempre na trilha de uma determinada língua, e não sabemos em demasia que devemos pensar em uma língua para falar realmente essa língua? Por mais que recordemos a liberdade que a nossa razão guarda frente à vinculação entre nossa linguagem e nosso pensamento, seja pela invenção e uso de linguagens de signos artificiais, seja pelo aprendizado de traduzir de uma língua para outra – um começo que pressupõe ao mesmo tempo a superação da vinculação à linguagem para alcançar o sentido visado, assim, como vimos, qualquer dessas maneiras de superar possui o caráter de linguagem. A "linguagem da razão" não é uma linguagem para si. Então, frente ao caráter insuperável da nossa vinculação à linguagem, que sentido tem falar de uma "palavra interior", supostamente falada na linguagem pura da razão? Onde se mostra a palavra da razão (se usarmos aqui a palavra "razão" para reproduzir *intellectus*) como uma verdadeira "palavra" se não deve ser uma palavra que soe realmente, nem sequer o *phantasma* dessas, mas o que é designado por ela com um signo, ou seja, aquilo mesmo que é visado e que se pensa?

Porque a doutrina da palavra interior, por sua analogia, deve servir de base para a interpretação teológica da trindade, a questão teológica como tal não pode nos ajudar aqui. Precisamos, antes, interrogar a "coisa" em questão, perguntar o que pode ser essa "palavra interior". Não pode ser simplesmente o *logos* grego, a conversação da alma consigo mesma. Ao contrário, o simples fato de que *logos* tenha sido traduzido tanto por *ratio* como por *verbum* aponta para o fato de que o fenômeno da linguagem na elaboração escolástica da metafísica grega adquire muito mais importância do que teve entre os próprios gregos. [426]

A dificuldade específica de tornar fecundo o pensamento escolástico para o nosso questionamento consiste em que a compreensão cristã da palavra, tal como a encontramos na patrística – que em parte buscou apoio nas ideias da Antiguidade tardia e em parte acabou transformando-as –, acabou se reaproximando do conceito de *logos* extraído da filosofia grega clássica, através da recepção da filosofia aristotélica pela alta escolástica. Santo Tomás, por exemplo, usou o pensamento de Aristóteles[45] para intermediar sistematicamente a doutrina cristã, desenvolvida a partir do prólogo do Evangelho de João. É significativo observar que ele quase não fale da multiplicidade das línguas, tema a que Agostinho dedica abundantes reflexões, embora acabe descartando-o em favor da "palavra interior". Para ele, a doutrina da "palavra interior" é o pressuposto evidente sob o qual investiga o nexo entre *forma* e *verbum*.

Mesmo assim, Tomás não faz coincidirem por completo os conceitos de *logos* e *verbum*. É verdade que a palavra não é o acontecimento da expressão da fala, essa disponibilização irrevogável do próprio pensamento a um outro. Mas de certo modo o caráter ontológico da palavra é um acontecer. A palavra interior permanece referida à possibilidade de sua exteriorização. O conteúdo objetivo, tal como é concebido pelo intelecto, está ordenado para a sua

---

45. Cf. *Comm. in Joh.*, cap. 1 = "de differentia verbi divini et humani", assim como o opúsculo, difícil e rico em conteúdos, compilado a partir de textos autênticos de Santo Tomás, *De natura verbi intellectus*, sobre o qual nos apoiamos a seguir.

conversão em som (*similitudo rei concepta in intellectu et ordinata ad manifestationem vel ad se vel ad alterum*). De certo, a palavra interior não está referida a uma determinada língua, não possui o caráter de uma aparição de palavras provindas da memória, mas é o estado de seu conteúdo (*Sachverhalt*), porém pensado até o fim (*forma excogitata*). Na medida em que se trata de pensar até o fim, é preciso reconhecer nele também um momento processual. Ele se comporta *per modo egredientis*. O que se alcança nesse dizer-se não é expressão mas o pensar. É a perfeição do pensar. Na medida em que expressa o pensar, a palavra interior reproduz de certo modo a finitude da nossa compreensão discursiva. Porque a nossa compreensão não apreende num só golpe do pensar tudo o que sabe, precisa sacar de si cada vez o que pensa, pondo-o diante de si mesma como numa autoexpressão de seu íntimo. Nesse sentido todo pensar é um dizer-se.

Ora, é certo que também a filosofia grega do *logos* conhecia esse fato. Platão descreve o pensamento como uma conversação interior da alma consigo mesma[46], e a infinitude do esforço dialético que ele exige do filósofo é a expressão da discursividade da nossa compreensão finita. E, no fundo, por mais que exija o "pensar puro", [427] o próprio Platão reconhece sempre que o *medium* da *onoma* e do *logos* são indispensáveis para se pensar a "coisa". Mas se a doutrina da palavra interior não significa nada além da discursividade do pensar e do falar humanos, como pode então a "palavra" ser uma analogia do processo das pessoas divinas, de que fala a doutrina da trindade? Não está se insinuando, antes, precisamente a contraposição entre intuição e discursividade? Onde está o fator comum entre este e aquele "processo"?

É verdade que, à relação das pessoas divinas entre si, não deve advir temporalidade alguma. No entanto, a própria sucessão que caracteriza a discursividade do pensamento humano não é, no fundo, uma relação temporal. Quando o pensamento humano passa de uma coisa a outra, ou seja, pensa isso e depois aquilo, não se vê arrastado de certo modo de um para o outro. Não pensa primeiro um e depois o outro numa mera sequência sucessiva – o que significa-

---

46. PLATÃO. *Sofista*, 263 c.

ria que se encontra em constante mudança. Quando pensa o um e o outro, significa, antes, que sabe o que faz com isso, isto significa que sabe vincular um com o outro. Nesse sentido, o que temos aqui não é uma relação temporal mas um processo espiritual, uma *emanatio intellectualis*.

Com esse conceito neoplatônico, Tomás procura descrever o caráter processual da palavra interior, tão bem como o mistério da trindade. Desse modo, convalida-se algo que não estava contido na filosofia platônica do *logos*. O conceito da emanação está muito mais impregnado de neoplatonismo do que aquilo que representa o fenômeno físico da emanação enquanto processo de movimento. O que se impõe é, sobretudo, a imagem da fonte[47]. No processo da emanação, aquilo donde algo emana, o um, não sofre nenhuma privação, nem é diminuído por isso. O que vale também para o nascimento do Filho a partir do Pai, que com isso não consome nada de si mesmo, mas assume em si algo de novo. Esse processo é válido também para a manifestação (*Hervorgehen*) espiritual que se realiza no processo do pensar, do dizer-se. Essa manifestação é ao mesmo tempo um perfeito permanecer-em-si. Se a relação divina de palavra e intelecto pode ser descrita de maneira que a palavra deve sua origem ao intelecto, não parcial mas total e inteiramente (*totaliter*), também podemos dizer que em nós uma palavra surge *totaliter* de outra, o que significa, porém, que tem sua origem no espírito, como a conclusão provém das premissas (*ut conclusio ex principiis*). O processo e manifestação do pensar não é, pois, um processo de mudança (*motus*), não é uma passagem da potência ao ato, mas um surgir *ut actus ex actu*: a palavra não se forma quando já se tenha concluído o conhecimento, ou dito em termos escolásticos, depois que a informação do intelecto for concluída pela *species*. É, antes, a própria realização do conhecimento. Nesse sentido, a palavra é simultânea com essa formação (*formatio*) do intelecto. [428]

Dessa forma, é possível compreender a geração da palavra como uma cópia autêntica da trindade. Trata-se de uma verdadeira *gene-*

---

47. Cf. a dissertação não impressa de Christoph Wagner (Heidelberg): *Die viele Metaphern und das eine Model der plotinischen Metaphisik*, 1957, que rastreia as metáforas ontologicamente significativas de Plotino. Sobre o conceito de "Fonte", cf. "Exkurs V", vol. II.

ratio, de um verdadeiro nascimento, ainda que, naturalmente, aqui não apareça nenhum aspecto receptivo junto com o aspecto gerador. Precisamente este caráter intelectual da geração da palavra é o decisivo para a função de seu modelo teológico. Há realmente algo comum ao processo das pessoas divinas e ao do pensar.

Entretanto, nosso interesse, mais do que nessa coincidência, está voltado para as diferenças entre a palavra divina e humana. Isso está plenamente em ordem, mesmo sob o ponto de vista teológico. O mistério da trindade, que deve ser iluminado pela analogia com a palavra interior, permanece, em última instância, incompreensível para o pensamento humano. Se na palavra divina se expressa o todo do espírito divino, então o momento processual contido nessa palavra significa algo a respeito do que nosso pensamento não encontra saída por nenhuma analogia. Se o espírito divino, enquanto conhece a si mesmo conhece ao mesmo tempo todo ente, a palavra de Deus é a palavra do espírito que em uma só intuição (*intuitus*) contempla e cria tudo. O surgimento desaparece na atualidade da onisciência divina. Igualmente a criação não seria um processo real, limitando-se a interpretar a ordenação estrutural do universo no esquema temporal[48]. Se quisermos compreender de uma maneira mais exata o momento processual da palavra, que é o que importa para nosso questionamento a respeito do nexo entre o caráter de linguagem e a compreensão, não poderemos permanecer na coincidência com o problema teológico, devendo deter-nos na imperfeição do espírito humano e na sua diferença em relação ao divino. Também aqui podemos acompanhar Tomás, que destaca aqui três diferenças.

1. Em primeiro lugar vale dizer que a palavra humana é potencial antes de atualizar-se. É suscetível de se formar, mas está efetivamente formada. O processo do pensar se inicia precisamente porque algo nos vem à mente a partir da memória. Também isso é uma

[4

---

48. É incontestável que a interpretação do *Gênesis*, tanto pela patrística, como pela escolástica, repete, de um certo modo, a discussão sobre a correta compreensão do *Timeu*, desenvolvida entre os discípulos de Platão. [Cf. meu estudo sobre *Idee und Wirklichkeit in Platos "Timaios"* (Sitzungsberichte der Heidelberger Akademie der Wissenschaften, Philos.-histor. Klasse, 2 Abh. Heidelberg, 1974, atualmente no vol. VI das Obras Completas, p. 242-270.]

emanação, uma vez que não implica que a memória seja despojada ou perca algo. Mas o que nos vem assim à mente não está completo, nem está pensado até o fim. Ao contrário, é agora que começa o verdadeiro movimento do pensar, movimento no qual o espírito se apressa em passar de um elemento para o outro, revoluteando de cá para lá, sopesando um e o outro e buscando assim a plena expressão de suas ideias pelo caminho da investigação (*inquisitio*) e reflexão (*cogitatio*). É portanto só no pensar que a palavra é formada de modo pleno, e nos moldes de um instrumento, mas quando está ali como a plena perfeição do pensamento, então com ela já não se produz nada. Antes, a "coisa" então está presente nela. Não é, portanto, propriamente um instrumento. Tomás encontrou uma imagem esplêndida para isso. A palavra é como um espelho, em que se vê a coisa. Mas o que há de especial nesse espelho é que em momento algum ultrapassa a imagem da coisa. Nele não se reflete nada mais que essa única coisa, de tal modo que em tudo que é, enquanto tal, não faz senão reproduzir sua imagem (*similitudo*). O magnífico dessa imagem é que a palavra é concebida, aqui, como um reflexo perfeito da coisa, como expressão da coisa portanto. Ela deixou para trás o caminho do pensamento a que unicamente deve toda sua existência. No espírito divino não se dá nada disso.

2. Diferentemente da palavra divina, a palavra humana é essencialmente imperfeita. Nenhuma palavra humana pode expressar nosso espírito de uma maneira perfeita. Mas como já o indicou a imagem do espelho, isso não representa a imperfeição da palavra como tal. A palavra reproduz de fato e por completo aquilo a que o espírito tem em mente. Antes, a imperfeição do espírito humano consiste em que não possui jamais uma atualidade perfeita de si mesmo, mas encontra-se disperso, tendo em mente uma vez isso, outra vez aquilo. Dessa sua imperfeição essencial segue-se que a palavra humana não é, como a palavra divina, uma única palavra, mas deve ser necessariamente muitas palavras. De modo algum a multiplicidade das palavras significa que cada uma comporte certa deficiência, passível de ser superada, por não expressar perfeitamente aquilo que o espírito tem em mente. Ao contrário, porque é imperfeito, isto é, porque não está inteiramente presente naquilo que sabe, nosso intelecto tem necessidade de muitas palavras. Não sabe realmente o que sabe.

3. A terceira diferença tem uma relação estreita com isso. Enquanto Deus expressa de modo perfeito, na palavra de sua natureza e de sua substância e numa atualidade pura, cada pensamento que pensamos e assim cada palavra, na qual se cumpre esse pensar, não passa de mero acidente do espírito. É verdade que a palavra do pensamento humano se dirige para a coisa, mas não pode contê-la em si como um todo. Assim, o pensamento percorre um caminho rumo a concepções sempre novas, e, no fundo, não é perfectível em nenhuma delas. Sua imperfectibilidade tem como reverso o que constitui positivamente a verdadeira infinitude do espírito, que num processo espiritual sempre renovado ultrapassa a si mesmo, encontrando justamente nisso a liberdade para projetos sempre novos.

[430]

Resumindo agora o que podemos aproveitar da teologia do verbo, é preciso reter, *primeiramente,* um ponto de vista que não ficou muito claro na análise precedente, e tampouco se expressa no pensamento escolástico, e que no entanto é de máxima importância para o fenômeno hermenêutico que nos interessa. A unidade interna de pensar e dizer-se, que corresponde ao mistério trinitário da encarnação, implica um fato importante, a saber, que a palavra interior do espírito *não se forma por um ato reflexivo.* Quem pensa algo, isto é, quem se diz, refere-se com isso ao que pensa, à coisa. Quando forma a palavra, portanto, ele está voltado para o seu próprio pensar. A palavra é realmente o produto do trabalho de seu espírito. Ele a forma em si, na medida em que pensa seu pensamento, e o pensa até o fim. Mas, diferentemente de outros produtos, a palavra permanece inteiramente no espiritual. Assim, dá a impressão de que se trata de um comportamento voltado para si mesmo, que o dizer-se seja uma reflexão. Na realidade não o é. É essa estrutura do pensamento que serve de base para que o pensar possa voltar-se reflexivamente sobre si mesmo e tornar-se seu objeto. A interioridade da palavra, que constitui a unidade íntima de pensar e falar, é a causa de que se ignore tão facilmente o caráter imediato e irreflexivo da "palavra". Quem pensa não passa de um elemento para o outro, do pensar para o dizer-se. A palavra não surge num âmbito do espírito ainda desprovido de pensamento (*in aliquo sui nudo*). Por isso temos a impressão de que a formação da palavra se dê pelo fato de o espírito voltar-se-para-si-mesmo. Na verdade, na formação da palavra não se dá nenhuma operação reflexiva, uma vez que a palavra não expressa o espírito. Ela expressa a coisa a que se refere. O ponto de partida da formação da palavra é o próprio conteúdo objetivo (*Sachgehalt*), (a *species*) que preenche o espírito. O pensamento que busca sua expressão não está referido ao espírito mas à coisa. Por isso, a palavra não é expressão do espírito, mas se dirige à *similitudo rei*. O conteúdo objetivo que é pensado (a *species*) e a palavra possuem a mais estreita relação de pertença mútua. Sua unidade é tão estreita, que a palavra não apreende a *species* como um segundo lugar dentro do espírito, mas é onde se leva a termo o conhecimento, ou seja, onde a *species* é pensada por inteiro. Tomás indica com isso que, ali, a palavra é como a luz, o único elemento em que se pode ver a cor.

Há um *segundo* aspecto que podemos aprender desse pensamento escolástico. A diferença entre a unidade da palavra divina e a multiplicidade das palavras humanas não esgota a questão. Ao contrário, unidade e multiplicidade mantêm entre si uma relação fundamentalmente dialética. A dialética dessa relação domina inteiramente a essência da palavra. Tampouco convém afastar totalmente da palavra divina esse conceito da multiplicidade. É verdade que a palavra divina é realmente uma única palavra, que veio ao mundo na forma do redentor, mas, na medida em que essa palavra continua sendo um acontecer – e trata-se realmente disso, como vimos, apesar da recusa a toda subordinação –, continua existindo uma relação essencial entre a unidade da palavra divina e sua manifestação na Igreja. O anúncio da salvação, o conteúdo da mensagem cristã, é, ele mesmo, um acontecimento próprio no sacramento e na pregação e só proclama o que aconteceu no ato redentor de Cristo. Nesse sentido, o que sempre de novo se proclama na pregação é uma única palavra. É evidente que em seu caráter de mensagem já encontramos uma alusão à multiplicidade de seu anúncio. O sentido da palavra não pode ser separado do acontecer desse anúncio. *O caráter de acontecer faz parte, antes, do próprio sentido*. É o mesmo que acontece numa maldição, a qual também não pode ser separada do fato de ser dita por alguém e contra alguém. O que se pode compreender nela não é um sentido lógico do enunciado, passível de ser abstraído, mas a maldição que nela se

[431]

produz[49]. Pode-se dizer o mesmo da unidade e da multiplicidade da palavra anunciada pela Igreja. A morte na cruz e a ressurreição de Cristo são o conteúdo da mensagem da salvação que é pregada em todo sermão. O Cristo ressuscitado e o Cristo da pregação são um e o mesmo. A moderna teologia protestante desenvolveu com particular intensidade o caráter escatológico da fé que repousa nessa relação dialética.

Na palavra humana, ao contrário, a relação dialética da multiplicidade das palavras com a unidade da palavra se apresenta sob uma nova luz. Platão já reconhecera que a palavra humana possui um caráter de discurso, isto é, expressa a unidade de um pensamento (*Meinung*) pela integração de uma multiplicidade de palavras. Ele também desenvolveu essa estrutura do *logos* em forma dialética. Mais tarde, Aristóteles demonstrou as estruturas lógicas que constituem a proposição, e correspondentemente o juízo, ou o nexo da proposição, e correspondentemente a conclusão. Mas tampouco isso esgota a questão. A unidade da palavra, que se interpreta na multiplicidade das palavras, permite compreender também aquilo que não se esgota na estrutura essencial da lógica e que instaura *o caráter de acontecer da linguagem*, a saber, *o processo da formação dos conceitos*. Quando o pensamento escolástico desenvolveu a doutrina do verbo, não se deteve em pensar a formação dos conceitos como cópia de ordenação da essência.

[432] *2.3. Linguagem e formação de conceitos*

Todas as *diairesis* conceituais de Platão, assim como as definições aristotélicas, confirmam que a *formação natural dos conceitos*, que acompanha a linguagem, não segue sempre a ordenação da essência, mas muitas vezes forma as palavras com base em acidentes e relações. Mas a prioridade da ordenação essencial da lógica, definida pelos conceitos de substância e acidente, faz com que a formação natural dos conceitos da linguagem apareça como uma mera imperfeição do nosso espírito finito. Imagina-se que, só porque conhecemos apenas acidentes, nos guiamos por eles na forma-

---

49. Em Hans Lipp, *Untersuchungen zu einer hermeneutischen Logik*, 1938, e em Austin, *How to do things with words*, encontramos coisas excelentes a respeito desse tema.

ção dos conceitos. E, mesmo que isso seja correto, dessa imperfeição surge uma vantagem peculiar – que Santo Tomás parece ter reconhecido perfeitamente – a saber, a liberdade para uma conceituação infinita e um progressivo avanço naquilo que é visado[50]. Se pensarmos o processo do pensamento como um processo de explicação em palavras, descobriremos uma performance lógica da linguagem que não poderia ser plenamente concebida partindo da relação a uma ordem de coisas que seria a ordem de um espírito infinito. Subordinar a formação natural dos conceitos, pela linguagem, à estrutura essencial da lógica, como ensinam Aristóteles e seu seguidor Tomás, denota uma verdade apenas relativa. *Em meio ao entrelaçamento entre a teologia cristã e ideia grega da lógica, germina antes algo novo: o meio da linguagem, no qual somente a mediação do evento da encarnação chega à sua plena verdade.* A cristologia se converte em precursora de uma nova antropologia, que servirá para intermediar, de modo novo, o espírito humano, em sua finitude, com a infinitude divina. É nesse ponto que encontra seu verdadeiro fundamento o que antes havíamos chamado de "experiência hermenêutica".

Assim, precisamos voltar-nos agora para a conceituação natural que acontece na linguagem. É claro que a linguagem, ainda que nela o que se tem em mente esteja subordinado à generalidade de um significado prévio das palavras, não deve ser pensada como a combinação desses atos em virtude dos quais algo particular é subordinado em cada caso sob um conceito geral. Quem fala – ou seja, quem faz uso dos significados comuns das palavras – está de tal modo voltado para o aspecto particular da intuição objetiva que tudo o que ele diz participa da particularidade das circunstâncias que tem diante de si[51].

Por outro lado, isso significa que o conceito geral, visado pela conceitualização, se enriquece ele próprio pela intuição da coisa, de modo que acaba surgindo uma conceituação nova e mais espe-

---

50. A interpretação de Tomás de Aquino por G. Rabeau, *Species Verbum*, 1938, parece-me que destaca isto corretamente.

51. É o que acentua, com razão, Thodor Litt: *Das Allgemeine im Aufbau des geisteswissenschaften Erkenntnis* (Ber. d. Sächs. Akademie d. Wiss., 93, 1, 1941).

[433] cífica, mais adequada ao caráter particular da intuição da coisa. E assim como o falar pressupõe o uso de palavras prévias dotadas de um significado geral, existe um processo contínuo de formação dos conceitos pelo qual avança a vida semântica da própria linguagem.

Nesse sentido, o esquema lógico de indução e abstração pode ser uma fonte de enganos, na medida que a consciência que temos da linguagem não comporta nenhuma reflexão expressa sobre o que é comum a coisas diversas, e o uso das palavras em seu significado geral não compreende o que essas visam e designam, como se elas representassem um caso particular subsumido sob a generalidade. A generalidade do gênero e a conceituação classificatória estão muito distantes da consciência sobre a linguagem. Mesmo quando abstraímos de todas as generalidades formais que nada têm a ver com o conceito de gênero, quando transpomos uma expressão de uma coisa para outra, estamos olhando talvez para algo comum, mas nem por isso esse elemento comum é uma generalidade do gênero. Ele segue, ao contrário, sua própria experiência em expansão, que leva a perceber semelhanças tanto na manifestação das coisas como no significado que elas têm para nós. A genialidade da consciência da linguagem consiste em poder dar expressão a essas semelhanças. Dizemos que isso é seu caráter fundamentalmente metafórico, e torna-se importante reconhecer que o que nos induz a depreciar o uso figurado de uma palavra como um uso inautêntico não é senão o preconceito de uma teoria lógica alheia à linguagem[52].

É evidente que a particularidade de uma experiência encontra sua expressão nessa transposição, não sendo, portanto, fruto de uma conceituação feita pela abstração. Mas também fica claro que assim se produz de certo modo um conhecimento do comum. Assim, o pensamento pode voltar-se para esse acervo, que a linguagem lhe confiou, buscando sua própria instrução[53]. Platão o faz expressa-

---

52. Quem percebeu essa questão foi sobretudo L. Klages. Cf., a esse respeito, LÖWITT, K. *Das Individuum in der Rolle des Mitmenschen*, 1928, p. 33s. [e minha resenha, in: *Logos* 18 (1929), p. 436-440, vol. IV das Obras Completas].
53. Esta imagem surge espontaneamente e confirma, enquanto tal, a indicação que Heidegger faz da proximidade existente entre o significado de *legein* (dizer) e *legein* (recolher) (inicialmente, em Heraklits Lehre vom Logos, *Festschrift für H. Jantzen*).

mente com sua "fuga para os *logoi*"⁵⁴. Mas também a lógica classificatória engata nessa produção prévia da lógica, preparada para ela pela linguagem.

Para confirmar isso, basta repararmos em sua *pré-história*, sobretudo na teoria da formação dos conceitos na academia platônica. Já vimos que a exigência platônica de elevar-se acima dos nomes pressupõe, por princípio, que o cosmo das ideias não dependa da linguagem. [434] Mas, na medida em que esse se elevar acima dos nomes se produz segundo as ideias e se determina como dialética, isto é, como olhar que reúne na unidade da visão e como visão que extrai o comum de fenômenos variados, com isso está seguindo a direção natural, onde se forma a própria linguagem. Elevar-se acima dos nomes significa somente que a verdade da coisa não se encontra no próprio nome. Não significa que o pensamento poderia prescindir de usar nomes e o *logos*. Ao contrário disso, Platão sempre reconheceu que precisamos dessas mediações do pensamento mesmo que devam ser consideradas como estando em constante superação. A ideia, o verdadeiro ser da coisa, não pode ser conhecido a não ser passando por essas mediações. Mas será que existe um conhecimento da própria ideia, como essa coisa determinada e individual? A essência das coisas não é um todo, como é um todo a linguagem? Assim como as palavras individuais somente alcançam seu significado e sua relativa univocidade na unidade do discurso, também o conhecimento verdadeiro da essência só pode ser alcançado no todo da estrutura relacional das ideias. Essa é a tese do *Parmênides* platônico. Mas isso suscita a pergunta: mesmo que seja para definir uma única ideia, isto é, para poder destacá-la, no que ela é, de todo o resto, não é preciso que já se saiba o todo?

Se pensarmos, com Platão, que o cosmos das ideias é a verdadeira estrutura do ser, será difícil fugir dessa consequência. De fato, conta-se que Speusipo, o sucessor de Platão na direção da academia, tirou realmente essa consequência⁵⁵. Sabe-se que ele se empenhou particularmente na busca do elemento comum (*omoia*), e nisso ultrapassou em muito o que se compreende por generaliza-

---

54. PLATÃO. *Fedro*, 99 c.
55. Cf. o importante artigo de J. Stenzel sobre Speusipo, na *Real Enzyklopädie*.

ção, no sentido da lógica do gênero. Para isso, lançou mão de um método de investigação chamado de analogia, isto é, a correspondência proporcional. A capacidade dialética de descobrir características comuns e pela visão reunir o múltiplo sob o uno nesse caso ainda está muito próxima da livre universalidade da linguagem e dos princípios de sua conceitualização. O elemento comum da analogia, procurado por Speusipo em toda parte – correspondências do tipo: "o que são as asas para os pássaros, são as nadadeiras para os peixes" –, serve para definir conceitos, porque essa correspondência representa igualmente um dos mais importantes princípios da formação de palavras na linguagem. A transposição de um âmbito para o outro não possui uma função meramente lógica, mas corresponde ao metaforismo fundamental da própria linguagem. A conhecida figura estilística da metáfora não é mais do que a aplicação retórica desse princípio geral de formação, que pertence tanto à linguagem quanto à lógica. Assim, Aristóteles pode dizer: "transpor bem significa reconhecer o elemento comum"[56]. Sobretudo a *Tópica* aristotélica confirma de modo abundante o caráter indissociável do nexo existente entre conceito e linguagem. Ali, a instituição do gênero comum pela definição é derivada expressamente da observação do elemento comum[57]. Desse modo, o que já foi produzido pela linguagem representa o ponto de partida da lógica do gênero.

Com isso concorda também o fato de Aristóteles conferir sempre maior importância ao modo como se torna visível a ordem das coisas quando se fala sobre estas (as "categorias" – e não somente o que em Aristóteles recebe expressamente esse nome – são formas de enunciação). O pensamento filosófico não só usa a conceituação realizada pela linguagem como também a amplia em certas direções. Acima, já nos referimos ao fato de que a teoria aristotélica da formação dos conceitos, a teoria da *epagogé*, poderia ser ilustrada com o exemplo do aprendizado da fala pelas crianças[58]. Na realidade, o próprio Aristóteles continua fundamentalmente vinculado à unidade entre linguagem e pensamento, embora também para

---

56. *Poética*, 22, 1459 a 8.
57. *Tópica*, A 18, 108 b7-31 trata por extenso da *tou omoiou theória*.
58. Acima, p. 421 (original).

ele seja fundamental a desmitificação platônica da fala – motivo decisivo de sua própria elaboração da "lógica" – e embora ele próprio tivesse lançado mão conscientemente de definições lógicas para reproduzir a ordem dos seres sobretudo na descrição classificatória da natureza, colocando o máximo empenho para livrar essa descrição dos acasos da linguagem.

As poucas passagens em que fala da linguagem como tal estão muito longe de separar a esfera dos significados de linguagem frente ao universo das coisas nela nomeadas. Quando Aristóteles diz que os sons e os signos escritos "designam" quando se convertem em *symbolon*, isso significa evidentemente que não são por natureza mas por convenção (*kata sunthékén*). Mas nem por isso encontramos ali uma teoria instrumental dos signos. A convenção, antes, pela qual os sons da linguagem ou os signos da escrita alcançam significado, não é um acordo sobre um meio de entendimento – de qualquer modo, isso pressuporia a existência da linguagem. Ela é acordo já selado que serve de fundamento para a comunidade entre os homens e para seu consenso sobre o que é bom e correto[59]. Ter selado um acordo sobre uso de sons e signos no âmbito da linguagem é a mera expressão daquele pacto fundamental pelo qual alguma coisa pode ser considerada boa ou justa. É verdade que os gregos gostavam de considerar que aquilo que é bom e justo, o que eles chamavam de *nomoi* portanto, era instituído e produzido por homens divinos. Entretanto, na opinião de Aristóteles, mesmo essa origem do *nomos* caracteriza mais a sua vigência do que sua verdadeira gênese. Isso não quer dizer que Aristóteles já não reconheça a tradição religiosa, mas que, para ele, essa pergunta, como qualquer outra pergunta sobre a gênese de algo, é um meio para o conhecimento do ser e da vigência. A convenção de que fala Aristóteles em relação à linguagem caracteriza portanto o modo de ser da linguagem e não diz nada sobre a sua gênese.

[436]

A recordação da análise do *epagogé* feita acima também pode testemunhar esse fato[60]. Ali vimos que Aristóteles usou de muita grandeza de espírito para deixar em aberto o problema sobre como

---

59. É importante, então, considerar os enunciados terminológicos de *peri erméneias*, à luz da *Política* (Polit. A 2).
60. *An. Post.* B 19, cf. acima, p. 356s.

chegam a se formar na realidade os conceitos gerais. Reconhecemos assim que ele faz justiça ao fato de a formação natural dos conceitos da linguagem já estar sempre em ação. Nesse sentido, segundo Aristóteles, a formação de conceitos na linguagem possui uma liberdade totalmente desprovida de dogmas, na medida em que aquele elemento comum que a vista elege e separa dentre aquilo que encontra na experiência, elevando-o à universalidade, possui o caráter de um produto de que já se dispõe, o qual serve de começo para a ciência, mas ainda não é ciência. Isso é o que Aristóteles faz retornar ao primeiro plano. Na medida em que a ciência preconiza como ideal o poder coativo da demonstração, está obrigada a sair e ultrapassar esse procedimento. Assim, em nome de seu ideal de demonstração, Aristóteles critica tanto a doutrina de Speusipo sobre o elemento comum quanto a dialética platônica da *diairesis*.

Mas a consequência desse padrão de medida pautado no ideal lógico da demonstração é que a crítica aristotélica acaba comprometendo a legitimação científica do aspecto lógico da linguagem. Este somente encontra ainda reconhecimento sob o ponto de vista da retórica, sendo compreendido ali como o procedimento técnico da *metáfora*. O ideal lógico da sobre-ordenação e subordinação dos conceitos exerce agora o domínio sobre o vivo caráter metafórico da linguagem, que serve de base para toda conceituação natural. Isso porque é só uma gramática orientada pela lógica que poderá distinguir o significado *próprio* da palavra de seu sentido *figurado*. O que constitui originariamente o fundamento da vida da linguagem e sua produtividade lógica, o descobrimento genial e inventivo de características comuns, pelas quais se ordenam as coisas, tudo isso se vê relegado agora à margem, como metáfora, e instrumentalizado como figura retórica. A luta entre filosofia e retórica a respeito da formação dos jovens na Grécia, decidida pelo triunfo da filosofia ática, apresenta também outro aspecto, segundo o qual pensar a respeito da linguagem tornou-se assunto da gramática e da retórica, disciplinas que sempre reconheceram o ideal da formação científica dos conceitos. Com isso, a esfera dos significados da linguagem começa a separar-se das coisas que se apresentam na formulação da linguagem. A lógica estoica fala primeiramente desses significados incorpóreos, pelos quais se realiza a fala sobre as coisas (*to lekton*). O que assinala com muita clareza que esses significados são colocados no mesmo nível que o *topos*, isto é, o lugar[61]. E assim como o lugar vazio não se converte num dado do pensar a não ser quando se faz abstração das coisas que nele se ordenam entre si[62], é só agora também que os "significados" são pensados por si mesmos como tais, e são cunhados num conceito na medida em que se faz abstração das coisas designadas pelo significado das palavras. Também os significados são como um lugar no qual as coisas se ordenam umas com as outras.

É claro que essas ideias só se tornam possíveis quando, de algum modo, se turva a relação natural, isto é, a íntima unidade entre falar e pensar. Como demonstrou Lohmann[63], podemos mencionar aqui a correspondência entre o pensamento estoico e a estruturação gramático-sintática da língua latina. É indiscutível que o incipiente bilinguismo da *oikumene* helenística desempenhou um papel decisivo no estímulo ao pensamento sobre a linguagem. Mas é possível que as origens desse avanço sejam bem mais antigas, e é o surgimento da ciência que desencadeia esse processo. Então, seu início deve remontar aos tempos mais antigos da ciência grega. A favor dessa hipótese depõe a formação dos conceitos científicos nos âmbitos da música, da matemática e da física, pois neles encontra-se delimitado um campo de objetos racionais, cuja geração construtiva evoca relações correspondentes na vida, relações que já não se podem chamar autenticamente de palavras. No fundo, pode-se dizer que toda vez que a palavra assume a mera função de signo, o nexo originário entre falar e pensar, que é o objeto de nosso interesse, transforma-se numa relação instrumental. Essa transformação que se dá na relação de palavra e signo forma a base para a formação de todos os conceitos da ciência, e se tornou tão evidente e natural para nós que pre-

---

61. Stoic. vet. fragm., Armim II, p. 87.
62. Cf. a teoria do *diastéma*, já refutada por ARISTÓTELES. *Phys.* A 4, 211 b 14s.
63. J. Lohmann publicou recentemente interessantes observações, segundo as quais o descobrimento do mundo "ideal" dos sons, das figuras e dos números produziu um gênero peculiar de formação de palavras e, com isso, um primeiro começo de consciência da linguagem. Cf. os trabalhos de LOHMANN, J. Archiv für Musikwissenschaft XIV (1957), p. 147-155; XVI (1959), p. 148-173, 261-291; *Lexis* IV. 2 e, finalmente, *Über den paradigmatischen Charakter der griechischen Kultur*, Festschrift für Gadamer, 1960. [Entrementes, pode-se fazer referência ao vol. *Musike und Logos*, Stuttgart, 1970, que, aliás, somente satisfaz em pequena parte o desejo de uma coletânea que reunisse os mais importantes trabalhos de Johannes Lohmann.]

cisamos de uma rememoração artificial própria para perceber que, ao lado do ideal científico da designação unívoca, a vida da própria linguagem segue seu curso sem alterações.

De certo, não faltam essas recordações, quando se observa a história da filosofia. Acima mostramos como no pensamento medieval a relevância teológica do problema da linguagem remonta sempre de novo ao problema da unidade entre pensar e falar, colocando assim em primeiro plano um momento que a filosofia grega clássica não pensara dessa forma. O fato de que a palavra seja um processo em que chega à sua plena expressão a unidade do que se tem em mente – como mostra o pensamento especulativo sobre o verbo – frente à dialética platônica do uno e do múltiplo, representa algo verdadeiramente novo. Isso porque, para Platão, o próprio *logos* se movia no interior dessa dialética, e nada mais era que o padecer a dialética das ideias. Aqui não se encontra nenhum verdadeiro "problema da interpretação", na medida em que os meios da mesma, a palavra e o discurso, estão continuamente sendo superados pelo espírito pensante. Diferentemente disso, na especulação trinitária o processo das pessoas divinas encerra em si o questionamento neoplatônico sobre o desenvolvimento, isto é, o surgir a partir do uno, e assim faz-se justiça, pela primeira vez, ao caráter processual da palavra. Mas o problema da linguagem somente pôde irromper com toda a sua força quando a mediação escolástica do pensamento cristão se completasse com a filosofia aristotélica, alcançando um novo momento, que deu uma mudança de rumo positiva à distinção entre o espírito divino e humano, mudança extremamente significativa para a modernidade. É o elemento comum do *que é criativo*. Parece-me que é esse o conceito que caracteriza mais adequadamente a posição de Nicolau de Cusa, tão intensamente estudado nos últimos tempos[64].

---

64. Cf. VOLKMANN-SCHLUCK, K. *Nicolas Cusanus*, 1957, sobretudo p. 146s., que procurava determinar fundamentalmente o lugar que convém a Cusano na história do pensamento, a partir da sua ideia de "imagem". [Bem como KOCH, J. *Die ars coniecturalis des Nicolaus Cusanus*, Arbeitsgemeinschaft für Forschung des Landes Nordrhein-Westfalen, caderno 16, e meus próprios trabalhos "Nicolaus von Cues und die Philosophie der Gegenwart". *Kleine Schriften* III, p. 80-88; vol. IV das Obras Completas, e "Nicolaus von Cues in der Geschichte des Erkenntnisproblems", *Cusanus-Gesellschaft* 11, 1957, p. 175-280, vol. IV das Obras Completas.]

É claro que a analogia entre os dois modos de ser criador tem seus limites, que correspondem às diferenças, antes acentuadas, entre palavra divina e humana. A palavra divina cria o mundo, mas não o faz numa sequência temporal de pensamentos criadores e de dias de criação. O espírito humano, ao contrário, somente possui a totalidade de seus pensamentos na sucessão temporal. É verdade que não se trata de uma relação puramente temporal, como já vimos a propósito de Tomás de Aquino. Nicolau de Cusa também ressalta isso de modo correspondente. É como a série dos números. Também sua geração não é propriamente um acontecimento temporal mas um movimento da razão. Nicolau de Cusa vê a atuação desse mesmo movimento da razão onde se extrai do sensorial a formação dos gêneros e espécies, tal como ocorrem na palavra, desenvolvendo-se em conceitos e palavras singulares. Também estes são *entia rationes*. Na verdade, por mais platônico e neoplatônico que soe esse discurso sobre o "desenvolvimento", Nicolau de Cusa superou o esquematismo emanantista da doutrina neoplatônica da *explicatio* em seu ponto decisivo. Contra ela, coloca em jogo a doutrina cristã do verbo[65]. Para ele, a palavra não é um outro ser, distinto do espírito, nem uma manifestação diminuída ou debilitada do mesmo. Para o filósofo cristão é o conhecimento disso o que constitui sua superioridade sobre os platônicos. Correspondentemente, também a multiplicidade em que se desenvolve o espírito humano não é um mero acidente da verdadeira unidade, nem uma perda de sua pátria. Antes, embora permaneça sempre referida à unidade infinita do ser absoluto, a finitude do espírito humano deveria encontrar sua legitimação positiva. Isso vem expresso no conceito de *complicatio*, e a partir desse ponto também o fenômeno da linguagem adquire um novo aspecto. É o espírito humano que reúne e desenvolve ao mesmo tempo. O desenvolvimento que se estende na multiplicidade discursiva não é só o desenvolvimento dos conceitos, mas atinge igualmente o elemento da linguagem. É a multiplicidade das designações possíveis – segundo a diversidade das línguas – o que concede maior potência à diferenciação conceitual.

[439]

---

65. "Philosophi quidem de Verbo divino et maximo absoluto sufficienter instructi non erant... Non sunt igitur formae actu nisi in Verbo ipsum Verbum..." *De Doct. ign.* II, cap. IX.

Assim, com a dissolução da lógica clássica da essência pelo nominalismo, o problema da linguagem alcança um novo estágio. De imediato, adquire um significado positivo o fato de se poder articular diferentemente as coisas (ainda que não arbitrariamente), segundo suas concordâncias ou diferenças. Se a relação de gênero e espécie não pode ser legitimada somente a partir da natureza das coisas – segundo o modelo das "autênticas" espécies na autoconstrução da natureza vivente –, mas também de um modo diferente por relação com o homem e a soberania de poder nomear, então as línguas nascidas da história, sua história semântica e sua gramática e sintaxe podem ser compreendidas como formas variantes de uma lógica da experiência, de uma experiência natural, ou seja, histórica (que implica também a experiência sobrenatural). A própria coisa está clara desde sempre[66]. A articulação de palavras e coisas, que cada língua empreende à sua maneira, representa em todos os momentos uma primeira conceitualização natural, muito distante do sistema da conceitualização científica. Guia-se de modo absoluto pelo aspecto humano das coisas, seguindo o sistema de suas necessidades e interesses. O que há de essencial numa coisa para que forme uma comunidade na linguagem, através de uma denominação unitária isso pode ser atribuído também a outras coisas – no mais talvez totalmente diversas desta –, apenas se todas essas possuírem o mesmo aspecto essencial. A denominação (*impositio nominis*) não corresponde, de modo algum, aos conceitos essenciais da ciência e ao seu sistema classificatório de gênero e espécie. Ao contrário, medidos nesse padrão, frequentemente não passam de meros acidentes, dos quais deriva-se o significado geral de uma palavra.

Nisso podemos levar em conta também uma certa influência da ciência sobre a linguagem. Por exemplo, em alemão não se fala mais de *Walfisch* (peixe-baleia), mas simplesmente de *Wal* (baleia), porque todo mundo sabe que as baleias são mamíferos. Por outro lado, a abundância das designações populares para determinados objetos vai sendo nivelada cada vez mais, em parte pela influência da transitoriedade da vida moderna, em parte pela estandardização da ciência e da técnica, como no geral temos a impressão de que o vocabulá-

---

66. Cf. acima, p. 431 (original).

rio ao invés de aumentar está diminuindo cada vez mais. Existe, ao que parece, uma língua africana que possui não menos de duzentas expressões diferentes para designar o camelo, expressando as diferentes relações vitais que o camelo representa para os habitantes do deserto. Sobre a base do significado dominante que o termo "camelo" mantém em todos eles, ele aparece cada vez como um ente distinto[67]. Pode-se dizer que em tais casos há uma tensão particularmente aguda entre o conceito de gênero e a designação de linguagem. Podemos dizer então que em nenhuma língua viva jamais se alcança um equilíbrio definitivo entre a tendência à generalidade conceitual e a tendência ao significado pragmático. É por isso que quando medimos a contingência da conceituação natural pelo verdadeiro ordenamento da essência, considerando-a como um mero acidente, isso acaba sendo artificial e contrário à essência da linguagem. Na verdade, essa contingência se institui em virtude da margem de variação necessária e legítima na qual o espírito humano pode articular a ordenação essencial das coisas.

O fato de que o latim medieval não dedique real atenção a esse aspecto do problema da linguagem, apesar do significado bíblico da confusão das línguas humanas, pode ser explicado sobretudo como uma consequência do domínio natural e evidente do latim erudito, assim como pela persistência da doutrina grega do *logos*. Foi só no Renascimento, quando o leigo ganhou importância e as línguas nacionais ganharam espaço na cultura erudita, que puderam se desenvolver ideias fecundas sobre a relação entre essas línguas e a palavra interior, e/ou os vocábulos "naturais". No entanto, é bom não pressupor de imediato, ali, o questionamento da moderna filosofia da linguagem e seu conceito instrumental desta. O significado da primeira aparição do problema da linguagem no Renascimento encontra-se, antes, no fato de que toda a herança greco-cristã continua sua vigência natural. Isso torna-se muito claro em Nicolau de Cusa. Enquanto desenvolvimento da unidade do espírito, os conceitos que se traduzem em palavras mantêm de certo modo sua relação com a palavra natural (*vocabulum naturale*),

---

67. Cf. CASSIRER. *Philosophie der symbolischen Formen I*, 1923, p. 258.

[441] cujo reflexo aparece em todos eles (*relucet*), por mais arbitrária que seja cada denominação individual[68] (*impositio nominis fit ad beneplacitum*). Podemos nos perguntar que tipo de relação é essa e em que consiste essa palavra natural. Mas a ideia de que cada palavra de uma língua acaba possuindo uma coincidência com as de outras línguas, na medida em que todas as línguas são desenvolvimentos da unidade única do espírito, tem um sentido metodologicamente correto.

O próprio Cusano, com seu conceito de *palavra natural* não está se referindo a uma linguagem originária, anterior à confusão das línguas. Uma tal linguagem de Adão, no sentido de uma doutrina do estado primitivo, lhe é completamente alheia. Ao contrário, seu ponto de partida é a imprecisão fundamental de todo saber humano. Sabe-se que essa é sua teoria do conhecimento, na qual se cruzam temas platônicos e nominalistas: todo conhecimento humano é mera conjectura e opinião (*coniectura, opinio*)[69]. É essa doutrina que ele aplica agora à linguagem. Isso lhe permite reconhecer a diversidade das línguas nacionais e a aparente arbitrariedade de seu vocabulário, sem ter que cair necessariamente numa teoria convencionalista e num conceito instrumental da linguagem. Se o conhecimento humano é essencialmente "impreciso", isto é, admite acréscimo e diminuição, o mesmo acontece também com a linguagem humana. O que, numa língua, possui sua expressão autêntica (*propria vocabula*) pode ter, noutra, uma expressão mais bárbara e remota (*magis barbara et remotiora vocabula*). Existem portanto expressões mais próprias ou menos próprias (*propria vocabula*). Todas as denominações de fato são, em certo sentido, arbitrárias, e, no entanto, têm uma relação necessária com a expressão natural (*nomen naturale*), que corresponde à própria coisa (*forma*). Toda e qualquer expressão tem seu grau de acerto (*congruum*), mas nem todas as expressões são precisas (*precisum*).

---

68. O testemunho mais importante a que nos reportamos daqui por diante é N. de Cusa, *Idiota de mente* III, 2: "Quomodo est vocabulum naturale et aliud impositum secundum illud citra praecisionem..."

69. Cf. a instrutiva exposição de J. Koch, cf. nota 64, p. 438 (original).

Essa teoria da linguagem pressupõe que também as coisas (*forma*), a que se atribuem as palavras, não pertencem a uma ordenação previamente dada de imagens originárias a que o conhecimento humano se aproximaria cada vez mais. Ao contrário, essa ordenação só se forma a partir do que está dado nas coisas e por meio de distinções e agrupamentos. É assim que o pensamento de Cusano sofre uma guinada nominalista. Se os gêneros e espécies (*genera et species*) são assim seres inteligíveis (*entia rationes*), então pode-se compreender que as palavras possam concordar com a intuição das coisas – palavras que dão expressão a essa intuição –, ainda que em línguas distintas se empreguem palavras distintas. [442] Nesse caso não se trata somente de variações da expressão, mas de variações da intuição das coisas e da conceituação que dela provém. Trata-se ainda de uma imprecisão essencial que não exclui que em todas as variações se dê, de certa forma, um reflexo da própria coisa (*forma*). De certo que essa imprecisão essencial só pode ser superada quando o espírito se elevar ao infinito. No infinito existe uma única coisa (*forma*) e uma única palavra (*vocabulum*), justo a palavra indizível de Deus (*verbum Dei*), que se reflete em tudo (*relucet*).

Se pensarmos assim o espírito humano, referido como uma cópia do modelo divino, podemos então admitir a amplitude de variação das línguas humanas. Assim como se deu no começo da discussão sobre a investigação da analogia, na academia platônica, também ao final da discussão medieval sobre os universais o pensamento concebe uma verdadeira proximidade entre palavra e conceito. Entretanto, as consequências relativistas para as concepções de mundo, extraídas das variações das línguas pelo pensamento moderno, estão muito distantes dessa concepção. A despeito de todas as diferenças, conserva-se o acordo e é isso que interessa ao platônico cristão. O essencial para ele é a referência que toda língua humana mantém com a coisa, e não tanto a vinculação que o conhecimento humano sobre a coisa mantém com a linguagem. Esta vinculação representa apenas um desvio do prisma, onde brilha uma única verdade.

3. A linguagem como horizonte de uma ontologia hermenêutica

3.1. A linguagem como experiência de mundo

Se nos aprofundamos, assim, sobretudo nalgumas fases da história do problema da linguagem, fizemos isso seguindo uma percepção de pontos de vista que estão muito distantes da filosofia da linguagem e da ciência da linguagem modernas. Desde Herder e Humboldt, o pensamento moderno sobre a linguagem está dominado por um interesse totalmente diferente. Seu objetivo seria estudar como se desenvolve a naturalidade da linguagem humana – uma visão arrancada com dificuldades do racionalismo e da ortodoxia – na amplitude de experiências dentro da diversidade da estruturação da linguagem humana. Reconhecendo em cada língua um organismo, procura estudar em sua consideração comparativa a riqueza dos meios de que se serviu o espírito humano para exercer sua capacidade de linguagem. Um Nicolau de Cusa estava ainda muito distante de um tal questionamento que busca estabelecer comparações empiricamente. Este se manteve fiel ao platonismo em sua ideia de que as diferenças do que é impreciso não contêm nenhuma verdade própria, e, por isso, só merecem interesse na medida em que coincidem com o "verdadeiro". Ele não tem interesse algum pelas peculiaridades das incipientes línguas nacionais, interesse que move a Humboldt.

[443]

Nesse sentido, se quisermos realmente fazer justiça a W. Humboldt, o criador da moderna filosofia da linguagem, devemos nos precaver da excessiva repercussão obtida pela investigação que ele inaugurou sobre linguagem comparada e sobre psicologia dos povos. Nele mesmo o problema da "verdade da palavra" ainda não foi completamente desfigurado[70]. Quando Humboldt investiga a multiplicidade da estrutura da linguagem humana não o faz somente para penetrar na peculiaridade individual dos povos, através desse

---

70. [Cf. minha dissertação sob este título, no vol. VIII das Obras Completas.]

campo da expressão humana que se pode apreender[71]. Seu interesse pela individualidade, como o de seus contemporâneos, não deve ser compreendido, em absoluto, como um desvio da generalidade do conceito. Ao contrário, para ele existe um nexo indissolúvel entre individualidade e natureza comum. O sentimento da individualidade implica sempre o pressentimento de uma totalidade[72], e assim o próprio aprofundamento na individualidade dos fenômenos da linguagem é concebido como um caminho para compreender o todo da constituição humana da linguagem.

Seu ponto de partida é que as línguas são produtos da "força do espírito" humano. Em todo lugar onde há linguagem está em ação a força originária de linguagem do espírito humano, e cada língua está em condições de alcançar o objetivo geral que se procura com essa força natural do homem. Isso não exclui, e até legitima, o fato de que a comparação das línguas procura um padrão de perfeição pelo qual elas se diferenciam. Isso porque "o impulso que busca dar existência real à ideia da perfeição da linguagem" é comum a todas as línguas e a tarefa do pesquisador de linguagem se orienta precisamente em investigar até que ponto e com que meios as diversas línguas se aproximam desse ideal. Para Humboldt, portanto, há evidentemente graus de diferença na perfeição das línguas. Mas o padrão pelo qual submete a multiplicidade dos fenômenos não é um padrão previamente concebido. Humboldt extrai esse padrão da essência interna da própria linguagem e da riqueza de suas manifestações.

O interesse normativo pelo qual ele compara a estrutura de linguagem das línguas humanas não anula o reconhecimento da individualidade e, isso significa, a perfeição relativa de cada uma delas. Sabemos que Humboldt aprendeu a compreender cada língua como uma concepção do mundo própria, e que o fazia investigando a *forma interior* em que cada vez se diferencia o originário acontecimento humano da formação da linguagem. O que sustenta essa tese não é somente a filosofia idealista que destaca a partici- [444]

---

71. Cf., no que segue, *Über die Verschiedenheit des menschlichen Sprachbaus...*, impresso pela primeira vez em 1836.
72. Ibid., § 6.

pação do sujeito na apreensão do mundo, mas também a *metafísica da individualidade*, desenvolvida pela primeira vez por Leibniz. Isso se expressa tanto no conceito da força de espírito, a que se subordina o fenômeno da linguagem, como também e sobretudo no fato de que, paralelamente à diferenciação que se dá pelos sons, Humboldt invoca essa força de espírito, como sentido interior da língua, para diferenciar os idiomas. Ele fala da "individualidade do sentido interior no fenômeno" e, com isso, tem em mente a "energia da força", com a qual o sentido interior opera sobre o som[73]. Para ele é evidente que essa energia não pode ser igual em todo lugar. Como se vê, ele compartilha portanto do mesmo princípio metafísico da *Aufklärung*, a saber, considerar o princípio de individuação na aproximação ao verdadeiro e ao perfeito. É no universo monadológico de Leibniz que se imprime agora a diversidade da estrutura humana da linguagem.

O caminho seguido pela investigação de Humboldt é determinado pela *abstração rumo à forma*. Por mais que Humboldt ponha a descoberto, com isso, o significado das línguas humanas como reflexo da peculiaridade espiritual das nações, a universalidade do nexo que há entre linguagem e pensamento acaba ficando restrita ao formalismo de um poder.

Humboldt vê o problema em seu significado principial, quando diz que a linguagem, "falando propriamente, está postada diante de um âmbito infinito e verdadeiramente ilimitado, o supra-sumo de tudo que se pode pensar. Por isso, ela deve fazer um uso infinito de meios finitos, e pode fazê-lo em virtude da força que gera a identidade entre as ideias e a linguagem"[74]. Poder fazer uso infinito de meios finitos é a verdadeira essência da força, que é consciente de si mesma. Essa força abrange tudo aquilo em que pode atuar. Nesse sentido, também a força da linguagem é superior a todas as aplicações de conteúdo. Assim, em virtude desse formalismo do poder, pode ser separada de toda a determinidade do conteúdo falado. Humboldt afirma que é em virtude das intuições geniais, sobretudo quando são reconhecidas, que se dá uma relação mútua entre o

---
73. Ibid., § 22.
74. Ibid., § 13.

indivíduo e a língua que confere ao homem uma certa liberdade frente à língua, mesmo sabendo que essa força individual é muito pequena comparada ao poder da língua. Tampouco desconhece que essa liberdade é bastante limitada, na medida em que, frente ao que é falado em cada caso, cada língua forma um modo de existência peculiar.

Nela podemos sentir de modo muito claro e intenso "como inclusive o mais remoto passado permanece vinculando ao sentimento do presente, já que a língua percorreu seu caminho por entre as sensações das gerações primitivas, conservando em si seu hálito"[75]. Humboldt consegue conservar a vida histórica do espírito, inclusive na linguagem concebida como forma. A fundamentação do fenômeno da linguagem no conceito da força da linguagem confere ao conceito da forma interior uma legitimação própria, que faz justiça à mobilidade histórica da vida da linguagem. [445]

Mesmo assim, um tal conceito de linguagem apresenta uma abstração que para nosso objetivo precisamos fazer retroceder. *A forma da linguagem e o conteúdo da tradição não podem ser separados na experiência hermenêutica.* Se cada língua é uma concepção de mundo, ela não o é primeiramente como representante de um determinado tipo de língua (como o pesquisador de linguagem vê a língua), mas através do que se diz e se transmite nessa língua.

Um exemplo nos ajudará a esclarecer como o reconhecimento da unidade entre linguagem e tradição desloca a situação do problema, ou melhor, a retifica. Certa vez Humboldt disse que o aprendizado de uma língua estrangeira deve ser a conquista de um novo ponto de vista dentro da própria concepção de mundo atual, e acrescentou: "só porque, em maior ou menor grau, sempre se acaba transferindo sua própria concepção de mundo e de linguagem para a língua estrangeira, esse benefício não é experimentado de modo puro e completo"[76]. O que se impõe aqui como restrição e deficiência (e com razão, do ponto de vista do pesquisador da linguagem, que tem em vista seu próprio caminho de conhecimento) re-

---

75. Ibid., § 9.
76. Ibid., § 9.

presenta na realidade o modo como se realiza a experiência hermenêutica. O que proporciona um novo ponto de vista "na própria concepção atual de mundo" não é o aprendizado de uma língua estrangeira como tal, mas seu uso, tanto no trato vivo com pessoas estrangeiras, como no estudo da literatura estrangeira. Por mais que alguém se desloque a uma forma espiritual estrangeira, nunca chega a esquecer sua própria concepção de mundo e nem sequer de sua linguagem. Ao contrário, esse outro mundo que nos vem ao encontro não é somente estranho, mas um mundo no qual a alteridade é relativa. Não possui somente sua própria verdade *em si*, mas também uma verdade própria *para nós*.

O outro mundo que assim experimentamos não é simplesmente objeto de investigação, sobre o qual se procura "estar por dentro" e ter informações. Quem se dispõe a receber a tradição literária de uma língua estrangeira, de modo que nele ela venha à fala, já não possui uma relação objetiva para com a língua como tal, tampouco como o viajante que dela faz uso. Ele se comporta de modo bem diferente do filólogo, para quem a tradição da linguagem representa um material para a história ou para a comparação da língua. Nós conhecemos isso muito bem através do aprendizado de línguas estrangeiras e do assassinato peculiar de obras literárias, pelas quais a escola nos introduz nas ditas línguas. É claro que não compreendemos uma tradição quando nos voltamos tematicamente para a língua como tal. Mas – e este é o outro aspecto da questão que merece igual atenção – também podemos não compreender o que a tradição nos diz e quer dizer quando sua palavra não se insere em algo já conhecido e familiar que deve fazer a intermediação com os enunciados do texto. Nesse sentido, aprender uma língua é ampliar o que podemos aprender. É só no nível de reflexão do pesquisador da linguagem que esse contexto pode adotar a forma pela qual se entende que não é possível experimentar o êxito na aprendizagem de uma língua estrangeira "de forma pura e perfeita". A própria experiência hermenêutica reza exatamente o contrário: ter aprendido e compreender uma língua estrangeira – esse formalismo do ser capaz – não significa nada mais que estar em condições de deixar que aquilo que se diz nessa língua seja dito. O exercício dessa compreensão é sempre também ser interpelado pelo que foi dito, e isso não pode acontecer se alguém não empenha "sua própria concepção de mundo e inclusive da linguagem". Valeria a pena investigar oportunamente até que ponto, dentro de sua orientação abstrativa voltada para a linguagem como tal, o próprio Humboldt também não deu a palavra à sua própria familiaridade junto com a tradição literária dos povos.

Seu verdadeiro significado para o problema da hermenêutica se encontra noutro lugar, a saber, em seu descobrimento da *concepção da linguagem como concepção de mundo*. Humboldt reconheceu a essência da linguagem, a *energeia* da linguagem, como a realização viva do falar, rompendo assim com o dogmatismo dos gramáticos. Partindo do conceito da força, que guia todo seu pensamento sobre a linguagem, corrige também, de modo especial, a questão da origem da linguagem, questão que estava particularmente sobrecarregada por problemáticas teológicas. Humboldt mostrou a miopia dessa questão, na medida em que inclui a construção de um mundo humano sem linguagem, elevado ao nível da linguagem certo dia em certo lugar. Frente a essa construção, ele sublinha, com razão, que a linguagem é humana desde o seu começo[77]. Essa constatação não somente modifica o sentido da questão pela origem da linguagem, como constitui a base para uma perspectiva antropológica de amplo alcance.

A linguagem não é somente um dentre muitos dotes atribuídos ao homem que está no mundo, mas serve de base absoluta para que os homens tenham *mundo*, nela se representa *mundo*. Para o homem, o mundo está aí como mundo numa forma como não está para qualquer outro ser vivo que esteja no mundo. [447] Mas esse estar-aí do mundo é constituído pela linguagem. Esse é o verdadeiro coração de uma frase que Humboldt exprime com uma intenção bem diferente, a saber, que as línguas são concepções de mundo[78]. Com isso, Humboldt quer dizer que, frente ao indivíduo que pertence a uma comunidade de linguagem, a linguagem instaura uma espécie de existência autônoma, e quando este se desenvolve em seu âmbito, ela o introduz numa determinada relação e num

---

77. Ibid., § 9, p. 60.
78. Ibid., § 9, p. 59.

determinado comportamento para com o mundo. Mas mais importante que isso é o que está em sua base, a saber, que, frente ao mundo que vem à fala nela, a linguagem não instaura, ela mesma, nenhuma existência autônoma. Não só o mundo é mundo apenas quando vem à linguagem, como a própria linguagem só tem sua verdadeira existência no fato de que nela se representa o mundo. A originária humanidade da linguagem significa, portanto, ao mesmo tempo, o originário caráter de linguagem do estar-no-mundo do homem. Precisamos seguir essa relação entre *linguagem e mundo*, para alcançarmos um horizonte adequado para *o caráter de linguagem da experiência hermenêutica*[79].

Ter mundo significa comportar-se para com o mundo. Mas comportar-se para com o mundo exige, por sua vez, manter-se tão livres, frente ao que nos vem ao encontro a partir do mundo, que se possa colocá-lo diante de nós tal como é. Essa capacidade representa ao mesmo tempo ter mundo e ter linguagem. Com isso, o conceito de *mundo* se opõe ao conceito de mundo circundante (*Umwelt*), que se pode atribuir a todos os seres vivos do mundo.

Evidentemente que o conceito de mundo circundante foi usado no princípio só para o mundo circundante humano. O mundo circundante é o "milieu" em que vivemos, e a influência deste sobre o nosso caráter e sobre o nosso modo de vida é o que confere significação a esse mundo circundante. O homem não é independente do aspecto específico que o mundo lhe mostra. Assim, o conceito de mundo circundante é a princípio um conceito social que busca expressar a dependência do indivíduo em relação ao mundo social, e que, portanto, só se refere ao homem. Mas, num sentido mais amplo, esse conceito do mundo circundante pode ser aplicado a todos os seres vivos para reunir num conjunto as condições de que depende sua existência. Mas é exatamente isso que esclarece a diferença entre o homem e todos os demais seres vivos, a saber, que o homem tem "mundo", na medida em que aqueles não têm uma relação com o mundo no mesmo sentido, ficando de certo modo confiados ao seu mundo circundante. Na verdade, a expan-

---

79. [Cf. meus estudos impressos sob o título de *Ergänzungen*, no vol. II.]

são do conceito de mundo circundante a todos os seres vivos acabou modificando seu verdadeiro sentido.

Quase já não se pode contestar que o que caracteriza a relação do homem com o mundo, em oposição a todos os demais seres vivos, é a sua *liberdade frente ao mundo circundante*. Essa liberdade implica a constituição de mundo que se dá na linguagem. Um faz parte do outro. Elevar-se acima das coerções do que vem ao nosso encontro a partir do mundo significa ter linguagem e ter mundo. Dessa forma, a recente antropologia filosófica, confrontando-se com Nietzsche, elaborou a situação peculiar que ocupa o homem e mostrou que a constituição do mundo que se dá na linguagem está longe de significar que o comportamento humano com relação ao mundo acabou confinado numa linguagem esquemática do mundo circundante[80]. Ao contrário, essa elevação, o estar elevado acima das coerções do mundo, é algo que não se dá apenas onde há linguagem e onde há homens; essa liberdade frente ao mundo circundante é também liberdade frente aos nomes que damos às coisas, como diz de maneira profunda o relato do *Gênesis*, segundo a qual Adão recebeu de Deus o pleno poder de pôr nomes.

[448]

Uma vez que ficar claro o alcance disso, é possível compreender por que se opõe uma multiplicidade de línguas diversas à relação geral do homem com o mundo própria da linguagem. Junto com a liberdade humana frente ao mundo circundante dá-se também sua capacidade livre para a linguagem, como tal, e com isso a base para a multiplicidade com que se comporta o falar humano com relação ao mundo uno. Quando o mito fala de uma linguagem originária e do surgimento da confusão das línguas, essa representação mítica reflete com muito sentido o verdadeiro enigma que representa a pluralidade das línguas para a razão. Mas, compreendido em sua verdadeira intenção, esse inverte as coisas, quando imagina que a unidade originária da humanidade, com seu uso de uma língua originária, sendo desintegrada através da confusão das línguas. Na verdade, porque está apto a elevar-se acima de seu mundo circundante contingente, e porque seu falar traz o mundo à fala, o

---

80. Max Scheler, Elmut Plessner, Arnold Gehlen.

homem está livre, desde o princípio, para exercer as variações de sua capacidade de linguagem.

Essa elevação acima do mundo circundante tem, desde o princípio, um sentido humano, e isto quer dizer um sentido próprio da linguagem. Os animais podem abandonar seu mundo circundante e percorrer todo planeta sem romper com isso sua vinculação ao mundo circundante. Mas, para o homem, elevar-se acima do mundo circundante significa *elevar-se ao mundo*, e não, abandonar o mundo circundante, mas uma postura distinta frente a ele, uma postura livre e distanciada, cuja realização tem o modo de ser da linguagem. Uma linguagem dos animais só existe *per aequivocationem*, pois linguagem é uma possibilidade variável do homem, uma possibilidade livre em seu uso. Para o homem, a linguagem não é variável só no sentido de que existem outras línguas que podem ser aprendidas. Para ele, ela é variável também em si mesma, na medida em que lhe dispõe diversas possibilidades de expressar uma mesma coisa.

[449]   Mesmo em casos excepcionais, como os surdos-mudos, a linguagem não é uma linguagem própria de gestos, que se expressa por gestos, mas a cópia que substitui a linguagem fonética articulada através do uso de gestos igualmente articulados. As possibilidades de entendimento entre os animais não conhecem esse tipo de variabilidade. Do ponto de vista ontológico, isso significa que eles podem até entender-se uns aos outros, mas não podem se entender sobre conjunturas (*Sachverhalte*) como tais, cujo conteúdo é o mundo. Aristóteles já vira isso com muita clareza: enquanto o grito dos animais induz seus companheiros de espécie a uma determinada conduta, o entendimento que se dá na linguagem através do *logos* revela o que é como tal[81].

Da relação que a linguagem mantém com o mundo surge sua *objetividade* (*Sachlichkeit*). O que vem à fala são conjunturas, estados de coisas. Uma coisa que se comporta desse modo ou de outro, isso constitui o reconhecimento de sua alteridade autônoma, que pressupõe por parte do falante uma distância própria em rela-

---

81. ARISTÓTELES. *Política*, A 2, 1253 a 10s. [Cf. tb. vol. II.]

ção à coisa. Essa distância serve de base para que algo possa destacar-se como um estado de coisas próprio e converter-se em conteúdo de um enunciado, passível de ser compreendido também pelos outros. A estrutura desse estado de coisas que se destaca implica que ele comporta sempre algum elemento negativo. A determinatividade de todo e qualquer ente consiste precisamente em ser tal coisa e não outra. Existem, portanto, também estados de coisas negativos, pensados pela primeira vez pelo pensamento grego. Já na muda monotonia do princípio eleático da correspondência de *ser* e *noein*, o pensamento grego seguiu o caráter básico de coisa contido na linguagem, e, em sua superação do conceito eleático do ser, Platão reconhece que o não ser no ser é o que, na realidade, torna possível que se fale do ente. É claro que na rica articulação polifônica do *logos* próprio do *eidos* a questão pelo ser próprio da linguagem não poderia ter-se desenvolvido adequadamente, como vimos, tão impregnado estava o pensamento grego da objetividade da linguagem. Na medida em que persegue a experiência natural do mundo em sua formulação dentro da linguagem, o pensamento grego pensa o mundo como o ser. Tudo que pensa como ente destaca-se como *logos*, como estado de coisas enunciável, a partir do todo circundante formado pelo horizonte global da linguagem. O que se pensa assim como ente não é propriamente *objeto* de enunciados, mas "vem à fala em enunciados". Com isso, conquista sua verdade, sua manifestação no pensamento humano. Assim, a ontologia grega se fundamenta na objetividade (*Sachlichkeit*) da linguagem, concebendo a essência da linguagem a partir do enunciado.

Frente a isso, importa acentuar que é só na conversação que a linguagem possui seu autêntico ser, no exercício do *entendimento* mútuo. Isso não deve ser compreendido como se com isso ficasse estabelecido o objetivo da linguagem.

Entendimento não é um mero fazer, não é uma atividade que [450] persegue objetivos, como, por exemplo, a produção de signos pelos quais eu comunicaria minha vontade a outros. Entendimento, enquanto tal, não precisa de nenhum instrumento, no sentido autêntico da palavra. É um processo de vida, onde se representa uma comunidade de vida. Nesse sentido, o entendimento humano na conversação não se distingue daquele que os animais cultivam entre si. Mas a linguagem humana deve ser pensada como um processo vital específico e único, pelo fato de que no entendimento da linguagem se manifesta "mundo". O entendimento que se dá na linguagem coloca aquilo sobre o que se discorre diante dos olhos dos que participam da conversa, como ocorre com um objeto de disputa que se coloca no meio exato entre os adversários. O mundo é o solo comum, não palmilhado por ninguém e reconhecido por todos, que une a todos os que falam entre si. Todas as formas da comunidade de vida humana são formas de comunidade de linguagem, e digo mais, elas formam linguagem. Isso porque a linguagem é por sua essência a linguagem da conversação. Ela só adquire sua realidade quando se dá o entendimento mútuo. Por isso, não é um simples meio de entendimento.

Essa é também a razão por que os sistemas de entendimento artificial inventados jamais chegam a ser linguagens. As linguagens artificiais, p. ex., as linguagens secretas ou os simbolismos matemáticos, não têm como base uma comunidade de linguagem nem uma comunidade de vida, mas são introduzidas e aplicadas como meros meios e instrumentos de entendimento. O que implica que elas pressupõem sempre um entendimento praticado de maneira vivente, o qual tem o modo de ser da linguagem. Sabemos que o consenso, pelo qual se introduz uma linguagem artificial, pertence necessariamente a uma outra linguagem. Mas, como o mostrou Aristóteles[82], numa comunidade real de linguagem não precisamos nos pôr em acordo, já que sempre estamos de acordo. É o mundo que se nos apresenta na vida comum, que abrange tudo, e a respeito de que se produz o entendimento; os recursos da linguagem por si mesmos não constituem o objeto daquele. O entendimento sobre uma língua não é o caso normal do entendimento, mas o caso excepcional de um acordo a respeito de um instrumento, a respeito de um sistema de signos que não possui seu ser na conversação mas que serve de meio para fins informativos. O caráter de linguagem da experiência humana de mundo proporciona um horizonte mais amplo à nossa análise da experiência hermenêutica. Aqui se confirma o que já havíamos mostrado no exemplo da tradução e da

---

82. Cf. acima, p. 435s. (original) [e vol. II].

possibilidade de entender-se além dos limites da própria língua: O universo linguístico próprio em que vivemos não é uma barreira que impede o conhecimento do ser em si (*Ansichsein*), mas abarca basicamente tudo aquilo a que a nossa percepção pode expandir-se e elevar-se.

De certo que quem foi criado numa determinada tradição cultural e de linguagem vê o mundo de uma maneira diferente daquele que pertence a outras tradições. De certo que os "mundos" históricos, que se dissolvem uns nos outros no decurso da história, são diferentes entre si e também diferentes do mundo atual. E, no entanto, o que se representa é sempre um mundo humano, isto é, um mundo estruturado na linguagem, seja qual for sua tradição. Enquanto estruturado na linguagem, cada um desses mundos está aberto, a partir de si, a toda concepção (*Einsicht*) possível e, assim, a toda espécie de ampliação de sua própria imagem de mundo e, nesse sentido, acessível a outros. [451]

Mas isso se reveste de uma importância verdadeiramente fundamental, pois assim torna-se problemático o uso do conceito *"mundo em si"*. O padrão de medida para a ampliação progressiva da própria imagem do mundo não se forma por um "mundo em si", à margem de todo o caráter da linguagem. Ao contrário, a perfectibilidade infinita da experiência humana de mundo significa que, em qualquer linguagem que nos movamos, jamais alcançaremos outra coisa além de um aspecto cada vez mais amplo, uma "visão" (*Ansicht*) do mundo. Essas visões de mundo não são relativas no sentido de que se pudesse opor-lhe o "mundo em si", como se a visão correta que se possuiria a partir de alguma possível posição fora do mundo humano da linguagem pudesse alcançá-las em seu ser em si. É indiscutível que o mundo pode ser sem os homens, e que vá existir sem eles. Isso está implícito na concepção de sentido, em que vive qualquer visão de mundo estruturada humanamente e dentro da linguagem. Em cada visão de mundo está implícito o ser-em-si do mundo. Ela representa a totalidade a que se refere a experiência esquematizada na linguagem. A multiplicidade dessas visões de mundo não significa relativização do "mundo". Ao contrário, aquilo que o próprio mundo é não é nada distinto das visões em que ele se apresenta.

A relação é parecida com a que encontramos na percepção das coisas. Fenomenologicamente falando, a "coisa em si" consiste na mera continuidade, com a qual as nuances perspectivistas da percepção das coisas vão se alternando umas às outras, como já mostrou Husserl[83]. Quem opõe a essas "visões" o "ser-em-si", ou deve pensar a partir do ponto de vista teológico – então o ser em si já não será para ele, mas apenas para Deus –, ou então pensará diabolicamente, como alguém que gostaria de demonstrar sua própria divindade fazendo com que o mundo inteiro lhe obedeça – então o ser em si do mundo será para ele uma restrição da onipotência de sua imaginação[84]. De modo parecido ao da percepção, pode-se falar das "nuances da linguagem" experimentadas pelo mundo nos diversos universos da linguagem.

[452] No entanto, continua existindo uma diferença característica, a saber, cada "nuance" da percepção das coisas é diferente das demais, excluindo-as, e contribui para construir a "coisa em si" como o *continuum* dessas nuances, enquanto que cada uma das nuances que se dão nas visões de mundo próprias da linguagem contém potencialmente todas as demais, isto é, cada uma delas pode ampliar a si mesma nas outras. A partir de si mesma, está em condições de compreender e abarcar também a "visão" de mundo que se oferece noutra língua.

Nós reiteramos portanto que a vinculação que nossa experiência de mundo mantém com a linguagem não significa nenhum perspectivismo excludente; quando conseguimos superar os preconceitos e barreiras da nossa experiência atual de mundo e penetrar em universos de línguas estranhas, isso não significa, de modo algum, que abandonamos ou negamos nosso próprio mundo. Como viajantes, sempre voltados para casa com novas experiências. Como andarilhos, que jamais retornam, jamais mergulharemos num total esquecimento. Mesmo que, na qualidade de mestres

---

83. Ibid. I, § 41.
84. Trata-se de um mero mal-entendido querer apelar ao ser em si do mundo, frente ao idealismo, seja este transcendental, seja o da filosofia da linguagem "idealista". Significa ignorar o sentido metodológico do idealismo, cujo aspecto metafísico pode ser considerado superado desde Kant. (Cf. KANT. *Widerlegung des Idealismus in der Kritik der reinen Vernunft*, B 274s.)

de história, tenhamos clareza sobre o condicionamento histórico de todo nosso pensamento humano sobre o mundo, e portanto também sobre o nosso próprio caráter condicionado, ainda assim não alcançamos uma posição incondicional. Em particular, a pretensão de essa admissão ser absoluta e incondicionada não refuta a admissão desse condicionamento fundamental, portanto, não pode ser aplicada a si mesma sem entrar em contradição. A consciência do condicionamento de modo algum cancela o condicionamento. É um dos preconceitos da filosofia da reflexão o fato de considerar como uma relação entre frases aquilo que absolutamente não se encontra no mesmo nível lógico dessas. Assim, o argumento da reflexão encontra-se, aqui, fora do lugar. Não se trata de relações de juízos que devem ser mantidos livres de contradição, mas de relações de vida. A constituição da nossa experiência de mundo estruturada na linguagem está em condições de abarcar as mais diversas relações de vida[85].

Assim, mesmo depois que a explicação copernicana do cosmo penetrou em nosso saber, o sol não deixou de se pôr para nós. É perfeitamente compatível sustentar certos pontos de vista baseados em aparências ao mesmo tempo em que se sabe de sua falsidade no universo da compreensão. E não é realmente a linguagem que atua nessas relações da vida estratificadas em diferentes níveis, criando e conciliando? Nossa maneira de falar do pôr do sol certamente não é arbitrária, mas expressa uma aparência real. É a aparência que se oferece àquele que não se move. É o sol que nos alcança e nos abandona com seus raios. Nesse sentido, o pôr do sol é, para a nossa contemplação, uma realidade (é "relativo ao nosso estar-aí"). Pelo pensamento, podemos nos libertar dessa evidência intuitiva, construindo outro modelo, e porque podemos fazer isso também estamos em condições de expressar a concepção racional da teoria copernicana. Mas com os "olhos" dessa razão científica não pode-

[453]

---

85. APEL, K.O. Der philosophische Wahrheitsbegriff einer inhaltlich orientierten Sprachwissenschaft, Festschrift für Weisgerber, p. 25s. [atualmente in: APEL, K.O. Transformationen der Philosophie, 2 vols. Frankfurt: [s.e.], 1973, aí, no vol. I, p. 106-137] mostra corretamente que, quando o homem fala de si mesmo, isto de modo algum pode ser compreendido como uma afirmação de seu ser-assim, afirmação que o fixa como objeto, de tal modo que a refutação através desse tipo de proposições que apelam para sua relatividade e contraditoriedade carece de sentido.

mos nem cancelar nem refutar a aparência natural. Isso não é absurdo somente pelo fato de essa aparência ser para nós uma realidade verdadeira, mas também porque a verdade que a ciência nos apresenta é, ela mesma, relativa a um determinado comportamento frente ao mundo, e não pode pretender ser o todo. Mas, na verdade, é a linguagem que revela realmente o todo de nosso comportamento frente ao mundo, e nesse todo da linguagem a aparência guarda sua legitimação tanto quanto a ciência encontra a sua.

De certo, isso não quer dizer que a linguagem seja algo assim como a causadora dessa força de permanência do espírito, mas unicamente que na linguagem se guarda e transforma a imediatez de nossa intuição de mundo e de nós mesmos, pela qual persistimos. Isso porque, enquanto seres finitos, estamos sempre chegando de muito longe e também nos estendemos para muito longe. Na linguagem torna-se visível o que é real além e acima da consciência individual de cada um.

Por isso, no acontecimento da linguagem não encontra lugar somente aquilo que persiste, mas também e justamente a mudança das coisas. Assim, por exemplo, no declínio das palavras podemos ler a mudança dos costumes e dos valores. A palavra "virtude", por exemplo, quase só se mantém viva em nosso universo da linguagem em sentido irônico[86]. E se em seu lugar empregamos outras palavras, que na discrição que as caracteriza formulam uma sobrevivência das normas éticas, de um modo que volta as costas ao mundo das convenções fixas, esse mesmo processo acaba sendo um reflexo do que ocorre na realidade. Também a palavra poética se converte frequentemente numa prova para o que é verdadeiro, na medida em que o poema desperta uma vida secreta em palavras que pareciam desgastadas e consumidas, e nos esclarece assim sobre nós mesmos. Evidentemente que linguagem é capaz de tudo isso porque não é uma criação do pensamento reflexivo, mas contribui ela mesma para estabelecer a atitude frente ao mundo, na qual vivemos.

---

86. Cf. o ensaio de SCHELER, Max. "Zur Rehabilitierung der Tugend". In: *Vom Ursprung der Werte*, 1919.

Assim se confirma, *grosso modo*, o que constatamos acima: na linguagem é o próprio mundo que se representa. A experiência de mundo feita na linguagem é "absoluta". Ultrapassa todas as relatividades referentes ao pôr-o-ser (*Seinsetzung*) porque abrange todo o ser em si, sejam quais forem as relações (relatividades em que se mostra. O caráter de linguagem em que se dá nossa experiência de mundo precede a tudo quanto pode ser reconhecido e interpelado como ente. *A relação fundamental de linguagem e mundo não significa, portanto, que o mundo se torne objeto da linguagem.* Antes, aquilo que é objeto do conhecimento e do enunciado já se encontra sempre contido no horizonte global da linguagem. O caráter de linguagem da experiência humana de mundo como tal não tem em mente a objetivação do mundo[87]. [454]

Por outro lado, a objetividade que a ciência conhece, e pela qual ela própria recebe sua objetividade, pertence às relatividades que abrangem a relação da linguagem com o mundo. Nela o conceito do "ser em si", que constitui a essência do "conhecimento", adquire o caráter de uma *determinação da vontade*. O que é em si não depende da vontade e da escolha de cada um. Mas, na medida em que o conhecemos como é em si, torna-se disponível pelo fato de que podemos contar com ele, o que significa porém, que podemos integrá-lo visando os próprios objetivos.

Como se vê, é só aparentemente que esse conceito do ser em si equivale ao conceito grego do *kath auto*. Este último se refere à diferença ontológica entre o que é um ente, segundo sua substância e sua essência, e aquilo que nele pode ser e que é mutável. O que pertence à essência permanente de um ente é sem dúvida cognoscível por excelência, isto é, detém sempre uma correspondência prévia com o espírito humano. O que é "em si", no sentido da ciência moderna, não tem nada a ver com essa diferença ontológica entre essencial e inessencial, mas se determina como conhecimento assegurado, que permite a posse da coisa. As realidades asseguradas são como objeto (*Gegenstand*) e a resistência (*Widerstand*), com os quais se deve contar. Como demonstrou de maneira especial Max

---

87. [Nas três páginas seguintes o texto foi alterado levemente. Cf. para isso, *Zwischen Phänomenologie und Dialektik – Versuch einer Selbstkritik*, no vol. II.]

Scheler, aquilo que é em si é relativo a um determinado modo de querer e saber[88].

[455] Isso não quer dizer que uma determinada ciência esteja destinada, de modo especial, ao domínio do ente, e a partir dessa vontade de domínio determine o correspondente sentido do ser em si. Scheler destaca com razão que o modelo de mundo da mecânica está referido de modo peculiar ao "poder fazer"[89]. Mas isso representava certamente um modelo muito unilateral. O "saber dominador" é o modo de saber próprio do conjunto das ciências modernas da natureza. Isso vale também para autoconcepção da investigação físico-química da vida, que cresce dia a dia, assim como para a teoria da evolução, que se desenvolve de forma nova. E aparece muito claramente onde se estabelecem novos objetivos de investigação, que aparecem vinculados a uma nova reflexão investigadora.

Por exemplo, a investigação do meio ambiente do biólogo Von Uexkuell falou de um universo da vida que não é o da física. Trata-se de um universo onde se integram entre si os diversos mundos da vida das plantas, dos animais e do homem.

Esse questionamento biológico pretende superar metodologicamente o ingênuo antropocentrismo da velha observação dos animais, investigando a correspondente estrutura dos ambientes nos quais vivem os diversos seres vivos. O mundo da vida humana, de maneira análoga aos ambientes animais, se constituiria a partir de sinais acessíveis aos sentidos humanos. Se os "mundos" devem ser assim considerados como projetos biológicos, então parece que se pressupõe o mundo do ser em si disponibilizado pela física, na medida em que se elaboram os princípios seletivos segundo os quais os mais diversos seres vivos constroem seus mundos a partir do material "do que é em si". Assim, o universo biológico é conquistado através de uma reestilização, pressupondo-a indiretamente. De

---

88. Isto continua sendo correto mesmo quando Scheler, mal-interpretando o sentido do idealismo transcendental como idealismo generativo, concebe a "coisa em si" como o contrário da geração subjetiva do objeto.
89. Cf. sobretudo o trabalho de SCHELER. "Erkenntnis und Arbeit". In: *Die Wissensformen und die Gesellschaft*, 1926. [Atualmente no vol. VIII das suas Obras Completas.]

certo que aqui está em questão uma nova investigação. É uma linha de investigação reconhecida genericamente hoje como investigação do comportamento. Consequentemente, ela abrange também a espécie *homem*. Ela desenvolveu uma física, com cujo auxílio concebe-se a intuição de tempo e espaço desenvolvida pelo homem como um caso especial de estruturas matemáticas altamente complicadas, que servem exclusivamente para a orientação especificamente humana – algo como nós consideramos, hoje, o universo das abelhas, depois de termos reduzido sua capacidade de orientação à sensibilidade aos raios ultravioletas.

Nesse sentido o mundo da física parece abranger tanto os mundos do animal como o mundo humano. Assim, dá a impressão de que o "mundo da física" seja o mundo verdadeiro, o mundo em si, de certa forma o real absoluto em relação ao qual se comportam todos os seres vivos, e cada espécie a seu modo.

Mas será realmente verdade que esse mundo é um mundo do ser em si, que já suplantou toda relatividade da existência e cujo conhecimento poderia reclamar o título de ciência absoluta? O próprio conceito de um "objeto absoluto" não é uma espécie de ferro de madeira? Nem o universo biológico nem o universo físico podem negar realmente a relatividade da existência que lhes é própria. Nesse sentido, a física e a biologia possuem o mesmo horizonte ontológico que enquanto ciências não podem passar por cima. Conhecem o que é, e como disse Kant, isso significa que o conhecem tal como está dado no espaço e no tempo e como é objeto da experiência. Isso define de certo modo o progresso cognitivo que se busca na ciência. Tampouco o universo da física pode querer representar a totalidade do ente. Mesmo uma equação universal que transcrevesse todos os entes, de tal modo que o próprio observador do sistema entrasse nas equações do mesmo, isso continuaria pressupondo o físico que, enquanto calculador, não é o calculado. Uma física que se calculasse a si mesma e fosse o seu próprio calcular seria uma contradição em si mesma. E o mesmo se pode dizer de uma biologia que investiga os mundos da vida e os modos de comportamento do homem. O que se conhece ali vale igualmente para o investigador, pois ele é um ser vivo e um homem. Mas disso de modo algum se deduz que a própria biologia não passe de um

[456]

modo de comportamento do homem, e que somente interessa como tal. Ela é também conhecimento (ou erro). Tal como a física, a biologia investiga o que é, não sendo ela própria o que ela investiga.

O ser em si a que se orienta sua investigação, seja a física ou a biologia, é relativo à colocação do ser feita no âmbito de seu questionamento. Além do mais, não há o menor motivo para dar maiores razões à pretensão da física de conhecer o ser em si. Enquanto ciências, tanto uma quanto a outra projetaram previamente a região de seus objetos, e o conhecimento dessa região significa seu domínio.

Por outro lado, as coisas são muito diferentes quando se tem em mente o comportamento total do homem para com o mundo, tal como se dá nas realizações feitas pela linguagem. O mundo que se manifesta e estrutura pela linguagem não é em si nem é relativo no mesmo sentido em que é o objeto das ciências. Não é em si, na medida em que carece totalmente do caráter de objeto. Enquanto um todo abrangente, nunca pode dar-se na experiência. Enquanto é o mundo, ele também não é relativo a determinada língua, pois viver num universo de linguagem, como se faz quando se pertence a uma comunidade de linguagem, não significa que se está confiado a um mundo circundante como o estão os animais em seus mundos de vida. Correspondentemente, não se pode querer olhar o universo da linguagem de cima para baixo, pois não existe nenhum lugar fora da experiência de mundo que se dá na linguagem, a partir donde fosse possível converter-se a si mesmo em objeto. A física não garante esse lugar porque o que ela investiga e calcula como seu objeto não é o mundo, isto é, a totalidade dos entes. Assim também a linguística comparada, que estuda as línguas em sua estruturação, não conhece nenhum lugar à margem da linguagem a partir do qual poderia conhecer o ser em si dos entes, e para o qual se poderiam reconstruir as diversas formas da experiência de mundo que se dá na linguagem, como uma escolha esquematizadora do ente que é em si, ao modo dos mundos de vida dos animais que são investigados segundo os princípios de sua estruturação. Ao contrário, em cada língua existe uma referência imediata à infinitude do ente. Ter linguagem significa precisamente um modo de ser completamente distinto da vinculação dos animais ao seu meio ambiente. Quando os homens aprendem línguas estrangeiras não alteram seu comportamento para com o mundo, como acontece com um animal aquático ao tornar-se um animal terrestre. Mas, na medida em que mantêm seu próprio comportamento para com o mundo, os homens ampliam e enriquecem esse mundo através do universo da língua estrangeira. Aquele que tem linguagem "tem" o mundo.

Se retivermos isso, dificilmente continuaremos confundindo a objetividade (*Sachlichkeit*) da linguagem com a *"objetividade" (Objektivität) da ciência*. A distância que o comportamento da linguagem mantém em relação ao mundo não proporciona, por si, aquela "objetividade" que produzem as ciências naturais, eliminando os elementos subjetivos do conhecer. Evidentemente também a distância e a objetividade da linguagem representam uma produção verdadeira, que não se faz por si. Sabemos o quanto contribui ao domínio de uma experiência apreendê-la na forma de linguagem. É como se sua imediaticidade ameaçadora e fulminante fosse colocada a uma certa distância, como se fosse reduzida às devidas proporções, se tornasse comunicável e de certo modo domesticada. Mas essa maneira de dominar a experiência é claramente diferente de sua elaboração pela ciência, que a torna objetiva e disponível para seus fins arbitrários. Quando reconheceu as leis de um processo da natureza, o cientista está de posse de algo e pode tentar reconstruí-lo. Na experiência natural do mundo, que está impregnada pela linguagem, não ocorre nada parecido. Falar de modo algum significa tornar as coisas disponíveis e calculáveis. E não é só o caso de que o enunciado e o juízo representem uma mera forma específica, dentro da multiplicidade dos comportamentos da linguagem. Essa mesma multiplicidade permanece entretecida no comportamento da vida. Em consequência disso, a ciência "objetivadora" considera as formulações da experiência natural de mundo que se dão na linguagem como uma fonte de preconceitos. Como ensina o exemplo de Bacon, a nova ciência, com seus métodos de medição matemática, precisou abrir um espaço para seus próprios planos construtivos de investigação precisamente contra o preconceito da linguagem e sua ingênua teleologia[90].

---

90. Cf. acima, p. 345s. (original).

Por outro lado, existe também um nexo positivo e objetivo entre a objetividade da linguagem e a capacidade do homem para fazer ciência. Isso se mostra de um modo particularmente claro na ciência antiga que procede da experiência de mundo que se dá na linguagem. Essa procedência é sua marca característica específica e a sua debilidade específica. Para superar sua debilidade, o seu antropocentrismo ingênuo, a ciência moderna precisou renunciar também à sua marca característica, isto é, integração no comportamento natural do homem no mundo. Isso pode ser ilustrado muito bem pelo conceito de *teoria*. Ao que parece, o que se chama teoria na ciência moderna quase não tem mais nada a ver com aquela atitude de contemplar e saber pela qual o grego acolhia a ordem do mundo. A teoria moderna é um instrumento construtivo pelo qual se reúnem experiências em uma unidade, possibilitando seu domínio. Como diz a linguagem, "constroem-se" teorias. Só isso já implica que uma teoria dissolve a outra e que cada uma só exige de antemão uma validez relativa, provisória, a saber, até que uma experiência mais avançada ensine algo melhor. A *theoria* antiga não é um instrumento, nesse mesmo sentido. É antes o próprio objeto, a forma mais elevada de ser homem[91].

[458]

Apesar disso existem diversos nexos estritos. Tanto num caso, quanto noutro, superou-se o interesse prático e pragmático que vê tudo o que encontra à luz de suas próprias intenções e objetivos. Aristóteles afirma que a atitude teórica na vida somente pôde emergir quando já dispunha de todo o necessário para satisfazer as necessidades da vida[92]. Tampouco a atitude teórica da ciência moderna dirige suas perguntas à natureza com vistas a determinados fins práticos. É verdade que já sua maneira de perguntar e investigar está orientada para o domínio do ente, e nesse sentido deve ser considerada prática em si mesma. Mas para a consciência do investigador particular a aplicação de seus conhecimentos é secundária, no sentido de que, ainda que esta proceda deles, vem só mais tarde, de maneira que aquele que conhece não necessita saber para que, e se vai ser

---

91. [Cf. meu trabalho *Lob der Theorie*, no volume de mesmo título, por mim publicado, Frankfurt, 1983, p. 26-50; vol. X das Obras Completas.]
92. *Met.* A 1.

aplicado o que conhece. Mesmo assim, apesar de todas as correspondências, a diferença torna-se patente no significado das palavras "teoria" e "teórico". No uso moderno da linguagem o conceito do teórico quase não passa de um conceito privativo. Algo só é considerado teórico quando não possui a vinculatividade, sempre determinante, dos objetivos da ação. Inversamente, as próprias teorias que são esboçadas aqui são julgadas segundo a possibilidade de aplicação, isto é, pensa-se o próprio conhecimento teórico a partir da vontade de dominar o ente, não como fim mas como meio. Mas, no sentido antigo, teoria é algo completamente diferente. Ali não se contemplam apenas as ordenações vigentes. Teoria significa, além disso, a própria participação no todo das ordenações[93].

Na minha opinião, essa diferença entre a teoria grega e a ciência moderna tem seu verdadeiro fundamento na diferença de sua relação com a *experiência de mundo que se dá na linguagem*. [459] Como destacamos acima, o saber grego estava tão plantado dentro da linguagem, encontrava-se tão exposto pelas seduções da linguagem que sua luta contra a *dynamis ton onomaton* jamais o levou a desenvolver o ideal de uma linguagem de puros signos, que deveria superar completamente o poder da linguagem, como acontece na ciência moderna e em sua orientação que busca o domínio do ente. Tanto o simbolismo das letras, com o qual Aristóteles trabalha na lógica, quanto sua descrição proporcional e relativa dos processos do movimento, com a qual trabalha na física, é evidentemente algo muito diferente do modo como se aplica a matemática no século XVII.

Convém não negligenciar esse aspecto, por mais que se pretenda insistir na origem grega da ciência. Já devia ter passado definitivamente o tempo em que se tomava como padrão o método científico moderno e se interpretava Platão por referência a Kant, e a ideia por referência à lei da natureza (neokantismo), ou se alardeava que em Demócrito já aparecia o começo esperançoso do verdadeiro conhecimento "mecânico" da natureza. Uma reflexão sobre a fundamental superação do ponto de vista da compreensão, empreendida por Hegel sob o fio condutor da ideia da vida, pode mostrar

---

93. Cf. acima p. 129s. (original).

os limites de semelhante consideração[94]. Creio que Heidegger alcança mais tarde, em *Ser e tempo*, o ponto de vista sob o qual se pode pensar tanto a diferença, quanto a vinculação, entre a ciência grega e a moderna. Quando mostra que o conceito do ser simplesmente dado (*Vorhandenheit*) não passa de um modo deficiente do ser e quando o reconhece como pano de fundo da metafísica clássica e de sua sobrevivência no conceito moderno da subjetividade, ele estava seguindo de fato um nexo ontológico correto entre a teoria grega e a ciência moderna. No horizonte de sua interpretação temporal do ser, a metafísica clássica aparece, em seu conjunto, como uma ontologia do ente simplesmente dado, e a ciência moderna, sem dar-se conta disso, como sua herdeira. Na própria teoria grega, no entanto, havia algo mais que isso. *Theoria* abarca não tanto o simplesmente dado, mas também a própria coisa em questão (*Sache*), que ainda tem a dignidade da "coisa" (*"Ding"*). O próprio Heidegger irá destacar mais tarde[95] que a experiência da coisa (*Ding*) nada tem a ver com a pura constatabilidade do mero ser simplesmente dado, nem com a experiência das chamadas ciências empíricas.

[460] Assim, precisamos manter tanto a dignidade da coisa (*Ding*) quanto a objetividade (*Sachlichkeit*) da linguagem livres do preconceito contra a ontologia do simplesmente dado e portanto do conceito da objetividade (*Objetivität*).

Partimos do fato de que na concepção da experiência humana de mundo que se dá na linguagem não se calcula ou mede simplesmente o dado, mas vem à fala o ente, tal como se mostra ao homem, como ente e como significante. É aqui – e não no ideal metodológi-

---

94. Vista objetivamente, a exposição sincrônica que faz Hegel sobre o ponto de vista do entendimento (*Verstand*), que pensa a ideia platônica como o reino em repouso das leis em conjunto com o conhecimento natural da moderna mecânica, corresponde exatamente ao ponto de vista neokantiano (cf. meu discurso "Gedenkrede auf Paul Natorp", in: *Paul Natorp philosophische Systematik*, XVII, nota e *Philosophische Lehrjahre*, p. 60s.). Mas isso guarda uma diferença, a saber, que aquilo que para Hegel só possuía uma verdade a ser superada foi elevado pelo neokantismo como ideal metodológico último [com respeito à teoria atômica, cf. meu pequeno estudo de 1934 *Antike Atomtheorie*, vol. V das Obras Completas, p. 263-279.]

95. Sobre "a coisa" ("das Ding"), cf. o artigo *Vorträge und Aufsätze*, p. 164s. Nesse trabalho a visão sumária que reúne a "teoria" com a "ciência do simplesmente dado", defendida em *Ser e tempo*, acaba sendo dissolvida pelo questionamento do Heidegger tardio (cf. ali, p. 51s.) [cf. meu posfácio à obra de HEIDEGGER, M. "Kunswerk – Aufsatz". Stuttgart: Reclam, 1960, p. 102-125, atualmente in: *Heideggers Wege. Studien zum Spätwerk*. Tübingen, 1983, p. 81-92; vol. III das Obras Completas.]

co da construção racional que domina a moderna ciência natural da matemática – que se poderá reconhecer a compreensão que se exerce nas ciências do espírito. Antes, quando caracterizamos o modo de realização da consciência da história efeitual por seu caráter de linguagem, foi para mostrar que é o caráter de linguagem que caracteriza como tal toda nossa experiência humana de mundo. E se nela não se *objetiva* (*Vergegenständlicht*) o "mundo", tampouco a história efeitual se torna *objeto* (*Gegenstand*) da consciência hermenêutica.

Assim como as coisas (*Dinge*) – essas unidades de nossa experiência de mundo que se constituem por apropriação e significação – vêm à palavra, também a tradição que chega a nós é reconduzida à linguagem, na medida em que a compreendemos e interpretamos. O caráter de linguagem desse vir à palavra é o mesmo que o da experiência humana de mundo como tal. Foi isso que acabou levando nossa análise do fenômeno hermenêutico à discussão da relação entre linguagem e mundo.

3.2. O meio (Mitte) *da linguagem e sua estrutura especulativa*

Sabe-se que o caráter de linguagem da experiência humana de mundo representou o fio condutor pelo qual Platão desenvolveu o pensamento sobre o ser, na metafísica grega, a partir da "fuga aos *logoi*". Nesse sentido, precisamos perguntar até que ponto a resposta que se ofereceu então, e que chega até Hegel, faz justiça ao questionamento que nos guia.

Essa resposta é de natureza teológica. Na medida em que pensa o ser do ente, a metafísica grega pensa-o como um ente que se cumpre ou realiza a si mesmo no pensar. Esse pensar é o pensar do *nous*, que se pensa como o ente supremo e mais próprio, o que reúne em si o ser de todo ente. A articulação do *logos* traz à fala a estruturação dos entes, e esse seu trazer à fala, para o pensamento grego, não é outra coisa que a presença do próprio ente, sua *aletheia*. O pensamento humano compreende a si mesmo por referência à infinitude desse presente como sua possibilidade plena, sua divindade.

[461]

Não seguimos o grandioso autoesquecimento desse pensamento, e ainda teremos que perguntar até que ponto podemos seguir sua renovação, sobre a base do conceito moderno da subjetividade, apresentado pelo idealismo absoluto de Hegel. Isso porque o que nos guia é o fenômeno hermenêutico, cujo fundamento mais determinante é precisamente a *finitude de nossa experiência histórica*. Para fazer-lhe justiça, seguimos o rastro da linguagem, na qual não só se reproduz a estruturação do ser, mas no seu curso se forma, pela primeira vez, sempre de novo e em constante mudança, a ordenação e a estruturação de nossa própria experiência.

A linguagem representa o rastro da finitude não só porque exista uma infinidade de diversas estruturações humanas de linguagem, mas porque toda língua está em constante formação e desenvolvimento, quanto mais trouxer à fala a sua experiência de mundo. Não é finita por não ser ao mesmo tempo todas as demais línguas, mas porque é linguagem. Dirigimos as nossas perguntas a pontos-chave significativos do pensamento ocidental, e esses questionamentos nos ensinaram que o acontecer da linguagem corresponde à finitude do homem num sentido muito mais radical que o que faz valer o pensamento cristão sobre a "palavra". Trata-se do *meio da linguagem*, a partir do qual se desenvolve toda a nossa experiência do mundo e em particular a experiência hermenêutica.

A palavra não é simplesmente a perfeição da *species*, como acreditava o pensamento medieval. Se o ente se representa no espírito pensante, isso não é a cópia de uma ordenação prévia do ser, cujas verdadeiras relações estão diante dos olhos de um espírito infinito (o espírito do criador). Mas a palavra tampouco é um instrumento, capaz de construir, como a linguagem da matemática, um universo dos entes, objetivados e disponíveis graças ao cálculo. Nem um espírito infinito nem uma vontade infinita podem superar a experiência do ser, apropriada à nossa finitude. Somente o meio da linguagem, por sua referência ao todo dos entes, pode mediar a essência histórico-finita do homem consigo mesmo e com o mundo.

Somente agora chegamos, por fim, ao verdadeiro solo e fundamento do grande enigma dialético do uno e do múltiplo, que deu fôlego a Platão, como antagonista do *logos*, e que experimentou uma tão misteriosa confirmação na especulação trinitária da Idade Média. Quando Platão se deu conta de que a palavra da linguagem é ao mesmo tempo una e múltipla, isso representou apenas um primeiro passo. É sempre *uma única* palavra que dizemos uns aos outros e que nos é dita (teologicamente: "a" palavra de Deus), mas, como vimos, a unidade dessa palavra desdobra-se a cada vez no discurso articulado. Essa estrutura do *logos* e do verbo, como a reconhece a dialética platônica e agostiniana, não é senão o reflexo de seus conteúdos lógicos. [462]

Mas existe ainda outra dialética da palavra, que atribui a cada uma das palavras uma dimensão interna de multiplicação: cada palavra irrompe de um centro (*Mitte*) e se relaciona com um todo, e só é palavra em virtude disso. Cada palavra faz ressoar o conjunto da língua a que pertence, e deixa aparecer o conjunto da concepção de mundo que lhe subjaz. Por isso, como acontecer de seu momento, cada palavra deixa que se torne presente também o não dito, ao qual se refere respondendo e indicando. A ocasionalidade do falar humano não é uma imperfeição eventual de sua capacidade expressiva. É, antes, a expressão lógica da virtualidade viva do falar que, sem poder dizê-lo inteiramente, põe em jogo todo um conjunto de sentido[96]. Todo falar humano é finito no sentido de que abriga em si uma infinitude de sentido a ser desenvolvida e interpretada. Por isso, também o fenômeno hermenêutico deve ser esclarecido a partir dessa constituição fundamentalmente finita do ser, cuja constituição tem suas bases plantadas na linguagem.

Se acima falamos da *pertença* do intérprete a seu texto, caracterizando a relação íntima que une tradição e historiografia, pensamento que reunimos no conceito de consciência da história efeitual, agora podemos determinar mais de perto essa pertença, partindo da base de uma experiência de mundo constituída na linguagem.

Com isso, como era de se supor, atingimos um âmbito de questões com as quais a filosofia está familiarizada desde antigamente. Na metafísica, *pertença* quer dizer a relação transcendental que há

---

96. Devemos a Hans Lipp ter rompido, em sua *Lógica hermenêutica*, a estreiteza da lógica tradicional do juízo e ter posto a descoberto a dimensão hermenêutica dos fenômenos lógicos.

entre ser e verdade, que pensa o conhecimento como um momento do próprio ser e não primeiramente como um comportamento do sujeito. Essa inclusão do conhecimento no ser é pressuposto do pensamento antigo e medieval. O que é, é verdadeiro segundo sua essência, isto é, está presente na atualidade de um espírito infinito, e somente por isso torna-se possível ao pensamento humano e finito conhecer o ente. Aqui, portanto, não se parte do conceito de um sujeito já existente por si e capaz de converter tudo o mais em objeto. Ao contrário, em Platão, o ser da "alma" se determina por sua participação no ser verdadeiro, ou seja, porque pertence à mesma esfera da essência da ideia. E Aristóteles dirá que a alma é, de certo modo, todo ente[97]. Nesse pensamento, não se faz menção de nenhum espírito desprovido de mundo, certo de si mesmo e que tivesse de achar o caminho rumo ao ser do mundo. Mas, originariamente, um não existe sem o outro. O elemento primário é a relação.

O pensamento mais antigo levou isso em conta, atribuindo à ideia da teleologia uma função ontológica universal. Isso porque, quando se pensa em objetivos, as mediações pelas quais algo é gerado não se mostram adequadas para a consecução de um fim apenas ao acaso, mas são eleitas e adotadas, desde o princípio, como meios adequados. A subordinação do meio a um fim é, portanto, prévia. Chamamos a isso de sua "idoneidade", e sabe-se que a ação humana racional é idônea para seus fins não somente nesse sentido, mas também onde não está em questão colocar objetivos nem escolher meios, como é o caso de todas as relações próprias da vida, que só podem ser pensadas sob a ideia da idoneidade para um fim, ou seja, como a concordância recíproca de todas as partes entre si[98]. Também aqui a relação do todo é mais originária do que as partes. Mas mesmo na teoria da evolução o conceito da adaptação só pode ser utilizado com precaução, na medida em que ele próprio pressupõe a inadaptação como relação natural, como se os seres vivos tivessem sido postos num mundo a que só posteriormente

---

97. PLATÃO. *Fedro*, 72; Aristóteles, *De anima* III, 431 b 21.
98. Como se sabe, também a crítica do juízo teológico de Kant mantém esta necessidade subjetiva.

deveriam se adaptar[99]. Como aqui a adaptação constitui a própria relação vital, também o conceito do conhecimento se determina, sob o domínio da ideia de finalidade, como a subordinação natural do espírito humano à natureza das coisas.

Na ciência moderna, essa ideia metafísica da pertença do sujeito conhecedor ao objeto de conhecimento não encontra legitimação[100]. Seu ideal metodológico garante a cada um de seus passos o recuo aos elementos a partir dos quais constrói seu conhecimento. Por outro lado, as unidades significativas teleológicas, ao modo da "coisa" (*Ding*) ou do "todo orgânico", perdem sua vigência na metodologia da ciência. A crítica ao verbalismo da ciência aristotélico-escolástica que mencionamos antes acabou desfazendo sobretudo a velha subordinação recíproca de homem e mundo, que servia de base para a filosofia do *logos*.

Só que a ciência moderna jamais negou completamente sua origem grega, apesar de saber, desde o século XVII, das ilimitadas possibilidades que se abriram para ela. Sabe-se que o verdadeiro tratado cartesiano sobre o método, suas *Regras*, o genuíno manifesto da ciência moderna, só apareceu muito depois de sua morte. [464] Por outro lado, suas meditações reflexivas sobre a possibilidade de compatibilizar o conhecimento matemático da natureza com a metafísica representou uma tarefa para toda sua época. A filosofia alemã, desde Leibniz até Hegel, sempre de novo procurou suprir a nova ciência da física por uma ciência filosófica e especulativa que renovasse e confirmasse a herança aristotélica. Lembro apenas a réplica de Goethe contra Newton, compartilhada igualmente por Schelling, Hegel e Schopenhauer.

Nesse sentido, não deverá nos surpreender se ao cabo de um novo século de experiências críticas, proporcionadas pela ciência moderna e em particular pela autorreflexão das ciências históricas do espírito, retornarmos a essa herança. A hermenêutica das ciên-

---

99. Cf. H. Lipp, sobre a teoria das cores de Goethe, em: *Die Wirklichkeit des Menschen*, 1954, p. 108s.

100. [Na minha opinião, considerar como uma "parte do sujeito" a "inexatidão", que tem sua validade na física quântica, a qual partindo da "energia" do observador atua sobre o observado, manifestando-se assim ela própria nos resultados da medição, isso não passa de uma simples confusão.]

cias do espírito, que aparece à primeira vista como uma temática secundária e derivada, um discreto capítulo por entre a massa das heranças do idealismo alemão, nos levará de volta, se quisermos fazer justiça às coisas, à dimensão do problema da metafísica clássica.

Nessa direção já aponta o papel que desempenha o conceito da *dialética* na filosofia do século XIX. Ela testemunha a continuidade do nexo de problemas desde sua origem grega. Diante de nós, que estamos emaranhados nas aporias do subjetivismo, os gregos levam certa vantagem no que se refere a conceber os poderes supra-subjetivos que dominam a história. Eles não procurarão fundamentar a objetividade do conhecimento a partir da subjetividade e para ela. Ao contrário, consideraram o pensamento, desde o princípio, como um momento do próprio ser. Parmênides viu nele o sinal mais importante no caminho rumo à verdade do ser. Como vimos, a dialética, esse antagonista do *logos*, não era para os gregos um movimento realizado pelo pensamento, mas o movimento da própria coisa experimentada por aquele. O fato de que uma afirmação desse tipo pareça ser de Hegel não implica uma falsa modernização, mas atesta um nexo histórico. Na situação do novo pensamento, tal como o caracterizamos, Hegel assume conscientemente o modelo da dialética grega[101]. Por isso, quem quiser frequentar a escola dos gregos, deverá passar sempre pela escola de Hegel. Tanto sua dialética das determinações do pensamento, quanto a das formas do saber, reproduzem expressamente a mediação total entre pensamento e ser, que representou desde sempre o elemento natural do pensamento grego.

Se nossa teoria hermenêutica busca reconhecer o entrelaçamento do acontecer e do compreender, terá de retroceder não somente até Hegel mas também até Parmênides.

Quando relacionamos com o pano de fundo da metafísica geral esse conceito da pertença que ganhamos a partir das aporias do historicismo, não pretendemos renovar a doutrina clássica da inteligibilidade do ser, nem transpô-la ao mundo histórico. Esse tipo de procedimento seria uma mera repetição de Hegel, uma repetição

---

[101]. Cf., entrementes, minha dissertação: "Hegel und die antike Dialektik", in: *Hegel-Studien* I, "Hegels Dialektik" (1971, 1980), p. 7-30 [vol. III das Obras Completas].

que não se sustentaria frente a Kant e ao ponto de vista da experiência da ciência moderna, e menos ainda frente a uma experiência da história que já não é guiada por nenhum saber redentor. Quando superamos o conceito de objeto e de objetividade da compreensão, na direção de uma mútua pertença de subjetivo e objetivo, limitamo-nos a seguir uma necessidade pautada na coisa em questão. Foi a crítica tanto à consciência estética quanto à consciência histórica que nos forçou a criticar o conceito de objetivo, determinando-nos a afastar-nos da fundamentação cartesiana da ciência moderna e renovar alguns momentos de verdade do pensamento grego. Mas não podemos seguir simplesmente nem os gregos e nem a filosofia da identidade do idealismo alemão. Nós pensamos a partir do meio da linguagem.

A partir da linguagem, o conceito da pertença já não se determina como a relação teleológica do espírito com a estruturação essencial do ente, como é pensada na metafísica. O fato de a experiência hermenêutica possuir o mesmo modo de realização da linguagem, e que se estabeleça uma conversação entre a tradição e seu intérprete, isso estabelece um ponto de partida completamente diferente. O decisivo é que aqui acontece algo[102]. Nem a consciência do intérprete é dona do que chega a ele como palavra da tradição, nem se pode descrever adequadamente o que tem lugar aqui, como se fosse o conhecimento progressivo daquilo que é, de maneira que um intelecto infinito conteria tudo o que pudesse chegar a falar a partir do conjunto da tradição. Visto a partir do intérprete, o acontecer significa que não é ele que, como conhecedor, busca seu objeto e "extrai" com meios metodológicos o que realmente se quis dizer e tal como realmente era, mesmo que levemente impedido e obscurecido pelos próprios preconceitos. Isso não é mais que um aspecto exterior do verdadeiro acontecer hermenêutico. Ele motiva a indispensável disciplina metodológica que se aplica e se opõe contra nós mesmos. Mas o verdadeiro acontecer só se torna possível pelo fato de a palavra que chega a nós como tradição

---

102. [Sobre a primazia do diálogo, em relação a todo e qualquer enunciado, cf. os *Ergänzunge*, publicados no vol. II.]

e que devemos ouvir nos atingir realmente, como se fosse dirigida a nós e se referisse a nós mesmos.

[466]   Acima, desenvolvemos esse aspecto da questão como a lógica hermenêutica da pergunta, demonstrando como é que aquele que pergunta se converte em interrogado, e se dá o acontecer hermenêutico na dialética do perguntar. Recordamos isso para determinar de modo preciso o sentido da pertença, como ele corresponde à nossa experiência hermenêutica.

Pois, de um outro lado, da parte do "objeto", esse acontecer significa que o conteúdo da tradição entra em jogo e se desenvolve em possibilidades de sentido e repercussão cada vez novas e ampliadas de modo novo pelo outro receptor. Quando a tradição volta a falar, emerge algo e entra em cena o que antes não existia. Qualquer exemplo histórico poderia nos servir para ilustrar isso. Quer a própria tradição seja uma obra de arte literária, quer transmita notícias de um grande acontecimento, em qualquer caso, o que se transmite ali volta à existência, tal como se representa. Quando a *Ilíada* de Homero ou a campanha de Alexandre até a Índia voltam a nos falar numa nova apropriação da tradição, não se trata de um ser em si que vai se revelando cada vez um pouco mais, mas acontece algo como uma verdadeira conversação, onde também surge alguma coisa que nenhum dos interlocutores abarca por si só.

Se quisermos determinar corretamente o conceito de pertença, que está em questão aqui, será conveniente observarmos a dialética peculiar contida no *ouvir*. Não se trata apenas de que aquele que ouve é de algum modo interpelado. Antes, isso implica também o fato de que quem é interpelado precisa ouvir, queira ou não. Não pode afastar o ouvido, tal como afastamos a vista de alguma coisa olhando noutra direção. Essa diferença entre ver e ouvir é importante para nós porque o fenômeno hermenêutico está baseado numa verdadeira primazia do ouvir, como viu Aristóteles[103]. Não há nada que não seja acessível ao ouvido através da linguagem. Enquan-

---

103. ARISTÓTELES. *De sensu* 473 a 3, e, além disso, *Met.* 980 b 23-25. A primazia do ouvir sobre o ver deve-se à universalidade do *logos*, que não contradiz a primazia específica da vista sobre todos os demais sentidos, o que Aristóteles destaca com frequência. [Cf. *Sehen, Hören, Lesen*, FS Suhnel, Heidelberg, 1984.]

to nenhum dos demais sentidos participa diretamente na universalidade da experiência de mundo dada na linguagem, já que cada um deles abarca tão somente o seu campo específico, o ouvir é um caminho rumo ao todo porque está capacitado para escutar o *logos*. À luz de nosso questionamento hermenêutico, esse velho conhecimento da primazia do ouvir sobre o ver alcança uma nova importância. A linguagem, da qual participa o ouvir, não é universal somente no sentido de que nela tudo pode vir à fala. O sentido da experiência hermenêutica reside, antes, no fato de que, frente a todas as formas de experiência de mundo, a linguagem abre uma dimensão completamente nova, uma dimensão de profundidade a partir da qual a tradição alcança os que vivem no presente. Desde [467] há muito tempo, antes do uso de toda escrita, essa é a verdadeira essência do ouvir, a saber, o ouvinte é capaz de ouvir a lenda, o mito, a verdade dos antigos. Frente a isso, a transmissão literária da tradição, como a conhecemos, não significa nada de novo, apenas altera a forma e dificulta a tarefa do verdadeiro ouvir.

É precisamente então que o conceito da pertença se determina de uma maneira completamente nova. Pertencente é aquilo que é alcançado pela interpelação da tradição. Aquele que está imerso em tradições – como ocorre, bem o sabemos, inclusive ao que se encontra liberado pela consciência histórica para uma nova pseudoliberdade – precisa ouvir ao que chega a ele a partir delas. A verdade da tradição é como o presente que está imediatamente aberto aos sentidos.

O modo de ser da tradição não é algo imediatamente sensível. Ele é linguagem, e o ouvir que compreende essa tradição, na medida em que interpreta os textos, insere sua verdade num comportamento próprio para com o mundo, comportamento próprio de linguagem. Como demonstramos, essa comunicação entre presente e tradição, que se dá na linguagem, é o acontecer que abre caminho em toda compreensão. A experiência hermenêutica, enquanto experiência autêntica, deve assumir tudo o que nela se torna presente. Não é escolher ou rejeitar de antemão. Tampouco está em condições de afirmar uma liberdade absoluta nesse "deixar as coisas como estão", que parece o específico do compreender o compreendido. O acontecido que ela é, ela não pode fazer com que não tenha acontecido.

Essa estrutura da experiência hermenêutica que contradiz tão profundamente a ideia de método da ciência tem seu próprio fundamento no caráter de acontecer da linguagem que expusemos amplamente. Não se trata somente de que o uso da linguagem e a contínua formação dos recursos da linguagem representam um processo a que nenhuma consciência individual pode fazer frente pelo saber ou pela escolha – nesse sentido, seria literalmente mais correto dizer que a linguagem nos fala do que dizer que nós falamos uma linguagem (de maneira que, por exemplo, no uso linguajar de um texto pode-se determinar com mais exatidão a data de sua produção do que o seu autor). Mais importante que tudo isso é algo que estamos continuamente apontando, a saber, que não é enquanto linguagem, enquanto gramática nem enquanto léxico que a linguagem constitui o verdadeiro acontecer hermenêutico, mas no vir à fala do que foi dito na tradição. Esse acontecer é ao mesmo tempo apropriação e interpretação. Aqui, portanto, pode-se dizer com toda razão que esse acontecer não é nossa ação na coisa, mas a ação da própria coisa.

Com isso, confirma-se a proximidade de nossa colocação com Hegel e com o pensamento antigo, a que já nos referimos. O ponto de partida para nossas investigações foi a insuficiência do moderno conceito de método. Mas essa insuficiência encontrou sua justificação filosófica mais importante na expressa *apelação ao conceito grego do método por parte de Hegel*.

[468]   Sob o conceito da "reflexão externa", Hegel criticou o conceito de um método que se realiza como uma ação no âmbito da coisa, onde seria ao mesmo tempo alheia a ela. O verdadeiro método seria o fazer da própria coisa[104]. Naturalmente essa afirmação não quer dizer que o conhecimento filosófico também não seria um fazer, não exigisse um esforço, o "esforço do conceito". Mas esse fazer e esse esforço consistem em não intervir na necessidade imanente do pensamento de modo arbitrário, através de ideias que nos ocorram ou lançando mão desta ou daquela ideia preconcebida. Obviamente que "a coisa não anda" nem segue seu curso sem que pen-

---

104. HEGEL. *Logik* II, p. 330 (Meiner).

semos. Mas pensar significa precisamente desenvolver uma coisa em sua própria consequência. E manter distância de representações "que costumam se interpor", atendo-se estritamente à consequência do pensamento, faz parte disso. Desde os gregos, chamamos a isso de *dialética*.

Para descrever o verdadeiro método, que é o fazer da própria coisa, Hegel se reporta, por sua vez, a Platão, que gosta de apresentar o seu Sócrates em conversação com os jovens porque estes estão dispostos a seguir as coerentes perguntas de Sócrates, sem fazer caso das opiniões reinantes. Ele ilustrou seu próprio método do desenvolvimento dialético pelo exemplo desses "jovens flexíveis", que não deixam interferir no curso do assunto em questão as próprias ideias que lhes ocorrem nem se alardeiam sobre essas. Dialética não é outra coisa do que a arte de conduzir uma conversação e, sobretudo, a arte de descobrir a inadequação das opiniões que dominam uma pessoa, formulando consequentemente perguntas e mais perguntas. A dialética é aqui, portanto, *negativa*, ela confunde as opiniões. Mas essa confusão significa ao mesmo tempo um esclarecimento, pois libera a visão para olhar adequadamente para a coisa. Assim como, na conhecida cena do Ménon, o escravo é conduzido desde sua confusão até a verdadeira solução do problema matemático que fora proposto, depois que foram desbancadas todas as suas insustentáveis opiniões prévias, assim toda negatividade dialética contém uma espécie de desenho objetivo prévio do que é verdade.

E não somente na conversação pedagógica, mas em todo pensamento, a única coisa que deixa surgir o que há na coisa é a perseguição de sua consequência objetiva. É ela própria que acaba se impondo, na medida em que nos entregamos plenamente à força do pensar e não deixamos valer as ideias e opiniões que pareciam lógicas e naturais. Assim, Platão une a dialética eleática, que conhecemos sobretudo por Zenão, com a arte socrática da conversação, e em seu "Parmênides" a eleva a um novo nível de reflexão. O fato de que, através de um pensar consequente, a coisa (*Ding*) sob nossa mão se desvirtue e acabe se convertendo em seu contrário,

[469] que o pensamento ganhe força de, "mesmo sem conhecer o *quid* (*Was*), extrair com propriedade conclusões a partir de suposições opostas"[105], essa é a experiência do pensamento a que apela o conceito hegeliano de método como autodesenvolvimento do pensamento puro na direção do todo sistemático da verdade.

Ora, a experiência hermenêutica que procuramos pensar a partir do meio da linguagem não é seguramente experiência do pensar no mesmo sentido que essa dialética do conceito, que pretende liberar-se por completo do poder da linguagem. Mesmo assim, também na experiência hermenêutica encontra-se algo como uma dialética, um fazer da própria coisa, um fazer que, diferentemente da metodologia da ciência moderna, é um padecer, um compreender, que é um acontecer.

Mas também a experiência hermenêutica tem sua própria coerência, a saber, a de ouvir imperturbável. Tampouco a ela as coisas se apresentam sem um certo esforço, e esse esforço igualmente consiste "em ser negativo contra si mesmo". Quem procura compreender um texto precisa ele também manter algumas coisas à distância, a saber, tudo o que se impõe como expectativa de sentido a partir dos próprios preconceitos, na medida em que isso seja negado pelo próprio sentido do texto. A própria experiência do ser surpreendido de repente, esse ocorrer dos discursos, que não envelhece, e que constitui a autêntica experiência dialética, tem seu correlato na experiência hermenêutica. O desenvolvimento do conjunto de sentido a que está orientada a compreensão nos força necessariamente a interpretar e de novo retirar-nos. É só a autossuspensão da interpretação que leva a termo o fato de que a própria coisa, o sentido do texto, se imponha por si mesmo. O movimento da interpretação não é dialético porque a parcialidade de cada enunciado pode ser complementada por outro aspecto – veremos que isso não é mais que um fenômeno secundário na interpretação –, mas sobretudo porque a palavra que alcança o sentido do texto na interpretação não faz senão trazer à linguagem o conjunto des-

---

105. ARISTÓTELES. *Met.* M 4, 1078 b 25. Cf. acima, p. 370.

se sentido, portanto, permite que uma infinitude de sentido em si ganhe uma representação finita.

É preciso explicar então com mais precisão que aqui nos deparamos com uma dialética que é pensada a partir do meio da linguagem, e também como essa se distingue da dialética metafísica de Platão e Hegel. Engatando num uso terminológico que pode ser demonstrado em Hegel, podemos chamar ao elemento comum entre a dialética metafísica e a hermenêutica de elemento *especulativo*. Especulativo significa, aqui, a relação do espelho[106]. Espelhar-se é uma permuta contínua. Uma coisa se reflete noutra, por exemplo, o castelo no lago, e isso quer dizer que o lago devolve a imagem do castelo.

Através da mediação do observador, imagem refletida é unida essencialmente ao próprio aspecto visível. Ela não tem um ser para si, é como uma "aparição" que não é ela mesma e no entanto permite que o próprio aspecto visível apareça espelhado. É como uma duplicação que, no entanto, não é mais que a existência de uma única coisa. O verdadeiro mistério do espelho é justamente o caráter inapreensível da imagem, o caráter etéreo da pura reprodução. [470]

Quando empregamos a palavra "especulativo", como a cunhou a filosofia por volta do ano de 1800, dizendo por exemplo que alguém é uma cabeça especulativa ou quando consideramos uma ideia muito especulativa, o uso dessa palavra está baseado na ideia do espelhamento. O especulativo significa o contrário do dogmatismo da experiência cotidiana. É especulativo quem não se entrega direta e imediatamente à estabilidade disponível dos fenômenos ou ao que se tem em mente enquanto se mantém numa determinação fixa, mas que sabe refletir, ou, dito hegelianamente, que reconhece o "em si" como um "para mim". E um pensamento é especulativo quando a relação nele enunciada não se deixa pensar como a atribuição unívoca de uma determinação a um sujeito, como a atribuição de uma propriedade à coisa dada, mas deve ser pensada como uma relação especular na qual o próprio espelhar não é nada

---

106. Cf., para esta derivação do termo *speculum*, por exemplo, Tomás de Aquino, *Summa Theologica* II, 2 q. 180, art. 3, assim como a inteligente ilustração da "oposição especulativa" em Schelling, *Bruno* I/IV, 237: "Imagina-te o objeto e sua imagem devolvida pelo espelho..."

mais do que a pura aparência do refletido, como o um é o um do outro e o outro é o outro do um.

Hegel descreveu a relação especulativa do pensar na sua magistral análise da lógica do enunciado filosófico[107]. Ele mostra que o enunciado filosófico só é um juízo segundo sua forma exterior, ou seja, atribui um predicado a um conceito de sujeito. Na verdade, o enunciado filosófico não passa de um conceito de sujeito a outro conceito, que se põe em relação com ele, mas expressa na forma do predicado a verdade do sujeito. "Deus é uno" não quer dizer que o ser uno seja uma propriedade de Deus, mas que a essência de Deus é ser a unidade. Aqui, o movimento de determinar não está vinculado à base fixa do sujeito, "na qual vai e vem". O sujeito não se determina como isso e também como aquilo, num ponto de vista, de um modo, e noutro, de outro modo. Este seria o modo de pensar representativo, não o do conceito. Ao contrário, no pensamento conceitual o procedimento natural de ultrapassar na determinação o sujeito da frase se vê inibido e "sofre, por assim dizer, um contragolpe. Partindo do sujeito, como se este permanecesse como fundamento, descobre-se que o predicado é ao contrário a substância, que o sujeito passou ao predicado e assim acabou subsumido. E como o que parece ser o predicado se converteu em uma massa inteira e autônoma, o pensar já não pode vagar livremente, mas é detido por essa gravidade"[108]. A forma da frase se destrói por si mesma, portanto, na medida em que a frase especulativa não diz algo de algo, mas traz a unidade do conceito à representação. A fluente bipolaridade da frase filosófica, que se estrutura em virtude desse contragolpe, é o que Hegel descreve numa engenhosa comparação com o ritmo, que surge analogamente a partir dos momentos da métrica e do acento como sua fluente harmonia.

Esse refrear inusitado que experimenta o pensamento quando, por seu conteúdo, uma frase o obriga a suspender o comportamento usual do saber é o que constitui de fato a essência especulativa de toda filosofia. A grandiosa história da filosofia de Hegel mos-

---

107. [Cf. para isso, HEGEL. *Dialektik. Sechs hermeneutische Studien*. Tübingen, 1980, 2. ed., vol. III das Obras Completas.]

108. HEGEL. *Vorrede zur Phänomenologie*, p. 50 [HOFFMEISTER].

trou que a filosofia é, desde o princípio, especulação nesse sentido. Quando se expressa na forma da predicação, isto é, quando trabalha com representações fixas de Deus, da alma e do mundo, então ignora sua própria essência e aciona uma "visão compreensiva unilateral do objeto da razão". Para Hegel, esta é a essência da metafísica dogmática pré-kantiana e caracteriza como tal "os novos tempos da não filosofia. Em todo caso, Platão não pertence a esses metafísicos, e Aristóteles muito menos, ainda que em certas ocasiões se acredite no contrário"[109].

Mas, para Hegel o que importa é dar uma *representação expressa* a esse refrear interior, experimentado pelo pensamento quando seu hábito de ir passando de uma representação a outra se vê interrompido pelo conceito. De certo modo, isso pode ser exigido também por um pensamento não especulativo. Este tem seu "direito, que é válido, mas que não é levado em consideração no modo da frase especulativa". O que ele pode exigir é que a autodestruição dialética da frase seja *expressa*. "Nas demais formas do conhecimento a demonstração faz as vezes desse aspecto da interioridade que se expressa. Mas, desde o momento em que a dialética se separou da demonstração, o próprio conceito da demonstração filosófica acabou se perdendo". Seja qual for a intenção de Hegel nessa expressão[110], fica claro que ele busca recuperar o sentido da demonstração filosófica. Isso ocorre na exposição do movimento dialético da frase. Este movimento é o elemento *realmente* especulativo, e só a expressão do mesmo é representação especulativa. Esta é, segundo Hegel, a exigência da filosofia. Evidentemente que o que se chama aqui de expressão e de representação não é, na realidade, um fazer demonstrativo, mas é a própria coisa que se demonstra, na medida em que se expressa e se representa assim. Assim, também se experimenta realmente a dialética quando acontece ao pensamento ser convertido em seu contrário, como uma inversão incompreensível. É justamente a manutenção da coerência de um pensamento o que o leva a esse surpreendente movimento de con- [472]

---

109. HEGEL. *Enzyklopädie*, § 36.
110. *Vorrede zur Phänomenologie*, p. 53 (Hoffmeister). Está se aludindo a Aristóteles ou a Jacobi e o Romantismo? Cf. *Hegels Dialektik*, p. 7s.; Obras Completas, vol. III. Quanto ao conceito de expressão, cf. acima, p. 341s. (original) e Excurso VI, vol. II.

versão em seu contrário. Assim, quem se esforça para buscar o que é justo, por exemplo, quando se mantém rigorosamente firme no pensamento de justiça sente como isso se torna "abstrato" e acaba se tornando a mais grave injustiça (*summum ius summa iniuria*).

Nesse ponto Hegel estabelece uma certa diferença entre o especulativo e o dialético. A dialética é a expressão do especulativo, a representação do que realmente contém a especulação, e nesse sentido é o "realmente" especulativo. Mas, como vimos, na medida em que a representação não é uma mera ação adicional, mas o vir-à-luz da própria coisa, a própria demonstração filosófica faz parte da coisa. É verdade que a demonstração, como vimos, procede de uma exigência da forma habitual de imaginar (*Vorstellen*). É representação portanto para a reflexão exterior do entendimento. Entretanto, nem por isso essa representação é verdadeiramente exterior. Ela só crê ser tal, enquanto o pensamento não souber que ele acabará se revelando a si mesmo como a reflexão da coisa, em si mesmo. Isso se confirma no fato de que Hegel sublinha a diferença entre especulativo e dialético somente no prefácio à *Fenomenologia do Espírito*. Visto que essa diferença se suspende a si mesma pela própria lógica das coisas, no ponto de vista posterior sobre o saber absoluto Hegel já não a mantém.

Esse é o ponto no qual a proximidade de nosso próprio questionamento com respeito à dialética especulativa de Platão e de Hegel tropeça numa barreira fundamental. A superação da diferença entre especulativo e dialético que encontramos na ciência especulativa do conceito em Hegel mostra até que ponto este considera a si mesmo como alguém que verdadeiramente consuma a filosofia grega do *logos*. Tanto o que ele chama de dialética, quanto o que Platão chamava de dialética, consiste objetivamente na submissão da linguagem sob o "enunciado". Mas o conceito de enunciado, o aguçamento dialético até a contradição, encontra-se na mais radical oposição à essência da experiência hermenêutica e ao caráter de linguagem da experiência humana de mundo. É verdade que também a dialética de Hegel se guia pelo espírito especulativo da linguagem. Mas, segundo sua autocompreensão, Hegel só pretende extrair da linguagem o jogo reflexivo de sua determinação de pensamento, e pelo caminho da mediação dialética elevar a este até a autoconsciência do conceito, dentro da totalidade do saber conhecido. Com isso, o pensamento permanece na dimensão do que é enunciado e não alcança a dimensão da experiência de mundo feita na linguagem. Assim, precisamos mostrar com alguns traços como se apresenta a essência dialética da linguagem para os problemas hermenêuticos.

Num sentido totalmente diferente, a própria linguagem apresenta algo de especulativo, não somente no sentido hegeliano da formação prévia e instintiva das relações lógicas da reflexão, mas como realização de sentido, como acontecer do discurso, do entender-se, do compreender. Essa realização é especulativa, na medida em que as possibilidades finitas da palavra se submetem ao sentido [473] que se tem em mente como a uma orientação rumo ao infinito. Quem tem algo a dizer busca e encontra as palavras pelas quais torna-se compreensível ao outro. Isso não significa que faça "declarações" (*Aussagen*). O que quer dizer "fazer declarações", e até que ponto isso não é dizer o que se tinha em mente, é algo de que qualquer pessoa pode dar-se conta uma vez tendo presenciado um interrogatório, mesmo que apenas como testemunha. Na declaração se oculta com precisão metodológica o horizonte de sentido do que verdadeiramente se deve dizer. O que resta é o sentido "puro" do que foi declarado. Isso é o que passa ao relatório. Mas enquanto reduzido assim à declaração, ele representa sempre um sentido já desfocado.

Ao contrário, dizer o que se tem em mente, fazer-se entender, mantém numa unidade de sentido o que foi dito junto com uma infinitude do não dito, e assim permite que este seja compreendido. Quem fala desse modo pode até simplesmente servir-se das palavras mais usuais e correntes e, no entanto, com elas trazer à fala o não dito e o que deve ser dito. Quem fala se comporta assim de modo especulativo, na medida em que suas palavras não copiam o ente, mas expressam e deixam vir à fala uma relação com o todo do ser. Isso implica que quem relata o que foi dito e quem faz o relatório das declarações pode não desvirtuar conscientemente o que foi dito e, no entanto, o seu sentido é alterado. Mesmo quando se realiza a mais cotidiana das falas, se faz presente um traço essencial da reflexão especulativa, a saber, o caráter inconcebível do que é a reprodução mais pura do sentido.

Tudo isso ocorre de forma ainda mais intensa no fenômeno da poesia. Aqui é certamente legítimo reconhecer que a verdadeira realidade do falar poético se dá na "enunciação" poética. Pois aqui faz realmente sentido e exige-se que o sentido da poesia se enuncie no que é dito como tal, sem nenhuma adição de saberes ocasionais. Se, no âmbito do acontecimento pelo qual os seres humanos buscam colocar-se de acordo entre si, o enunciado era uma desnaturalização do acordo, aqui, ao contrário, o conceito de enunciado se realiza plenamente. A emancipação do que foi dito frente a toda opinião e vivência subjetiva do autor é o que constitui a realidade da palavra poética. Mas o que é que enuncia esse enunciado?

Fica imediatamente claro que na poesia pode retornar tudo quanto tem lugar no falar cotidiano. Quando a poesia representa as pessoas em conversação, o enunciado poético não repete os "enunciados" que caberiam a um relatório, mas de um modo misterioso o todo da conversação se faz presente ali. As palavras que se põem na boca de alguns personagens na poesia são especulativas no mesmo sentido que a fala cotidiana. Como dissemos acima, na conversação o falante traz à fala uma relação com o ser.

[474]   Quando falamos de uma enunciação poética, não nos referimos em absoluto ao enunciado, como tal, que um personagem fala na poesia. Referimo-nos ao enunciado que é a própria poesia enquanto palavra poética. O enunciado poético como tal é especulativo portanto na medida em que o acontecer linguístico da palavra poética expressa uma relação própria com o ser.

Se tomamos como referência o "modo de proceder do espírito poético", como o descreve Hölderlin, por exemplo, fica imediatamente claro em que sentido o acontecer da poesia que se dá na linguagem é especulativo. Hölderlin mostrou que encontrar a linguagem de um poema pressupõe a total dissolução de todas as palavras e modos de falar habituais. "Enquanto o poeta se sente tomado, em toda sua vida interior e exterior, pelo tom puro de sua sensibilidade originária e se vê então em seu mundo, então este se torna novo e desconhecido; a soma de todas as suas experiências, de seu saber, de sua intuição, de sua reflexão, arte e natureza, como se apresentam nele e fora dele, tudo parece como se estivesse presente pela primeira vez, e justamente por isso é inconcebido, indeterminado, dissolvido em pura matéria e vida. É sumamente importante que, nesse momento, não aceite nada como dado, não tome como ponto de partida nada de positivo, e que a natureza e a arte, tal como as aprendeu antes e as vê agora, não *falem* antes que exista para ele uma linguagem..." (observe-se o parentesco com a crítica hegeliana à positividade.) O poema que conseguiu tornar-se em obra e criação não é ideal, mas é espírito reanimado a partir da vida infinita (também isso lembra a Hegel). Nele não se designa um ente nem ele significa um ente, mas se abre um mundo do divino e do humano. A enunciação poética é especulativa porque não copia uma realidade que já é, não reproduz a visão da *espécie* na ordenação dos seres, mas apresenta a nova visão de um novo mundo no âmbito imaginário da invenção poética.

Apontamos a estrutura especulativa do acontecer da linguagem tanto no falar cotidiano como no poético. A correspondência interna que se mostrou ali e que reuniu a palavra poética, enquanto intensificação do falar cotidiano, com o acontecimento da linguagem, já foi reconhecida em seu aspecto psicológico-subjetivo pela filosofia idealista da linguagem e pela sua renovação por Croce e Vossler[111]. Se destacamos o outro aspecto, o vir à fala, como verdadeiro processo do acontecer da linguagem, estamos preparando com isso o lugar para a experiência hermenêutica. Como vimos, o modo como se entende a tradição e como esta sempre de novo vem à fala é um acontecer tão autêntico quanto a conversação viva.

A única coisa especial é que, nela, a produtividade do comportamento próprio da linguagem para com o mundo encontra uma nova aplicação para um conteúdo já mediado pela linguagem. Também a relação hermenêutica é uma relação especulativa, mas completamente distinta do autodesenvolvimento dialético do espírito, tal como o descreve a ciência filosófica de Hegel.

---

111. Cf., por exemplo, VOSSLER, Karl. *Grundzüge einer idealistischen Sprachphilosophie* (1904).

Na medida em que a experiência hermenêutica contém um acontecimento próprio de linguagem, que corresponde à representação dialética de Hegel, também ela participa da dialética que acima[112] desenvolvemos como dialética de pergunta e resposta. Como vimos, a compreensão de um texto transmitido tem uma relação interna essencial com sua interpretação, e mesmo que esta seja sempre um movimento relativo e não concluído, a compreensão encontra nela sua perfeição relativa. Correspondentemente, como ensina Hegel, o conteúdo especulativo dos enunciados filosóficos precisa da representação dialética das contradições contidas nele, se quiser ser verdadeira ciência. Aqui há uma real correspondência. A interpretação toma parte na discursividade do espírito humano, que somente é capaz de pensar a unidade da coisa no suceder-se de um elemento para o outro. Por isso, a interpretação possui a estrutura dialética de todo ser finito e histórico, na medida em que toda interpretação tem que começar em algum ponto, buscando superar a unilateralidade que ela introduz com seu começo. Há algo que parece necessário que seja dito e seja expresso pelo intérprete. Nesse sentido, toda interpretação é motivada e obtém seu sentido a partir de seu nexo de motivações. Por sua unilateralidade outorga uma clara preponderância a um dos aspectos da coisa, e para compensá-lo precisa continuar dizendo mais e diferentes coisas. Assim como a dialética filosófica consegue expor o todo da verdade através da autossuspensão de todas as imposições unilaterais e pelo caminho do aguçamento e da superação das contradições, também o esforço hermenêutico tem como tarefa pôr a descoberto um todo de sentido na multilateralidade de suas relações. À totalidade das determinações do pensamento, corresponde a individualidade do sentido que se tem em mente. Pense-se, por exemplo, em Schleiermacher, que fundamentou sua dialética na metafísica da individualidade e construiu, na sua teoria hermenêutica, o procedimento da interpretação a partir de orientações antitéticas do pensamento.

Mesmo assim, a correspondência entre dialética hermenêutica e dialética filosófica, que parece derivar-se da construção dialética da individualidade em Schleiermacher e da construção dialética da

---

112. Cf. p. 375s. (original).

totalidade em Hegel, não é uma correspondência real. Pois nessa equiparação desconhece-se a essência da experiência hermenêutica e a finitude radical que lhe subjaz. É claro que a interpretação deve começar por algum ponto. No entanto, seu ponto de partida não é arbitrário. Na realidade não se trata de um começo real. Já vimos como a experiência hermenêutica implica sempre o fato de que o texto que se deve compreender fala a uma situação determinada por opiniões prévias. Isso não é uma desfocagem lamentável que impeça a pureza da compreensão, mas a condição de sua possibilidade, que caracterizamos como situação hermenêutica. É só porque entre aquele que compreende e seu texto não existe uma concordância evidente e natural que se pode participar, no texto, de uma experiência hermenêutica. É só porque é preciso tirá-lo de sua estranheza, através da apropriação, que um texto como tal tem algo a dizer para aquele que busca entender. Somente porque o exige é que o texto chega à interpretação e apenas como ele o exige. O começo aparentemente *thético* da interpretação é, na verdade, resposta, e, como toda resposta, também o sentido da interpretação se determina a partir da pergunta que se colocou. *Assim, a dialética de pergunta e resposta sempre precedeu a dialética da interpretação. É aquela que determina a compreensão como um acontecer.* [476]

Dessas considerações se deduz que a hermenêutica não pode conhecer nenhum *problema a respeito do começo* como, por exemplo, a lógica hegeliana conhece o problema do começo da ciência[113]. O problema do começo, onde quer que se coloque, é sempre na realidade o problema do fim, pois é a partir do fim que o começo se determina como o começo do fim. Sob o pressuposto do saber infinito, da dialética especulativa, isso pode levar ao problema, insolúvel por princípio, de saber por onde se deve começar. Todo começo é fim e todo fim é começo. Seja qual for o caso, nessa realização circular, a pergunta especulativa pelo começo da ciência filosófica se coloca básica e fundamentalmente a partir de sua consumação.

Bem outra é a situação da consciência da história efeitual, onde se cumpre a experiência hermenêutica. Essa tem plena consciência do caráter interminavelmente aberto do acontecimento de

---

113. HEGEL. *Logik* I, p. 69s.

sentido, do qual participa. Obviamente, também aqui cada compreensão tem um padrão de medida no qual se mede e, nesse sentido, possui também um possível término – é o conteúdo da própria tradição, o único a oferecer um padrão e que se manifesta na fala. Mas não existe nenhuma consciência possível – já o destacamos repetidamente acima, e nisso repousa a historicidade do compreender –, não existe nenhuma consciência possível, mesmo que fosse infinita e nela se manifestasse na luz da eternidade a "coisa" que é transmitida. Toda apropriação da tradição é historicamente distinta das outras, o que não quer dizer que cada uma não passe de uma concepção distorcida da mesma: Cada uma representa, antes, a experiência de uma "visão" (*Ansicht*) da própria coisa.

[477]

Ser uma e a mesma coisa e, ao mesmo tempo, ser outra, esse paradoxo aplicável a todo conteúdo da tradição, demonstra que toda a tradição é, na realidade, especulativa. Por isso, a hermenêutica precisa perceber e atravessar o dogmatismo de todo "sentido em si", como fez a filosofia crítica em relação ao dogmatismo da experiência. Isso não quer dizer que todo intérprete seja especulativo para sua própria consciência, isto é, que possua consciência do dogmatismo implicado na sua própria intenção interpretadora. Ao contrário, trata-se de que toda interpretação é especulativa em sua própria realização efetiva e acima de sua autoconsciência metodológica. E isso é o que emerge do caráter de linguagem da interpretação. Pois a palavra interpretadora é a palavra do intérprete. Não é a linguagem nem o vocabulário do texto interpretado. Isso expressa que a apropriação não é mera reprodução ou mero relato posterior do texto da tradição, mas é como uma recriação pelo compreender. Quando se destacou, com toda a razão, que todo sentido tem uma referência ao eu[114], para o fenômeno hermenêutico essa referência significa que todo sentido da tradição alcança aquela concreção em que é compreendido na relação com o eu que a compreende, e não, por exemplo, na reconstrução de um eu, pertencente à intenção de sentido originária.

---

114. Cf. o belo estudo de STENZEL. *Über Sinn, Bedeutung, Begriff, Definition*, Darmstadt: Wiss. Buchgesellschaft, 1958). Atualmente, a obra tornou-se acessível graças a uma nova edição.

A unidade interna entre compreensão e interpretação se confirma precisamente no fato de que, frente ao texto dado, a interpretação, que desenvolve as implicações de sentido de um texto e as torna expressas pela linguagem, parece uma nova criação, mas não afirma uma existência própria ao lado da compreensão. Já apontamos acima[115] que os conceitos da interpretação acabam por se suspender quando a compreensão se realizou, porque estavam destinados a desaparecer. Isso significa que não são meios arbitrários, de que se lança mão e em seguida deixam-se de lado, mas formam parte da articulação interna da coisa (*Sache*) (que é sentido). Pode-se dizer também que não é enquanto tal que a palavra interpretadora se faz presente, como acontece com qualquer outra palavra em que se realiza o pensar. Enquanto realização da compreensão, ela é a atualidade da consciência da história efeitual, e como tal é verdadeiramente especulativa, ou seja, é inconcebível segundo seu próprio ser e, no entanto, devolve a imagem que se lhe oferece.

A linguagem do intérprete é certamente um fenômeno secundário da linguagem, comparado, por exemplo, com a imediatez do entendimento entre os homens ou com a palavra do poeta. Ele próprio volta a referir-se novamente ao que pertence à linguagem.

E, no entanto, a linguagem do intérprete é ao mesmo tempo a manifestação abrangente do caráter de linguagem como tal, que inclui todas as formas de uso da linguagem e formulações de linguagem. Foi desse abrangente caráter da linguagem da compreensão e de sua referência à razão como tal que partimos, e agora vemos que esse aspecto reúne todo o conjunto de nossa investigação. Como já expusemos, o desenvolvimento do problema da hermenêutica desde Schleiermacher, passando por Dilthey e chegando a Husserl e Heidegger, observado a partir do ponto de vista histórico, confirma o que resultou agora, a saber, que a autorreflexão metodológica da filologia tende necessariamente a um questionamento sistemático da filosofia.

[478]

---

115. P. 420s.

3.3. O aspecto universal da hermenêutica

Nossas reflexões se orientaram pela ideia de que a linguagem é um meio (*Mitte*) em que se reúnem o eu e o mundo, ou melhor, em que ambos aparecem em sua unidade originária. Elaboramos também o modo como esse meio especulativo da linguagem se apresenta como um acontecer finito, frente à mediação dialética do conceito. Em todos os casos que analisamos, tanto na linguagem da conversação, quanto na da poesia e na da interpretação, mostrou-se que a linguagem possui uma estrutura especulativa, que não consiste em ser cópia de algo dado de modo fixo, mas num vir-à-fala, onde se enuncia um todo de sentido. Isso nos aproximou da dialética antiga, uma vez que também nessa não se dava uma atividade metodológica do sujeito. Dava-se, antes, um fazer da própria coisa, um fazer que o pensamento "padece". Esse fazer da própria coisa é o verdadeiro movimento especulativo que capta o falante. Rastreamos o seu reflexo subjetivo no falar. Agora estamos em condições de compreender que essa cunhagem da ideia do fazer da própria coisa, do sentido que vem-à-fala, aponta para uma estrutura ontológica universal, a saber, para a constituição fundamental de tudo aquilo a que a compreensão pode se voltar. *O ser que pode ser compreendido é linguagem.* De certo modo, o fenômeno hermenêutico devolve aqui a sua própria universalidade à constituição ontológica do compreendido, na medida em que a determina, num sentido universal, como *linguagem*, e determina sua própria referência ao ente como interpretação. Por isso, não falamos somente de uma linguagem da arte, mas também de uma linguagem da natureza, e inclusive de uma linguagem que as coisas exercem.

Acima, já destacamos essa imbricação peculiar entre conhecimento da natureza e da filologia, que acompanha os inícios da ciência moderna[116]. Aqui, de certo modo, chegamos ao fundo. Não foi apenas aleatoriamente que falamos de "livro da natureza", que ele possuía tanta verdade quanto o livro dos livros. O que se pode compreender é linguagem. Isso quer dizer: É tal que por si mesmo se apresenta à compreensão. A estrutura especulativa da linguagem se confirma também a partir desse aspecto. Vir-à-fala não sig-

---

116. Cf. acima, p. 185, 243s. (original).

nifica adquirir uma segunda existência. O aspecto sob o qual algo se apresenta faz parte de seu próprio ser. Em tudo aquilo que a linguagem é, portanto, está em questão uma unidade especulativa, uma distinção entre ser em si e representar-se, uma distinção que, no entanto, não deve ser distinção.

O modo de ser especulativo da linguagem demonstra com isso seu significado ontológico universal. O que vem à fala é, naturalmente, algo diferente da própria palavra falada. Mas a palavra só é palavra em virtude do que nela vem à fala. Só se faz presente em seu próprio ser sensível para subsumir-se no que é dito. Inversamente, também o que vem à fala não é algo dado de antemão e desprovido de fala, mas recebe na palavra sua própria determinação.

Reconhecemos agora que foi precisamente esse movimento especulativo o que tínhamos em mente tanto na crítica da consciência estética, quanto na crítica da consciência histórica, com que iniciamos a nossa análise da experiência hermenêutica. O ser da obra de arte não era um ser em si, distinto de sua reprodução ou da contingência de sua manifestação; é só numa tematização secundária, tanto de uma quanto da outra, que se pode chegar a essa "distinção estética". Também aquilo que vem ao encontro de nosso conhecimento histórico a partir da tradição ou como tradição – histórica ou filologicamente –, o significado de um evento ou o sentido de um texto, não é um objeto em si, fixo, que deva simplesmente ser constatado. Também a consciência histórica incluía, na verdade, a mediação entre passado e presente. Ao reconhecer o caráter de linguagem como o *medium* universal dessa mediação, nosso questionamento ultrapassou seus pontos de partida concretos, a crítica à consciência estética e histórica, e a hermenêutica que deveria ocupar seu lugar, adquirindo a dimensão de um questionamento universal. Pois a relação humana com o mundo tem o caráter de linguagem de modo absoluto, sendo portanto compreensível igualmente de modo absoluto. Nesse sentido, como vimos, a hermenêutica é um *aspecto universal da filosofia* e não somente a base metodológica das chamadas ciências do espírito.

Vistos a partir do meio da linguagem, o procedimento objetivador do conhecimento da natureza e o conceito do ser em si, que corresponde à intenção de todo conhecimento, mostraram não passar de um resultado de mera abstração. Extraída pela reflexão da relação original com o mundo, relação que se dá na constituição linguística de nossa experiência de mundo, essa abstração procura assegurar o ente, organizando seu conhecimento metodologicamente. Ela [480] anatemiza portanto toda outra forma de saber que não garanta essa certeza e que, assim, não auxilie na crescente dominação da natureza. Frente a isso, procuramos libertar do preconceito ontológico o modo de ser próprio da arte e da história, assim como a experiência correspondente a ambas, preconceito implícito no ideal de objetividade postulado pela ciência; e frente à experiência da arte e da história deparamo-nos com uma hermenêutica universal que atinge a relação geral do homem com o mundo. E quando formulamos essa hermenêutica universal a partir do conceito da linguagem, o fizemos não somente para evitar o falso metodologismo que é responsável pela estranheza do conceito da objetividade nas ciências do espírito – isso deveria evitar também o espiritualismo idealista de uma metafísica da infinitude, ao modo de Hegel. A experiência hermenêutica fundamental não se articulava somente na tensão entre estranheza e familiaridade, compreensão e mal-entendido, que era o que dominava o projeto de Schleiermacher. Ao contrário, ao final vimos que, com sua teoria da perfeição adivinhatória da compreensão, Schleiermacher está muito perto de Hegel. Quando partimos do caráter de linguagem da compreensão, sublinhamos, antes, a finitude do acontecer que se dá na linguagem, onde se concretiza em cada caso a compreensão. A linguagem que as coisas exercem, sejam elas quais forem, não é o *logos ousias* e não alcança a sua plena realização na autointuição de um intelecto infinito; ela é a linguagem que nossa essência histórica finita assume quando aprendemos a falar. Isso serve também para a linguagem dos textos da tradição, e por isso coloca-se a tarefa de uma hermenêutica verdadeiramente histórica. Isso vale também para a experiência tanto da arte como da história. Podemos dizer, inclusive, que os próprios conceitos de "arte" e "história" são formas de concepção que só se desdobram como formas da experiência hermenêutica a partir do modo de ser universal do ser hermenêutico.

É evidente que o fato de o ser da obra de arte dar-se em sua representação não é uma determinação específica dela, nem é uma peculiaridade do ser da história ser compreendido em seu significado. Representar-se, ser compreendido, só se implicam mutuamente, no sentido de que uma passa à outra, que a obra de arte é uma com sua história efeitual, tal como aquilo que é transmitido historicamente é uno com a atualidade de seu ser compreendido – ser especulativo, distinguir-se de si mesmo, representar-se, ser linguagem que enuncia um sentido, tudo isso não o são somente a arte e a história, mas todo ente, na medida em que pode ser compreendido. A constituição especulativa do ser que subjaz à hermenêutica tem a mesma amplitude universal que a razão e a linguagem.

Pela cunhagem ontológica que recebe o nosso questionamento hermenêutico, acabamos nos aproximando de um conceito metafísico, cujo significado podemos tornar fecundo ao voltarmos às suas origens. *O conceito do belo*, que no século XVIII compartilhava com o conceito do sublime uma posição central dentro da problemática estética, e que ao longo do século XIX acabaria sendo completamente eliminado pela crítica estética ao classicismo, foi antes um conceito metafísico universal e dentro da metafísica, isto é, da teoria geral do ser, exerceu uma função que de modo algum se restringia ao estético, no sentido estrito. Mostrar-se-á que também esse velho conceito do belo pode ser posto a serviço de uma hermenêutica abrangente como a que resultou a partir da crítica ao metodologismo das ciências do espírito. [481]

A própria análise semântica da palavra mostra o estreito parentesco do conceito do belo com o questionamento que desenvolvemos. A palavra grega que traduz o termo alemão *schön* (belo) é *kalon*. O alemão não tem, para esta palavra, nenhuma correspondência exata, e tampouco nos ajudaria acrescentar, como termo mediador, o termo *pulchrum*. Mas o pensamento grego exerceu uma influência determinante sobre a história do significado da palavra alemã, de maneira que ambas as palavras já possuem em comum traços semânticos essenciais. Falamos, por exemplo, de "belas" artes, e com o atributo "belas" as distinguimos do que chamamos técnica, isto é, as artes "mecânicas", que produzem coisas úteis. Algo parecido ocorre com expressões compostas como: bela moralidade, bela literatura, "espiritualmente belo" etc. Em todas essas versões a palavra se encontra numa oposição parecida à do grego *kalon* com respeito ao conceito *chresimon*. Chama-se *kalon* tudo o que não faz parte das necessidades da vida, mas que diz respeito ao modo *como* se vive, ao *eu zen*, isto é, tudo o que os gregos compreendiam sob o termo *paideia*. São coisas belas aquelas cujo valor é evidente por si mesmo. Não tem sentido perguntar pelo objetivo a que devam servir. São excelentes por si mesmas (*di' hauto haireton*), não em virtude de outras coisas, como ocorre com o útil. O simples uso que se faz na linguagem já permite reconhecer que o que se chama *kalon* possui uma categoria ontológica superior.

Mas também a oposição habitual que determina o conceito do belo, a oposição com o feio (*aischron*), aponta nessa mesma direção. O *aischron* (feio) é o que não suporta ser visto. O belo é aquilo que permite ser visto, o admirável no mais amplo sentido da palavra. No uso da linguagem alemã, *Ansehnlich* (admirável) é também uma expressão para grandeza. E, de fato, tanto no grego como no alemão, o uso da palavra "belo" implica sempre uma certa grandeza majestosa. Na medida em que a direção semântica para onde indica o termo *admirável* é todo o âmbito do conveniente, do costume, aproxima-se igualmente da articulação conceitual que se dá pela

[482] oposição com o útil (*chresimon*).

Desse modo, o conceito do belo aparece em estreita relação com o conceito do bem (*agathon*), na medida em que, enquanto algo que deve ser escolhido por si mesmo, enquanto fim, se submete a tudo o mais como meio útil. Pois o que é belo não se considera como meio para nenhuma outra coisa.

Assim, na filosofia platônica encontra-se uma relação bastante estreita, e em certas ocasiões uma verdadeira troca, entre a ideia do bem e a ideia do belo. Ambas encontram-se além do que é condicionado e múltiplo: O belo em si encontra a alma amante, no fim de um caminho que passa por múltiplas belezas, como o uno, o que somente possui uma forma, o supremo (*Banquete*), tal como a ideia do bem, que se encontra acima do que está condicionado e do múltiplo, de tudo que não é bom se não sob certo ponto de vista (*República*). O belo em si, tal como o bem em si (*epekeina*), mostra encontrar-se acima e além de todo ente. A ordem do ente, que consiste na ordenação ao único bem, coincide assim com a ordem do belo. O caminho do amor ensinado por *Diotima* conduz dos corpos belos às almas belas, e destas às instituições, costumes e leis belas, e finalmente às ciências (por exemplo, as belas relações numéricas que a teoria dos números conhece), a esse "amplo mar dos belos discursos"[117], e conduz para além de tudo isso. Podemos nos perguntar se a superação da esfera do que se vê com os sentidos, e o acesso à esfera do "inteligível", significa realmente uma diferenciação e elevação da beleza do belo e não meramente do ente que é belo. Mas fica muito claro que para Platão a ordem teleológica do ser é também uma ordem de beleza, que no âmbito inteligível a beleza se manifesta de maneira mais pura e mais clara do que no sensível onde pode aparecer distorcida pela imperfeição e pela desmedida. Também a filosofia medieval vincula estreitamente o conceito de belo com o conceito de bom, *bonum*, tão estreitamente que uma passagem clássica de Aristóteles sobre o *kalon* ficou incompreendida na Idade Média porque o termo grego tinha sido traduzido diretamente por *bonum*[118].

A base da estreita relação da ideia do belo com a ideia da ordem teleológica do ser é formada pelo conceito pitagórico-platônico da medida. Platão determina o belo com os conceitos de medida, adequação e proporcionalidade. Aristóteles enumera como momentos (*eide*) do belo a ordem (*taxis*), a correta proporcionalidade (*symmetria*) e a determinação (*horismenon*), encontrando esses momentos exemplarmente na matemática. A estreita relação entre a ordem essencial matemática do belo e a ordem celeste significa, ademais, que o cosmo, o modelo de toda ordenação sensível correta, representa ao mesmo tempo o mais elevado exemplo de beleza visível. Adequação à medida e simetria são as condições decisivas de todo ser belo.

[483]

---

117. Symp. 210 d: Reden = Verhältnisse. [Cf. Unterwegs zur Schrift, Obras Completas IX.]
118. ARISTÓTELES. *Met.* M 4, 1078 a 3-6. Cf. a introdução de Grabmann ao livro de Ulrich von Strassburg, *De pulchro*, p. 31 (Jb. bayer. Akad. d. Wiss., 1926), bem como a valiosa introdução de G. Santinello ao livro de Nicolau de Cusa, *Tota Pulchra es*, Atti e Mem. della Academia Patavina LXXI. Cusano se reporta ao Pseudo-Dionísio e a Alberto Magno, que definiram o pensamento medieval sobre a beleza.

Como se vê, essas determinações do belo são universais e ontológicas. Nelas a natureza e a arte não estão opostas. Naturalmente, isso significa que também em relação à beleza é indiscutível a primazia da natureza. Dentro do conjunto da forma da ordem natural, a arte pode obviamente perceber possibilidades minguadas de conformação artística e, desse modo, aperfeiçoar a natureza bela da ordem do ser. Mas isso de modo algum quer dizer que na arte se encontre, antes de tudo e sobretudo, "a beleza". E na medida em que se compreenda a ordem do ente como divina ou como criação de Deus – o que continuou vigente até o século XVIII adentro –, também o caso excepcional da arte somente poderá ser entendido a partir do horizonte dessa ordem do ser. Já demonstramos acima como a problemática estética somente adotou o ponto de vista da arte no século XIX. Agora vemos que isso se apoiava num processo metafísico. Essa mudança do ponto de vista da arte pressupõe ontologicamente uma massa ontológica pensada sem forma e regida por leis mecânicas. O espírito da arte humana que a partir da construção mecânica constrói coisas úteis acabará por compreender também todo o belo a partir do ponto de vista exclusivo da obra de seu próprio espírito.

Concorda com isso o fato de que a ciência moderna só tenha se recordado da valência ontológica autônoma da "forma" (*Gestalt*) quando chegou aos limites da construtibilidade mecânica do ente, e que então tenha inserido a ideia dessa forma – mesmo que simetrias bem mais formais – como princípio suplementar de conhecimento na explicação natural, sobretudo na explicação da natureza viva (biologia, psicologia). Com isso, não está renunciando à sua atitude fundamental, mas, por um caminho mais refinado, procura simplesmente alcançar o seu objetivo, a saber, o domínio do ente. Isso deve ser acentuado em contraste com a autocompreensão da ciência moderna da natureza[119]. Mas ao mesmo tempo, e em seus próprios limites, nos limites do domínio da natureza que ela pró-

---

119. [A exposição acima teria que ser muito mais diferenciada. Não se trata somente da ciência dos homens a respeito do que pode ser configurado. A partir do conceito da construção mecânica também não se pode compreender "simetrias", "formas de ordenações", "sistemas". E, no entanto, é esta "beleza" que recompensa o investigador, e não um autoencontro do homem consigo mesmo.]

pria conseguiu, a ciência faz valer a beleza da natureza e a beleza da arte que servem a um prazer, livre de qualquer interesse.

A partir da inversão da relação entre o que é belo por natureza [484] e o que é belo pela arte, já descrevemos o processo de mudança de hierarquia, pelo qual o que é belo por natureza acaba perdendo sua primazia até o ponto de ser pensado como reflexo do espírito. Poderíamos acrescentar que foi só refletindo o conceito de arte que o próprio conceito de "natureza" recebeu essa forma que o cunhou desde Rousseau. Converte-se num conceito polêmico, ou seja, o conceito do outro do espírito, o não eu, e como tal já não lhe convém nada da dignidade ontológica universal própria do cosmo como ordem das coisas belas[120].

É claro que ninguém poderá imaginar poder fazer esse processo recuar e recuperar, por exemplo, a categoria metafísica do belo, como a encontramos na filosofia grega, renovando a última reformulação dessa tradição, a estética da perfeição do século XVIII. Por mais insatisfatório que nos tenha parecido o caminho que Kant traçou rumo ao subjetivismo na nova estética, ele conseguiu demonstrar de modo convincente a insustentabilidade do racionalismo estético. Só que não é correto fundamentar a metafísica do belo unicamente sobre a ontologia da medida e da ordem teleológica do ser, a que apela, em última instância, a aparência classicista de estética da regra do racionalismo. Na verdade, a metafísica do belo não é a mesma coisa que essa aplicação do racionalismo estético. Ao contrário, o retorno a Platão permite reconhecer no fenômeno do belo um aspecto completamente diferente, justamente o que nos vai interessar agora para o nosso questionamento hermenêutico.

Por mais estreita que seja a relação entre a ideia do belo e a ideia do bem em Platão, este sempre tem em mente uma diferença entre ambos, diferença que contém um característico *predomínio do belo*. Já vimos que o caráter inacessível do bem no belo, isto é, na mensurabilidade do ente e na abertura que lhe pertence (*aletheia*), encontra uma correspondência na medida em que ainda lhe

---

120. [Cf. as palestras de WIEN. *Die Philosophie und die Wisseschaft vom Menschen* (1984) e LUND. *Naturwissenschaft und Hermeneutik* (1986).

convém uma última superabundância. Mas Platão pode afirmar paralelamente que, na tentativa de apreender o bem em si mesmo, este se refugia no belo[121]. Assim, porque pode ser mais facilmente apreendido, o belo se distingue do bem, que é o completamente inapreensível. Ele tem por essência a característica de aparecer. Na busca do bem, o que se mostra é o belo. Este representa de imediato uma caracterização daquele para a alma humana.

[485]   O que se mostra na sua forma mais completa atrai para si o desejo amoroso. O belo atrai imediatamente, enquanto que as imagens que guiam a virtude humana só podem ser reconhecidas obscuramente, no meio confuso dos fenômenos, porque de certo modo não possuem luz própria e isto faz com que sucumbamos, muitas vezes, às imitações impuras e às formas meramente aparentes da virtude. Isso não ocorre com o belo. O belo tem sua própria luminosidade e não permite que sejamos desviados por cópias desfiguradas. Pois "somente à beleza foi dado ser o mais reluzente (*ekphanestaton*) e amável"[122].

Nessa função anagógica do belo, que Platão descreve de forma inolvidável, torna-se visível um momento ontológico da estrutura do belo e também uma estrutura universal do próprio ser. Evidentemente que o que caracteriza o belo, frente ao bem, é que se mostra por si mesmo, que se torna transparente diretamente em seu próprio ser. Com isso, ele assume a função ontológica mais importante que pode haver, a saber, a mediação entre a ideia e o fenômeno. Ela é a cruz metafísica do platonismo, que se cristaliza no conceito da participação (*methexis*) e se refere tanto à relação do fenômeno com a ideia como à das ideias entre si. Como mostra o *Fedro*, não é por acaso que Platão gosta de ilustrar essa problemática relação da "participação" com o exemplo do belo. A ideia do belo encontra-se verdadeiramente presente naquilo que é belo, indiviso e inteiro. Por isso, no exemplo do belo aparece a "parusia" do *eidos* a que se refere Platão, opondo a evidência da coisa frente às dificuldades lógicas da

---

121. *Filebo* 64 e 5. Em meu livro *Platos dialektische Ethik* tratei dessa passagem mais pormenorizadamente (§ 14) [Vol. V das Obras Completas, p. 105s.]. Cf. tb. G. Krüger, *Einsicht und Leidenschaft*, p. 235s.
122. *Fedro* 250 d 7.

participação do "devir" no "ser". "A presença" pertence ao ser do próprio belo de maneira plenamente convincente. Por mais que a beleza se experimente como reflexo de algo supraterreno, ela está presente no que é visível. É no modo de seu aparecer que ela se mostra como algo realmente diferente, uma essência de outra ordem. Aparece de repente e igualmente de repente e sem transições, sem mediações, já se foi. Se precisamos falar, com Platão, de um hiato (*chorismos*) entre o sensível e o ideal, é aqui que se poderá encontrá-lo, e aqui ao mesmo tempo está abolido.

O belo não aparece somente no que está ali sensivelmente visível, mas de tal modo que somente em virtude disso existe na realidade, ou seja, destaca-se de tudo o mais como uno. O belo é realmente, a partir de si mesmo, "o mais reluzente" (*to ekphanestaton*). O estreito limite entre o que é belo e o que não participa da beleza é, ademais, também um achado fenomenologicamente seguro.

Assim, o próprio Aristóteles[123] já dizia que às "obras bem feitas" não se pode nem acrescentar nem tirar nada; o meio sensível, a precisão das relações de medida, pertence à essência mais antiga do belo. Basta pensar na sensibilidade das harmonias dos tons, com as quais se compõe a música.

"'Brilhar" não é, portanto, somente uma das propriedades do que é belo, mas constitui a sua verdadeira essência. A característica do belo, de atrair imediatamente o desejo da alma humana, está fundamentada em seu próprio modo de ser. É a mensurabilidade do ente que não o deixa ser somente o que é, mas que o faz aparecer também como um todo medido em si mesmo e harmonioso. Esta é a abertura (*aletheia*) de que Platão fala no *Filebo* e que faz parte da essência do belo[124]. A beleza não é somente simetria, mas é a própria aparência que repousa sobre ela. Ela tem o modo do "aparecer". Mas aparecer significa aparecer em algo, e, assim, alcançar o aparecimento, por si mesmo, naquilo que recebe sua aparência. A beleza tem o modo de ser da *luz*.

---

123. *Ética a Nicômaco* B 5, 1106 b 6: *othen eióthasin epilegein tois eu exousin ergois, oti oute afelein estin oute prostheinai.*
124. PLATÃO. *Filebo* 51 d.

Isto não quer dizer somente que sem luz não possa aparecer beleza alguma, que nada possa ser belo. Quer dizer também que a beleza do belo aparece nele *como* luz, como brilho. A beleza traz a si mesma ao aparecimento. De fato, o modo de ser geral da luz consiste precisamente nessa reflexão em si mesma. A luz não é somente a claridade daquilo que ela faz aparecer, mas, enquanto torna visível outras coisas, ela própria se torna visível, e não se torna visível de outro modo senão, precisamente, na medida em que torna visível outras coisas. Já o pensamento antigo tinha destacado essa constituição reflexiva da luz[125]. A isso corresponde o fato de que o conceito de reflexão, que desempenhou um papel tão decisivo na recente filosofia, pertence originariamente ao terreno do óptico.

O fato de que a luz reúna tanto o ver quanto o visível repousa evidentemente na constituição reflexiva que constitui seu ser, de modo que sem luz não existe ver nem visível. Essa constatação tão trivial torna-se fecunda se pensarmos a relação da luz com o belo e o alcance semântico do conceito do belo. Na verdade, é a luz a que articula as coisas visíveis como formas que são ao mesmo tempo "belas" e "boas". Mas, como vimos, o belo não se restringe ao âmbito do visível, mas é o modo de aparecer do bem como tal, do ente, como deve ser. A luz, na qual se articula não somente o âmbito visível mas também o inteligível, não é a luz do sol, mas a do espírito, o *nous*. A isso alude aquela profunda analogia platônica[126], a partir da qual Aristóteles desenvolveu a doutrina do *nous*, e na sua esteira, o pensamento cristão medieval desenvolveu a doutrina do *intellectus agens*. O espírito, que desenvolve a partir de si mesmo a multiplicidade do pensado, torna-se presente a si mesmo justamente nisso.

Trata-se pois da metafísica platônica e neoplatônica da luz, com a qual se vincula a doutrina cristã da palavra, do *verbum creans*, a que antes nos dedicamos detidamente. E se designamos a estrutura ontológica do belo como o aparecer, em virtude do qual as coisas se mostram em sua medida e em seu contorno, isso vale igualmente para o âmbito inteligível. A luz que faz com que tudo

---

125. *Stoic. vet. fragm.* II, 24, 36, 9.
126. *República*, 508 d.

apareça de maneira que seja luminoso e compreensível em si mesmo é a luz da palavra. A metafísica da luz é portanto o fundamento da estreita relação entre o aparecer do belo e a evidência do compreensível[127]. Foi justamente essa relação que orientou nosso questionamento hermenêutico. Gostaria de recordar, nesse ponto, como a análise do ser da obra de arte nos conduziu ao questionamento da hermenêutica, e como esta se ampliou convertendo-se num questionamento universal. Isso tudo deu-se sem qualquer consideração paralela da metafísica da luz. Agora, quando percebemos o parentesco desta com nosso questionamento, o que nos vem em auxílio é o fato de que a estrutura da luz pode ser separada, evidentemente, da representação metafísica de uma fonte luminosa sensório-espiritual, ao estilo do pensamento neoplatônico cristão. Isso já pode ser visto na interpretação dogmática do relato da criação em Santo Agostinho[128]. Este observa que a luz foi criada antes da distinção das coisas e da criação dos corpos celestes que a emitem. Mas ele põe uma ênfase especial no fato de que a criação inicial do céu e da terra acontece ainda sem a palavra divina. Deus só *fala* pela primeira vez ao criar a luz. E esse falar, pelo qual se nomeia e se cria a luz, é interpretado por ele como um vir à luz espiritual, o que permitirá distinguir entre as coisas formadas. Só pela luz a massa informe e primeira do céu e da terra adquire a capacidade de configurar-se em muitas formas diferentes.

Na engenhosa interpretação agostiniana do "Gênesis" reconhecemos um prenúncio daquela interpretação especulativa da linguagem que desenvolvemos na análise estrutural da experiência hermenêutica do mundo, segundo a qual a multiplicidade do que é pensado surge somente a partir da unidade da palavra.

Com isso podemos reconhecer também que a metafísica da luz recupera a vigência de um aspecto do conceito antigo de belo, que pode afirmar seu direito inclusive à margem de sua relação com a metafísica da substância e da referência metafísica do espírito divino infinito. O resultado da nossa análise da posição do belo na filosofia grega clássica é, pois, que, também para nós, esse aspecto da metafí- [488]

---

127. A tradição neoplatônica, que influiu sobre a escolástica através do Pseudo-Dionísio e de Alberto Magno, conhece perfeitamente essa relação. Sobre sua pré-história, cf. Hans Blumenberg, "Licht als Methapher der Wahrheit": *Studium generale* 10, cad. 7 (1957).
128. Em seu comentário ao Gênesis.

sica pode adquirir um significado produtivo[129]. O fato de que o ser seja um representar-se, e que todo compreender seja um acontecer, essa primeira e essa última perspectiva superam o horizonte da metafísica da substância do mesmo modo que o experimentou o conceito da substância ao converter-se nos conceitos da subjetividade e da objetividade científicas. Desse modo, a metafísica do belo apresenta diversas consequências para o nosso próprio questionamento. Se na discussão do século XIX isso se mostrou como uma tarefa, agora já não se trata de justificar pela teoria da ciência a pretensão de verdade da arte e do artístico – ou também a da história e a da metodologia das ciências do espírito. A tarefa que nos é colocada agora é muito mais geral, a saber, fazer valer o pano de fundo ontológico da experiência hermenêutica do mundo.

Partindo da metafísica do belo, podemos trazer à luz sobretudo dois pontos, que resultam da relação entre o aparecer do belo e a evidência do compreensível. Por um lado, pelo fato de que tanto a manifestação do belo quanto o modo de ser da compreensão possuem *caráter de evento*; por outro, pelo fato de que a experiência hermenêutica, como experiência de um sentido transmitido, participa da *imediatez* que sempre caracterizou a experiência do belo e, em geral, de toda evidência da *verdade*.

1. Em primeiro lugar, sobre o pano de fundo preparado pela especulação tradicional sobre a luz e a beleza, cabe legitimar a primazia que atribuímos ao fazer da coisa no âmbito da experiência hermenêutica. Aqui torna-se claro que não se trata nem de mitologia nem de uma mera inversão dialética ao estilo de Hegel, mas da atuação continuada de um velho momento da verdade, que se afirma frente à metodologia da ciência moderna. A própria *história terminológica* dos conceitos que empregamos aponta nessa direção. Já tínhamos dito que o belo é tão "evidente" como tudo que tem sentido.

O conceito da evidência pertence à tradição retórica. O *eikos*, o *verosimile*, o vero-símil (*Wahr-Scheinlich*), o evidente, formam uma série que pode justificar-se por si mesma frente à verdade

---

129. Nesse contexto, vale a pena observar como o pensamento patrístico e escolástico pôde ser interpretado produtivamente, a partir de Heidegger, por exemplo, através de M. Müller, *Sein und Geist*, 1940, e em *Existenzphilosophie im geistigen Leben der Gegenwart*, 1958, 119s., 150s.

e à certeza do que está demonstrado e sabido. Gostaria de recordar nesse ponto o significado especial que já reconhecemos ao *sensus communis*[130]. Junto a isso, poderia perceber-se aqui o efeito de uma certa ressonância místico-pietista da *illuminatio*, iluminação, sobre a evidência (uma ressonância que se podia ouvir também no *sensus communis*, por exemplo, em Oetinger[131]). Seja como for, em nenhum desses dois âmbitos o metaforismo da luz é casual. O fato de que se fale de um acontecer da coisa (*Sache*) ou de um fazer a partir da própria coisa é algo comandado pela própria coisa. O que é evidente é sempre algo dito: uma proposta, um plano, uma suposição, um argumento etc. Junto com isso, pensa-se sempre que o evidente não está demonstrado nem é absolutamente certo, mas se impõe a si mesmo como algo preferencial, dentro do âmbito do possível e do provável. Podemos inclusive admitir sem dificuldades que um argumento tem algo de evidente se o que pretendemos com ele é apreciar um contra-argumento. Deixa-se em aberto como isso poderia ser compatível com o conjunto do que nós mesmos temos por correto. Afirmamos simplesmente que é evidente "em si mesmo", isto é, que há coisas que falam em seu favor. Nessa formulação, torna-se evidente o nexo com o belo. Também o belo convence por si mesmo, sem precisar subordinar-se imediatamente ao conjunto de nossas orientações e valoramentos. Tal como o belo é uma espécie de experiência que sobressai e se destaca como um encantamento ou aventura no conjunto de nossa experiência, impondo sua própria tarefa de integração hermenêutica, também o evidente tem sempre algo de surpreendente, como o surgimento de uma nova luz que torna mais amplo o campo do que entra em consideração.

A experiência hermenêutica faz parte desse campo, porque ela também é o acontecer de uma autêntica experiência. O fato de que se evidencie algo naquilo que foi dito, sem que por isso fique assegurado, julgado e decidido em todas as possíveis direções, é algo que de fato ocorre cada vez que algo nos fala a partir da tradição. O transmitido impõe-se em seu direito, na medida em que é compreendido e amplia o horizonte que até então nos rodeava. Trata-se de

---

130. Cf. acima, p. 24s. (original).
131. [Cf., a este respeito, o meu trabalho "Oetinger als Philosoph", *Kleine Schriften* III, p. 89-100; vol. IV das Obras Completas.]

uma verdadeira experiência, no sentido já mencionado. Tanto o resultado do belo como o acontecer hermenêutico pressupõem fundamentalmente a finitude da existência humana. Podemos inclusive perguntar se um espírito infinito poderia experimentar o belo como nós o experimentamos. Poderia ele ver outra coisa que a beleza do todo que tem diante de si? O "aparecer" do belo parece reservado à experiência humana finita. O pensamento medieval conhece um problema parecido, a saber, como é possível a beleza em Deus se ele é uno e não múltiplo.

[490] Somente a doutrina de Nicolau de Cusa a respeito da *complicatio* do múltiplo em Deus oferece uma solução satisfatória (cf. O *Sermo de pulchritudine*, citado acima). Nesse sentido, parece inteiramente coerente que, na filosofia hegeliana do saber infinito, a arte seja uma forma da representação que encontra sua suspensão e subsunção no conceito e na filosofia. Do mesmo modo, a universalidade da experiência hermenêutica não poderia ser, por princípio, acessível a um espírito infinito que desenvolve a partir de si mesmo tudo quanto possui sentido, todo *noeton*, e que pensa todo o pensável na plena visão de si mesmo. O Deus aristotélico (e também o espírito hegeliano) deixou para trás de si a "filosofia", esse movimento da existência finita. Nenhum dos deuses filosofa, diz Platão[132].

Embora a filosofia grega do *logos* somente permita que se aprecie de maneira muito fragmentária o solo da experiência hermenêutica, o meio (*Mitte*) da linguagem, o fato de que pudemos nos reportar repetidamente a Platão é devido evidentemente a esse outro aspecto da doutrina platônica da beleza, que acompanha a história da metafísica aristotélico-escolástica como uma espécie de corrente subterrânea, e que, de vez em quando, emerge como ocorre na mística neoplatônica e cristã e no espiritualismo filosófico e teológico. Foi nessa tradição do platonismo onde se desenvolveu o vocabulário conceitual que o pensamento da finitude da existência humana necessita[133]. Também a afinidade que reconhecemos entre a teoria platônica da beleza e a ideia de uma hermenêutica universal testemunha a continuidade dessa tradição platônica.

---

132. *Symp.* 204 a 1.
133. Cf. o significado da escola de Chartres para Nicolau de Cusa [o que foi sublinhado, sobretudo, por R. Klibansky. Cf. também a edição de J. Koch da *De arte coniecturis*, Colônia, 1956].

2. Se partirmos da constituição ontológica fundamental, segundo a qual o ser é *linguagem, isto é, representar-se* – como se nos abriu na experiência hermenêutica do ser –, o resultado não será somente o caráter de evento do belo e a estrutura de acontecimento de toda compreensão. Assim como o modo de ser do belo tinha se mostrado como prefiguração de uma constituição ontológica geral, algo semelhante ocorrerá com respeito ao correspondente *conceito da verdade*. Também aqui podemos partir da tradição metafísica, mas também aqui precisamos perguntar pelo que continua sendo válido nela para a experiência hermenêutica. Segundo a metafísica tradicional, o caráter de ser verdadeiro próprio do ente pertence à determinação transcendental e está estreitamente vinculado ao ser bom (de onde também aparece o ser belo). Recordamos, assim, a frase de Tomás de Aquino, segundo a qual o belo deve ser determinado por referência ao conhecimento, e o bem por referência ao desejo[134].

É belo aquilo em cuja contemplação o anseio chega ao seu repouso: *cuius ipsa apprehensio placet*. O belo acrescenta ao ser bom uma referência à capacidade de conhecer: *addit supra bonum quemdam ordenem ad vim cognoscitivam*. O "aparecer" do belo aparece aqui como uma luz que brilha sobre o que foi formado: *lux splendens supra formatum*.

Procuramos separar novamente essa frase de sua conexão metafísica com a teoria da forma, apoiando-nos outra vez em Platão. Ele foi o primeiro a demonstrar a *aletheia* como momento essencial do belo, e é muito claro o que queria dizer com isso: o belo, o modo como aparece o bem, manifesta-se a si mesmo no seu ser, representa-se. O que se representa assim não é distinto de si mesmo, na medida em que se representou. Não é uma coisa para si e outra distinta para os demais. Não se encontra noutra coisa. Não é o brilho vertido sobre uma configuração, incidindo nela a partir de fora. Ao contrário, a constituição ontológica própria dessa forma é brilhar assim, é representar-se assim. Disso resulta que, em referência ao ser belo, o belo deve ser compreendido ontologicamente sempre como "imagem". Não faz diferença se é "ele mesmo" que aparece ou sua imagem. Já havíamos visto que a característica metafísica do belo era justamente a ruptura do hiato entre ideia e manifesta-

[491]

---

134. SANTO TOMÁS DE AQUINO. *Suma Teológica* I q. 5, 4.

ção. Seguramente, é "ideia", ou seja, pertence a uma ordem de ser que se destaca sobre a corrente dos fenômenos como algo consistente em si mesmo. Mas também é certo que aparece por si mesmo. Como vimos, isso de modo algum significa um argumento contra a doutrina das ideias, mas uma exemplificação concentrada de sua problemática. Ali onde invoca a evidência do belo, Platão não precisa insistir na oposição entre "ele mesmo" e imagem. É o belo que simultaneamente põe e supera essa oposição.

Recordar Platão torna-se de novo significativo para o problema da verdade. Na análise da obra de arte, procuramos demonstrar que o representar-se deve ser considerado como o verdadeiro ser daquela. Para essa finalidade, lançamos mão do conceito do jogo, e esse conceito abriu-nos nexos mais gerais. Isso porque vimos ali que a verdade do que se representa no jogo, para além da participação no acontecer lúdico, não é de "crer" ou "deixar de crer"[135].

No âmbito estético, isso se entende por si mesmo. Mesmo quando o poeta é honrado como um vidente, não significa que reconheçamos em seu poema uma verdadeira profecia como, por exemplo, nos cantos de Hölderlin sobre o retorno dos deuses.

[492] Ao contrário, o poeta é um vidente porque representa por si mesmo o que é, o que foi e o que será, testemunhando por si mesmo o que anuncia. É verdade que a expressão poética carrega certa ambiguidade, como aquela dos oráculos. Mas precisamente nisso se encontra sua verdade hermenêutica. Quem considera que isso é uma falta de vinculatividade estética, carecendo de seriedade existencial, ignora claramente que a finitude do homem é fundamental para a experiência hermenêutica do mundo. A ambiguidade do oráculo não é o seu ponto fraco, mas justamente sua força. E também aquele que testar se Hölderlin ou Rilke acreditavam realmente em seus deuses ou em seus anjos[136] acaba cavando buracos na água.

A determinação kantiana fundamental do prazer estético, como um gosto isento de todo interesse, não somente se refere ao fato puramente negativo de que o objeto desse gosto não seja em-

---

135. Cf. acima, p. 109s.
136. Cf. minha discussão com R. Guardini, sobre o livro de Rilke, citada acima, p. 107s. (original). [Cf. tb. meu trabalho sobre R.M. Rilke, em *Poetica – Ausgewählte Essays*, Frankfurt, 1977, p. 77-102; Obras Completas, vol. IX.]

pregado como útil nem desejado como bom, como também significa que, positivamente, a "existência" (*Dasein*) não pode acrescentar nada ao conteúdo estético do prazer, à "pura contemplação", precisamente porque o ser estético é representar-se. Somente a partir do ponto de vista moral é que se pode encontrar um interesse pela existência (*Dasein*) do belo, por exemplo, no canto do rouxinol, cuja enganosa imitação é para Kant, até certo ponto, uma ofensa moral. A questão é, naturalmente, até que ponto podemos assumir que essa constituição do ser estético tenha como consequência real que ali não se poderia procurar a verdade, porque ali não se conhece nada. Em nossas análises estéticas definimos a estreiteza do conceito do conhecimento que condiciona, nesse ponto, o questionamento kantiano, e partindo da questão da verdade da arte encontramos o caminho para a hermenêutica, onde se reúnem a arte e a história.

Também com relação ao fenômeno hermenêutico, a tentativa de entender a compreensão somente como esforço imanente de uma consciência filológica, indiferente à "verdade" de seus textos, mostrou-se como uma restrição ilegítima. Por outro lado, também era claro que a compreensão dos textos não poderia ter decidido de antemão a questão da verdade, como se detivesse um conhecimento superior a respeito da coisa, e nem satisfazer-se, na compreensão, desse conhecimento superior a respeito da coisa. Ao contrário, para nós a dignidade da experiência hermenêutica – e também o significado da história para o conhecimento humano em geral – parecia consistir em que aqui não estamos simplesmente nos subordinando a algo já conhecido, mas o que se encontra na tradição é algo que nos fala. Assim, a compreensão não se satisfaz no virtuosismo técnico de um "compreender" tudo o que é escrito.

É, antes, uma experiência autêntica, isto é, encontro com algo que se impõe como verdade. [493]

O fato de que esse encontro se cumpra na realização da interpretação dentro da linguagem – por motivos que já explicamos – e que com isso o fenômeno da linguagem e da compreensão se manifestem como um modelo universal do ser e do conhecimento, tudo isso permite determinar de uma maneira mais aproximada o sentido da verdade que está em jogo na compreensão. Já reconhecemos que as palavras pelas quais uma coisa chega à linguagem são, elas mesmas, um acontecer especulativo. O que nelas se diz é aquilo em que consiste sua verdade, não uma opinião qualquer encerrada na impotência do particularismo subjetivo. Lembramos que compreender o que alguém diz não é produto de empatia, que adivinha a vida psíquica do falante. É claro que, em toda compreensão, o que é dito adquire sua determinação também através de uma complementação ocasional do seu sentido. Mas essa determinação através da situação e do contexto, que completa o falar até alcançar uma totalidade de sentido, sendo a única que faz com que o dito seja dito, é conferida não àquele que fala mas ao que foi expresso.

Correspondentemente, a expressão poética tem se mostrado como o caso especial de um sentido introduzido e incorporado por completo na enunciação. No poema, o vir-à-fala é como um entrar em relações de ordem, pelas quais se sustenta e avaliza a "verdade" do que foi dito. Todo vir-à-fala, e não só no caso da expressão poética, carrega em si algo desse testemunho. "Que não haja coisa alguma ali onde se rompe a palavra". Como destacamos, falar jamais é uma subsunção do individual sob conceitos universais. No uso das palavras não se pode tornar disponível o que se dá na intuição como caso especial de um universal, mas se faz presente naquilo mesmo que é dito, tal como a ideia do belo está presente no que é belo.

A melhor maneira de determinar o que significa a verdade será, também aqui, recorrer ao conceito de *jogo*; o modo como de certo modo se coloca em jogo o peso das coisas que nos vêm ao encontro na compreensão é ele mesmo um processo de linguagem, por assim dizer, um jogo com palavras que pelo jogo transpõem o que se tem em mente. São também *jogos de linguagem* os que nos permitem chegar à compreensão do mundo na qualidade de aprendizes – e quando deixamos de ser aprendizes? Por isso, vale a pena recordar aqui as nossas constatações sobre a essência do jogo, segundo as quais o comportamento do jogador não deve ser entendido como um comportamento da subjetividade, uma vez que é o próprio jogo que joga, na medida em que inclui em si os jogadores e se converte desse modo no verdadeiro *subjectum* do movimento lúdico[137]. Tampouco aqui se pode falar de um jogar com a linguagem ou com os conteúdos da experiência do mundo ou da tradição

---

[137]. Cf. acima, p. 107s. (original): FINK. *Spiel als Weltsymbol* (1960), bem como a referência que faço em *Philosophische Rundschau*, 9, p. 1-8.

que nos interpelam. Trata-se, antes, do jogo da própria linguagem, [494] que nos interpela, propõe e se recolhe, que pergunta e que se consuma a si mesmo na resposta.

A compreensão portanto é um jogo, não no sentido de que aquele que compreende se coloque como jogador na reserva, abstendo-se de tomar uma posição que o ligue às pretensões que lhe são colocadas. Isso porque, aqui, de modo algum se dá a liberdade de possuir a si mesmo, inerente ao poder colocar-se na reserva, e é isso o que pretende expressar a aplicação do conceito do jogo à compreensão. Aquele que compreende já está sempre incluído num acontecimento, em virtude do qual aquilo que possui sentido acaba se impondo. Assim, é com razão que se emprega o mesmo conceito de jogo tanto para o fenômeno hermenêutico quanto para a experiência do belo. Quando compreendemos um texto, nos vemos tão atraídos por sua plenitude de sentido como pelo belo. Ele ganha validez e já sempre nos atraiu para si, antes mesmo que alguém caia em si e possa examinar a pretensão de sentido que o interpela. O que nos vem ao encontro na experiência do belo e na compreensão do sentido da tradição tem realmente algo da verdade do jogo. Na medida em que compreendemos, estamos incluídos num acontecer da verdade e quando, de certo modo, queremos saber no que devemos crer, parece-nos que chegamos demasiado tarde.

Assim, não existe seguramente nenhuma compreensão totalmente livre de preconceitos, embora a vontade do nosso conhecimento deva sempre buscar escapar de todos os nossos preconceitos. No conjunto da nossa investigação mostrou-se que a certeza proporcionada pelo uso dos métodos científicos não é suficiente para garantir a verdade. Isso vale sobretudo para as ciências do espírito, mas de modo algum significa uma diminuição de sua cientificidade. Significa, antes, a legitimação da pretensão de um significado humano especial, que elas vêm reivindicando desde antigamente. O fato de que o ser próprio daquele que conhece também entre em jogo no ato de conhecer marca certamente o limite do "método" mas não o da ciência. O que o instrumental do "método" não consegue alcançar deve e pode realmente ser alcançado por uma disciplina do perguntar e do investigar que garante a verdade.

Confira outros títulos da coleção em

livrariavozes.com.br/colecoes/pensamento-humano

ou pelo Qr Code